JN257107

脳卒中データバンク 2021

Japan Stroke Data Bank

編集
国循脳卒中データバンク2021編集委員会

中山書店

推薦の言葉

私が国立循環器病研究センターの理事長に就いて5年近く経過いたしますが，この5年間の最も画期的な出来事に2018年12月の「健康寿命の延伸等を図るための脳卒中，心臓病その他の循環器病に係る対策に関する基本法（脳卒中・循環器病対策基本法）」成立と，その後の循環器病対策の進展が挙げられます．2020年10月には，この基本法に基づき「循環器病対策推進基本計画」が閣議決定されて国家レベルでの脳卒中・循環器病対策の基本方針が定まり，今後すべての都道府県で循環器病対策推進計画を策定してゆくことになりました．

とくに推進基本計画の個別施策として「循環器病の診療情報の収集・提供体制の整備」が採り上げられ，「国立循環器病研究センターをはじめとした医療機関，関係学会等と連携して，まずは脳梗塞，脳出血，くも膜下出血，急性冠症候群，急性大動脈解離および急性心不全に係る診療情報を収集・活用する公的な枠組みを構築する」よう明記されています．この要請に応えるべく私たちは，国立循環器病研究センター内に循環器病情報センター（仮称）を設置し，全国の脳卒中と心臓血管病症例のデータベース作成と管理を行う準備を進めています．

しかしながらこのようなデータベースセンターは，一朝一夕に作れるものではありません．心臓血管病に関しては，国立循環器病研究センターの心臓血管内科と循環器病統合情報センターでチームを作り，日本循環器学会の登録事業である循環器疾患診療実態調査（JROAD）を学会と共同で管理運営しています．同じように急性期脳卒中患者登録においても，脳血管内科と循環器病統合情報センターの合同チームが日本脳卒中データバンク事業を運営しており，ナショナルデータベース構築の礎石として大いに期待しています．

日本脳卒中データバンクの20年に及ぶ蓄積はたいへん貴重で，その成果を定期的に書籍として公表する形式は，情報発信に非常に有効と思います．20年前に本事業を立ち上げ大きく育ててくださった小林祥泰先生にあらためて感謝申し上げるとともに，最新の解析結果をまとめた本書が，脳卒中専門家から一般読者にまで広く愛用されることを衷心より祈念いたします．

2021年1月

国立循環器病研究センター 理事長
小川　久雄

『脳卒中データバンク2021』発刊にあたって

2001年冬，当時勤務していた福岡の市中病院で，患者退院要約を新たに組まれたウェブ入力方式の症例登録票に写し直すよう上長から依頼されました．日々の診療に追われていた私には，この作業が産み出す価値に気づくゆとりも，ましてやこの取り組みの依頼者サイドに将来自分が立つと予感することもなく，黙々と入力作業を続けました．

2004年晩秋，島根大学の小林祥泰先生から上長経由で13,000件の臨床情報を手渡され，脳梗塞急性期再発を調べるよう依頼されました．わずか数年でこれほどの情報を蓄えたのかと驚きました．簡単なまとめでしたが，『脳卒中データバンク2005』の書籍に掲載していただき，成果を国内，国際学会での発表，英文誌への原著論文掲載にまで繋げることができて，多施設共同研究の小さな成功体験を得ることができました．

2014年初秋，颱風が去ったばかりの出雲，島根大学に，峰松一夫国立循環器病研究センター（国循）名誉院長（当時副院長），同僚の吉村壮平君と3人で向かいました．小林先生畢生の事業と思われた脳卒中データバンクの管理運営を，国循に移したいと自らおっしゃり，私は仰天し意気に感じ，より正直に云えばとんでもない荷物を背負わされた困惑を覚えました．

2021年早春，今世紀20年間の本事業の成果を集約した本書『脳卒中データバンク2021』を，同僚たちとともに編集し上梓できることに，巡り合わせの妙を感じます．同時にこの5年間の国循での管理運営の成果が世に晒され，読者の皆様からどう評価されるか，恐ろしくもあります．全国の「20年前の私」が学術的対価を求めようともせずに入力した個票の集積に，果たして社会や医学に貢献できる価値を加えられただろうかと，責任を感じています．本書の発刊に先駆けて，2020年10月に脳卒中医療を含めた循環器病対策推進基本計画も閣議決定されました．今後より需要が高まるであろう脳卒中情報の発信材料として，この書籍を皆様が使っていただければ幸いです．

本書は2018年末までに入院し登録された199,599例の情報をもとに，執筆されています．第2部では登録件数500件以上の参加施設の先生方から手挙げ方式で分担課題を選んで，執筆していただきました．先生方への負担を軽減しようと20程度の課題に絞り込んだのですが，それを大きく上回る御施設から執筆希望を名乗り出ていただき，結果として多くの先生方に執筆をお断りする結果となりました．自らの不明を愧じます．第3部では脳卒中データバンクの情報を用いて英語原著論文を発表された先生方に，論文内容の解説をお願いしました．発表当時のデータで良いですよとお伝えしましたが，多くの先生方が最新の情報を加えて論文成果を更新した解析結果を執筆してくださいました．

また，小林祥泰先生に，本事業の歴史と将来展望について寄稿していただきました．医療情報をインターネットで取り扱うことが稀であった時代に本事業を立ち上げ，大きく結実させた過程が分かります．峰松一夫先生には，2018年12月に成立した「脳卒中・循環器病対策基本法」と，それを背景とした脳卒中登録事業の必要性を，分かりやすく解説していただきました．

発刊にあたって，膨大な臨床情報の提供にご尽力くださった全国の参加施設の皆様，分担執筆者の先生方，中山書店編集部の皆様，国循循環器病統合情報センター並びに脳血管内科の編集委員会メンバーに，深く感謝いたします．内輪褒めになりますが，編集委員会の皆が忙しい他業務を遣り繰りして編集を加勢してくれた中で，とくに循環器病統合情報センター統計解析室の中井陸運（みちかず）室長が，今回の分担執筆内容の解析の実行と確認を行ったことを，記させていただきます．読者の皆様が本書の解析内容に得心していただけるのであれば，中井室長の頑張りが少なからず寄与していると思います．

2021年1月

国循脳卒中データバンク2021編集委員会委員長
国立循環器病研究センター 副院長
豊田　一則

執筆者一覧（執筆順）

吉村 壮平　国立循環器病研究センター脳血管内科／JSDB2021編集委員会

笹原 祐介　国立循環器病研究センターオープンイノベーションセンター 循環器病統合情報センターデータ統合室／JSDB2021編集委員会

豊田 一則　国立循環器病研究センター副院長／JSDB2021編集委員会

中井 陸運　国立循環器病研究センターオープンイノベーションセンター 循環器病統合情報センター統計解析室／JSDB2021編集委員会

小林 祥泰　島根大学名誉教授

峰松 一夫　日本脳卒中協会理事長／国立循環器病研究センター名誉院長

上山 憲司　中村記念病院脳卒中センター脳神経外科

大里 俊明　中村記念病院脳卒中センター脳神経外科

渡部 寿一　中村記念病院脳卒中センター脳神経外科

麓 健太朗　中村記念病院脳卒中センター脳神経外科

荻野 達也　中村記念病院脳卒中センター脳神経外科

中村 博彦　中村記念病院脳卒中センター脳神経外科

八木田佳樹　川崎医科大学脳卒中医学

大山 直紀　川崎医科大学脳卒中医学

三輪 佳織　国立循環器病研究センター脳血管内科／JSDB2021編集委員会

園田 和隆　済生会福岡総合病院脳神経内科

柏原 健一　岡山脳神経内科クリニック

上原 敏志　兵庫県立姫路循環器病センター脳神経内科

徳田 直輝　京都第一赤十字病院脳神経・脳卒中科

今井 啓輔　京都第一赤十字病院脳神経・脳卒中科

梅村 敏隆　中部ろうさい病院神経内科

小柳 正臣　小倉記念病院脳卒中センター脳神経外科

波多野武人　小倉記念病院脳卒中センター脳神経外科

西村 中　九州大学大学院医学研究院脳神経外科

飯原 弘二　国立循環器病研究センター病院長

丸山 路之　済生会横浜市東部病院脳神経センター

杉森 宏　佐賀県医療センター好生館脳卒中センター・脳血管内科

板橋 亮　岩手医科大学内科学講座脳神経内科・老年科分野

福田 弘毅　松江赤十字病院脳神経内科

佐々木正弘　秋田県立循環器・脳脊髄センター脳卒中診療部

鈴木 明文　地方独立行政法人秋田県立病院機構

師井 淳太　秋田県立循環器・脳脊髄センター脳卒中診療部

石川 達哉　秋田県立循環器・脳脊髄センター脳卒中診療部

宇野 昌明　川崎医科大学脳神経外科

大仲 佳祐　翠清会梶川病院脳神経外科

溝上 達也　翠清会梶川病院脳神経外科

若林 伸一　翠清会梶川病院脳神経外科

玉井 雄大　国立国際医療研究センター病院脳神経外科

井上 雅人　国立国際医療研究センター病院脳神経外科

原 徹男　国立国際医療研究センター病院脳神経外科

片山 正輝　東京歯科大学市川総合病院脳卒中センター脳神経外科

小泉 健三　東京歯科大学市川総合病院脳卒中センター神経内科

菅 貞郎　東京歯科大学市川総合病院脳卒中センター脳神経外科

大前 智也　大曲厚生医療センター脳神経外科

柳澤 俊晴　大曲厚生医療センター脳神経外科

前田亘一郎　相生会福岡みらい病院リハビリテーション科・内科／国立循環器病研究センター脳血管内科

瀧澤 俊也　東海大学医学部内科学系神経内科

汐月 博之　旭川医科大学社会医学講座公衆衛生学・疫学分野

西條 泰明　旭川医科大学社会医学講座公衆衛生学・疫学分野

大櫛 陽一　東海大学名誉教授／大櫛医学情報研究所

祢津 智久　広島大学大学院脳神経内科学

細見 直永　近森会近森病院脳神経内科

丸山 博文　広島大学大学院脳神経内科学

加藤 裕司　埼玉医科大学国際医療センター脳神経内科・脳卒中内科

出口 一郎　埼玉医科大学国際医療センター脳神経内科・脳卒中内科

小林 奏　総合南東北病院救急総合内科

野村 栄一　広島市立広島市民病院脳神経内科

山田 茂樹　滋賀医科大学脳神経外科学講座

井川 房夫　島根県立中央病院脳神経外科

吉山 道貫　島根県立中央病院脳神経外科

統計解析

中井 陸運　国立循環器病研究センターオープンイノベーションセンター 循環器病統合情報センター統計解析室／JSDB2021編集委員会

CONTENTS

第1部 日本脳卒中データバンク（JSDB）の概要

第2部 脳卒中診療のホットテーマとエビデンス

第3部 JSDB を用いた最近の研究

◉略語一覧

ACA	前大脳動脈
ACoA	前交通動脈
ADL	日常生活動作
AF	心房細動
BA	脳底動脈
BAD	branch atheromatous disease
BMI	body mass index
CAS	頸動脈ステント留置術
CE	心原性脳塞栓症
CEA	頸動脈内膜剥離術
CI	信頼区間
DAPT	抗血小板薬２剤併用療法
DOAC	直接作用型経口抗凝固薬
DPC	診断群分類
eGFR	推定腎糸球体濾過量
EVT	血管内治療
GCS	Glasgow Coma Scale
ICA	内頸動脈
ICD	国際疾病分類
ICS	頭蓋内動脈狭窄
IQR	四分位範囲
JCS	Japan Coma Scale
J-MUSIC	Japan Multicenter Stroke Investigators' Collaboration
J-STARS	Japan Statin Treatment Against Recurrent Stroke
JSDB	Japan Stroke Data Bank 日本脳卒中データバンク
JSS	Japan Stroke Scale
JSSRS	Japan Standard Stroke Registry Study
M1	中大脳動脈水平部
M2	中大脳動脈島部
MCA	中大脳動脈
mRS	modified Rankin Scale 修正Rankinスケール
NIHSS	National Institutes of Health Stroke Scale
NINDS	National Institute of Neurological Disorders and Stroke
OR	オッズ比
PCA	後大脳動脈
SAH	くも膜下出血
SD	標準偏差
sNPH	続発性正常圧水頭症
t-PA	組織プラスミノゲン活性化因子
TIA	一過性脳虚血発作
TOAST	Trial of Org 10172 in Acute Stroke Treatment
VA	椎骨動脈
VBA	椎骨脳底動脈
WFNS	世界脳神経外科連合

第1部

日本脳卒中データバンク（JSDB）の概要

1 日本脳卒中データバンクの運営システムと臨床情報入力システム

吉村壮平，笹原祐介

脳卒中データバンク運営システム

わが国では1998年に，厚生科学研究費による個票を用いた全国レベルの急性期脳梗塞登録研究（Japan Multicenter Stroke Investigators' Collaboration：J-MUSIC，主任研究者 山口武典）が行われた．これを受けて1999年から2001年に行われたのが，日本脳卒中データバンク（Japan Stroke Data Bank：JSDB）の前身となったJapan Standard Stroke Registry Study（JSSRS，主任研究者 小林祥泰）である．コンピュータを用いた画期的なデータベースを開発したこの研究は，研究期間終了後も継続される方針となり，2002年より公益社団法人日本脳卒中協会の脳卒中データバンク部門として運営が継続された．

同事業をわが国のnational databaseとして発展・継続させるべく，2015年に日本脳卒中協会から国立循環器病研究センター（国循）に運営が移管された．2019年までの累積登録患者数は20万例を超え，書籍『脳卒中データバンク』の刊行は今回で5冊目となる（図1）．

1. 運営規約・運営委員会

JSDBを単なる症例登録研究のみならず，継続する事業として公正に運営していくために，運営規約が定められている．同規約では本事業の目的を，「脳卒中患者の治療の実態及び予後を継続的に把握するとともに，治療成績を分析し，日本における脳卒中患者の治療指針を検証すること，並びに最適な治療法

図1 日本脳卒中データバンクの歴史と累積登録患者数推移

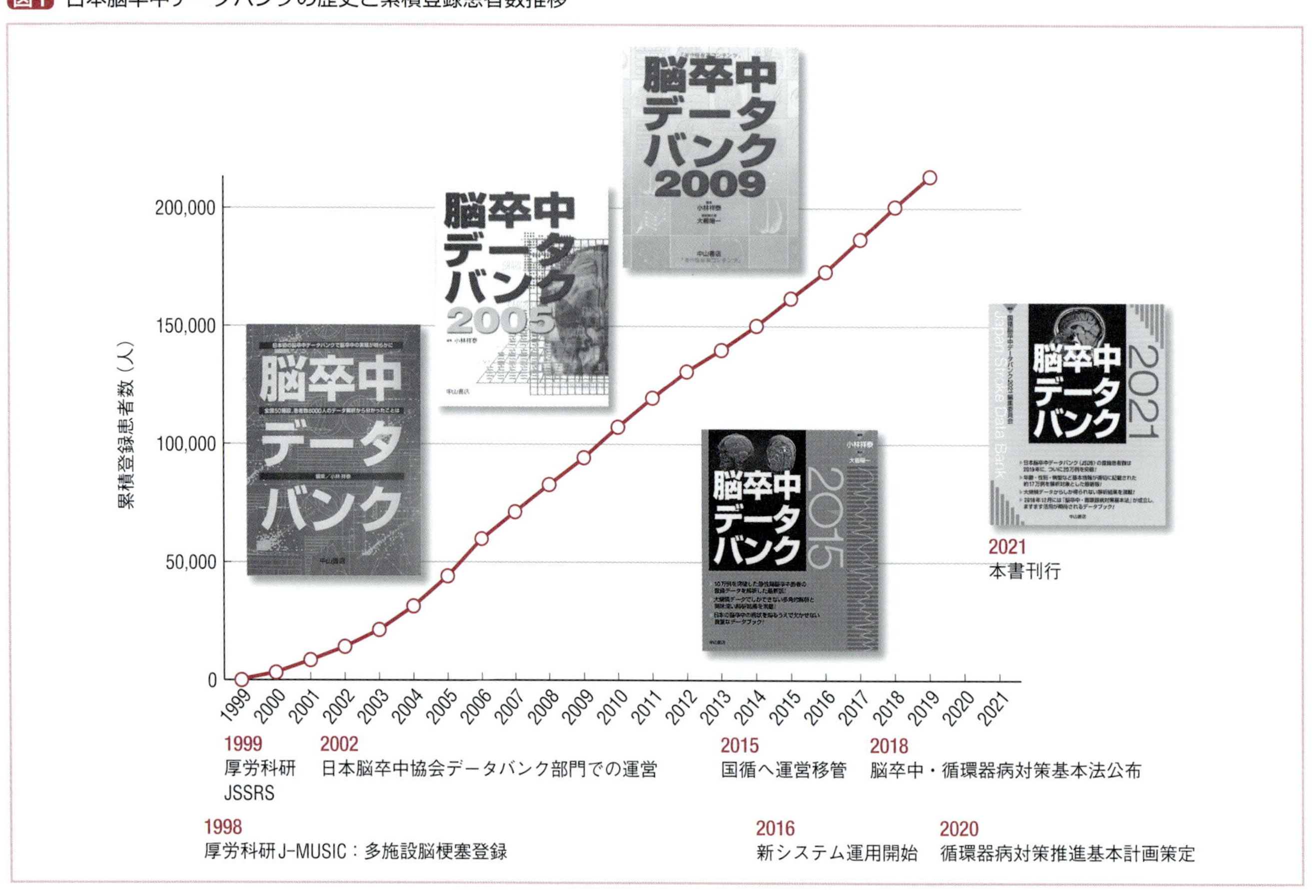

図2 日本脳卒中データバンクのWebページ
（http://strokedatabank.ncvc.go.jp/）

の研究及びエビデンス作成等」と定めている．

また，構成員の互選により定められた運営委員から成る，運営委員会を設置している．年に1回の運営委員会を開催し，事業計画，データ項目の検討，データ公表，参加施設の参加等について審議している．審議内容によっては，電子メール等での審議も適宜開催している．

2. 事務局

JSDB事務局は国循内に設置され，メンバーは病院の脳血管部門医師と，オープンイノベーションセンター（Open Innovation Center：OIC）循環器病統合情報センターのスタッフで構成されている．OICは国循内に構築された産学官連携共同研究拠点であり，循環器病統合情報センターでは医療統計学やデータマネージメントの専門家が集い，脳卒中を含む循環器疾患に関する情報収集，データベース運営，データの利活用に関する業務を行っている．ビッグデータとなったJSDBの運営は，臨床業務に携わる医師のみで継続的に行うことは不可能であり，データマネージメント専門家の協力が不可欠である．

一方で，データの収集と利活用に関して，臨床に携わっている脳血管部門医師の感覚が反映されていることが重要であり，国循内事務局は毎月の運営会議を通して綿密な連携をとっている．また，研究倫理面や個人情報保護の観点について，必要に応じて国循研究所の医学倫理研究部，病院の医療情報部・情報統括部のサポートを受けている．

3. 研究計画書

JSDBの研究計画書は国循の研究倫理審査委員会で承認されている．研究計画の修正は，必要に応じて運営委員会で承認の後，倫理委員会へ修正申請を行う．本事業の目的達成には悉皆性の担保が重要で，かつ学術的・社会的に重要性の高い研究であるため，研究対象者から同意書の取得はしない．しかし，情報の利用を希望しない研究対象者に対しオプトアウトの機会を設けるために，情報公開文書を国循公式サイトの「実施中の臨床研究」のページ，およびJSDBのWebページ（図2，http://strokedatabank.ncvc.go.jp/）に公開している．

4. 参加施設

2021年1月現在，全国130の施設に参加いただいており，引き続き参加施設を募集している（図3）．本事業の目的に賛同し，患者登録に協力することを表明いただいた施設は，運営委員会に諮ったうえで参加の承認を得ることができる．参加施設は，後述の臨床情報入力システムを用い，年1回のデータ登録を行うことが原則である．情報提供に際しては，各施設の規程に基づき各施設長へ届け出ることが必要である．

悉皆性高いデータベース構築のため，全国の施設参加を促進するには，データ登録の負担を抑える努力とともに，参加施設へのインセンティヴ（参加を促す誘因）を用意することも重要である．JSDBでは，参加施設へベンチマーキング情報を提供し，各施設での医療の質向上に役立ててもらう工夫を行ってい

図3 参加施設募集ポスター

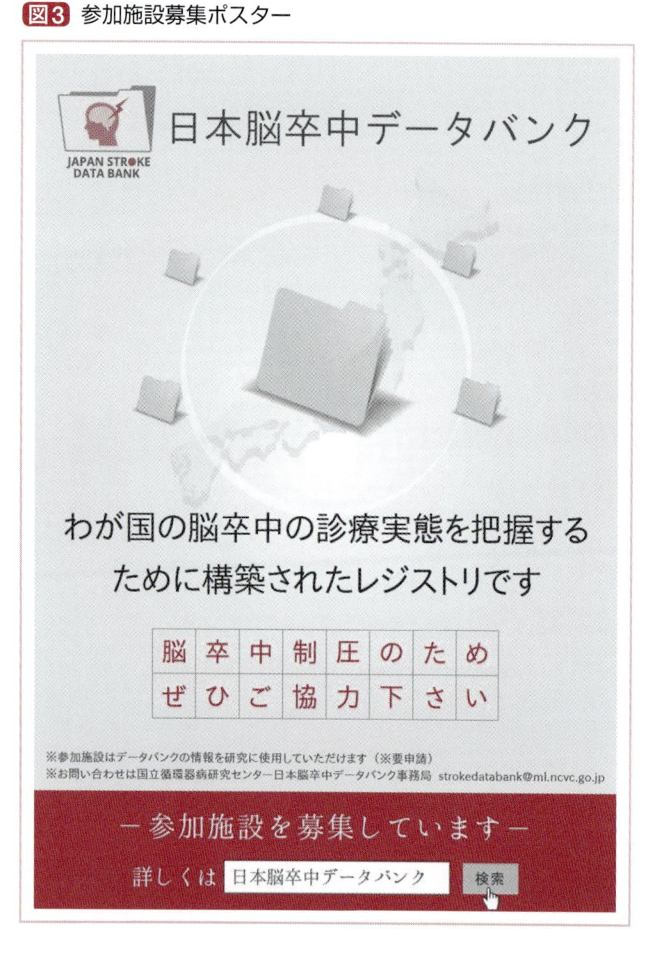

る．すなわち，脳卒中医療の質を測定する指標（quality indicator：QI）として用いられる項目（急性期再灌流療法の施行率，治療までに要した時間，リハビリテーション実施率，エビデンスの確立した薬剤処方率等）に関して，各参加施設が全施設のなかでどの位置にあるかを視覚的に確認できる報告書を作成し，参加施設にフィードバックしている（図4）．また，継続的に症例登録を行っている施設は，運営委員会と施設の倫理委員会で承認を得たうえで，本事業のデータを利用して共同研究，結果の公表を行うことができる．データ利活用についての規定は，本事業の利用細則に定められている．

5. 年次報告データの利用

JSDBの年次報告書は，年1回参加施設に送付するとともに，Web上に公開している．学術論文への転載引用など，学術目的にこの報告書を使用する場合には，出典を明記したうえで利用可能である．学術目的以外の場合には，使用目的・使用用途を明らかにして事務局に許諾申請を行っていただく．マスメディアでの脳卒中啓発活動など，公共性の高いと考えられるものであれば許可している．

6. 運営費用

本事業運営の経費は，厚生労働科研費，日本医療研究開発機構（AMED），国循の研究開発費など競争的研究費を断続的に獲得して拠出されている．継続的に安定した運営を行うために，資金獲得の努力，工夫が必要である．国内外脳卒中登録研究のシステマティックレビューによると，公的研究資金を得て行わ

図4 参加施設のベンチマーキング情報フィードバックの例

施設別発症後4.5時間未満に来院した脳梗塞/TIA症例に対するt-PA静注療法の実施割合．いくつかのQI項目について，全国のうちの自施設の位置を確認することで，医療の質向上に利用いただける．

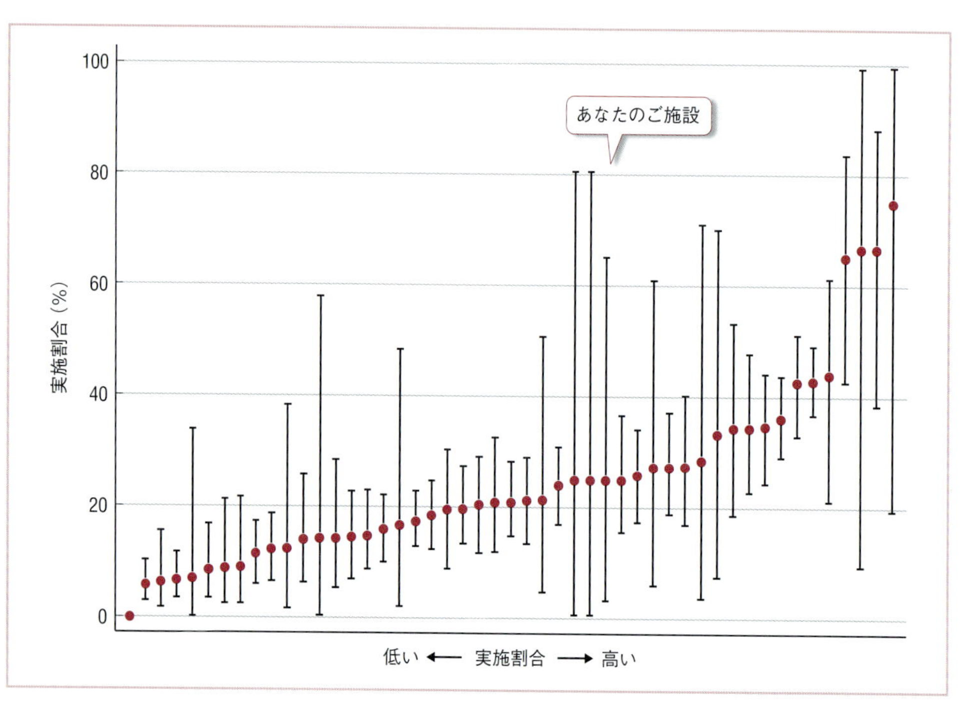

図5 脳卒中データバンクの旧来の入力システム

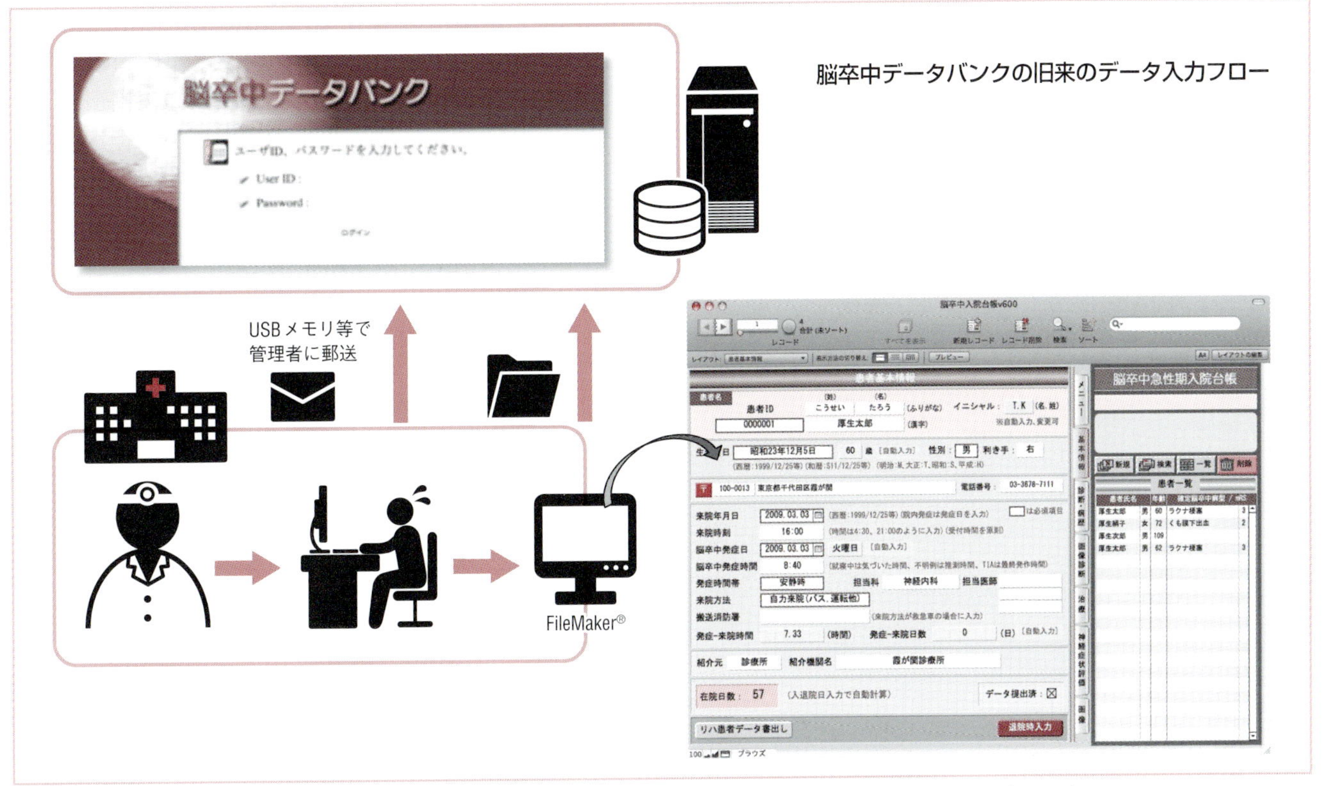

各施設のPCにインストールされたFileMaker®のデータベースに入力を行う．1年に1度，データを事務局に郵送で提出していただいていた．

れる研究が多勢を占めるが，国外に比べ日本の研究は，学会や患者支援団体，企業が資金を提供する研究が少なく，今後これらとの連携が重要になってくると考えられる[1]．

脳卒中データバンク臨床情報入力システム

疾患登録研究のデータ収集方法は，個票を用いる方法と公的保険等の既存データベースから自動抽出する2つの方法に大別される．JSDBのように個票を用いる場合，目的に応じた項目の詳細な情報収集が可能である反面，入力の労力やデータクリーニングが問題となる．自動抽出は，短時間に大量のデータをより少ない労力で収集できる反面，目的に応じた詳細な情報収集は困難である．情報収集労力の軽減，悉皆性の高さと詳細な情報の両立，既存大規模データベースとの連結が全国規模疾患登録研究の課題である．

1. 新データバンクシステム構築

国循に運営が移管された際，AMEDの助成のもと，既存のデータ収集システムを根本から見直し，新たな入力システムの開発を行った（脳卒中を含む循環器病の診療情報の収集のためのシステムの開発に関する研究2015〜16年，研究代表者 峰松一夫）．同研究では，新しいJSDBに求められる条件を明確にするため，日本を含む各国の脳卒中登録研究に関するシステマティックレビューを行った[1]．近年は情報処理技術の発展，電子カルテの普及，統計学の進歩により，大規模診療データの収集・統計解析が容易となり，成果をあげている．しかし，アジア，アフリカからの登録研究の報告は人口のわりに少なかった．対照的にヨーロッパでは登録事業が発展しており，たとえば，フィンランドのPERFECT Strokeは全国の退院患者データベースから脳卒中患者情報を抽出し，社会保険，年金，死亡登録データと紐づけすることで，悉皆性の高いデータベースを構築していた．

この研究結果をもとに，JSDBの新システム構築，項目の改定を行った．それまでは，データベースソフトウェアFileMaker®により構築された，施設ごとのstand alone型データベースを基本とし，これに入力されたデータを年1回のペースで事務局に提出するシステムであった（図5）．参加施設それぞれで脳卒中データベースとして利用可能であることをコンセプトとしており，施設ごとにプラットフォームの改変，項目の追加，他データベースとの結合連携が可能であることが特徴である．同データベースを入院サマリーとして使用したり，電子カルテからFileMaker®プラットフォームへのデータ流し込み

図6-1 新システムの「患者基本情報」入力プラットフォーム（Web版）

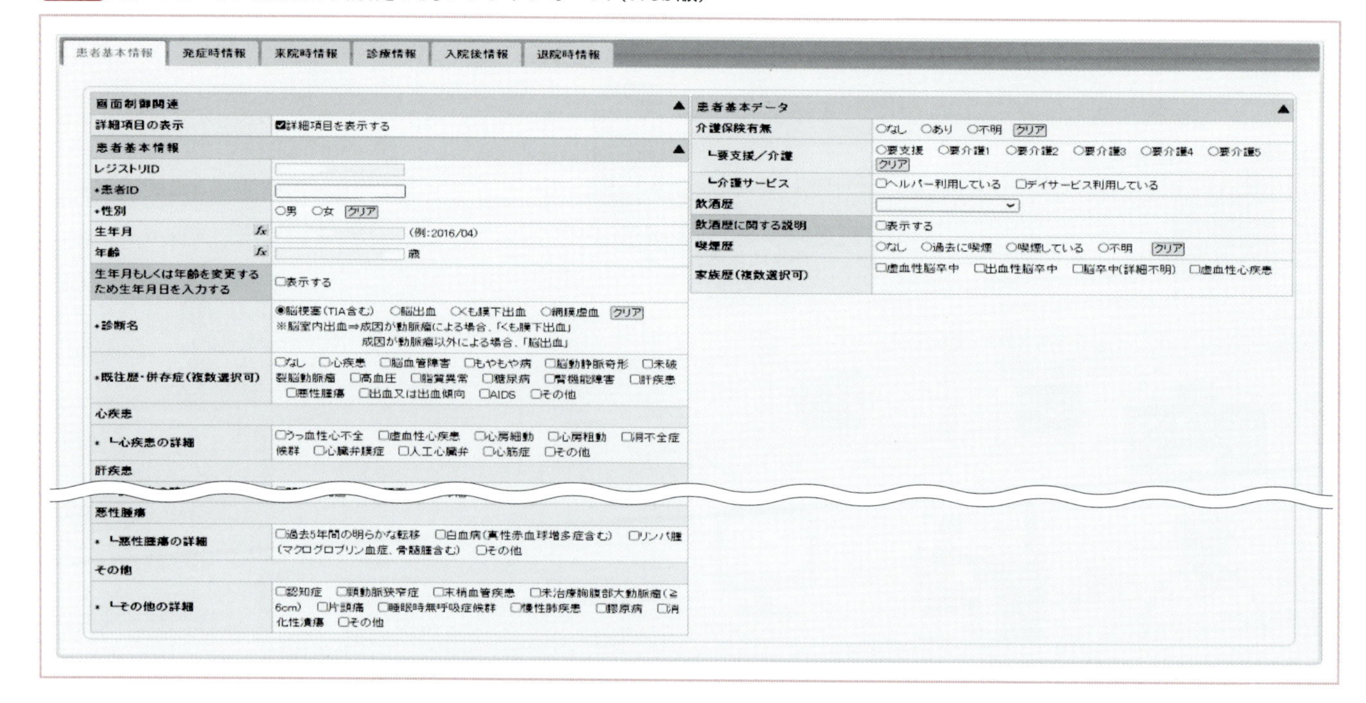

システムを構築して，データ入力労力低減の工夫をした施設が複数存在した．一方で，事務局でデータ統合する際には，改変・追加された項目のチェックと修正が必要で，データクリーニングが困難なこと，FileMaker® のバージョンアップに合わせて各施設で新バージョンソフトウェアのインストールが必要なことなどが問題点であった．また記述的データ項目が多く，統計処理が難しい項目が存在した．

新データベースでは，入力データの整合性を保証し，個票によるデータ収集を効率よく行うため，Multi-purpose Clinical Data Repository System（MCDRS）を用いた，Web 経由のデータ収集システムを採用した．研究参加者は，独自の ID とパスワードを用いて Web システムにログインの後，データ入力を行う．stand alone 型データベースと違い，システム管理やデータレビューを事務局で随時に行うことができる．参加施設は自施設で登録した患者データ分のみデータベース上情報を閲覧でき，登録時に発番される研究用 ID を控えておくことで，自施設患者 ID と照合して，入院患者データベースとして用いることもできる．2016 年より Web 入力の新システムを採用しているが，同時に FileMaker® プラットフォームも作成し，現在は 2 通りの入力システムを過渡的に併用している（**図 6～12**）．2019 年データ登録は，57 %の施設で Web 入力システムが使用されている．一部の施設では，電子カルテのテンプレートシステムやサマリーから FileMaker® プラットフォームにデータの自動取り込みを行い，低労力の入力システムを構築している．

2. データクリーニング

新システムの採用により，データクリーニングが随時に行えるようになった．登録時，入力データが明らかに異常の場合や，必須入力項目が未入力の場合，自動的にアラート掲示する．事務局スタッフのチェックにより異常データが発見された際も，一度提出されたデータをやり取りして修正する必要はなく，事務局は施設にクエリ（入力データに関する質問と照会）を発して，参加施設は Web 上で自ら情報修正するか，またはデータ修正用フォームを用いて事務局に正しい情報を提供することができる．

3. 入力項目改定

新システム構築時に，入力項目の大改定を行った．QI として用いられる項目をできるだけ採用し，旧システムで未入力が多い項目や詳細すぎる項目は削除した．自由入力の項目は極力排除した．また，入力内容を，参加全施設が入力する必須入力項目と，脳卒中診療基幹施設が入力する詳細入力項目に 2 層化することで施設の状況に合わせたデータ登録労力の削減を図った（**図 13，14**）．項目は脳卒中診療の変化に伴い今後も改定を行う予定で，2019 年度は ICD-11 の定義に準じた一過性脳虚血発作項目の改変を行った．

4. 個人情報保護

各施設から提供を受けるデータには個人情報は含まれない．収集したデータは，国循が契約しているデータセンター内のデ

図6-2 新システムの「患者基本情報」入力プラットフォーム（FileMaker®版）

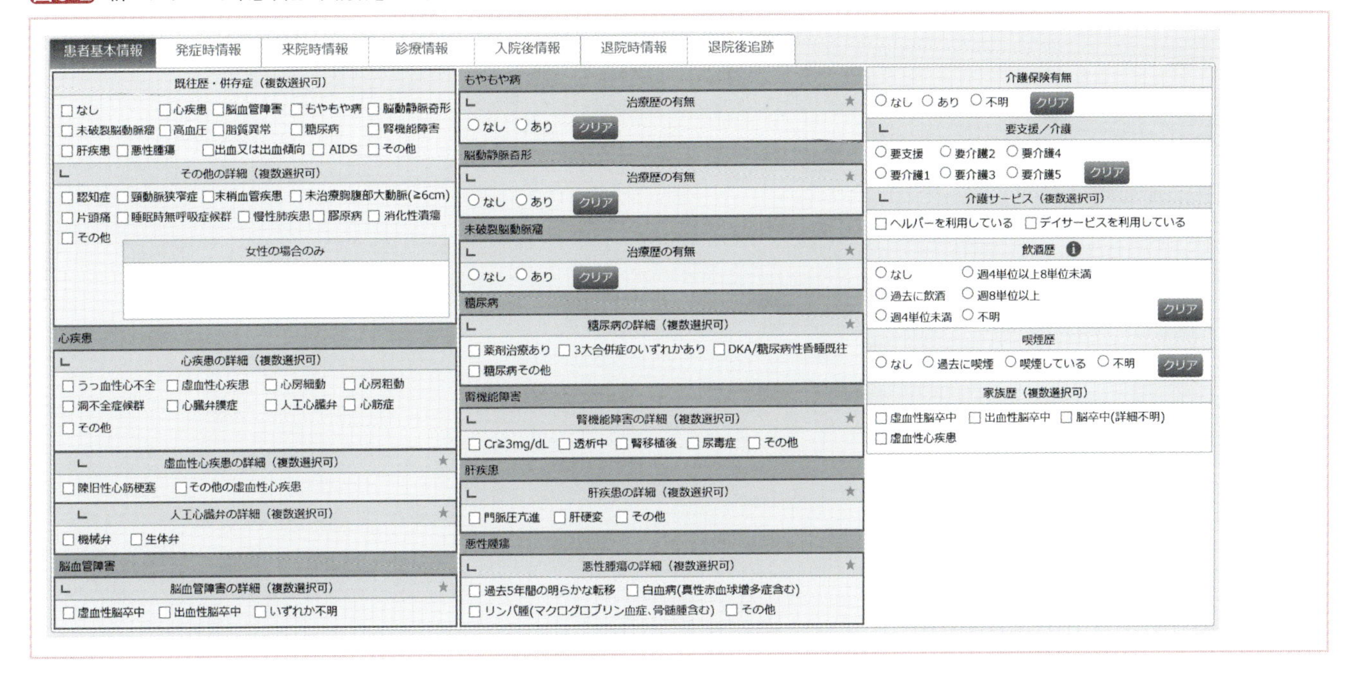

図7 新システムの「発症時情報」入力プラットフォーム（Web版/FileMaker®版）

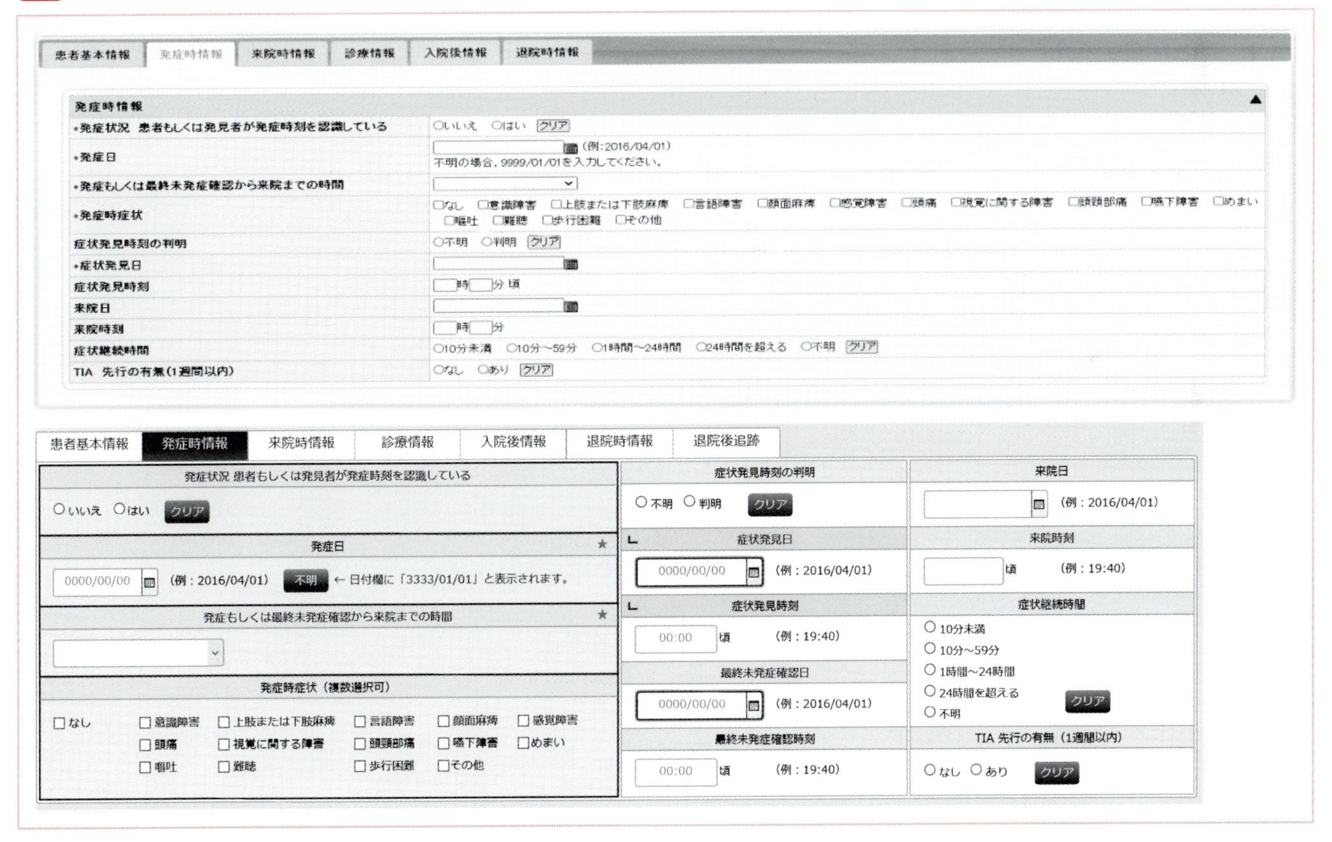

図8 新システムの「来院時情報」入力プラットフォーム（Web版/FileMaker®版）

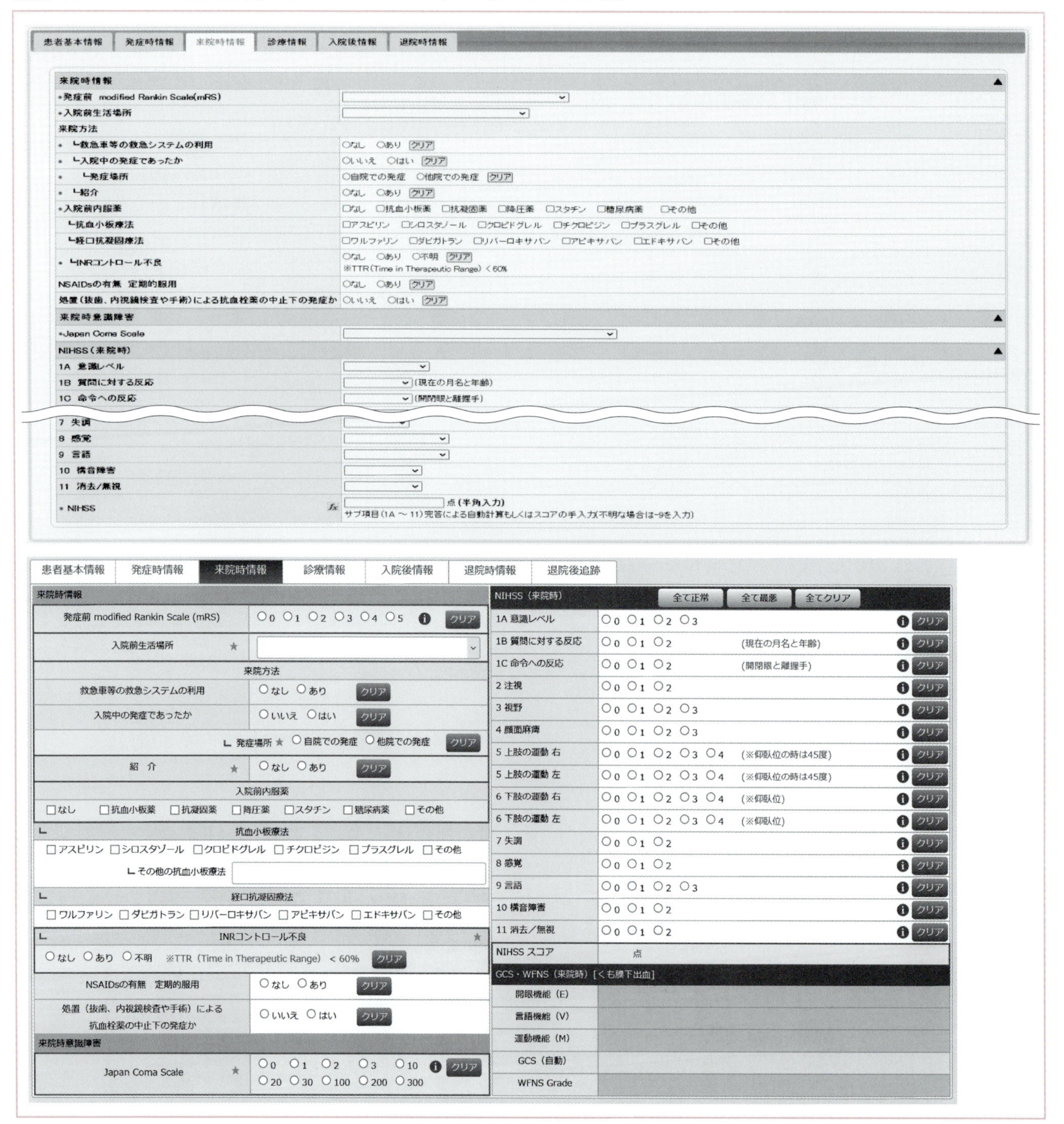

図9 新システムの「診療情報」入力プラットフォーム（Web版/FileMaker®版）

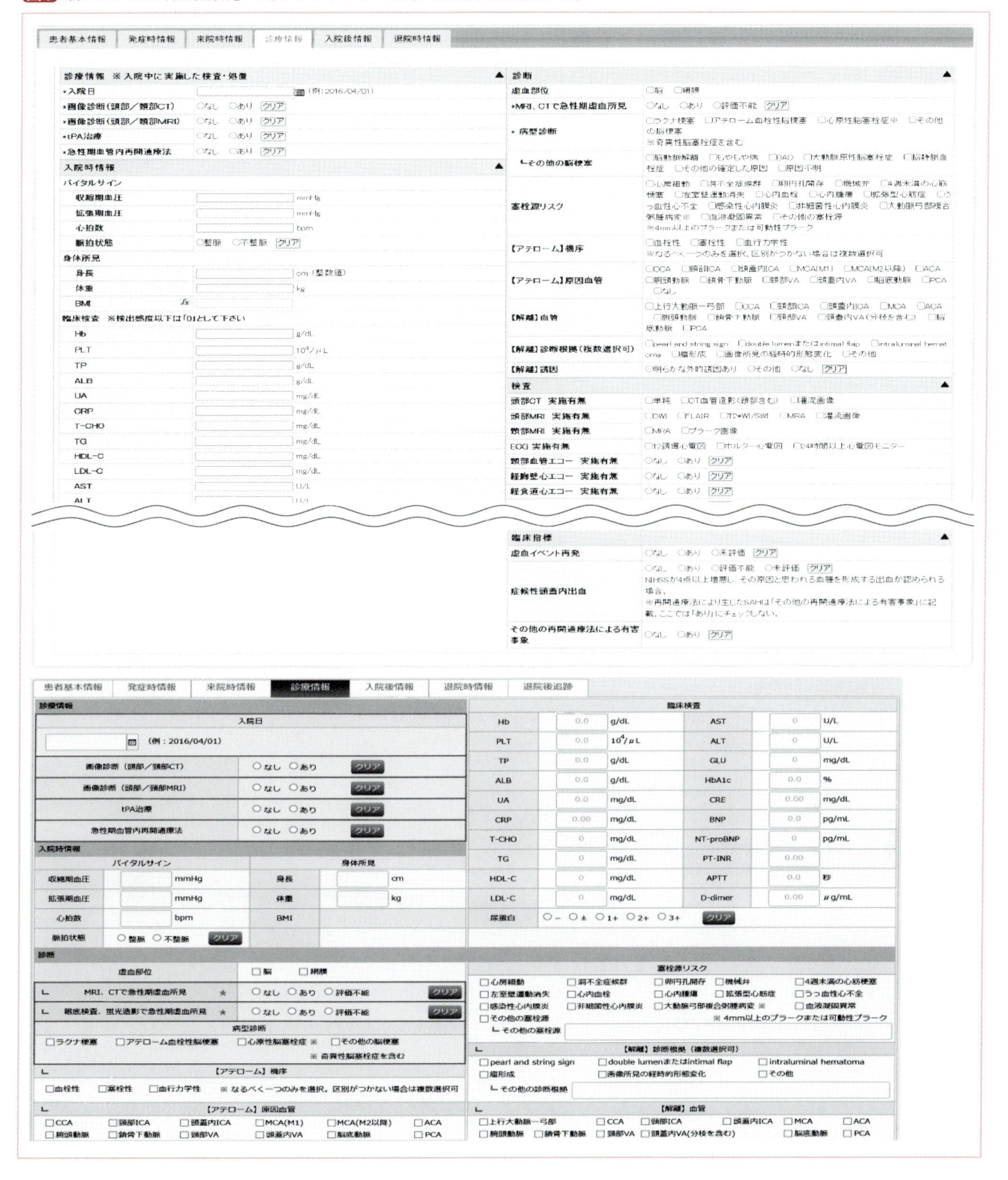

患者基本情報 | 発症時情報 | 来院時情報 | 診療情報 | 入院後情報 | 退院時情報

診療情報 ※入院中に実施した検査・処置
- 入院日 （例：2016/04/01）
- 画像診断（頭部／頸部CT） ○なし ○あり クリア
- 画像診断（頭部／頸部MRI） ○なし ○あり クリア
- tPA治療 ○なし ○あり クリア
- 急性期血管内再開通療法 ○なし ○あり クリア

入院時情報
バイタルサイン
- 収縮期血圧 mmHg
- 拡張期血圧 mmHg
- 心拍数 bpm
- 脈拍状態 ○整脈 ○不整脈 クリア

身体所見
- 身長 cm（整数値）
- 体重 kg
- BMI

臨床検査 ※検出感度以下は「0」として下さい
- Hb g/dL
- PLT 10⁴/μL
- TP g/dL
- ALB g/dL
- UA mg/dL
- CRP mg/dL
- T-CHO mg/dL
- TG mg/dL
- HDL-C mg/dL
- LDL-C mg/dL
- AST U/L
- ALT U/L

診断
- 虚血部位 □脳 □網膜
- MRI、CTで急性期虚血所見 ○なし ○あり ○評価不能 クリア
- 病型診断 □ラクナ梗塞 □アテローム血栓性脳梗塞 □心原性脳塞栓症※ □その他の脳梗塞 ※奇異性脳塞栓症を含む
- └その他の脳梗塞 □脳動脈解離 □もやもや病 □BAD □大動脈原性脳塞栓症 □脳静脈血栓症 □その他の確定した原因 □原因不明
- 塞栓源リスク □心房細動 □洞不全症候群 □卵円孔開存 □機械弁 □4週未満の心筋梗塞 □左室壁運動消失 □心内血栓 □心内腫瘍 □拡張型心筋症 □うっ血性心不全 □感染性心内膜炎 □非細菌性心内膜炎 □大動脈弓部複合粥腫病変※ □血液凝固異常 □その他の塞栓源 ※4mm以上のプラークまたは可動性プラーク
- 【アテローム】機序 □血栓性 □塞栓性 □血行力学性 ※なるべく一つのみを選択、区別がつかない場合は複数選択可
- 【アテローム】原因血管 □CCA □頸部ICA □頭蓋内ICA □MCA(M1) □MCA(M2以降) □ACA □腕頭動脈 □鎖骨下動脈 □頸部VA □頭蓋内VA □脳底動脈 □PCA □なし
- 【解離】血管 □上行大動脈ー弓部 □CCA □頸部ICA □頭蓋内ICA □MCA □ACA □腕頭動脈 □鎖骨下動脈 □頸部VA □頭蓋内VA（分枝を含む） □脳底動脈 □PCA
- 【解離】診断根拠（複数選択可） □pearl and string sign □double lumenまたはintimal flap □intraluminal hematoma □瘤形成 □画像所見の経時的形態変化 □その他
- 【解離】誘因 ○明らかな外的誘因あり ○その他 ○なし クリア

検査
- 頭部CT 実施有無 □単純 □CT血管造影（頸部含む） □灌流画像
- 頭部MRI 実施有無 □DWI □FLAIR □T2*WI/SWI □MRA □灌流画像
- 頸部MRI 実施有無 □MRA □プラーク画像
- ECG 実施有無 □12誘導心電図 □ホルター心電図 □24時間以上心電図モニター
- 頸部血管エコー 実施有無 ○なし ○あり クリア
- 経胸壁心エコー 実施有無 ○なし ○あり クリア
- 経食道心エコー 実施有無 ○なし ○あり クリア

臨床指標
- 虚血イベント再発 ○なし ○あり ○未評価 クリア
- 症候性頭蓋内出血 ○なし ○あり ○評価不能 ○未評価 クリア NIHSSが4点以上増悪し、その原因と思われる血腫を形成する出血が認められる場合。※再開通療法により生じたSAHは「その他の再開通療法による有害事象」に記載。ここでは「あり」にチェックしない。
- その他の再開通療法による有害事象 ○なし ○あり クリア

患者基本情報 | 発症時情報 | 来院時情報 | 診療情報 | 入院後情報 | 退院時情報 | 退院後追跡

診療情報
- 入院日 （例：2016/04/01）
- 画像診断（頭部／頸部CT） ○なし ○あり クリア
- 画像診断（頭部／頸部MRI） ○なし ○あり クリア
- tPA治療 ○なし ○あり クリア
- 急性期血管内再開通療法 ○なし ○あり クリア

入院時情報

バイタルサイン			身体所見		
収縮期血圧		mmHg	身長		cm
拡張期血圧		mmHg	体重		kg
心拍数		bpm	BMI		
脈拍状態	○整脈 ○不整脈 クリア				

臨床検査

Hb	0.0	g/dL	AST	0	U/L
PLT	0.0	10⁴/μL	ALT	0	U/L
TP	0.0	g/dL	GLU	0	mg/dL
ALB	0.0	g/dL	HbA1c	0.0	%
UA	0.0	mg/dL	CRE	0.00	mg/dL
CRP	0.00	mg/dL	BNP	0.0	pg/mL
T-CHO	0	mg/dL	NT-proBNP	0	pg/mL
TG	0	mg/dL	PT-INR	0.00	
HDL-C	0	mg/dL	APTT	0.0	秒
LDL-C	0	mg/dL	D-dimer	0.00	μg/mL
尿蛋白	○－ ○± ○1+ ○2+ ○3+ クリア				

診断
- 虚血部位 □脳 □網膜
- └ MRI、CTで急性期虚血所見 ★ ○なし ○あり ○評価不能 クリア
- └ 眼底検査、蛍光造影で急性期虚血所見 ★ ○なし ○あり ○評価不能 クリア
- 病型診断 □ラクナ梗塞 □アテローム血栓性脳梗塞 □心原性脳塞栓症※ □その他の脳梗塞 ※奇異性脳塞栓症を含む
- └【アテローム】機序 □血栓性 □塞栓性 □血行力学性 ※なるべく一つのみを選択。区別がつかない場合は複数選択可
- └【アテローム】原因血管 □CCA □頸部ICA □頭蓋内ICA □MCA(M1) □MCA(M2以降) □ACA □腕頭動脈 □鎖骨下動脈 □頸部VA □頭蓋内VA □脳底動脈 □PCA
- 塞栓源リスク □心房細動 □洞不全症候群 □卵円孔開存 □機械弁 □4週未満の心筋梗塞 □左室壁運動消失 □心内血栓 □心内腫瘍 □拡張型心筋症 □うっ血性心不全 □感染性心内膜炎 □非細菌性心内膜炎 □大動脈弓部複合粥腫病変※ □血液凝固異常 □その他の塞栓源 ※4mm以上のプラークまたは可動性プラーク
- └その他の塞栓源
- └【解離】診断根拠（複数選択可） □pearl and string sign □double lumenまたはintimal flap □intraluminal hematoma □瘤形成 □画像所見の経時的形態変化 □その他
- └その他の診断根拠
- └【解離】血管 □上行大動脈ー弓部 □CCA □頸部ICA □頭蓋内ICA □MCA □ACA □腕頭動脈 □鎖骨下動脈 □頸部VA □頭蓋内VA(分枝を含む) □脳底動脈 □PCA

図10 新システムの「入院後情報」入力プラットフォーム（Web版/FileMaker® 版）

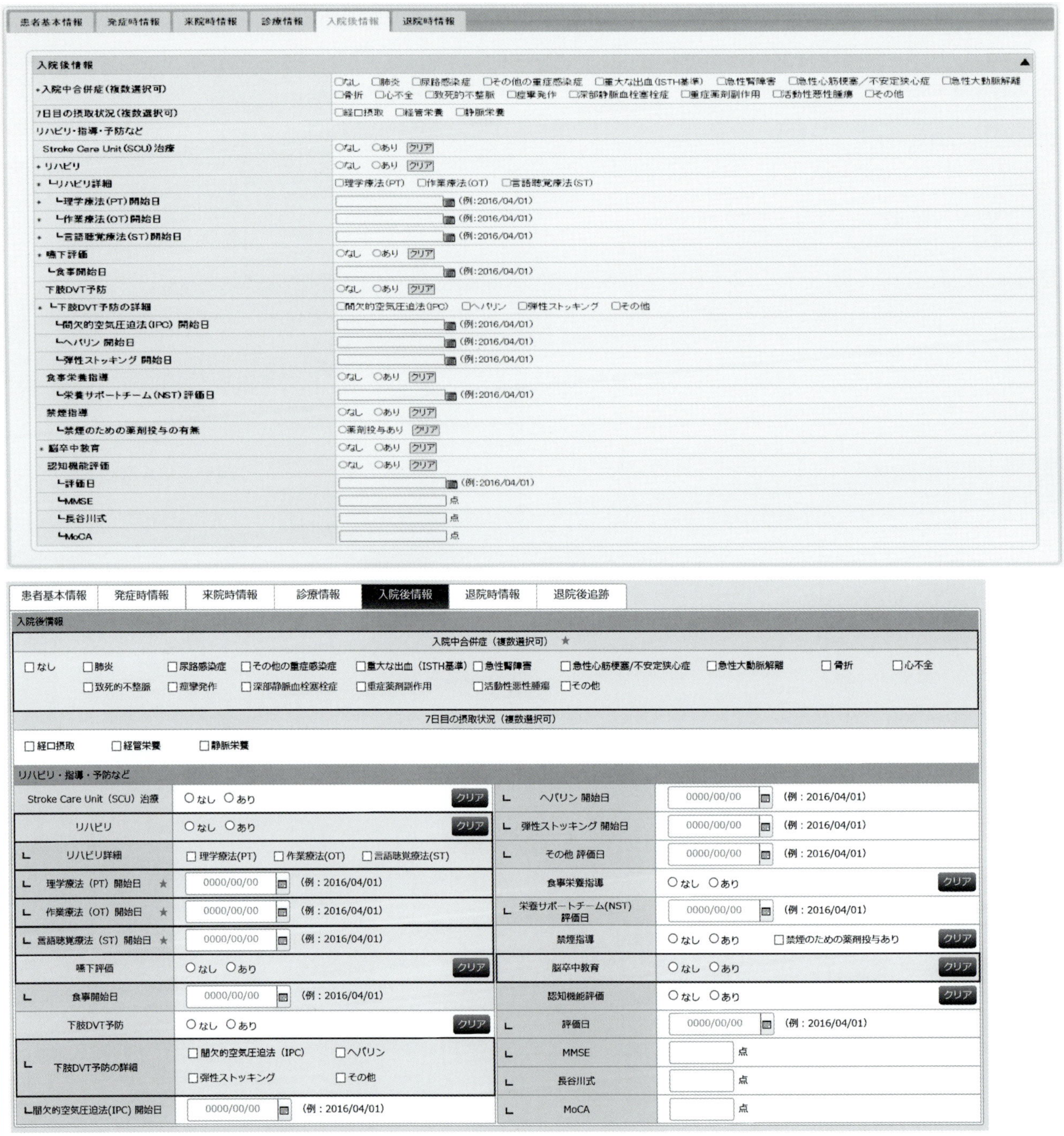

患者基本情報 | 発症時情報 | 来院時情報 | 診療情報 | 入院後情報 | 退院時情報

入院後情報 ▲

*入院中合併症（複数選択可）	□なし □肺炎 □尿路感染症 □その他の重症感染症 □重大な出血（ISTH基準） □急性腎障害 □急性心筋梗塞／不安定狭心症 □急性大動脈解離 □骨折 □心不全 □致死的不整脈 □痙攣発作 □深部静脈血栓塞栓症 □重症薬剤副作用 □活動性悪性腫瘍 □その他
7日目の摂取状況（複数選択可）	□経口摂取 □経管栄養 □静脈栄養
リハビリ・指導・予防など	
Stroke Care Unit（SCU）治療	○なし ○あり クリア
*リハビリ	○なし ○あり クリア
* └リハビリ詳細	□理学療法（PT） □作業療法（OT） □言語聴覚療法（ST）
* └理学療法（PT）開始日	（例：2016/04/01）
* └作業療法（OT）開始日	（例：2016/04/01）
* └言語聴覚療法（ST）開始日	（例：2016/04/01）
*嚥下評価	○なし ○あり クリア
└食事開始日	（例：2016/04/01）
下肢DVT予防	○なし ○あり クリア
* └下肢DVT予防の詳細	□間欠的空気圧迫法（IPC） □ヘパリン □弾性ストッキング □その他
└間欠的空気圧迫法（IPC）開始日	（例：2016/04/01）
└ヘパリン 開始日	（例：2016/04/01）
└弾性ストッキング 開始日	（例：2016/04/01）
食事栄養指導	○なし ○あり クリア
└栄養サポートチーム（NST）評価日	（例：2016/04/01）
禁煙指導	○なし ○あり クリア
└禁煙のための薬剤投与の有無	○薬剤投与あり クリア
*脳卒中教育	○なし ○あり クリア
認知機能評価	○なし ○あり クリア
└評価日	（例：2016/04/01）
└MMSE	点
└長谷川式	点
└MoCA	点

患者基本情報 | 発症時情報 | 来院時情報 | 診療情報 | 入院後情報 | 退院時情報 | 退院後追跡

入院後情報

入院中合併症（複数選択可）★

□なし □肺炎 □尿路感染症 □その他の重症感染症 □重大な出血（ISTH基準） □急性腎障害 □急性心筋梗塞/不安定狭心症 □急性大動脈解離 □骨折 □心不全
□致死的不整脈 □痙攣発作 □深部静脈血栓塞栓症 □重症薬剤副作用 □活動性悪性腫瘍 □その他

7日目の摂取状況（複数選択可）

□経口摂取 □経管栄養 □静脈栄養

リハビリ・指導・予防など

項目	入力	項目	入力
Stroke Care Unit（SCU）治療	○なし ○あり クリア	L ヘパリン 開始日	0000/00/00 （例：2016/04/01）
リハビリ	○なし ○あり クリア	L 弾性ストッキング 開始日	0000/00/00 （例：2016/04/01）
L リハビリ詳細	□理学療法(PT) □作業療法(OT) □言語聴覚療法(ST)	L その他 評価日	0000/00/00 （例：2016/04/01）
L 理学療法（PT）開始日 ★	0000/00/00 （例：2016/04/01）	食事栄養指導	○なし ○あり クリア
L 作業療法（OT）開始日 ★	0000/00/00 （例：2016/04/01）	L 栄養サポートチーム(NST)評価日	0000/00/00 （例：2016/04/01）
L 言語聴覚療法（ST）開始日 ★	0000/00/00 （例：2016/04/01）	禁煙指導	○なし ○あり □禁煙のための薬剤投与あり クリア
嚥下評価	○なし ○あり クリア	脳卒中教育	○なし ○あり クリア
L 食事開始日	0000/00/00 （例：2016/04/01）	認知機能評価	○なし ○あり クリア
下肢DVT予防	○なし ○あり クリア	L 評価日	0000/00/00 （例：2016/04/01）
L 下肢DVT予防の詳細	□間欠的空気圧迫法（IPC） □ヘパリン □弾性ストッキング □その他	L MMSE	点
		L 長谷川式	点
L間欠的空気圧迫法(IPC) 開始日	0000/00/00 （例：2016/04/01）	L MoCA	点

図11 新システムの「退院時情報」入力プラットフォーム（Web版/FileMaker®版）

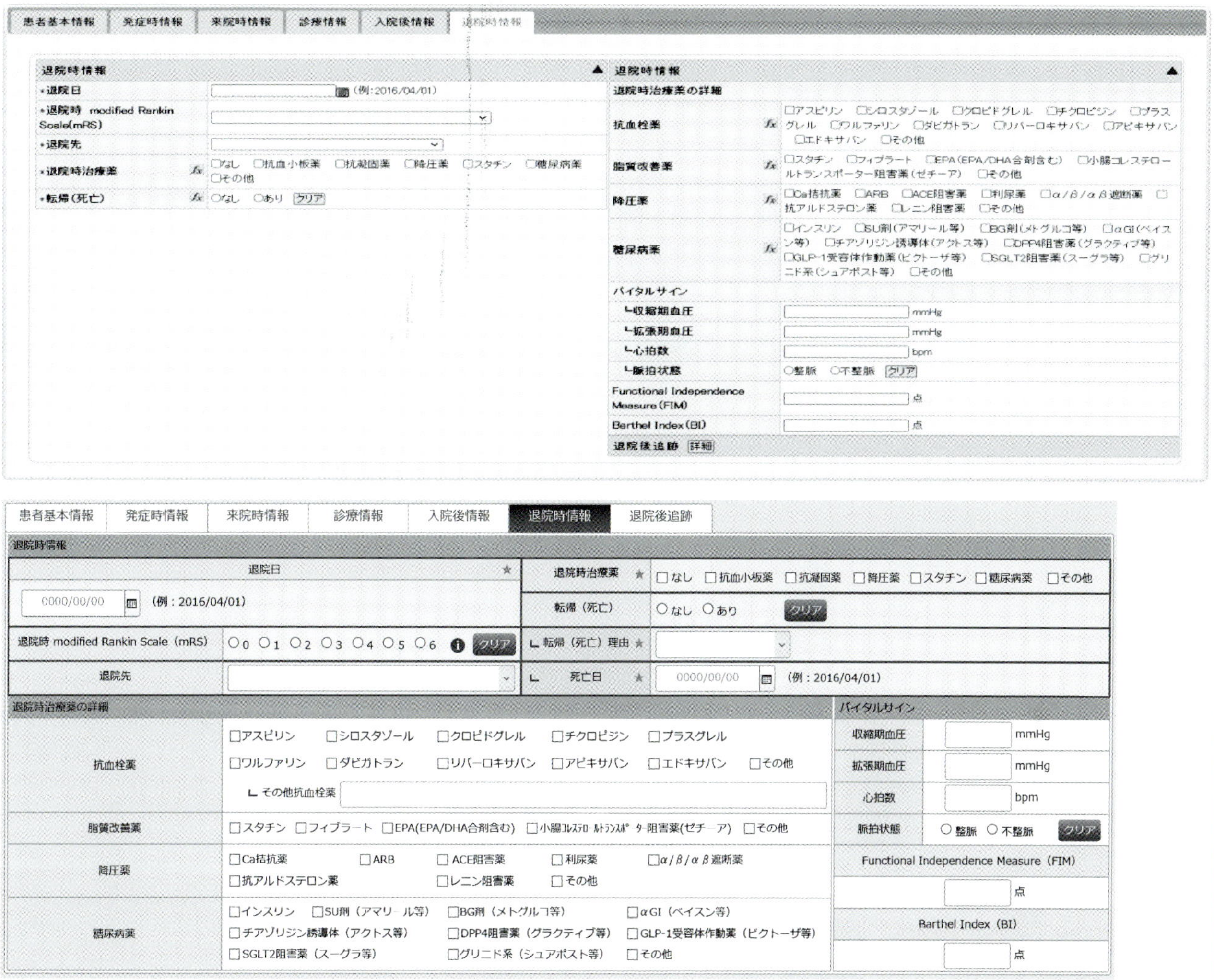

患者基本情報 | 発症時情報 | 来院時情報 | 診療情報 | 入院後情報 | 退院時情報

退院時情報
- ＊退院日 （例：2016/04/01）
- ＊退院時 modified Rankin Scale(mRS)
- ＊退院先
- ＊退院時治療薬 □なし □抗血小板薬 □抗凝固薬 □降圧薬 □スタチン □糖尿病薬 □その他
- ＊転帰（死亡） ○なし ○あり クリア

退院時情報
退院時治療薬の詳細
- 抗血栓薬 □アスピリン □シロスタゾール □クロピドグレル □チクロピジン □プラスグレル □ワルファリン □ダビガトラン □リバーロキサバン □アピキサバン □エドキサバン □その他
- 脂質改善薬 □スタチン □フィブラート □EPA(EPA/DHA合剤含む) □小腸コレステロールトランスポーター阻害薬(ゼチーア) □その他
- 降圧薬 □Ca拮抗薬 □ARB □ACE阻害薬 □利尿薬 □α/β/αβ遮断薬 □抗アルドステロン薬 □レニン阻害薬 □その他
- 糖尿病薬 □インスリン □SU剤(アマリール等) □BG剤(メトグルコ等) □αGI(ベイスン等) □チアゾリジン誘導体(アクトス等) □DPP4阻害薬(グラクティブ等) □GLP-1受容体作動薬(ビクトーザ等) □SGLT2阻害薬(スーグラ等) □グリニド系(シュアポスト等) □その他

バイタルサイン
- 収縮期血圧 mmHg
- 拡張期血圧 mmHg
- 心拍数 bpm
- 脈拍状態 ○整脈 ○不整脈 クリア

Functional Independence Measure (FIM) 点

Barthel Index (BI) 点

退院後追跡 詳細

患者基本情報 | 発症時情報 | 来院時情報 | 診療情報 | 入院後情報 | 退院時情報 | 退院後追跡

退院時情報
- 退院日 ★ 0000/00/00 （例：2016/04/01）
- 退院時治療薬 ★ □なし □抗血小板薬 □抗凝固薬 □降圧薬 □スタチン □糖尿病薬 □その他
- 転帰（死亡） ○なし ○あり クリア
- 退院時 modified Rankin Scale (mRS) ○0 ○1 ○2 ○3 ○4 ○5 ○6 クリア
- └ 転帰（死亡）理由 ★
- 退院先
- └ 死亡日 ★ 0000/00/00 （例：2016/04/01）

退院時治療薬の詳細
- 抗血栓薬 □アスピリン □シロスタゾール □クロピドグレル □チクロピジン □プラスグレル □ワルファリン □ダビガトラン □リバーロキサバン □アピキサバン □エドキサバン □その他
  - └ その他抗血栓薬
- 脂質改善薬 □スタチン □フィブラート □EPA(EPA/DHA合剤含む) □小腸ｺﾚｽﾃﾛｰﾙﾄﾗﾝｽﾎﾟｰﾀｰ阻害薬(ゼチーア) □その他
- 降圧薬 □Ca拮抗薬 □ARB □ACE阻害薬 □利尿薬 □α/β/αβ遮断薬 □抗アルドステロン薬 □レニン阻害薬 □その他
- 糖尿病薬 □インスリン □SU剤（アマリール等） □BG剤（メトグルコ等） □αGI（ベイスン等） □チアゾリジン誘導体（アクトス等） □DPP4阻害薬（グラクティブ等） □GLP-1受容体作動薬（ビクトーザ等） □SGLT2阻害薬（スーグラ等） □グリニド系（シュアポスト等） □その他

バイタルサイン
- 収縮期血圧 mmHg
- 拡張期血圧 mmHg
- 心拍数 bpm
- 脈拍状態 ○整脈 ○不整脈 クリア

Functional Independence Measure (FIM) 点

Barthel Index (BI) 点

図12 新システムの「退院後追跡情報」入力プラットフォーム（Web版/FileMaker®版）

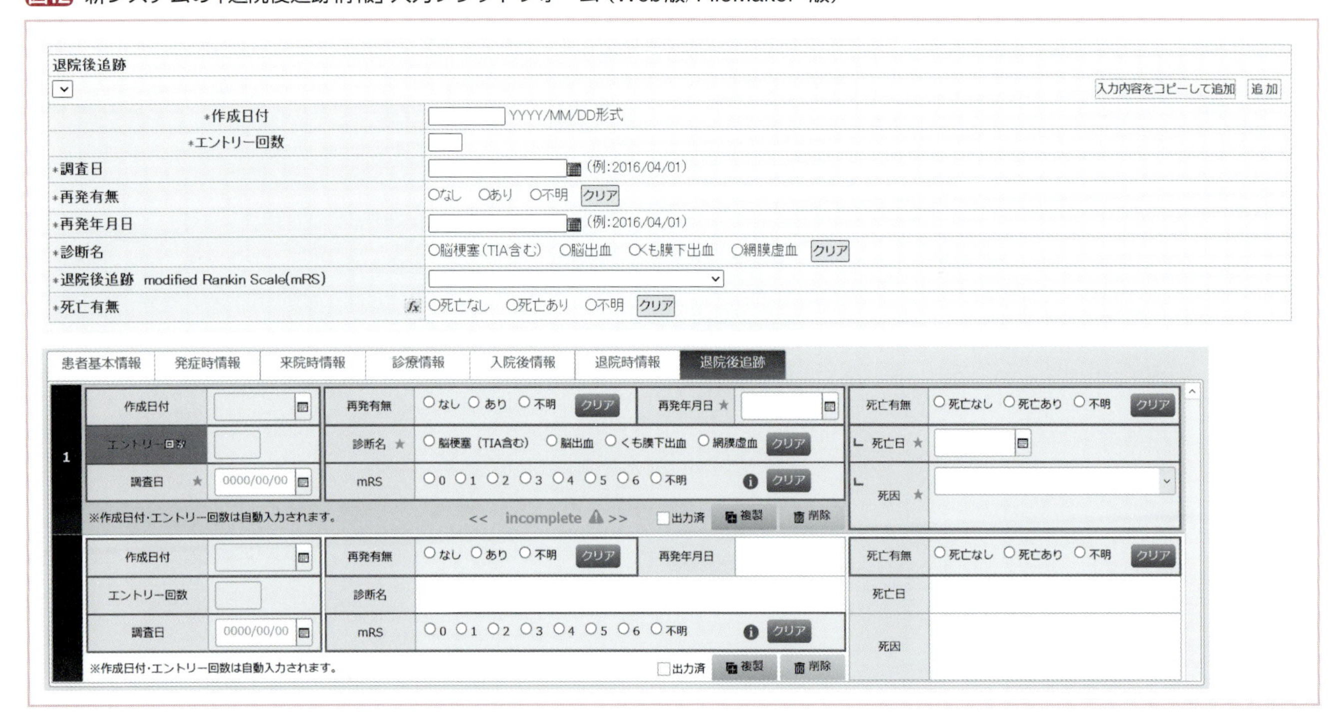

図13 脳卒中データバンクの新しい入力システム

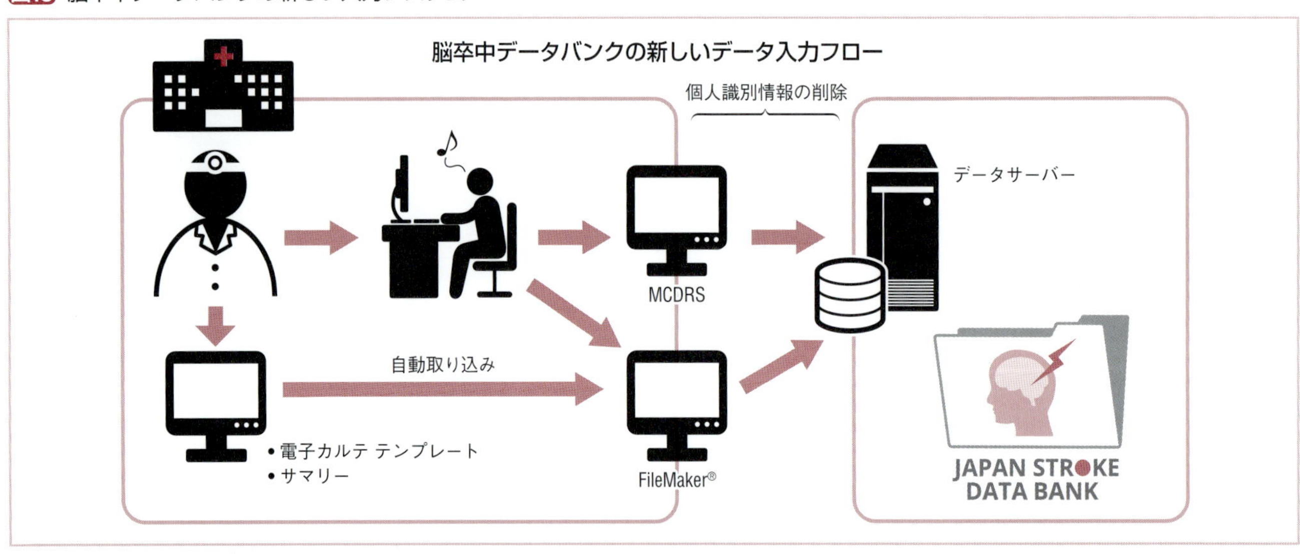

Web上，あるいはFileMaker®プラットフォームにデータを入力し，個人識別情報を削除してデータサーバーに記録する．電子カルテテンプレートやサマリーからデータ自動抽出するシステムを用いている施設もある．

ータサーバーに保存される．データの保存媒体は，アクセス制御され，専用のPC端末には盗難防止，ウイルス対策措置がとられている．データ解析はインターネットと隔離された解析用PC上で行っている．

5. 今後の展望

低労力・低コストでの悉皆性の高い情報収集システムの構築は，今後も継続的に取り組んでいくべき課題である．たとえば，各社が提供する電子カルテシステムには，テンプレート機能があり，重要なデータを定型的に入力することができる．この機能を利用し，定型的データを半自動的にデータベースに取り込むシステムを作成することができる．施設ごとにシステム作成が必要であるが，データ入力の労力を大きく減らすことができ

図14 新システムの2階建て方式

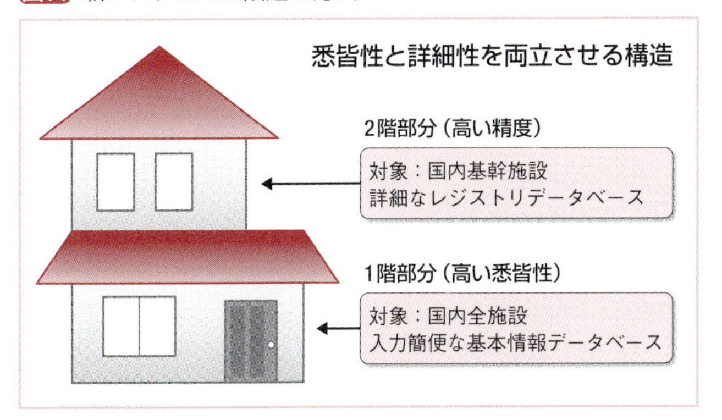

図15 SS-MIX2を用いたデータ自動抽出システム

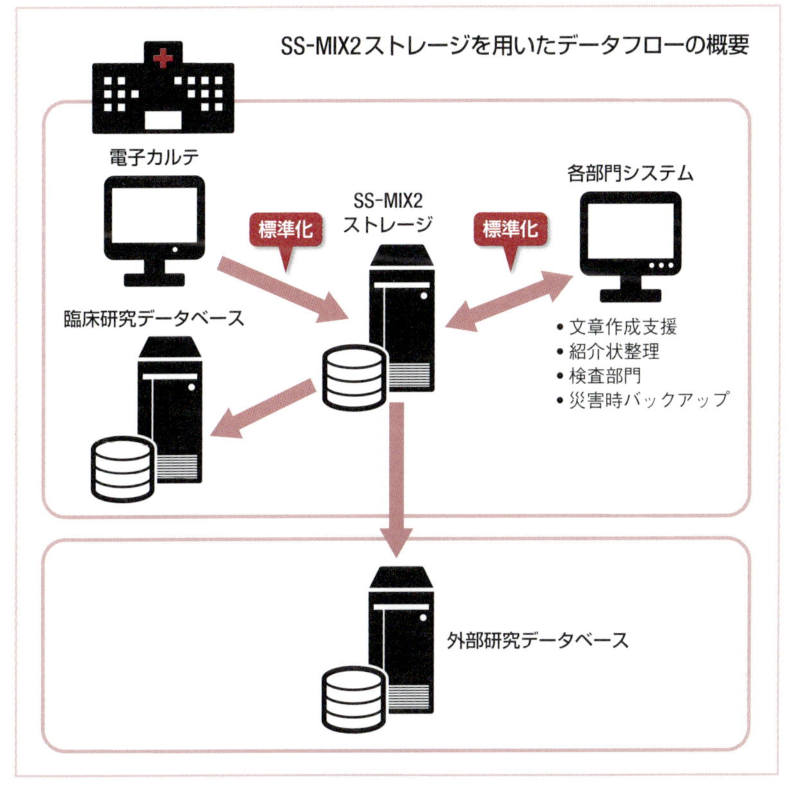

院内の各種データを標準化されたフォーマットで自動抽出し，データベース化できる．

る．また，Standardized Structured Medical Information eXchange 2（SS-MIX2）は，電子カルテの標準フォーマットである．国循や大学病院などの，SS-MIX2を導入している施設では，患者IDを元にSS-MIX2から性別，生年月日，処方薬剤，検査結果を自動抽出するシステムを作成することが可能である（図15）．

既存大規模データベースとの連結はもう一つの重要な課題である．JSDBは主に急性期病院を対象とした疾患登録であり，単体での情報量には限界がある．前述のシステマティックレビューによれば，51の国内外登録研究（国外38，国内13研究）のうち，他のデータベースとの連携に関する記述があったものは，12研究（国外8，国内4研究）であり，そのうち8研究が死亡データベース（国外5，国内3研究）との，1研究がDPCデータ（国内）との連携を行っていた[1]．DPCデータ，レセプトデータ，介護保険データ，脳卒中地域連携パスデータ，健診データ，救急搬送情報，住民基本台帳，死亡届等との外部データとの連携を確立することができれば，急性期のみならず慢性期および再発，死亡まで網羅する縦断的データベースとなり，その価値は飛躍的に高まると期待される．

「健康寿命の延伸等を図るための脳卒中，心臓病その他の循環器病に係る対策に関する基本法」（いわゆる脳卒中・循環器病対策基本法）の成立を受け，国家主導の脳卒中登録システムが構築され，国循内に設置される循環器病情報センター（仮称）で運営される予定である．登録事業をすみやかに全国展開していくには，JSDBと重複項目のシームレスなデータ移行が必要であり，詳細項目の継続的なデータ解析を行うことで，脳卒中診療の向上と医療費の削減に資する研究が可能である．

● 文献
1）佐藤祥一郎ほか：日本医療研究開発機構「脳卒中を含む循環器病の診療情報の収集のためのシステムの開発に関する研究」班．世界と日本の脳卒中登録研究：システマティックレビュー．脳卒中2017；40(5)：331-42.

2 日本脳卒中データバンクの解析の方針と診断名，評価尺度

豊田一則

- 原則として国循の循環器病統合情報センター統計解析室ですべての解析を行い，その結果をもとに各分担執筆者が原稿をまとめた．
- 発症後7日以内の急性期脳卒中および一過性脳虚血発作（TIA）で参加施設に入院した症例を登録対象とした．
- 重症度の評価尺度にはNIH Stroke Scale（NIHSS）などが，臨床転帰の評価尺度にはmodified Rankin Scale（mRS）が用いられている．

解析の方針

日本脳卒中データバンク（JSDB）事業が生まれてからの20年間で，医学研究倫理を取り巻く環境が大きく変化した．2015年に国立循環器病研究センター（国循）に運営が移管された後に最初に取り組んだ事柄は，最新の「人を対象とする医学系研究に関する倫理指針」に堪えうる登録・管理体制を再構築することであり，新しい運営規約を定め（巻末資料），国循の研究倫理審査委員会で新しい研究計画書の承認を受けて，本事業に臨んだ．とくに本事業で収集した臨床情報の利活用を厳密に行うためにデータ利用細則を定め，今回の書籍もその規定に沿って作成した．

本書で紹介する解析結果は，各項目を担当した分担執筆者が具体的な研究計画を国循の循環器病統合情報センター統計解析室に提出し，中井陸運（なかい みちかず）室長がすべての解析を行って，その結果をもとに各執筆者が原稿をまとめた．執筆者自身が直接解析することを希望する場合は，細則の規定に則って研究目的でのデータ利用を申請し，審査での承認を受けて研究を行った．

解析対象は，2018年末までにJSDBに登録された最大199,599例であるが，年齢，性別など基本的な情報が欠けた例を除く182,379例が基本的に用いられ，さらに研究主題に応じて対象症例をより厳密に絞った．とくに2016年途中まで用いられていたシステムと同年以降の新システムでは，入力項目に多少の違いがあるため，主題に応じてどちらかのシステムの登録症例のみを用いることもあった．

JSDBの登録対象患者

JSDBの新システムでは，発症後7日以内の急性期脳卒中および一過性脳虚血発作（TIA）で参加施設に入院した症例を登録対象とした．当該疾患の定義は，表1の「疾病及び関連保健問題の国際統計分類（ICD）」の第10版に示されたものとした．この後2018年にICDが約30年ぶりに改訂され（第11版），脳卒中の大きな概念は変わらないものの，TIAに関しては定義の改訂がなされた．

JSDBの創設時から脳梗塞の亜病型（臨床カテゴリー）として，米国国立衛生研究所（NIH）の国立神経疾患・脳卒中研究所（NINDS）が作成した特別委員会報告のなかの脳血管障害の分類第3版（CVD III）に基づいた，「アテローム血栓性脳梗塞，心原性脳塞栓症，ラクナ梗塞，その他の脳梗塞」の4亜病型が用いられ，現在もこの分類名を用いている[1]．具体的に亜病型に分ける判定の基準としては，臨床試験Trial of Org 10172 in Acute Stroke Treatment（TOAST）実施時にNINDS-CVD III分類の診断基準を明確にして作成されたいわゆるTOAST分類，あるいはそれを改訂したStop Stroke Study（SSS）-TOAST分類の概念を用いていることが多いと考えられる（表2）[2,3]．SSS-TOAST分類は各亜病型の診断基準を明白な基準と疑い診断基準に分けている（表3）[3]．

重症度の評価尺度

脳卒中患者の神経学的重症度の評価に，NIHが作成したNIH Stroke Scale（NIHSS）を用いている[4]．NIHSSは表4に示す意識，視野，眼球運動，顔面麻痺，四肢筋力，運動失調，感覚，言語など15種類の評価項目を42点満点で採点し，点数が高いほど重症である[5]．現在国際的に最も標準化された尺度である．わが国では，日本脳卒中学会が開発した世界初の重みづけ評価であるJapan Stroke Scale（JSS）も併用される（表5）[6]．

意識障害の尺度として，Japan Coma Scale（JCS）とGlasgow Coma Scale（GCS）を用いている[7,8]．国内で開発されたJCSは「3-3-9度方式」とも呼ばれ，意識レベルを意識清明（0）から深昏睡（300）まで大きく3群，細かく10段階に分類する（表6）．GCSは開眼・言語・運動の3分野に分けて3点から15点までに分類し，点数が低いほど重症である（表7）．

表1 国際疾病分類ICD-10コード表

脳卒中サブカテゴリー	ICD-10コード	大項目	小項目
急性脳卒中	I60	くも膜下出血	I60.0 頸動脈サイフォンおよび頸動脈分岐部からのくも膜下出血
			I60.1 中大脳動脈からのくも膜下出血
			I60.2 前交通動脈からのくも膜下出血
			I60.3 後交通動脈からのくも膜下出血
			I60.4 脳底動脈からのくも膜下出血
			I60.5 椎骨動脈からのくも膜下出血
			I60.6 その他の頭蓋内動脈からのくも膜下出血
			I60.7 頭蓋内動脈からのくも膜下出血，詳細不明
			I60.8 その他のくも膜下出血
			I60.9 くも膜下出血，詳細不明
	I61	脳内出血	I61.0 （大脳）半球の脳内出血，皮質下
			I61.1 （大脳）半球の脳内出血，皮質
			I61.2 （大脳）半球の脳内出血，詳細不明
			I61.3 脳幹の脳内出血
			I61.4 小脳の脳内出血
			I61.5 脳内出血，脳室内
			I61.6 脳内出血，多発限局性
			I61.8 その他の脳内出血
			I61.9 脳内出血，詳細不明
	I63 (excl. I63.6)	脳梗塞	I63.0 脳実質外動脈の血栓症による脳梗塞
			I63.1 脳実質外動脈の塞栓症による脳梗塞
			I63.2 脳実質外動脈の詳細不明の閉塞または狭窄による脳梗塞
			I63.3 脳動脈の血栓症による脳梗塞
			I63.4 脳動脈の塞栓症による脳梗塞
			I63.5 脳動脈の詳細不明の閉塞または狭窄による脳梗塞
			I63.6 脳静脈血栓症による脳梗塞，非化膿性
			I63.8 その他の脳梗塞
			I63.9 脳梗塞，詳細不明
	I64	脳卒中，脳出血または脳梗塞と明示されないもの	−
	H34.1	網膜血管閉塞症	H34.1 網膜中心動脈閉塞症
虚血性脳卒中	I63 (excl. I63.6)	※上記参照	
	I64	※上記参照	
くも膜下出血	I60	※上記参照	
脳出血	I61	※上記参照	
一過性脳虚血発作	G45 (excl. G45.4)	一過性脳虚血発作および関連症候群	G45.0 椎骨脳底動脈症候群
			G45.1 頸動脈症候群（半球性）
			G45.2 多発性および両側性脳（実質）外動脈症候群
			G45.3 一過性黒内障
			G45.4 一過性全健忘
			G45.8 その他の一過性脳虚血発作および関連症候群
			G45.9 一過性脳虚血発作，詳細不明

くも膜下出血の重症度尺度として，Hunt and Kosnik 分類（表8）と世界脳神経外科連合（WFNS）分類（表9）を用いている[9,10]．

臨床転帰の評価尺度

脳卒中患者の臨床転帰の評価に，modified Rankin Scale（mRS）を用いている（表10）[11]．無症状（0）から死亡（6）まで7段階に分類し，点数が高いほど転帰不良である．

表2 NINDS-CVD III分類とTOAST分類における脳梗塞亜病型分類の対比

NINDS-CVD III 分類	TOAST 分類
アテローム血栓性脳梗塞	大血管アテローム硬化（large-artery atherosclerosis）
心原性脳塞栓症	心原性脳塞栓症（cardioembolism）
ラクナ梗塞	小血管病変（small-vessel occlusion）
その他の脳梗塞	その他の確定的な原因による脳梗塞（stroke of other determined etiology） その他の不確定な原因による脳梗塞（stroke of undetermined etiology） 2つ以上の原因（two or more cause identified） 異常所見なし（negative evaluation） 検査未完了（incomplete evaluation）

表3 SSS-TOAST分類における明白な診断基準

I. 大血管アテローム硬化（large-artery atherosclerosis）
1. 梗塞巣に関連する頸部動脈または脳動脈の，アテローム（粥状）硬化によると考えられる閉塞ないし50％以上の狭窄　かつ
2. 上記閉塞・狭窄動脈の灌流域以外に急性梗塞巣がないこと

II. 心原性脳塞栓症（cardioembolism）
高リスクの塞栓源心疾患の存在

III. 小血管病変（small-vessel occlusion）
臨床症状と合致する大脳基底核ないし脳幹の穿通動脈領域の最大径 20 mm 未満の単一の梗塞巣の存在
ただし近位側の母動脈に動脈硬化，解離，血管炎，血管攣縮などの病変を有さないこと

IV. その他の確定的な原因による脳梗塞（stroke of other determined etiology）
脳梗塞を起こしうる特殊な原因の存在

V. その他の不確定な原因による脳梗塞（stroke of undetermined etiology）
- i. 原因不明の脳塞栓症
  上記I～IVの分類の明白な基準または疑い基準（割愛）を満たさず，かつ
  1. 血管画像で塞栓子によると考えられる突然の閉塞を認め，他部位は正常　または
  2. 血管画像でいったんは閉塞していた脳動脈の再開通所見　または
  3. 同時期に起こったとみなされる多発梗塞巣の存在と，その灌流域動脈が正常所見であること
- ii. 原因不明のその他の脳梗塞
  上記 I～IV の分類の明白な基準または疑い基準（割愛）を満たさず，かつ原因不明の脳塞栓症の基準も満たさない
- iii. 検査未完了
- iv. 2つ以上の原因

附表：SSS-TOAST 分類における塞栓源心疾患の一覧

高リスクの塞栓源心疾患（心原性脳塞栓症の明白な診断根拠）
左房血栓，左室血栓，心房細動，発作性心房細動，洞不全症候群，持続性心房粗動，1 か月以内の心筋梗塞，リウマチ性僧帽弁・大動脈弁疾患，機械弁，28％未満の低駆出率を伴う陳旧性心筋梗塞，30％未満の低駆出率を伴う鬱血性心不全，拡張型心筋症，非感染性血栓性心内膜炎，感染性心内膜炎，乳頭上線維弾性腫，左房粘液腫

低リスクの塞栓源心疾患（心原性脳塞栓症を疑う診断根拠）
僧帽弁輪石灰化，卵円孔開存，心房中隔瘤，血栓を伴わない左室瘤，左房モヤモヤエコー，上行大動脈ないし大動脈弓の複合粥腫

原著には明白（evident）な基準以外に疑い診断の基準（probable, possible）も記載されている．
（Ay H, et al. Ann Neurol 2005[3]を参考に作成）

表4 NIH Stroke Scale（NIHSS）評価表

［意識水準］
0：完全に覚醒．的確に反応する
1：覚醒していないが簡単な刺激で覚醒し，命令に答えたり，反応したりできる
2：注意を向けさせるには繰り返す刺激が必要か，あるいは意識が混濁していて（常同的ではない）運動を生じさせるには強い刺激や痛み刺激が必要である
3：反射的運動や自立的反応しかみられないか，完全に無反応，弛緩状態，無反射状態である

［質問］ 検査日の月名および年齢を尋ねる
0：両方の質問に正解
1：一方の質問に正解
2：両方とも不正解

［命令］ 開閉眼を命じ，続いて手の開閉を命じる
0：両方とも可能
1：一方だけ可能
2：両方とも不可能

［注視］
0：正常
1：注視が一側あるいは両側の眼球で異常であるが，固定した偏視や完全注視麻痺ではない
2：「人形の目」手技で克服できない固定した偏視や完全注視麻痺

［視野］
0：視野欠損なし
1：部分的半盲
2：完全半盲
3：両側性半盲（皮質盲を含む）

［麻痺―顔］
0：正常な対称的な動き
1：鼻唇溝の平坦化，笑顔の不対称
2：顔面下半分の完全あるいはほぼ完全な麻痺
3：顔面半分の動きがまったくない

［麻痺―上肢］（左右それぞれについて評価）
0：座位で90°（仰臥位で45°）に10秒間保持可能
1：座位で90°（仰臥位で45°）に保持可能も，10秒以内に下垂．ベッドを打つようには下垂しない
2：重力に抗せるが，座位で90°（仰臥位で45°）まで挙上できない
3：重力に抗せない．ベッド上に落ちる
4：まったく動きがみられない
9：切断，関節癒合

［麻痺―下肢］（左右それぞれについて評価）
0：30°を5秒間保持可能
1：30°を保持可能も，5秒以内に下垂．ベッドを打つようには下垂しない
2：重力に抗せるが，落下する
3：重力に抗せない．即座にベッド上に落ちる
4：まったく動きがみられない
9：切断，関節癒合

［運動失調］
0：なし
1：1肢に存在
2：2肢に存在
9：切断，関節癒合

［感覚］
0：正常
1：痛みを鈍く感じるか，あるいは痛みは障害されているが触られていることはわかる
2：触られていることもわからない

［言語］
0：正常
1：明らかな流暢性・理解力の障害はあるが，表出された思考，表出の形に重大な制限を受けていない．しかし，発語や理解の障害のために与えられた材料に関する会話が困難か不能である．患者の反応から答えを同定することが可能
2：コミュニケーションはすべて断片的な表出からなり，検者に多くの決めつけ，聞き直し，推測が必要．交換される情報の範囲は限定的で，コミュニケーションに困難を感じる．患者の反応から答えを同定することが不可能
3：有効な発語や聴覚理解はまったく認められない

［構音障害］
0：正常
1：少なくともいくつかの単語で構音が異常で，悪くとも何らかの困難は伴うものの理解しうる
2：構音異常が強く，検者が理解不能である
9：挿管，身体的障壁

［消去現象と無視］
0：正常
1：視覚，触覚，聴覚，視空間，あるいは自己身体に対する不注意．1つの感覚様式で2点同時刺激に対する消去現象
2：重度の半側不注意あるいは2つ以上の感覚様式に対する消去現象．一方の手を認識しない，または空間の一側にしか注意を向けない

「9」は加点しない．
（日本脳卒中学会 脳卒中医療向上・社会保険委員会/静注血栓溶解療法指針改定部会．脳卒中 2019[5]を参考に作成）

表5 Japan Stroke Scale（JSS）

1）意識

a. Glasgow Coma Scale（GCS）

A：15
B：14～7
C：7～3（必須）

b. Japan Coma Scale（JCS）（I-0を9，III-300を0に置き換え）

A：9
B：8～3
C：2～0

A=7.74，B=15.47，C=23.21

2）言語

1. 口頭命令で拳を作らせる
2. 時計を見せて「時計」と言える
3. 「サクラ」を繰り返し言える
4. 住所，家族の名前が上手に言える

A：すべて可
B：3/4 or 2/4
C：1/4 or 0/4（none）

A=1.47，B=2.95，C=4.42

3）無視

A：線分二等分試験正常
B：線分二等分試験で半側無視
C：麻痺に気がつかない．あるいは一側の空間を無視した行動をする

A=0.42，B=0.85，C=1.27

4）視野欠損または半盲

A：同名性の視野欠損または半盲なし
B：同名性の視野欠損または半盲あり

A=0.45，B=0.91

5）眼球運動障害

A：なし
B：側方視が自由にできない（不十分）
C：完全な共同偏視or正中固定

A=0.84，B=1.68，C=2.53

6）瞳孔異常

A：なし
B：片側の瞳孔異常あり
C：両側の瞳孔異常あり

A=1.03，B=2.06，C=3.09

7）顔面麻痺

A：なし
B：片側の鼻唇溝が浅い
C：安静時に口角が下垂している

A=0.31，B=0.62，C=0.93

8）足底反射

A：正常
B：いずれともいえない
C：病的反射（Babinski or Chaddock）陽性

A=0.08，B=0.15，C=0.23

9）感覚系

A：正常
B：何らかの軽い感覚障害がある
C：はっきりした感覚障害がある

A=−0.15，B=−0.29，C=−0.44

10）運動系（臥位で検査）

手：
1. 正常
2. 親指と小指で輪を作る
3. そばに置いたコップが持てる
4. 指は動くが物はつかめない
5. まったく動かない

A：1，B：2 or 3，C：4 or 5

A=0.33，B=0.66，C=0.99

腕：
1. 正常
2. 肘を伸ばしたまま腕を挙上できる
3. 肘を屈曲すれば挙上できる
4. 腕はある程度動くが持ち上げられない
5. まったく動かない

A：1，B：2 or 3，C：4 or 5

A=0.66，B=1.31，C=1.97

下肢：
1. 正常
2. 膝を伸ばしたまま下肢を挙上できる
3. 自力で膝立てが可能
4. 下肢は動くが膝立てはできない
5. まったく動かない

A：1，B：2 or 3，C：4 or 5

A=1.15，B=2.31，C=3.46

JSSスコア＝合計点−14.71（constant）

（後藤文男．脳卒中 1997[6]より）

表6 Japan Coma Scale (JCS)

I	刺激しないでも覚醒している状態
0	清明である
1	だいたい清明であるが，いまひとつはっきりしない
2	見当識障害がある
3	自分の名前，生年月日がいえない
II	刺激で覚醒するが，刺激をやめると眠り込む状態
10	普通の呼びかけで容易に開眼する
20	大きな声または身体を揺さぶることにより開眼する
30	痛み刺激を加えつつ呼びかけを繰り返すことにより開眼する
III	刺激をしても覚醒しない状態
100	痛み刺激に対し，払いのける動作をする
200	痛み刺激に対し，少し手足を動かしたり，顔をしかめる
300	痛み刺激に反応しない

（太田富雄ほか．第3回脳卒中の外科研究会講演集；1975[7]より）

表7 Glasgow Coma Scale (GCS)

E：eye opening（開眼）	
4点	自発的に開眼
3点	呼びかけにより開眼
2点	痛み刺激により開眼
1点	痛み刺激でも開眼しない
V：best verbal response（最良言語反応）	
5点	見当識あり
4点	混乱した会話
3点	不適当な発語
2点	理解不明の音声
1点	発語なし
M：best motor response（最良運動反応）	
6点	命令に応じる
5点	疼痛部位を認識する
4点	痛み刺激から逃避する
3点	痛み刺激に対して屈曲運動を示す
2点	痛み刺激に対して伸展運動を示す
1点	痛み刺激に対して反応なし

（Teasdale G, Jennett B. Lancet 1974[8]より）

表8 Hunt and Kosnik分類

Grade 0	未破裂の動脈瘤
Grade I	無症状か，最小限の頭痛および軽度の項部硬直をみる
Grade Ia	急性の髄膜あるいは脳症状をみないが，固定した神経学的失調のあるもの
Grade II	中等度から強度の頭痛，項部硬直をみるが，脳神経麻痺以外の神経学的失調はみられない
Grade III	傾眠状態，錯乱状態，または軽度の巣症状を示すもの
Grade IV	昏迷状態で，中等度から重篤な片麻痺があり，早期除脳硬直および自律神経障害を伴うこともある
Grade V	深昏睡状態で除脳硬直を示し，瀕死の様相を示すもの

（Hunt WE, Kosnik EJ. Clin Neurosurg 1974[9]より）

表9 世界脳神経外科連合（WFNS）分類

Grade	GCSスコア	主要な局所神経症状（失語あるいは片麻痺）
I	15	なし
II	14～13	なし
III	14～13	あり
IV	12～7	有無は不問
V	6～3	有無は不問

（Report of World Federation of Neurological Surgeons Committee on a Universal Subarachnoid Hemorrhage Grading Scale. J Neurosurg 1988[10]より）

表10 modified Rankin Scale (mRS)

Grade 0	まったく症状がない
Grade 1	症状はあるがとくに問題となる障害はない（通常の日常生活および活動は可能）
Grade 2	軽度の障害（以前の活動は障害されているが，介助なしに自分のことができる）
Grade 3	中等度の障害（何らかの介助を必要とするが介助なしに歩行可能）
Grade 4	比較的高度の障害（歩行や日常生活に介助が必要）
Grade 5	高度の障害（ベッド上生活，失禁，常に看護や注意必要）
Grade 6	死亡

（van Swieten JC, et al. Stroke 1988[11]より）

◉ 文献

1) Special report from the National Institute of Neurological Disorders and Stroke. Classification of cerebrovascular disease III. Stroke 1990; 21: 637-76.
2) Adams HP Jr, et al. Classification of subtype of acute ischemic stroke. Definitions for use in a multicenter clinical trial. TOAST. Trial of Org 10172 in Acute Stroke Treatment. Stroke 1993; 24; 35-41.
3) Ay H, et al. An evidence-based causative classification system for acute ischemic stroke. Ann Neurol 2005; 58: 688-97.
4) Lyden P, et al. Improved reliability of the NIH Stroke Scale using video training. NINDS TPA Stroke Study Group. Stroke 1994; 25: 2220-6.
5) 日本脳卒中学会 脳卒中医療向上・社会保険委員会/静注血栓溶解療法指針改訂部会．静注血栓溶解（rt-PA）療法 適正治療指針 第三版 2019年3月．脳卒中 2019；41：205-46.
6) 後藤文男．日本脳卒中学会・脳卒中重症度スケール（急性期）の発表に当たって．脳卒中 1997；19：1-5.
7) 太田富雄ほか．急性期意識障害の新しいgradingとその表現法（いわゆる3-3-9度方式）．第3回脳卒中の外科研究会講演集；1975. pp.61-9.
8) Teasdale G, Jennett B. Assessment of coma and impaired consciousness. A practical scale. Lancet 1974; 2 (7872): 81-4.
9) Hunt WE, Kosnik EJ. Timing and perioperative care in intracranial aneurysm surgery. Clin Neurosurg 1974; 21: 79-89.
10) Report of World Federation of Neurological Surgeons Committee on a Universal Subarachnoid Hemorrhage Grading Scale. J Neurosurg 1988; 68: 985-6.
11) van Swieten JC, et al. Interobserver agreement for the assessment of handicap in stroke patients. Stroke 1988; 19: 604-7.

3 日本脳卒中データバンク
—17万例の臨床情報解析結果—

豊田一則，中井陸運

- 急性期脳卒中患者 169,991 例の基本情報を解析した.
- 病型として脳梗塞が 74.0 %，脳出血が 19.5 %，くも膜下出血が 6.5 %を占め，脳梗塞の亜病型としてアテローム血栓性脳梗塞がもっとも多かった（脳梗塞全体の 31.5 %）.
- 性別は男性が 58.0 %と優位で，年齢は後期高齢者が 45.3 %を占めた.
- 発症後 4.5 時間未満来院が脳卒中全体の 43.1 %を占め，病型別ではくも膜下出血で 4.5 時間未満来院が 67.3 %と多かった.
- 脳卒中全体の 46.2 %が意識清明で，8.5 %が昏睡を呈した.
- 脳梗塞患者の来院時 NIHSS 中央値は 4，脳出血患者は 11 であった．くも膜下出血患者の来院時 GCS 中央値は 14 であった.
- 2015〜2018 年における静注血栓溶解療法の実施率は脳梗塞患者全体の 10.8 %，急性期血管内治療（主に機械的血栓回収療法）は 7.4 %であった.
- 急性期病院を退院する時点での mRS 0〜1 は全脳卒中患者の 37.1 %，脳梗塞の 41.0 %，脳出血の 20.5 %，くも膜下出血の 42.8 %に，死亡率は全脳卒中患者の 7.7 %，病型ごとには各々 4.7 %，14.6 %，22.0 %に認められた.

登録患者件数と病型

国内多施設が発症後 7 日以内の急性期脳卒中（一過性脳虚血発作を含む）患者を，日本脳卒中データバンク（Japan Stroke Data Bank：JSDB）に原則として連続登録している．1999 年の研究開始以降 2016 年途中までは小林祥泰顧問が発案した入力方法（以下，旧システム）を，2016 年途中からは現事務局（国立循環器病研究センター）で作成した改変版（以下，新システム）を用いて，いずれも個票を電子入力する方法で登録を行っている.

2018 年末までに 199,599 例が JSDB に登録された．このうち，年齢，性別，病型などの基本情報が不明であった例や，一過性脳虚血発作，網膜虚血症例を除く脳卒中患者 169,991 件を，今回の解析対象とした（図 1）．病型として，脳梗塞が 74.0 %，脳出血が 19.5 %，くも膜下出血が 6.5 %を占めた（表 1）．また，脳梗塞患者における亜病型（臨床カテゴリー）の内訳は，アテローム血栓性脳梗塞が 31.5 %，心原性脳塞栓症が 28.8 %，ラクナ梗塞が 28.2 %，その他の脳梗塞が 11.6 %であった．経年的な登録件数の累計を図 2 に示す.

表 1 で新システムに移行した後の脳出血患者割合が移行前より 4.5 %増えているのが目立つ．新システム移行に際して JSDB 参加施設の一部入れ替えがあり，新たに参加した施設の特性の影響も考慮する必要がある．また，脳梗塞亜病型のうちその他の脳梗塞が，新システムへの移行後に 2.5 倍増えて 24.4 %を占めている．この原因としても施設入れ替えの影響がありうるが，むしろ近年，潜因性脳梗塞，塞栓源不明脳塞栓症の臨床的意義が重視された影響が現れていると考えられる.

図 1 解析対象

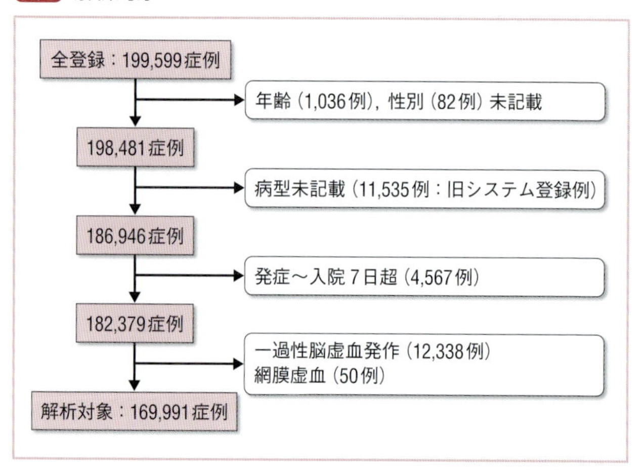

性別と年齢

全脳卒中患者の 42.0 %が女性，58.0 %が男性であった．また年齢を 4 世代に分けると，若年者（44 歳以下）が全体の 3.4 %，壮年者（45〜64 歳）が 24.0 %，前期高齢者（65〜74 歳）が 27.3 %，後期高齢者（75 歳以上）が 45.3 %を占めた．世代ごと，病型ごとの脳卒中発症者の性差を表 2 に示す．脳梗塞と脳出血

表1 患者登録件数

分類		旧システム登録件数（%）（2000～16年）	新システム登録件数（%）（2016～18年）	合計件数（%）
男女別	女性	61,493（41.8%）	9,931（43.4%）	71,424（42.0%）
	男性	85,623（58.2%）	12,944（56.6%）	98,567（58.0%）
脳卒中病型別	脳梗塞	109,372（74.3%）	16,350（71.5%）	125,722（74.0%）
	アテローム血栓性脳梗塞	35,316（32.3%）	4,276（26.2%）	39,592（31.5%）
	心原性脳塞栓症	31,652（28.9%）	4,527（27.7%）	36,179（28.8%）
	ラクナ梗塞	31,835（29.1%）	3,560（21.8%）	35,395（28.2%）
	その他の脳梗塞	10,569（9.7%）	3,987（24.4%）	14,556（11.6%）
	脳出血	27,828（18.9%）	5,350（23.4%）	33,178（19.5%）
	くも膜下出血	9,916（6.7%）	1,175（5.1%）	11,091（6.5%）
年代別	若年（≦44歳）	5,036（3.4%）	740（3.2%）	5,776（3.4%）
	壮年（45～64歳）	36,254（24.6%）	4,458（19.5%）	40,712（24.0%）
	前期高齢（65～74歳）	40,646（27.6%）	5,830（25.5%）	46,476（27.3%）
	後期高齢（≧75歳）	65,180（44.3%）	11,847（51.8%）	77,027（45.3%）
合計		147,116	22,875	169,991

脳梗塞亜病型欄の%値は，全脳梗塞に占める割合を示す．
1998年，1999年発症の375例を，2000年の実績に含める．以下の図表も同じ．

図2 脳卒中登録患者累計

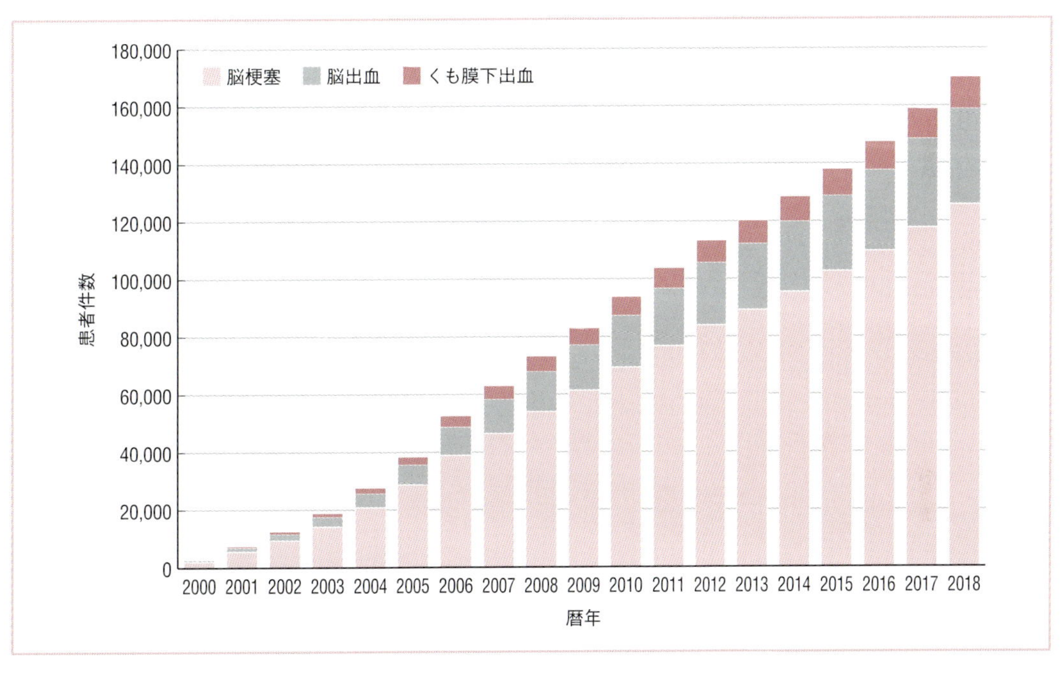

においては前期高齢者までは男性が優位で，後期高齢者で女性が過半数を占めた．一方でくも膜下出血は，全世代で女性が優位であった．また病型ごとの世代の分布をみると，後期高齢者が脳梗塞患者の49.2 %，脳出血患者の36.8 %，くも膜下出血患者の26.6 %を占めた．

脳卒中全患者および病型ごとの発症時年齢と性別の分布を，**図3**に示す．脳卒中全体では女性が80歳代前半，男性が70歳代前半に発症のピークを示した．脳梗塞では女性が80歳代前半，男性が70歳代前半に，脳出血では女性が80歳代前半，男性が60歳代後半に，くも膜下出血では女性が70歳代前半，男性が50歳代後半に，それぞれピークを示した．発症時年齢の経年的変化を**図4**に示す．脳梗塞と脳出血は経年的に発症時年齢中央値が高くなったが，くも膜下出血においては経年的変化を認めなかった．2015～18年における中央値は脳卒中全

表2 年代ごとの脳卒中発症者の性差

年代	女性	男性	合計
脳卒中（全年代）	71,424（42.0％）	98,567（58.0％）	169,991
若年（≦44歳）	2,124（36.8％）	3,652（63.2％）	5,776
壮年（45～64歳）	12,187（29.9％）	28,525（70.1％）	40,712
前期高齢（65～74歳）	16,006（34.4％）	30,470（65.6％）	46,476
後期高齢（≧75歳）	41,107（53.4％）	35,920（46.6％）	77,027
脳梗塞（全年代）	49,856（39.7％）	75,866（60.3％）	125,722
若年	959（33.1％）	1,941（66.9％）	2,900
壮年	6,319（24.8％）	19,157（75.2％）	25,476
前期高齢	10,901（30.7％）	24,561（69.3％）	35,462
後期高齢	31,677（51.2％）	30,207（48.8％）	61,884
脳出血（全年代）	14,116（42.5％）	19,062（57.5％）	33,178
若年	561（32.4％）	1,172（67.6％）	1,733
壮年	3,346（31.2％）	7,395（68.8％）	10,741
前期高齢	3,245（38.1％）	5,261（61.9％）	8,506
後期高齢	6,964（57.1％）	5,234（42.9％）	12,198
くも膜下出血（全年代）	7,452（67.2％）	3,639（32.8％）	11,091
若年	604（52.8％）	539（47.2％）	1,143
壮年	2,522（56.1％）	1,973（43.9％）	4,495
前期高齢	1,860（74.2％）	648（25.8％）	2,508
後期高齢	2,466（83.7％）	479（16.3％）	2,945

％値は性差を示す．

体で女性79歳，男性72歳，脳梗塞で女性81歳，男性73歳，脳出血で女性77歳，男性68歳，くも膜下出血で女性69歳，男性57歳であった．

病院到着まで

当該脳卒中発症前の自立度（modified Rankin Scale〈mRS〉で評価）は中央値0，四分位値0～1，完全自立患者（mRS 0～1に相当）の割合は79.2％であった．この割合を病型ごとにみると，脳梗塞で77.9％，脳出血で79.7％，くも膜下出血で92.2％であった．

発症ないし最終健常確認時刻から来院までの時間，および救急隊の搬送による受診割合を表3に示す．このうち来院までの時間は旧システム登録例で欠測が多く，新システム登録例では全例で記載されていたので，後者のみを解析対象とした．4.5時間未満来院例は全患者の43.1％，女性の44.3％，男性の42.2％を占めた．4.5時間未満来院の割合を病型ごとにみると，くも膜下出血が67.3％と最も多く，次いで脳出血57.6％，脳梗塞36.6％であった．

救急隊搬送によって受診した割合は，全患者で60.8％，女性64.5％，男性58.7％であった．この割合を病型ごとにみると，くも膜下出血が85.6％と最も多く，次いで脳出血82.4％，脳梗塞52.9％であった．またこの割合は，経年的に漸増した（2000～06年59.1％，2007～10年58.0％，2011～14年61.5％，2015～18年65.0％）．

表3 発症ないし最終健常確認時刻から来院までの時間および救急車での受診割合

	来院までの時間			救急車利用率
	4.5時間未満	4.5時間以降 24時間未満	24時間以降 7日以内	
脳卒中	43.1％	30.1％	26.8％	60.8％
女性	44.3％	30.1％	25.6％	64.5％
男性	42.2％	30.1％	27.7％	58.7％
脳梗塞	36.6％	31.6％	31.7％	52.9％
女性	37.1％	31.9％	31.0％	55.9％
男性	36.3％	31.4％	32.2％	50.9％
脳出血	57.6％	27.8％	14.5％	82.4％
女性	57.1％	28.2％	14.7％	81.1％
男性	58.1％	27.5％	14.4％	81.4％
くも膜下出血	67.3％	18.6％	14.0％	85.6％
女性	68.2％	19.7％	12.1％	86.8％
男性	65.5％	16.3％	18.2％	83.2％

来院までの時間は，新システム移行後の登録例のみ（22,874例）を，救急車利用率は全症例（欠測4,114例を除く165,877例）を解析対象とする．

来院時重症度

脳卒中全患者，および病型ごとの来院時意識レベルを，Japan Coma Scale（JCS：いわゆる3-3-9度方式）を用いて図5に示す．全患者の46.2％が意識清明（JCS 0）で，8.5％が昏睡（III-100～300）を呈した．昏睡患者は病型間の差が大きく，くも膜下出血が31.0％と最も多く，次いで脳出血19.2％，脳梗塞3.6％であった．昏睡患者割合の性差や世代差はこの病型差に大きく影響を受けるが，脳卒中全患者においては女性の10.8％，男性の6.7％，若年者の10.5％，壮年者の8.1％，前期高齢者の6.7％，後期高齢者の9.5％が昏睡を呈した．

脳梗塞患者の来院時神経学的重症度は，National Institutes of Health Stroke Scale（NIHSS）中央値4（四分位値2～9）であった（表4）．NIHSSの分布を図6に示す．女性が男性より重症で，また若年者や壮年者が高齢者より目立って軽症であった．NIHSS中央値から判断すると，重症度の経年変化を認めず，亜病型のうちでは心原性脳塞栓症が目立って重症であった．

脳出血患者の来院時NIHSSの中央値は11（四分位値4～23）であった（表4）．NIHSSの分布を図7に示す．すべての性別と世代で，脳梗塞患者と比べて明らかに重症であった．女性が男性より重症で，また若年者が相対的に軽症であった．NIHSS中央値からは，重症度の経年変化を認めなかった．

くも膜下出血患者に対しては，来院時意識レベルをGlas-

図3 発症時年齢の分布

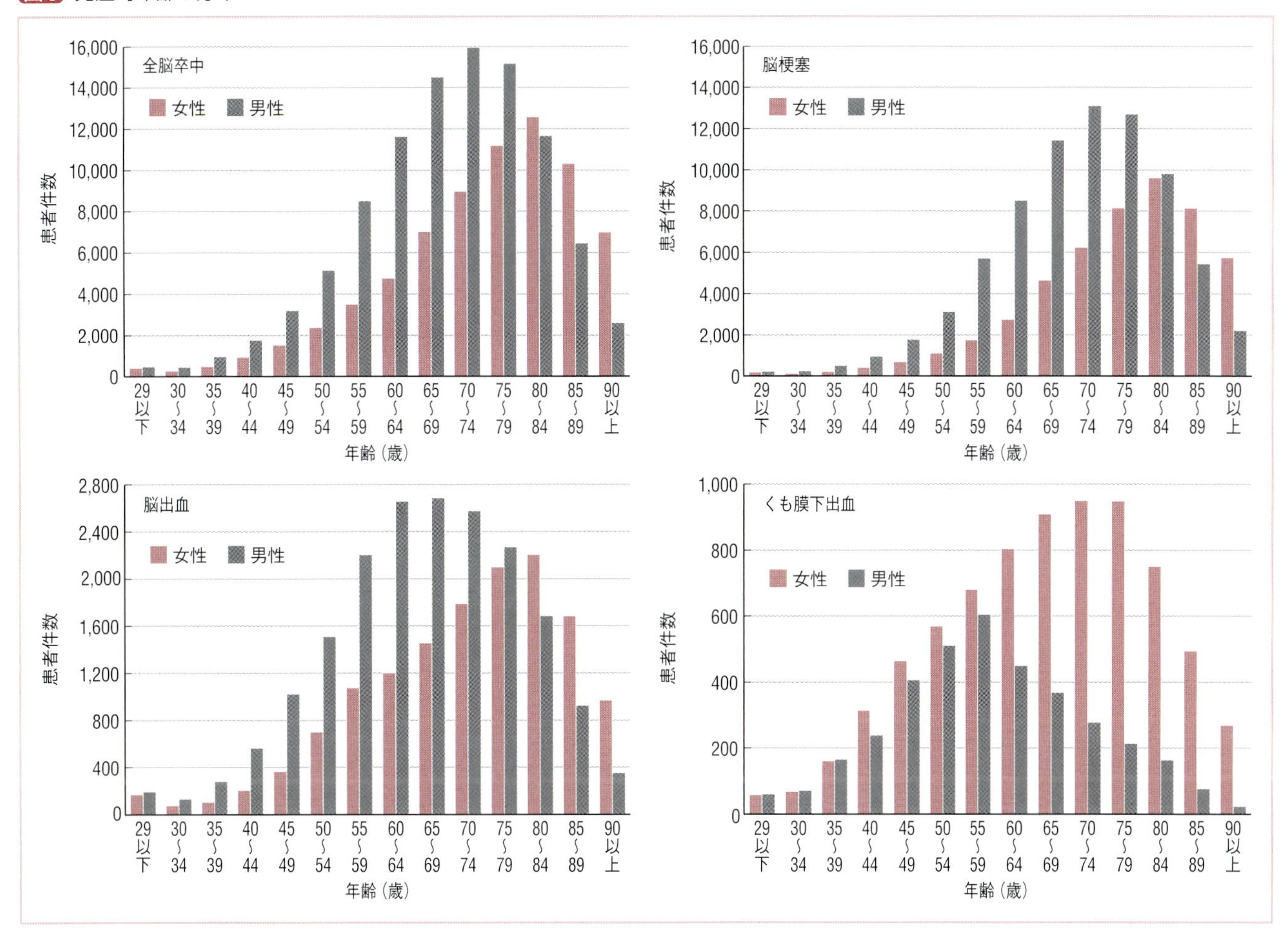

図4 発症時年齢の経年的変化

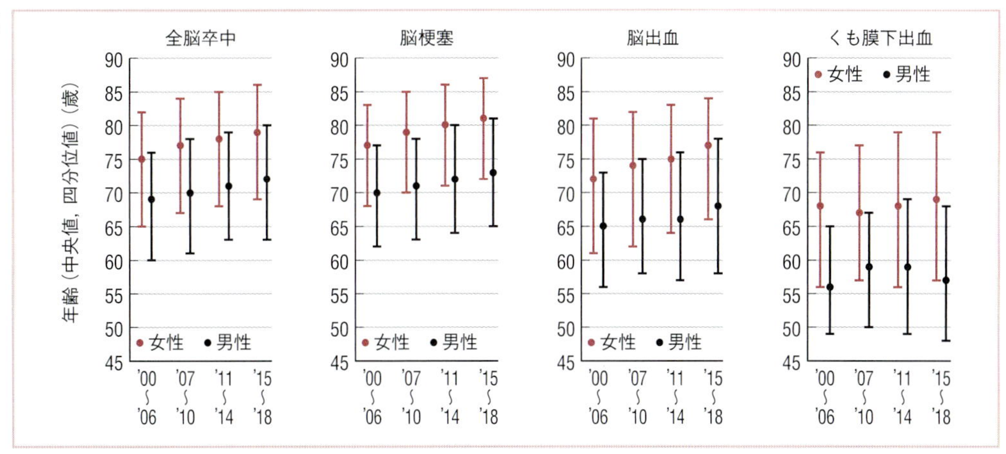

gow Coma Scale（GCS）でも評価している．その中央値は14（四分位値6〜15），機能別尺度中央値（四分位値）は開眼3（1〜4），言語4（1〜5），運動6（4〜6）であった．女性は中央値13（四分位値6〜15），男性は14（6〜15），若年者15（11〜15），壮年者14（8〜15），前期高齢者13（6〜15），後期高齢者10（4〜15）であった．このGCSと失語や片麻痺の有無から判定す

図5 来院時意識レベル（Japan Coma Scale）

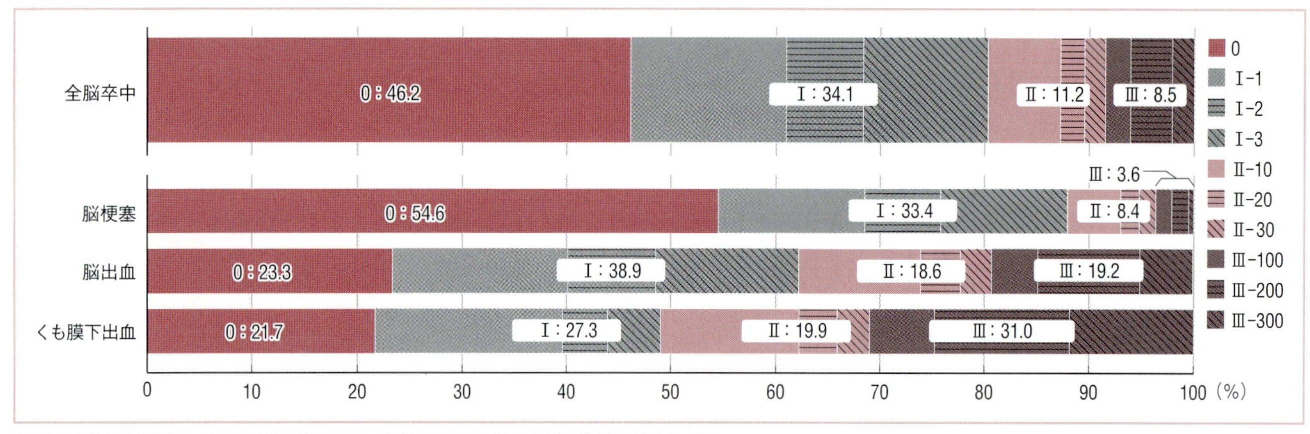

脳梗塞患者100,656例，脳出血患者27,805例，くも膜下出血患者8,379例を解析対象とする．

図6 脳梗塞患者のNIHSSの分布

105,154例を解析対象とする．

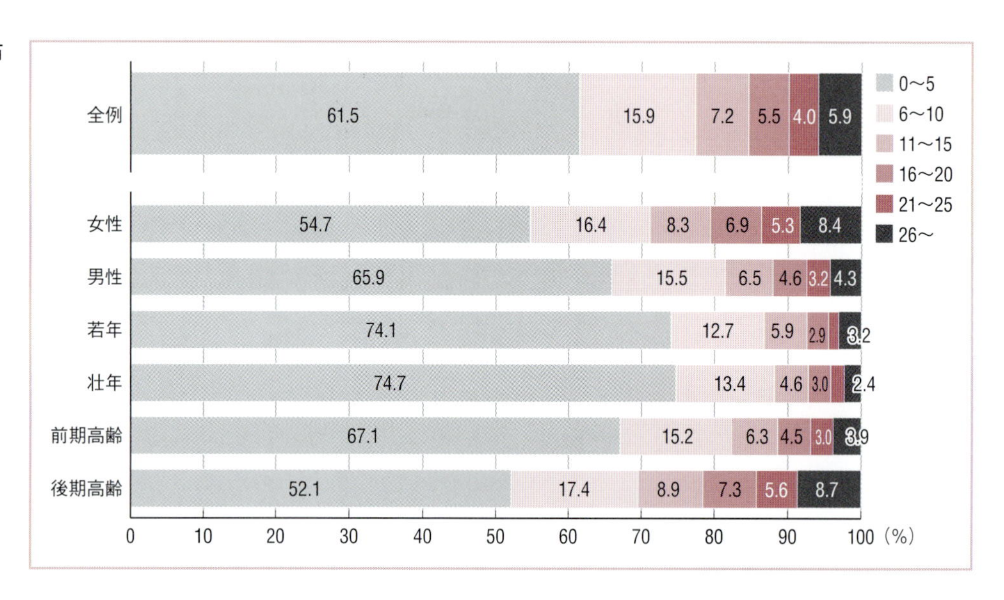

図7 脳出血患者のNIHSSの分布

27,069例を解析対象とする．

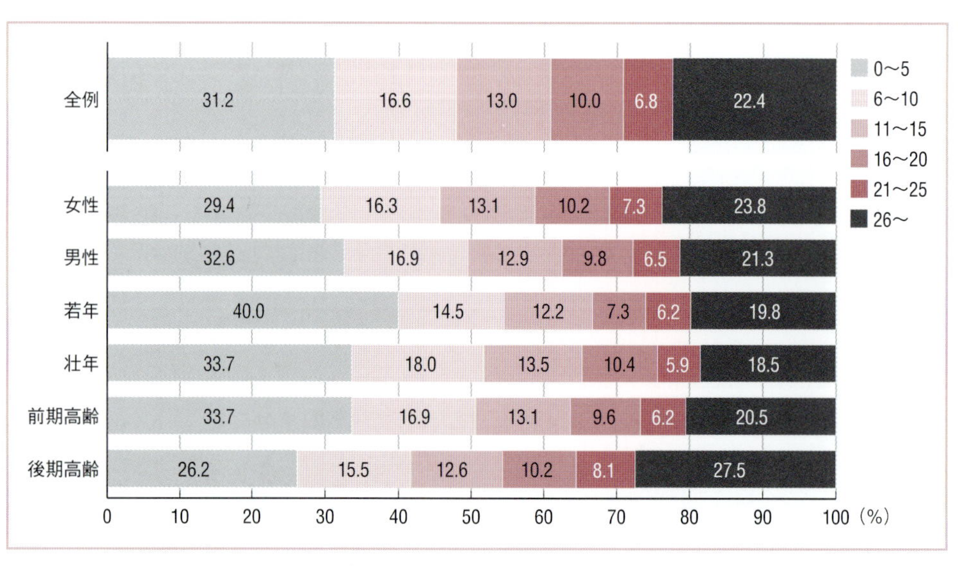

表4 来院時神経学的重症度（NIHSS）

	脳梗塞 中央値（四分位値）	脳出血 中央値（四分位値）
全例	4（2～9）	11（4～23）
女性	5（2～13）	12（4～25）
男性	4（2～8）	11（4～22）
若年者	2（1～6）	9（2～21）
壮年者	3（1～6）	10（4～20）
前期高齢者	3（2～7）	10（4～22）
後期高齢者	5（2～13）	14（5～27）
2000～06	4（2～10）	12（4～25）
2007～10	4（2～9）	11（4～23）
2011～14	4（2～9）	11（4～22）
2015～18	4（2～9）	11（4～24）
アテローム血栓性脳梗塞	4（2～8）	－（－）
心原性脳塞栓症	10（3～20）	－（－）
ラクナ梗塞	3（1～5）	－（－）
その他の脳梗塞	3（1～8）	－（－）

脳梗塞患者105,154例，脳出血患者27,069例を解析対象とする．

表5 主な危険因子と併存疾患

		脳梗塞	脳出血	くも膜下出血
既往・併存疾患	脳血管障害既往	28.2％	24.1％	9.8％
	全心疾患	34.3％	15.6％	8.4％
	心房細動	23.6％	8.0％	2.9％
	虚血性心疾患	8.1％	4.4％	3.0％
	うっ血性心不全	2.2％	1.1％	0.6％
	高血圧症	70.6％	75.7％	51.6％
	脂質異常症	35.0％	21.5％	17.3％
	糖尿病	27.9％	16.8％	7.9％
	腎機能障害	8.5％	8.4％	3.5％
	肝疾患	0.7％	1.3％	0.7％
	悪性腫瘍	2.5％	2.2％	1.4％
嗜好	現在の喫煙習慣	25.4％	24.0％	32.6％
	飲酒（≧8単位/週）	9.7％	14.2％	10.2％
脳卒中家族歴		13.9％	11.9％	15.2％

上記項目のうち，腎機能障害（欠測率：脳梗塞37.2％，脳出血37.1％，くも膜下出血40.1％），現在の喫煙習慣（同31.4％，36.2％，37.0％），飲酒（同33.4％，39.1％，39.3％）の3項目は欠測率が10％を超える．

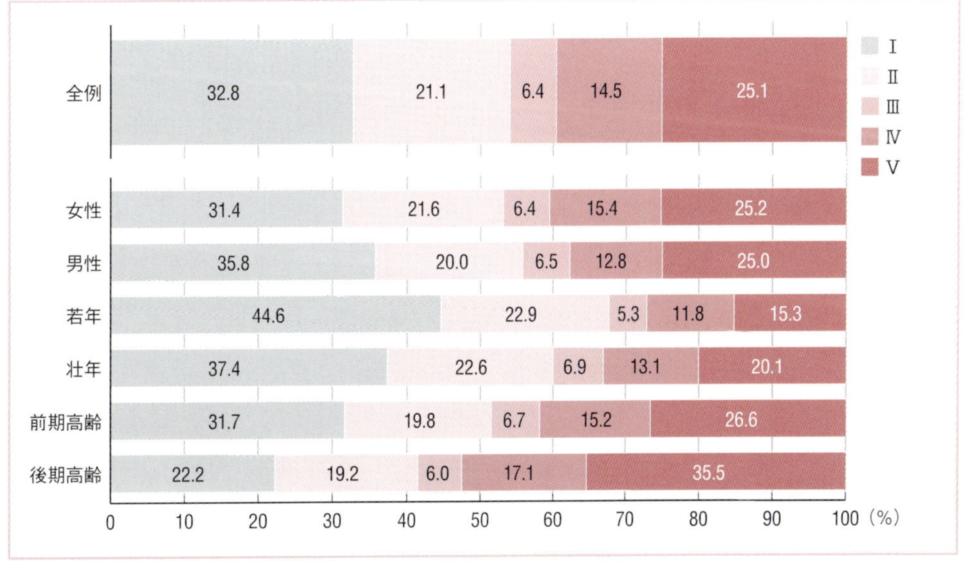

図8 くも膜下出血患者の来院時神経学的重症度（WFNSによる分類）

10,423例を解析対象とする．

る世界脳神経外科連合（World Federation of Neurological Surgeons：WFNS）分類を用いた重症度を，図8に示す．Grade Ⅴの重症例は全体の25.1％を占め，性差は目立たず，年齢層が高まるほど多かった．

危険因子，併存疾患

危険因子や併存疾患については，第2部でいくつかのテーマに分けて解説されている．ここでは，主な危険因子，併存疾患の頻度を，表5に病型別に示す．発症機序を考えれば当然の結果であろうが，一般的な動脈硬化の危険因子や心疾患が脳梗塞患者に多いなかで，高血圧症や飲酒習慣は脳出血患者で，現在の喫煙習慣はくも膜下出血患者で，最も多い．

治療

脳卒中急性期の治療については，第2部でいくつかのテーマに分けて解説されている．ここでは，脳梗塞患者における急性期再灌流療法（急性期再開通療法）としての静注血栓溶解療法と血管内治療（主に機械的血栓回収療法）の施行頻度の経年的

図9 脳梗塞患者における急性期再灌流療法の施行頻度

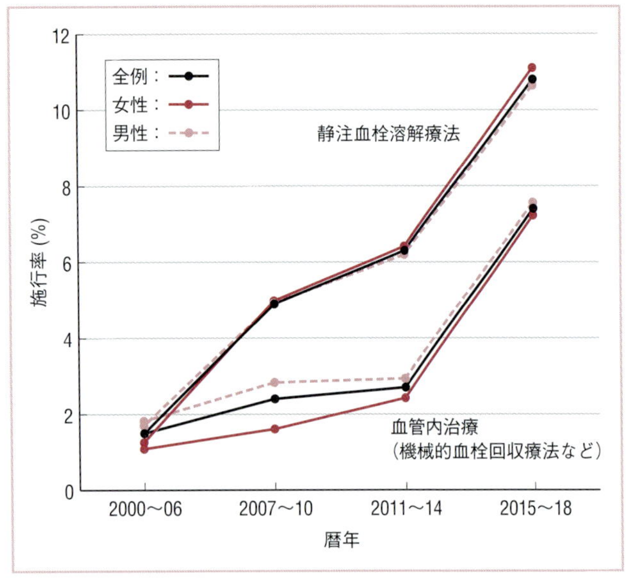

125,722例全例を解析対象とする．

表6 脳梗塞患者の退院時mRSと自宅退院の割合

	mRS							自宅退院率
	0	1	2	3	4	5	6	
全脳梗塞	16.1 %	24.9 %	15.2 %	11.2 %	17.2 %	10.7 %	4.7 %	52.7 %
女性	13.5 %	20.2 %	13.1 %	11.5 %	20.5 %	15.1 %	6.1 %	45.9 %
男性	17.9 %	28.0 %	16.6 %	11.0 %	15.0 %	7.8 %	3.7 %	57.4 %
若年者	33.6 %	33.6 %	13.7 %	5.3 %	9.2 %	2.7 %	1.8 %	71.9 %
壮年者	24.1 %	35.5 %	16.9 %	8.1 %	10.0 %	3.4 %	2.0 %	69.9 %
前期高齢者	19.4 %	28.8 %	17.2 %	10.4 %	14.5 %	6.8 %	2.9 %	62.1 %
後期高齢者	10.2 %	17.9 %	13.4 %	13.2 %	22.1 %	16.3 %	6.9 %	42.4 %
2000〜06	14.8 %	25.5 %	15.3 %	10.7 %	16.9 %	11.4 %	5.5 %	―
2007〜10	16.6 %	25.5 %	15.3 %	10.8 %	16.9 %	10.1 %	4.9 %	―
2011〜14	16.3 %	25.2 %	15.1 %	11.4 %	17.0 %	10.7 %	4.3 %	―
2015〜18	17.2 %	23.4 %	15.1 %	12.2 %	17.9 %	10.6 %	3.7 %	―
アテローム血栓性脳梗塞	15.0 %	23.2 %	16.7 %	12.5 %	19.6 %	10.0 %	3.2 %	51.5 %
心原性脳塞栓症	12.1 %	16.3 %	12.0 %	10.4 %	19.2 %	19.7 %	10.4 %	37.5 %
ラクナ梗塞	20.1 %	36.1 %	16.7 %	10.7 %	12.7 %	3.1 %	0.6 %	69.2 %
その他の脳梗塞	19.8 %	23.5 %	15.7 %	11.5 %	16.4 %	8.8 %	4.3 %	55.5 %

mRSは123,488例を解析対象とする．
自宅退院率は，新システム（2016年〜）登録例のなかで有効回答のあった15,427例から算出している．

図10 退院時の自立度（mRS）

脳梗塞患者123,488例，脳出血患者32,421例，くも膜下出血患者10,744例を解析対象とする．

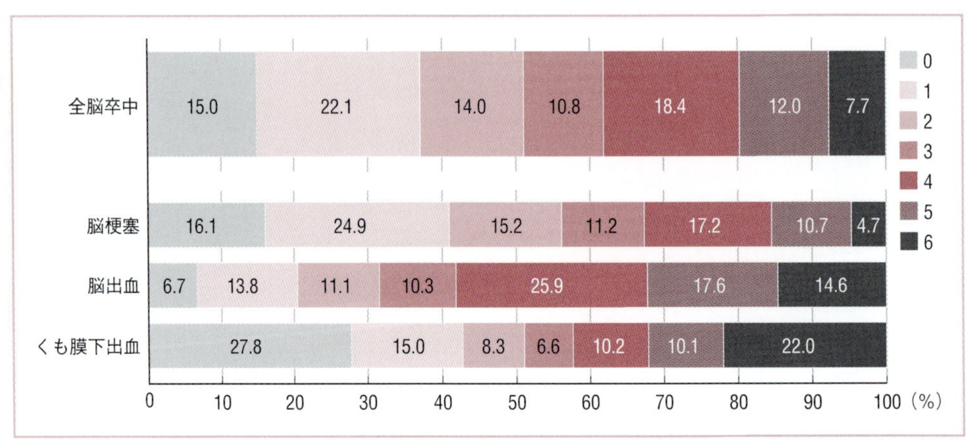

変化を，図9に簡潔に示す．静注血栓溶解療法は2005年に国内で保険承認され，2012年に発症〜治療開始時刻の制限が3時間以内から4.5時間以内に延長された．近年の実施率は10.8%に達するが，製薬企業の出荷数から推測される7〜8%の頻度と比べてやや高めを示した．専用のデバイスを用いた機械的血栓回収療法は2010年に国内で保険承認され，現在の主流であるステントリトリーバーは2014年に承認された．近年の実施率は7.4%で，RESCUE-Japan研究チームの報告（2018年の施行件数12,482件：国内での年間新規脳梗塞発症数を22万件と推測すると，脳梗塞全体の約6%）よりやや高い．

転帰

急性期病院を退院する時点での機能転帰を，mRSを用いて図10に示す．完全自立と見なされるmRS 0〜1は全脳卒中患者の37.1%，脳梗塞の41.0%，脳出血の20.5%，くも膜下出血の42.8%に，機能的自立を表すmRS 2を含めた自立の割合は全脳卒中で51.1%，病型ごとには脳梗塞で56.2%，脳出血で31.6%，くも膜下出血で51.1%に認められた．寝たきりな

図11 死因

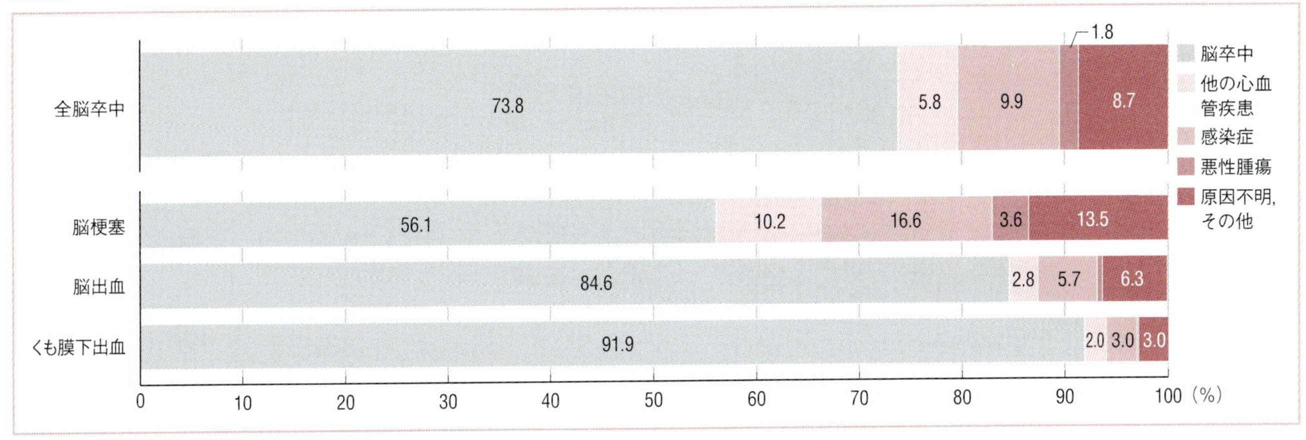

死亡と記載された12,821例中7,058例を解析対象とする．

表7 脳出血，くも膜下出血患者の退院時mRSと自宅退院の割合

	mRS							自宅退院率
	0	1	2	3	4	5	6	
全脳出血	6.7 %	13.8 %	11.1 %	10.3 %	25.9 %	17.6 %	14.6 %	28.2 %
女性	6.2 %	12.1 %	10.1 %	10.3 %	26.8 %	20.5 %	14.0 %	25.5 %
男性	7.1 %	15.0 %	11.9 %	10.3 %	25.3 %	15.5 %	15.0 %	30.3 %
若年者	17.1 %	22.8 %	14.4 %	9.0 %	19.0 %	7.8 %	9.9 %	39.2 %
壮年者	9.0 %	19.1 %	14.4 %	10.2 %	25.6 %	11.2 %	10.6 %	36.3 %
前期高齢者	6.7 %	14.7 %	11.8 %	11.4 %	26.8 %	15.9 %	12.6 %	31.6 %
後期高齢者	3.2 %	7.2 %	7.3 %	9.8 %	26.6 %	25.9 %	20.0 %	19.4 %
2000～06	8.4 %	14.7 %	11.0 %	9.8 %	22.7 %	17.1 %	16.3 %	–
2007～10	6.8 %	14.0 %	11.3 %	10.1 %	26.4 %	17.6 %	13.9 %	–
2011～14	6.0 %	13.7 %	10.8 %	10.5 %	28.7 %	16.6 %	13.8 %	–
2015～18	5.4 %	12.6 %	11.3 %	11.0 %	26.9 %	19.1 %	13.8 %	–
全くも膜下出血	27.8 %	15.0 %	8.3 %	6.6 %	10.2 %	10.1 %	22.0 %	52.4 %
女性	27.1 %	14.1 %	7.8 %	6.9 %	10.8 %	10.9 %	22.4 %	51.7 %
男性	29.4 %	16.7 %	9.5 %	6.1 %	8.9 %	8.5 %	21.1 %	53.9 %
若年者	50.5 %	19.5 %	8.3 %	3.2 %	4.5 %	3.9 %	10.1 %	73.5 %
壮年者	36.6 %	18.8 %	9.3 %	5.9 %	7.8 %	6.3 %	15.4 %	63.9 %
前期高齢者	23.3 %	14.2 %	9.8 %	7.9 %	11.3 %	12.3 %	21.3 %	44.2 %
後期高齢者	9.3 %	7.9 %	5.7 %	8.0 %	15.2 %	16.5 %	37.4 %	28.6 %
2000～06	30.1 %	14.3 %	7.3 %	6.0 %	8.6 %	9.1 %	24.8 %	–
2007～10	28.1 %	14.4 %	7.9 %	6.0 %	11.1 %	9.8 %	22.7 %	–
2011～14	26.4 %	16.0 %	10.0 %	8.0 %	11.3 %	9.5 %	18.8 %	–
2015～18	25.0 %	15.8 %	9.2 %	7.1 %	10.8 %	12.6 %	19.3 %	–

mRSは脳出血患者32,421例，くも膜下出血患者10,744例を解析対象とする．
脳出血患者の自宅退院率は，新システム（2016年～）登録例のなかで有効回答のあった4,572例から，くも膜下出血患者では同じく888例から算出している．

いし死亡の高度障害を表すmRS 5～6は全脳卒中で19.7 %，病型ごとには脳梗塞で15.4 %，脳出血で32.2 %，くも膜下出血で32.1 %に認められた．

病型ごとに性差や世代差，登録時期の差を比べた結果を表6，7に示す．いずれの病型においても女性や高齢者で自立患者の割合が低く，高度障害の割合が高かった．

自宅（サービス付き高齢者住宅を含む）に直接退院した患者の割合は，旧システムでは入力件数が非常に少なく，新システム（2016年～）登録患者のみを対象に算出した．脳卒中全体の47.3 %，脳梗塞患者の52.7 %，脳出血患者の28.2 %，くも膜下出血患者の52.4 %が，直接自宅に退院した．女性全体で41.7 %，男性全体で51.5 %であった．いずれの病型においても女性や高齢者で自宅退院率が低く，脳梗塞亜病型のなかでは心原性脳塞栓症の自宅退院率が低かった．

急性期病院入院中の死亡（mRS 6）率は，全脳卒中患者の7.7 %，脳梗塞の4.7 %，脳出血の14.6 %，くも膜下出血の22.0 %であった．性差は病型によって傾向が異なり，高齢者で死亡率が高かった．登録時期を4期に分けると，脳梗塞では経年的に死亡率が減り，くも膜下出血もその傾向があった．死因を図11に示す．脳卒中による直接死が，脳卒中全体で73.8 %，脳梗塞患者で56.1 %，脳出血患者で84.6 %，くも膜下出血患者で91.9 %を占めた．

特別寄稿 1 日本脳卒中データバンク（JSDB）の歴史と将来展望

小林祥泰

- 日本脳卒中データバンク（JSDB）は，1999 年の脳卒中急性期患者データベース構築研究（JSSRS）に端を発し，当初のコンセプトは，① 診断基準統一，② 重症度評価の標準化，③ アウトカムスケール標準化，④ 各病院データベースとしても機能する，⑤ 日本におけるデータ集計が可能，⑥ 諸外国や他施設と比較が可能，⑦ 研修医への標準的な脳卒中診療の教育であった．
- 数年ごとに登録例数が倍増し，2015 年には 10 万例を超えるデータを解析した『脳卒中データバンク 2015』を出版した．
- JSDB の最終目標は，脳卒中医療の実態把握による診断，治療法の改善と診療報酬改定資料を作成する全国的データバンクの構築であり，そのために 2015 年に国立循環器病センターに移管した．
- 将来的には，診断群分類（DPC）データに正確な脳卒中病型などを組み込んだデータベースの構築に期待している．

日本脳卒中データバンク（JSDB）の歴史

脳卒中データベース作成のきっかけは，1998 年「健康 21」という国家プロジェクトの脳卒中委員会（山口武典委員長）に参加し，日本には急性期脳卒中の大規模な臨床統計がほとんどないこと，評価基準も統一されていないことに気づいたことである．そこでデータベース作成用ソフトウェアである「FileMaker®」を使って脳卒中データベースを自分で試作し，その会議で PC を使って発表した．その甲斐あってか 1999 年に厚生科研費を獲得し，1999 年から脳卒中急性期患者データベース構築研究（Japan Standard Stroke Registry Study：JSSRS）[1]を開始した．峰松一夫現国立循環器病センター名誉院長や小川彰現岩手医大学長はじめ 19 人で研究班を構成した．最初は PC を使うデータベースは時期尚早という意見もあったが，ちょうどインターネットが普及しはじめたことも幸いして無事スタートした．

1. JSDB のコンセプト

脳卒中データベースの当初のコンセプトは，① 診断基準統一（National Institute of Neurological Disorders and Stroke〈NINDS〉III），② 重症度評価標準化（Japan Stroke Scale〈JSS〉, National Institutes of Health Stroke Scale〈NIHSS〉），③ アウトカムスケール標準化（修正 Rankin スケール〈modified Rankin Scale：mRS〉），④ 各病院のデータベースとしても機能すること，⑤ 日本におけるデータ集計が可能であること，⑥ 諸外国や他施設との比較が可能となること，⑦ 研修医に標準的脳卒中診療を教育することであった．中央集約方式の Web 登録形式ではなく各病院独自の守秘性の高い脳卒中データベースとしたことは，同意なし登録を行う必要条件と考えていた．

図1 脳卒中データバンク解析報告の歩み

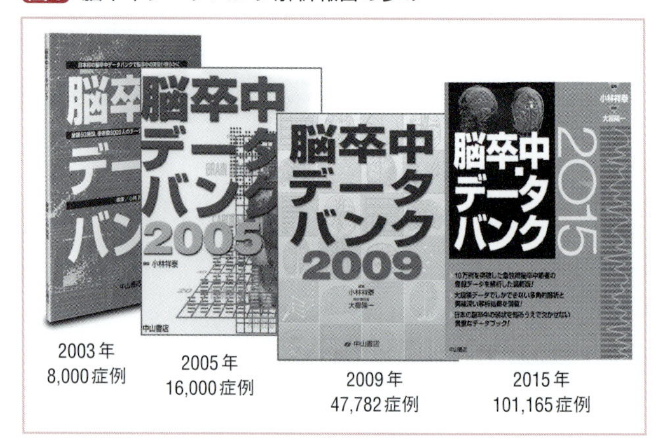

Joseph Broderick 教授がアメリカ脳卒中学会の講演で脳卒中データベースがうまく運営される条件として，① 目標を明示，② 病院の仕事中に入力可能，③ 発症率をみる疫学研究は不可，④ 単純である（複雑かつ学術研究目的は不可），⑤ 急性期脳卒中のモニタリングを目的，⑥ すべての脳卒中を含めるべき，⑦ 全国レベルで登録するべきことを強調した．この講演はまさに的を射ていると思った．

また，Web 方式ではデータを集めやすいが，院外データベースに出して中央での臨床研究に使われるため研究同意が必要になり，また個々の病院では自分の病院の統計を自由に出すことができるデータベース構築が困難となる．カナダの大規模な脳卒中データバンクは遺伝子検査も含めた詳細なもので，同意の手間がたいへんだったことで結局失敗した．病院内データベースならば同意は不要である．しかし，全国集計するには連結不可能匿名化が必要となる．そこで医療倫理専門家に相談のう

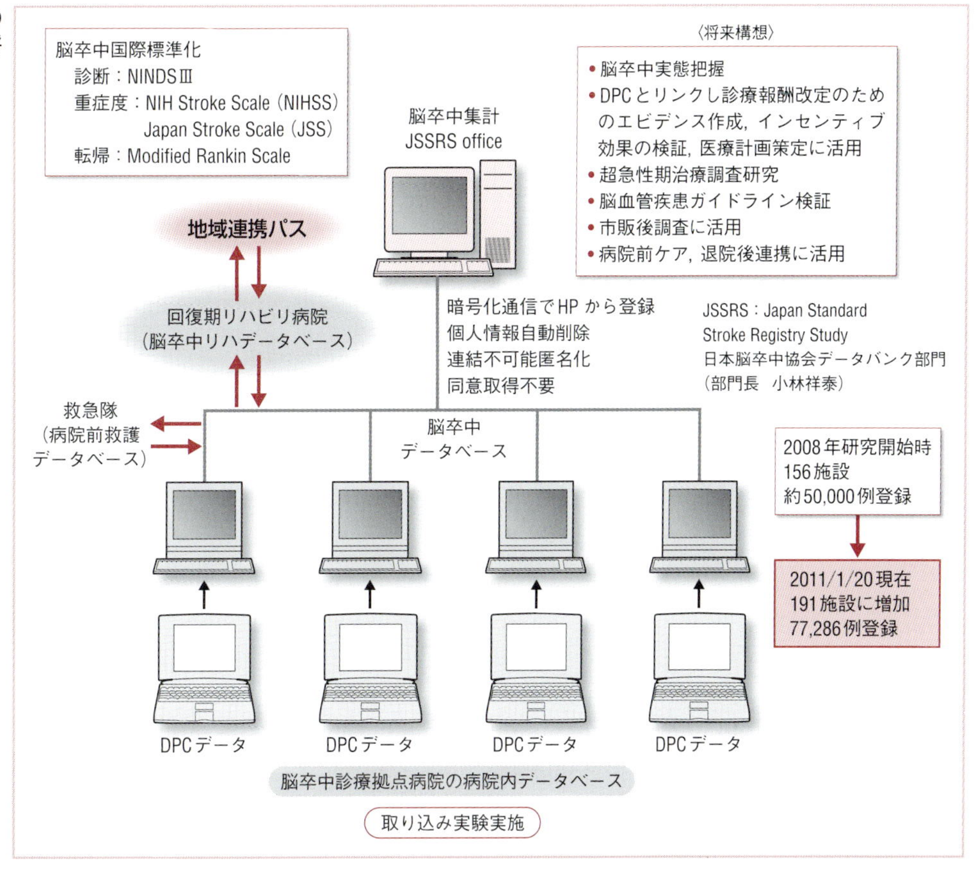

図2 脳卒中データバンク研究班の2011年時点の実現内容と将来構想

えデータをまとめて書き出す際に自動的に個人情報を削除し，病院と患者IDから暗号化IDを作成して全国集計できるようにした．EBMに不可欠な調査項目に絞るとともに，詳細な入力も可能な，必須項目とオプションの2本立て方式を採用した．研究協力施設29施設で2000年度中に合計2,863例が登録され3年間の研究で7,000例をまとめた『脳卒中データバンク』シリーズ第1号を出版することができた．その後の『脳卒中データバンク』は図1のように2003年からの12年間に4冊出版することができ，毎回登録例数が倍増し10万例を超えるという世界でも珍しいものとなった．

2. より簡便なデータベースへの改良研究

この間も断続的に厚生労働科研費による改良研究を続け，電子カルテが普及してからは主治医がカルテ記入時に脳卒中データベース必須項目をワークシートに記入でき，毎月入院した患者を検索してまとめてファイル書き出ししてUSBでFileMaker® のデータベースに一括入力する仕組みを開発し，多数例を入力している約10病院の電子カルテに組み込んだ．島根大学病院で最初に組み込んだが，それまでのようにカルテから転記する必要がなく最終確認だけでいいので，担当医の省力化・入力正確化が達成された．その結果，最後の班研究に包括医療評価制度における診断群分類（DPC）データ解析専門家の松田晋哉教授にも参加していただいて電子カルテからDPCデータを脳卒中データベースにUSB経由で読み込むソフトも開発し，詳細な診断や発症-入院時間別集計も可能とした．このソフトを使って島根大学第3内科といくつかの病院である期間のDPCデータを取り込み，詳細な脳卒中病型別に診療報酬や治療内容を比較してみたことがあるが，診療科や病院によってかなり差が大きいこともわかった．作業は，毎月厚生労働省に提出するDPCデータを脳卒中データベース入力例のみ取り出してUSBでデータベースに取り込むだけなので，医療事務方の協力があれば短時間に実施できる．電子カルテ上で記載した脳卒中データベース項目をすでにUSBで一括して取り込んでいる施設では，通常の作業にDPCデータが加わるだけなので比較的簡単である．

3. 将来構想とその実現のための取り組み

図2にJSSRS脳卒中データバンク班研究最後の時点での当時の実現項目と将来構想（右上）を示す．このなかで脳卒中リハビリデータベースはリハビリテーション学会が最初から脳卒中データベースと互換性のある形で開発されたので，急性期病院からの情報も取り込めるようになっている．地域連携パスは

熊本地区で大規模に実施されていたものを取り込める仕組みを開発し実用化した．また，救急隊が脳卒中らしい患者を運ぶ際に救急車の中でチエックする病院前脳卒中スケールを作り，救急隊で用いる病院前救護データベースも実用化して出雲消防署で活用，病院での確定脳卒中病型診断と組織プラスミノゲン活性化因子（t-PA）治療の有無，予後などをすみやかに島根大学病院からフィードバックすることで消防隊の脳梗塞の診断率が向上し搬送時間の短縮が認められたことが消防庁から注目され，全国の大会で出雲消防署が共同研究として発表した．

脳卒中データバンクの最終目標は，脳卒中医療の実態把握による診断，治療法の改善と診療報酬改定の資料を作成する全国的なデータバンク構築である．そのためには国家的な組織で今後の運営をしてもらうことが重要なので，2015年に国立循環器病センターに脳卒中データバンクを移管して現在に至っている．脳卒中データバンクを本格的に構築するにはがん対策基本法のような法案が必要である．この点についても国立循環器病センターの山口武典名誉総長，峰松一夫名誉院長，中山博文日本脳卒中協会事務局長ほかのたいへんな熱意で脳卒中・循環器病対策基本法が2018年12月にようやく成立した．しかし，これで完成ではなく，データバンク構築には脳卒中拠点病院の基準とデータ登録義務を定め予算などをつける関連法案の成立が必要である．

脳卒中データバンクの今後の展望

脳卒中データバンクを脳卒中診療の国家的拠点である国立循環器病センター（豊田一則副院長）に移管して5年が経ったが，前述したような脳卒中データバンク関連法案が審議されていないので登録への動機付けが不十分で，登録数も著増とはいかないようである．今まで述べてきた，あるいは現在の脳卒中データバンク構築のパラダイムではコロナ禍で大きな借金を抱えた国からの予算獲得は難しく，全国の脳卒中拠点病院1,000病院を網羅する継続的な登録には大きな壁があるように感じる．

1. DPCを活用する逆転の発想は可能か？

筆者らの過去の班研究では脳卒中データベースにDPCデータを取り込むという考えであった．しかし，この方式では登録に手間がかかり，年間29万人と推測される脳卒中発症例の10％でも登録するのは難しい．脳卒中拠点病院はすべて電子カルテを使用しDPCによる診療報酬請求を行っていると考えられるので，今後の脳卒中基本法のデータバンク関連法案提出に備えてDPCを活用したデータベース構築戦略を検討しておく必要がある．すなわち，逆転の発想でこれらの病院が毎月提出しているDPCデータを主体とした脳卒中データベースを構築するのである．それでは今のDPCデータ解析と同じと思われるかもしれないが，そうではなく最も重要な正確な脳卒中病型診断と発症時間，入退院時のNIHSS点数またはmRSスコアなどを後から脳卒中患者のDPCデータに組み込むということである．入院時刻，退院年月日や検査内容，注射等薬，リハビリテーション，診療報酬などはDPCに細かく入っているので活用可能である．高血圧や心房細動などの基礎疾患は保険病名にあるもので代用できる．脳卒中拠点病院から上記の重点項目をDPCデータと紐づけした形で提出してもらい，国立循環器病センターで必要なDPCデータと合わせて脳卒中データベースを構築できれば毎年10万例以上の脳卒中登録が可能と推測される．

2. 逆転の発想でJSDBの目的実現へ

今の脳卒中データベースのように病巣部位や血管病変まではわからないが，治療内容は今よりも詳細になる．また，MRIやCTの検査回数もわかる．脳卒中データバンクの最大の目的が脳卒中拠点病院における脳卒中臨床の実態把握とそれにみあった診療報酬改定のためのエビデンス作成，そして新しい治療等の実臨床での検証にあることを考えると，研究目的の細かい項目は不要である．これらのビッグデータをAIで解析すれば，効率的な治療による医療費の有効利用などの新知見も出てくる可能性は十分にある．登録のための同意取得を考えなくてもよい国家レベルで，かつ手間とコストをかけない全例登録の仕組みが重要である．データバンク関連法案を提出する際にはこの点を是非考慮して逆転の発想を実現していただきたいと思っている．

特別寄稿
2

脳卒中・循環器病対策基本法と脳卒中登録事業

峰松一夫

▶これまで全国を網羅する悉皆性の高い脳卒中患者データベースは存在せず，いくつかの県で実施された調査結果をもとに全国の状況を類推するにすぎなかった．

▶2018年に成立した「脳卒中・循環器病対策基本法」の基本的施策8項目中の1つに「保健・医療・福祉に関する情報の収集・提供を行う体制の整備に係る施策（第18条）」が定められている．

▶1999年以降継続的に実施されている「日本脳卒中データバンク」は，個票を用いたデータベースとしては世界有数のものである．

▶基本法施行により，国家プロジェクトとしての悉皆的脳卒中データバンク事業が始まろうとしている．

脳卒中・循環器病対策基本法の成立

2018年12月，「健康寿命の延伸等を図るための脳卒中，心臓病その他の循環器病に係る対策に関する基本法」いわゆる「脳卒中・循環器病対策基本法（以下，本基本法）」が成立，公布され，2019年12月に施行された．わが国における脳卒中，心臓病その他の循環器病対策の飛躍的進展が期待される．

本基本法成立には，日本脳卒中協会（以下，協会）が大きく貢献した．2008年協会内に設置された「脳卒中対策検討特別委員会（委員長：峰松一夫）」での議論を契機に「脳卒中対策基本法」法制化運動がスタートした．2度の政権交代，東日本大震災などの影響で作業は難航した．2014年の参議院厚生労働委員会で法案が発議されたものの，同年秋の衆議院解散で廃案になった．2016年に本協会と日本循環器学会とが事務局機能を分掌する「脳卒中・循環器病対策基本法の成立を求める会」が発足した．以後，ホームページ開設，3度の国会集会，関連団体や各政党，議員への陳情等が精力的に行われ，本基本法成立に至った．

2020年1月，厚生労働省内に設置された「循環器病対策推進協議会」において，「循環器病対策推進基本計画」に関する協議が行われた．当初，基本計画は同年6〜7月頃に閣議決定され，その後，各都道府県で策定されたより具体的な「循環器病対策推進計画」が2021年度より実施される予定であった．残念ながら，COVID-19により協議会審議が大幅に遅れ，2020年10月にやっと閣議決定がなされた．各都道府県での「循環器病対策推進計画」策定はこれからであるが，2021年度からの具体的な計画推進に向けた努力を期待したい．

脳卒中・循環器病対策基本法の基本的施策とJSDB

さて，本基本法には8項目の基本的施策が明記されている（表1）．国や都道府県の計画もこれら8つの基本的施策に沿って検討される．このうち第18条が，脳卒中・循環器病に係る保健・医療・福祉に関する情報（症例情報その他）の収集・提

表1 基本的施策の要約

- 脳卒中・循環器病の啓発および知識の普及，禁煙・受動喫煙の防止の取り組み推進等の循環器病の予防等の推進に係る施策（第12条）
- 脳卒中・循環器病を発症した疑いがある者の搬送および受け入れの迅速かつ適切な実施を図るための体制の整備，救急救命士・救急隊員に対する研修の機会の確保等に係る施策（第13条）
- 専門的医療機関の整備等に係る施策（第14条）
- 患者等の生活の質の維持向上に係る施策（第15条）
- 保健・医療・福祉の業務に係るサービスの提供に関する消防機関，医療機関等の連携協力体制の整備に係る施策（第16条）
- 保健・医療・福祉の業務に従事する者の育成・資質の向上に係る施策（第17条）
- 保健・医療・福祉に関する情報（症例情報その他）の収集・提供を行う体制の整備，患者等に対する相談支援等の推進に係る施策（第18条）
- 研究の推進等に係る施策（第19条）

表2 脳卒中・循環器病対策基本法第18条の条文

（情報の収集提供体制の整備等）

第十八条　国及び地方公共団体は，循環器病に係る保健，医療及び福祉に関する情報（次項に規定する症例に係る情報を除く．）の収集及び提供を行う体制を整備するために必要な施策を講ずるとともに，循環器病患者及び循環器病患者であった者並びにこれらの者の家族その他の関係者に対する相談支援等を推進するために必要な施策を講ずるものとする．

2　国及び地方公共団体は，循環器病に係る予防，診断，治療，リハビリテーション等に関する方法の開発及び医療機関等におけるその成果の活用に資するため，国立研究開発法人国立循環器病研究センター及び循環器病に係る医学医術に関する学術団体の協力を得て，全国の循環器病に関する症例に係る情報の収集及び提供を行う体制を整備するために必要な施策を講ずるように努めるものとする．

法律第百五号（平三〇・一二・一四）より

図1 循環器病対策推進基本計画の概要

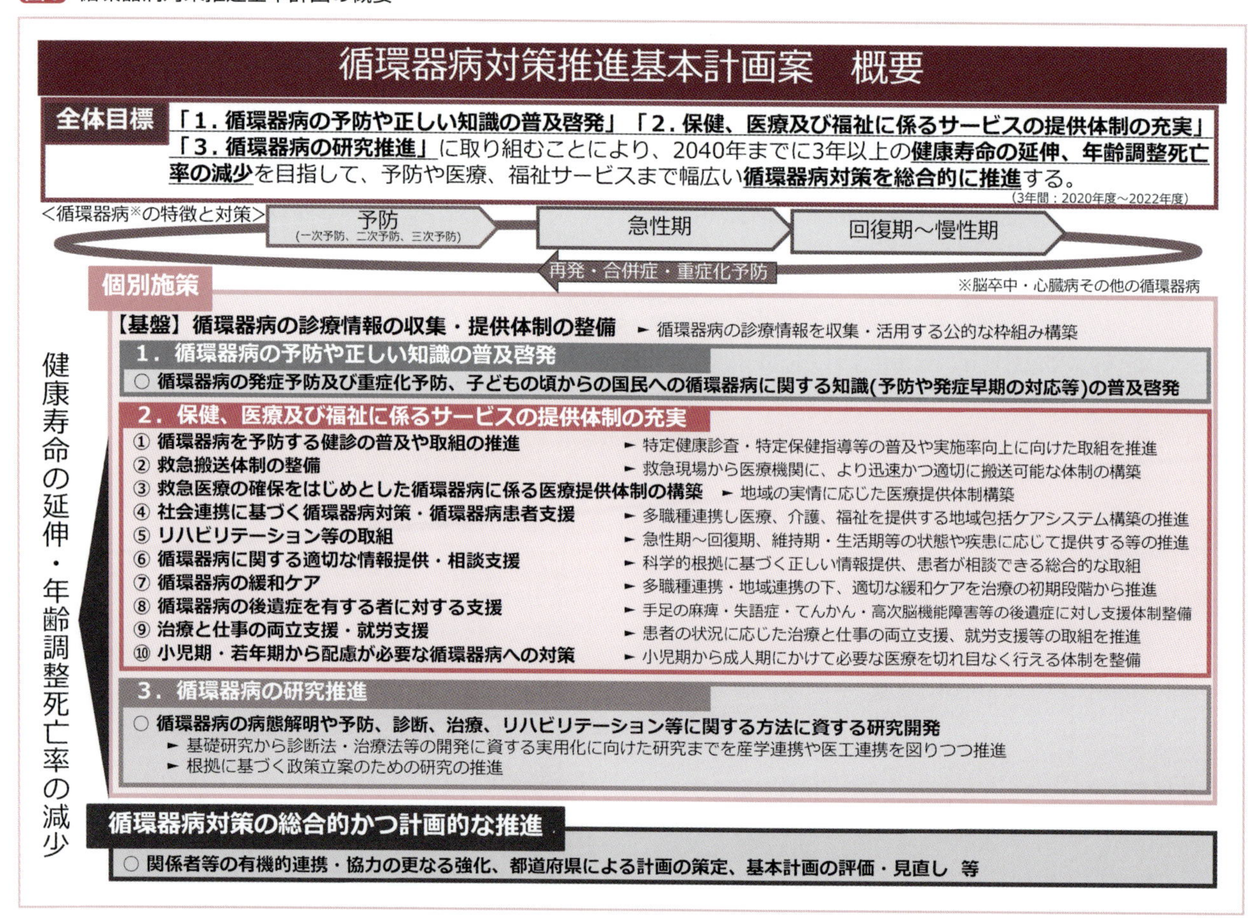

供を行う体制の整備に係る施策であり（表2），本基本法の基本的施策のなかでも中核的なものである．

驚くべきことに，これまでわが国には全国を網羅する悉皆性の高い脳卒中患者データベースは存在せず，秋田県や滋賀県などで実施された県単位の悉皆的調査の結果をもとに全国の状況を類推してきた．したがって，日本全体を網羅した正確な脳卒中患者数，有病率，罹患率，致命率は不明であり，医療やサービス提供のための地域の医療資源や社会資源の把握も不十分であり，地域格差の実態も不明確であった．

一方，悉皆性等に限界はあるものの，診断群分類（DPC）情報をもとにしたJ-ASPECT研究，脳卒中医療の質の向上を目的としたClose The Gap-Stroke Program，脳神経外科医療登録事業Japan Neurosurgical Database（JND）などに加え，症例個別診療情報を登録する日本脳卒中データバンク（JSDB）などが問題解決に一部役立ってきた．

JSDB（http://strokedatabank.ncvc.go.jp/）は，1999年に厚生労働科学研究として開始され（主任研究者：小林祥泰），日本脳卒中協会データバンク部門を経て，2015年より国立循環器病研究センターに運営移管された（運営委員長：峰松，豊田）．すでに約20万件もの症例が蓄積され，個票を用いたデータベースとしては世界有数のものである．JSDBの歴史と将来展望は，その創始者であり，初代運営委員長の小林祥泰氏の記事（特別寄稿1）に詳しい．その成果を取りまとめた成書『脳卒中データバンク』は，2003年，2005年，2009年，2015年と版を重ね，今回の2021年版は5回目にあたる．

前述のように，国の「循環器病対策推進基本計画」が2020年10月に決定されたが，その概要を示すポンチ絵が，厚生労働省により公表されている．そのポンチ絵を図1に再掲する（https://www.mhlw.go.jp/content/10905000/000688414.pdf）．本基本法で定められた「循環器病の診療情報の収集・提供体制の整備」は，個別的施策のなかで「基盤」に位置づけられ，たいへん重視されている．今後は，国の責任で循環器病診療情報の収集・活用に関する公的枠組みが整備されるはずである．これまで21年の歴史を重ねてきたJSDB事業が，新たな国家的事業として生まれ変わる日もそう遠くはないであろう．

第2部

脳卒中診療のホットテーマとエビデンス

1 脳卒中と血圧値，高血圧症

上山憲司，大里俊明，渡部寿一，麓 健太朗，荻野達也，中村博彦

- 脳梗塞・TIA，脳出血，くも膜下出血の3群において，入院時収縮期および拡張期平均血圧，退院時収縮期平均血圧は有意差が認められた．
- 出血性脳卒中の退院時収縮期および拡張期平均血圧は，目標値を下回っていた．
- ラクナ梗塞，アテローム血栓性脳梗塞，心原性脳塞栓症は，年齢別解析を行うと入退院時収縮期および拡張期平均血圧に有意差を認めた．NIHSS別解析では一部に有意差が認められた．
- 高血圧性脳出血では，年齢別およびNIHSS別解析で入退院時収縮期および拡張期血圧に有意差が認められた．
- 脳動脈瘤破裂によるくも膜下出血では，年齢別解析で入退院時収縮期および拡張期血圧の有意差は認められなかった．

はじめに

本項では，日本脳卒中データバンク（JSDB）に登録された各種脳卒中における入退院時の平均血圧値を算出し，入退院時の疾患別血圧値の比較を行った．また，主要疾患においては，年齢別，National Institutes of Health Stroke Scale（NIHSS）別の入退院時血圧値も算出した．

疾患別入退院時平均血圧

脳梗塞・一過性脳虚血発作（TIA），脳出血，くも膜下出血の全体について比較検討した（図1）．対象症例は，脳梗塞・TIA例で92,819例，脳出血例は23,648例，くも膜下出血例は8,183例である．入院時収縮期平均血圧は，脳梗塞・TIA例で158.7 mmHg（SD：28.2 mmHg），脳内出血で175.3 mmHg（SD：34.3 mmHg）およびくも膜下出血で159.9 mmHg（SD：37.4 mmHg）であった．3群間の連続値の検討として分散分析ANOVA検定を行い，$p<0.001$と有意差が認められ，3群の血圧の平均値は相違ありといえる．

同様に各疾患の入院時拡張期平均血圧は，脳梗塞・TIA例で86.9 mmHg（SD：17.5 mmHg），脳内出血で96.9 mmHg（SD：22.0 mmHg）およびくも膜下出血で88.3 mmHg（SD：22.2 mmHg）で，こちらも同様の検定で統計学的有意差を認めた．出血性脳卒中にて入院時平均血圧は高い傾向がみられた．

退院時収縮期平均血圧は，脳梗塞・TIA例で131.0 mmHg（SD：18.9 mmHg），脳内出血で127.4 mmHg（SD：17.8 mmHg）およびくも膜下出血で125.6 mmHg（SD：17.4 mmHg）（$p<0.001$）で，退院時拡張期平均血圧は，脳梗塞・TIA例で75.1 mmHg（SD：12.5 mmHg），脳内出血で75.3 mmHg（SD：12.6 mmHg）およびくも膜下出血で75.3 mmHg（SD：12.5 mmHg）（$p<0.001$）といずれも統計学的有意差を認め，3疾患の退院時平均

図1 疾患別入退院時平均血圧

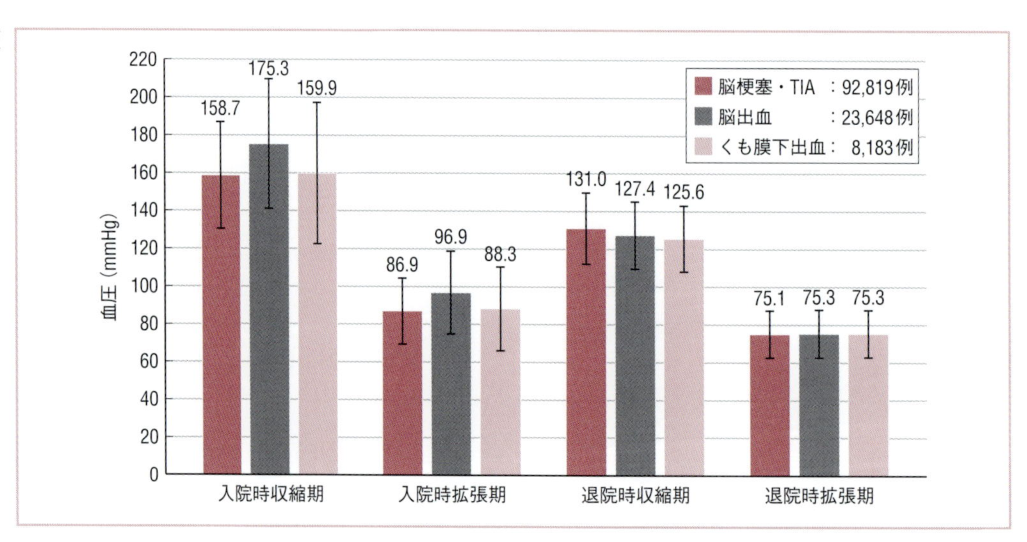

図2 脳梗塞カテゴリー別入退院時平均血圧

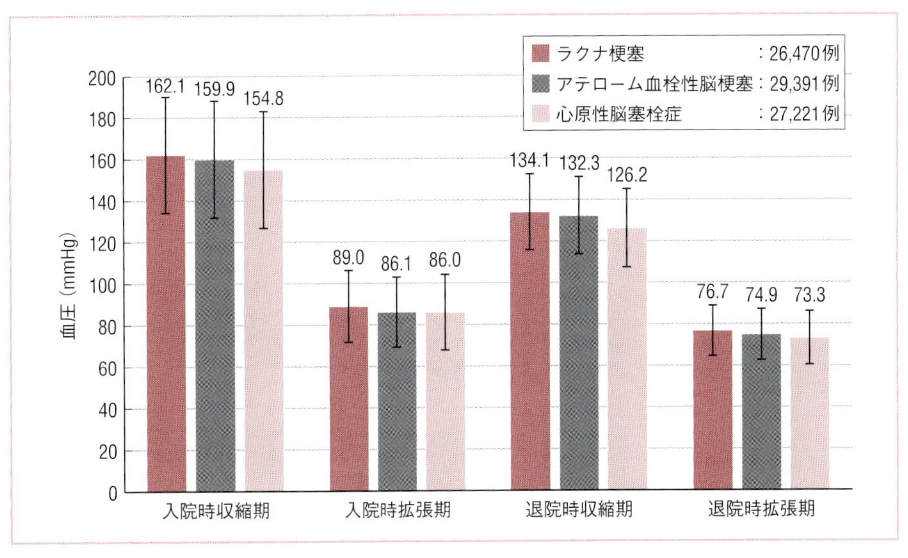

血圧の差が認められた．高血圧治療ガイドライン 2019 の目標基準[1]に照らし合わせると，おおむね目標値前後でコントロールされていることがわかる．

脳梗塞カテゴリー別入退院時平均血圧

脳梗塞のカテゴリー別に入退院時の平均血圧を比較した（図2）．対象症例は，ラクナ梗塞は 26,470 例，アテローム血栓性脳梗塞は 29,391 例，心原性脳塞栓症は 27,221 例である．

入院時収縮期血圧は，ラクナ梗塞で 162.1 mmHg（SD：27.9 mmHg），アテローム血栓性脳梗塞で 159.9 mmHg（SD：28.1 mmHg）および心原性脳塞栓症で 154.8 mmHg（SD：28.1 mmHg）であり，統計学的に有意差を認めた．入院時拡張期平均血圧は，ラクナ梗塞で 89.0 mmHg（SD：17.3 mmHg），アテローム血栓性脳梗塞で 86.1 mmHg（SD：16.8 mmHg）および心原性脳塞栓症で 86.0 mmHg（SD：18.2 mmHg）で同様に有意差を認めた．

退院時収縮期血圧は，ラクナ梗塞で 134.1 mmHg（SD：18.3 mmHg），アテローム血栓性脳梗塞で 132.3 mmHg（SD：18.7 mmHg）および心原性脳塞栓症で 126.2 mmHg（SD：18.9 mmHg）であり，統計学的に有意差を認めた．退院時拡張期平均血圧は，ラクナ梗塞で 76.7 mmHg（SD：12.1 mmHg），アテローム血栓性脳梗塞で 74.9 mmHg（SD：12.2 mmHg）および心原性脳塞栓症で 73.3 mmHg（SD：12.9 mmHg）で同様に有意差を認めた．いずれも比較的良好に血圧管理ができていると思われるが，ほとんどの脳梗塞例が抗血栓薬を服用していること，多くの症例で退院後の生活で収縮期および拡張期血圧の上昇がみられることから，退院時収縮期および拡張期平均血圧はより低値が望まれると考える．

各脳梗塞カテゴリーにおいて，入院時の年齢を基準に 65 歳未満（7,696 例），65 歳から 75 歳未満（8,085 例），75 歳以上（10,689 例）の 3 群に分類して入退院時平均血圧を検討し，さらに，入院時の NIHSS を基準として 0〜9 点（21,699 例），10〜15 点（888 例），16〜20 点（182 例），21 点以上（207 例）の 4 群に分類して入退院時平均血圧を検討した．

ラクナ梗塞での年齢による検討では，入退院時収縮期および拡張期平均血圧で 3 群間に有意差がみられ，若年者で入退院時血圧が高い傾向を示した（図3）．NIHSS による検討では，入退院時収縮期および拡張期平均血圧において有意差がみられたが，一定の傾向は示さなかった（図4）．

アテローム血栓性脳梗塞の年齢による検討では，入退院時平均血圧は有意差がみられ，こちらもラクナ梗塞同様に若年ほど入退院時の収縮期および拡張期平均血圧が高い傾向を示した（図5）．NIHSS による検討では，退院時収縮期および拡張期平均血圧の有意差がみられた（図6）．

心原性脳塞栓症の年齢による検討では，入退院時平均血圧は有意差が認められ 3 群間での相違がみられたが（図7），一定の傾向はみられなかった．NIHSS による検討でも，4 群間に有意差は認められたが一定の傾向はみられなかった（図8）．

高血圧性脳出血カテゴリー別入退院時平均血圧

高血圧性脳出血例は 19,661 例を対象とした．入院時収縮期血圧は，179.3 mmHg（SD：33.2 mmHg），入院時拡張期平均血圧は，99.0 mmHg（SD：21.7 mmHg）であった．退院時収縮期平均血圧は，128.3 mmHg（SD：17.6 mmHg），退院時拡張期平均血圧は，76.0 mmHg（SD：12.5 mmHg）であった．

こちらも脳梗塞カテゴリー同様に年齢と NIHSS による分類

図3 ラクナ梗塞年齢別入退院時平均血圧

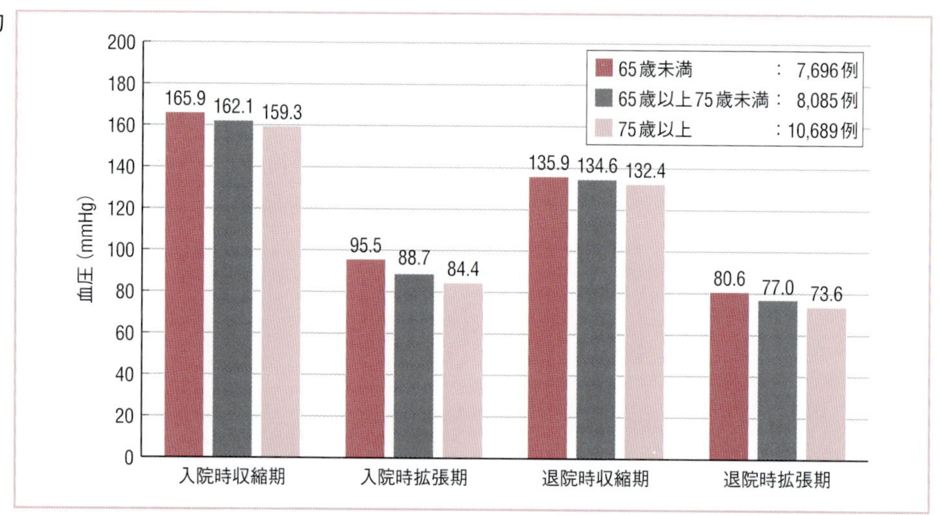

図4 ラクナ梗塞NIHSS別入退院時平均血圧

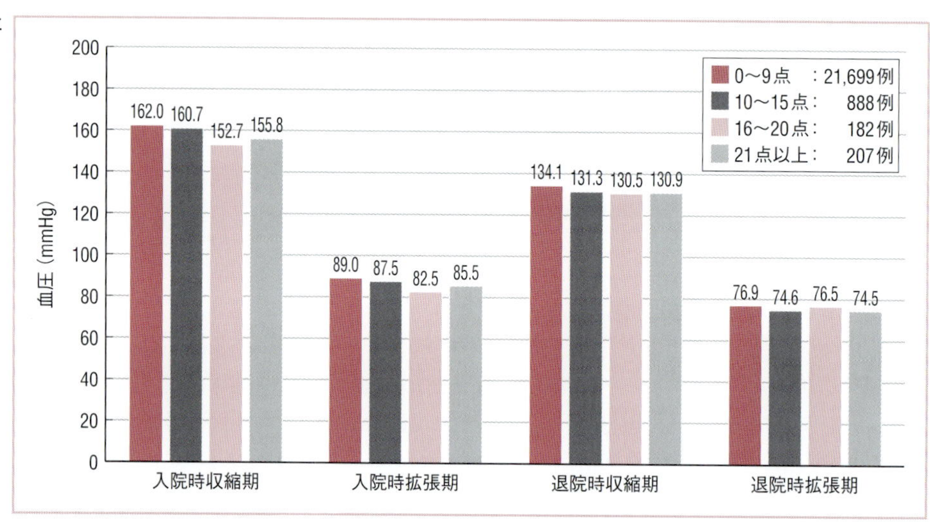

図5 アテローム血栓性脳梗塞年齢別入退院時平均血圧

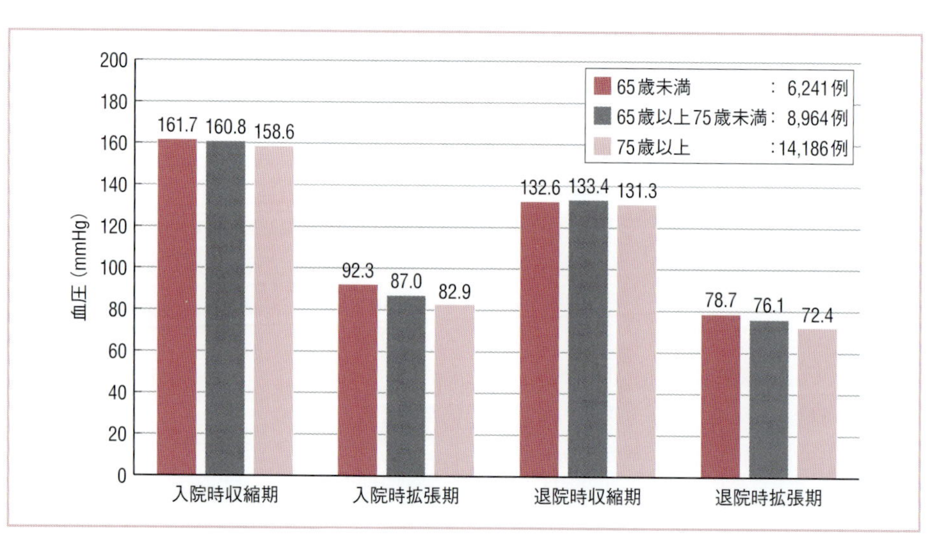

図6 アテローム血栓性脳梗塞 NIHSS 別入退院時平均血圧

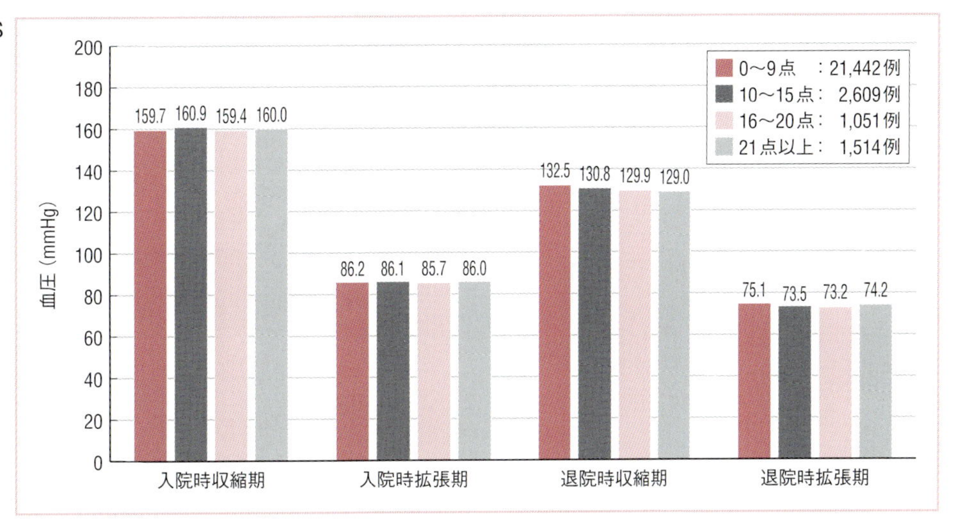

図7 心原性脳塞栓症年齢別入退院時平均血圧

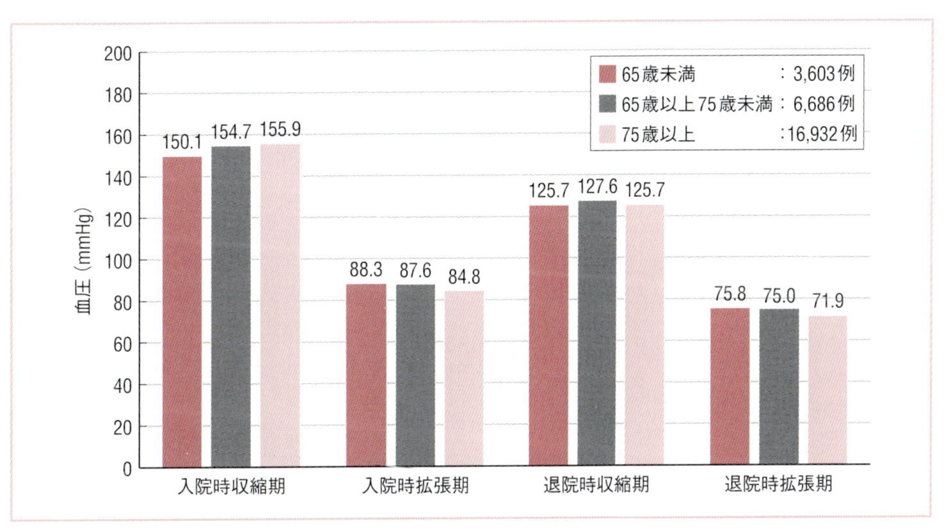

図8 心原性脳塞栓症 NIHSS 別入退院時平均血圧

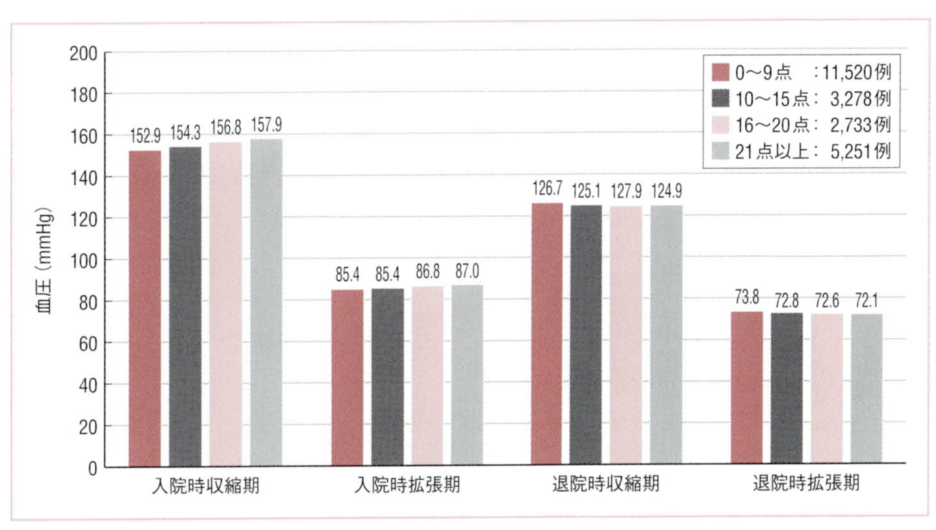

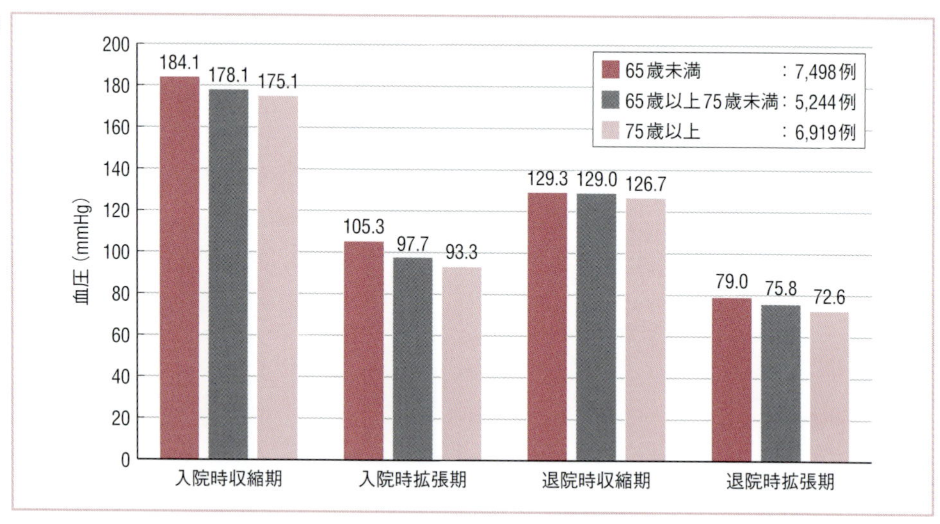

図9 高血圧性脳出血年齢別入退院時平均血圧

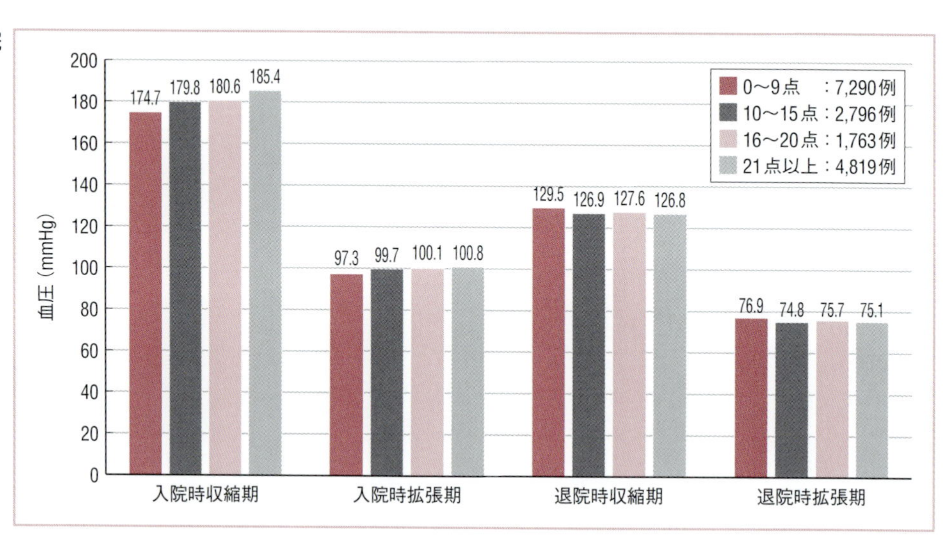

図10 高血圧性脳出血NIHSS別入退院時平均血圧

図11 高血圧性脳出血抗血栓薬服薬別入退院時平均血圧

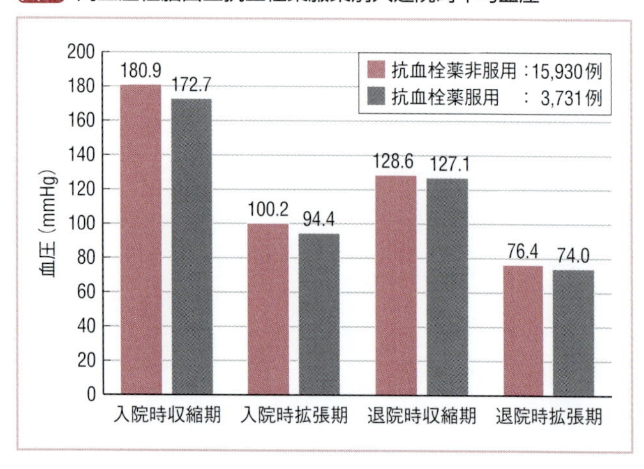

を行い検討した．年齢による検討では，入退院時収縮期および拡張期のすべてにおいて有意差が認められ，若年者のほうが平均血圧は高い傾向を示した（図9）．NIHSSによる検討でも入退院時収縮期および拡張期のすべてにおいて有意差が認められたが，一定の傾向はみられなかった（図10）．入院時平均血圧のみに注目するとNIHSSが高いと血圧も高くなる傾向を示した．

さらに高血圧性脳出血に関しては，抗血栓薬服用の有無により分類して比較検討した．抗血栓薬服用例で，入院時収縮期および拡張期平均血圧が非服用例に比べ低い傾向が認められた（図11）．

図12 破裂脳動脈瘤によるくも膜下出血年齢別入退院時平均血圧

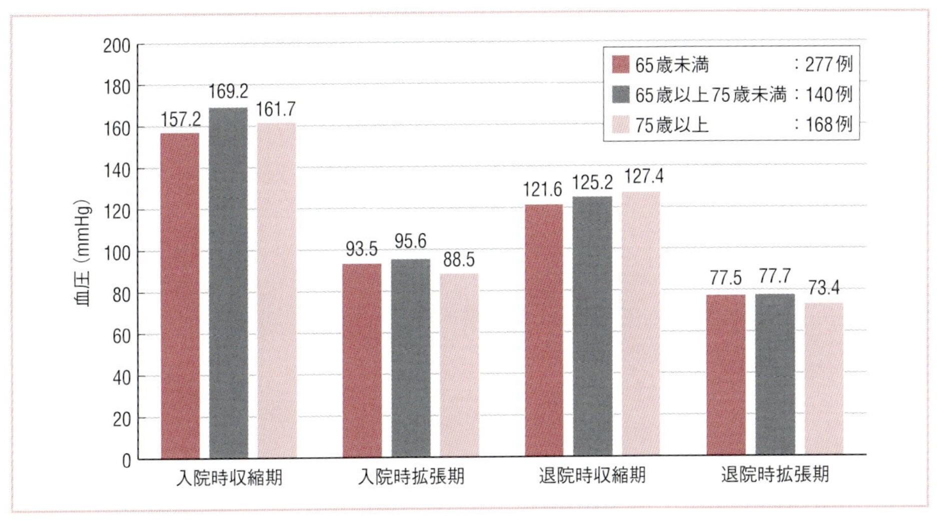

破裂脳動脈瘤によるくも膜下出血例の入退院時平均血圧

破裂脳動脈瘤によるくも膜下出血例は585例を対象とした．脳梗塞や脳出血例の対象例数に比べ圧倒的に少なくなっている．くも膜下出血例は搬入直後からの鎮痛鎮静など救急外来では多忙で，あとで十分なデータ収集をできない背景があるものと理解できる．今後は本研究にさらに多くの脳神経外科施設が参加し量質ともに充実したデータ収集ができるよう期待したい．

破裂脳動脈瘤によるくも膜下出血例の入院時収縮期血圧は，161.5 mmHg（SD：39.1 mmHg），入院時拡張期平均血圧は，92.5 mmHg（SD：25.7 mmHg）であった．退院時収縮期平均血圧は，124.1 mmHg（SD：17.6 mmHg），退院時拡張期平均血圧は，76.4 mmHg（SD：13.5 mmHg）であった．年齢による検討では，入退院時収縮期および拡張期平均血圧において3群間の有意差は認められなかった（図12）．年齢以外の破裂部位別，グレード別，Fisher分類別など多要素の影響が大きいのではないかと予測された．

まとめ

脳卒中の主要疾患の入退院時平均血圧を解析した．各疾患の入退院時平均血圧には有意差が認められるが，血圧の絶対値からするとその差はわずかなものと理解できる．退院時収縮期および拡張期血圧は，おおむね目標値を達成できているようだが，退院後の日常生活血圧をいかに長期的に目標値以内に管理できるかということが，今後の医師および患者双方の課題である．

文献

1）日本高血圧学会高血圧治療ガイドライン作成委員会．高血圧治療ガイドライン2019．ライフサイエンス出版；2019．pp.94-100.

2 脳卒中と糖・脂質代謝障害

八木田佳樹，大山直紀

- 糖尿病，脂質異常症の有病率は虚血性脳卒中で高く，とくにアテローム血栓性脳梗塞で最も高かった．
- 糖尿病あり群では，虚血性，出血性ともに退院時の mRS 0〜1 の頻度が低かった．
- 脂質異常症あり群では，虚血性，出血性ともに来院時 NIHSS 4 以下の軽症が多く，退院時 mRS 0〜1 の頻度が高かった．
- 予後不良に対する糖尿病のオッズ比は，脳梗塞で 1.29，脳出血で 1.22 であった．脂質異常症はそれぞれ 0.75，0.72 であり，逆相関していた．

糖尿病は脳梗塞の明らかな危険因子であるが，脳出血の発症リスクを高めることも知られている．脂質異常症は脳卒中病型により，その関連性が異なっている．アテローム血栓性脳梗塞など動脈硬化を原因とする脳梗塞の発症には，脂質異常症が関連する．糖尿病・脂質異常症にはこのような危険因子としての側面に加えて，神経症状の重症度や予後にも影響する可能性がある．日本脳卒中データバンク（JSDB）に登録された急性期脳卒中症例を対象に，これらの点について病型別に検討を行った．なお，データベース登録上の定義が変更されたため，“脳梗塞”には 2016 年 10 月から 2019 年 12 月のあいだに退院した一過性脳虚血発作（TIA）が含まれている．本項における“一過性脳虚血発作”はこの期間以外に退院した症例である．

糖尿病・脂質異常症の合併頻度

対象症例の年齢・性を糖尿病・脂質異常症の有無別（表 1），病型別（表 2）に解析した．脳梗塞のなかでは，糖尿病，脂質異常症ともにアテローム血栓性脳梗塞における有病率が最も高く，心原性脳塞栓症で最も低かった．両者の有病率が最も低かったのはくも膜下出血であった．

来院時と退院時の重症度

来院時と退院時の重症度を NIHSS で評価し，糖尿病の有無で比較した（図 1）．脳梗塞では糖尿病合併なし群で重症度が高かった．出血性脳卒中では逆に糖尿病ありの群で，来院時・退院時ともに NIHSS 23 以上の重症例が多かった．脂質異常症の有無で比較すると，脳梗塞と出血性脳卒中のいずれにおいても脂質異常症合併あり群で，軽症例（NIHSS 4 以下）が多く，最重症例（NIHSS 23 以上）や重症例（NIHSS 11 以上）は少なかった（図 2）．

表1 対象症例の年齢，性

	例数	年齢 平均±SD（歳）	性 男性（%）
糖尿病あり	42,991	71.0±11.2	66.9
糖尿病なし	132,802	71.5±13.8	55.5
脂質異常症あり	50,458	70.6±12.0	58.0
脂質異常症なし	108,008	71.7±13.7	58.8

表2 病型別の年齢，性，糖尿病・脂質異常症の有病率

		例数	年齢 平均±SD（歳）	性 男性（%）	糖尿病		脂質異常症	
					有効データ数	有病率（%）	有効データ数	有病率（%）
脳梗塞	アテローム血栓性脳梗塞	40,249	72.8±11.5	64.6	38,790	33.9	35,487	41.6
	ラクナ梗塞	35,871	70.8±11.7	61.9	34,590	30.1	31,362	38.4
	心原性脳塞栓症	36,440	76.6±11.5	54.2	34,283	20.9	31,013	24.7
	その他の脳梗塞	14,214	69.1±15.4	60.3	13,239	23.5	12,477	34.2
一過性脳虚血発作		10,194	69.5±13.3	61.1	9,330	22.4	8,576	36.6
脳出血		33,458	68.3±14.2	57.5	32,125	16.8	27,881	21.5
くも膜下出血		11,241	63.7±14.9	32.9	10,426	7.9	8,661	17.3

有効データ：糖尿病・脂質異常症の有無が記載されていた例．

図1 糖尿病有無別の来院時・退院時NIHSS

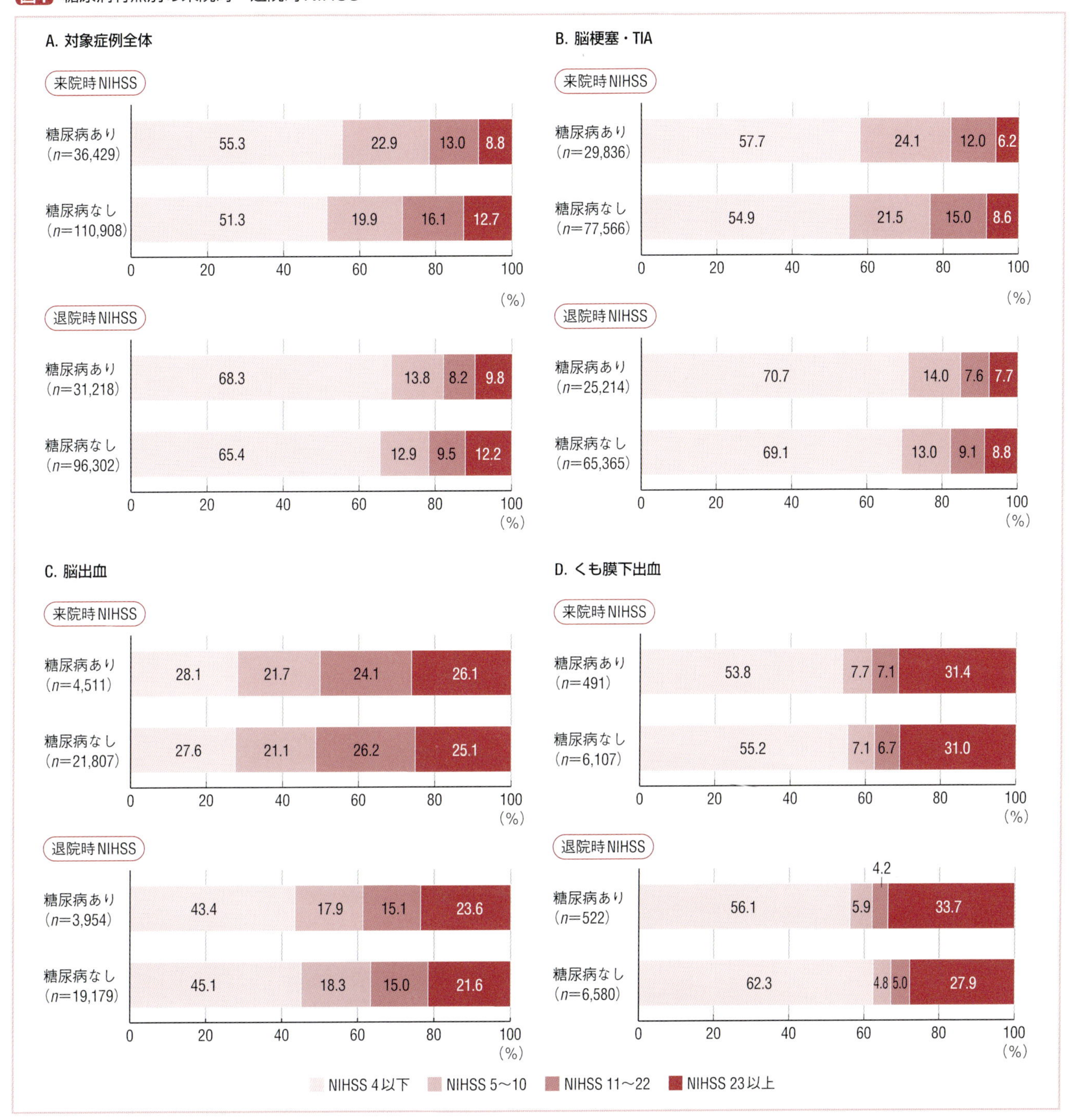

発症前と退院時の日常生活動作レベル

発症前と退院時の日常生活動作レベルをmRSで評価し，糖尿病の有無で比較した（図3）．脳梗塞では，発症前mRS 0～1は糖尿病あり群が78.0％，なし群が77.9％と差はないが，退院時には40.1％と42.1％と糖尿病なし群で予後良好が多かった．一方でmRS 5～6はそれぞれ13.5％，15.7％であり，糖尿病なし群で予後不良が多かった．出血性脳卒中では糖尿病なし群で発症前，退院時のmRS 0～1の割合が高かった．退院時mRSは発症前のmRSの影響を強く受けるため，発症前mRS

図2 脂質異常症有無別の来院時・退院時NIHSS

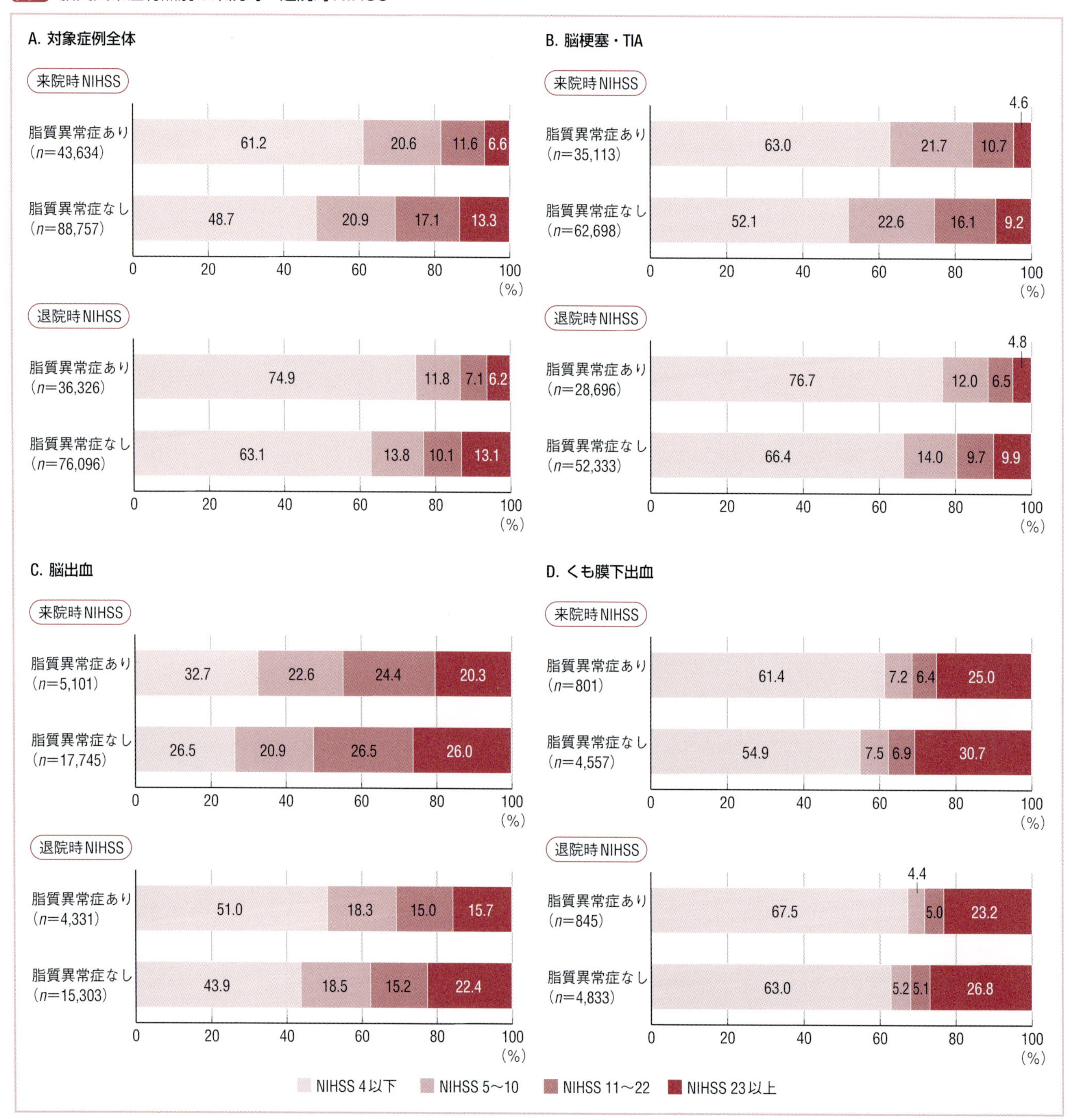

0～1の症例のみを対象にして，退院時mRSを糖尿病の有無で比較した（図4）．退院時mRS 0～1の予後良好例はすべての病型で糖尿病なし群で多かった．mRS 5～6の予後不良例は，出血性脳卒中では糖尿病あり群で多かったが，脳梗塞ではなし群のほうが多かった．

同様の検討を脂質異常症の有無で比較した（図5）．脳梗塞と脳出血では，脂質異常症あり群で発症前と退院時ともにmRS 0～1が多かった．またすべての病型でmRS 5～6の予後不良は脂質異常症あり群で少なかった．発症前mRS 0～1の症例のみを対象にして，退院時mRSを解析すると，すべての

図3　糖尿病有無別の発症前・退院時mRS

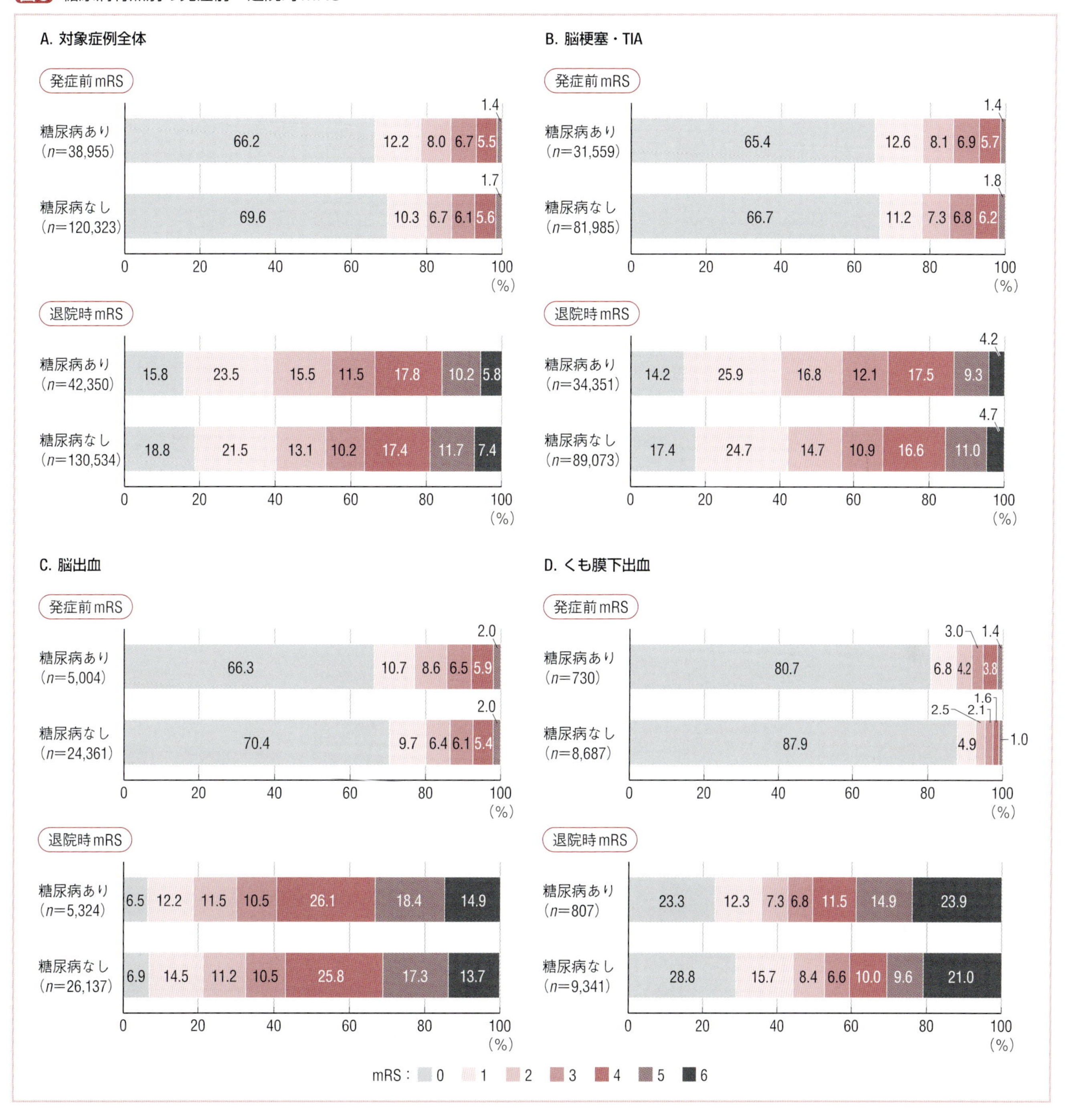

病型において脂質異常症あり群のほうがmRS 0～1の予後良好例が多く，mRS 5～6の予後不良例が少なかった（図6）．

頭蓋内主幹動脈狭窄

全対象症例中，頭蓋内主幹動脈に50％以上の狭窄を有していた症例は4,144例であった．この内訳を表3に示している．糖尿病有病率はアテローム血栓性脳梗塞，ラクナ梗塞で高くなっていた．脳梗塞全体を心原性脳塞栓症（CE）と非心原性脳梗塞（non-CE）に2分して比較すると，CEに比しnon-CEでは糖尿病，脂質異常症の有病率が有意に高くなっていた（糖尿

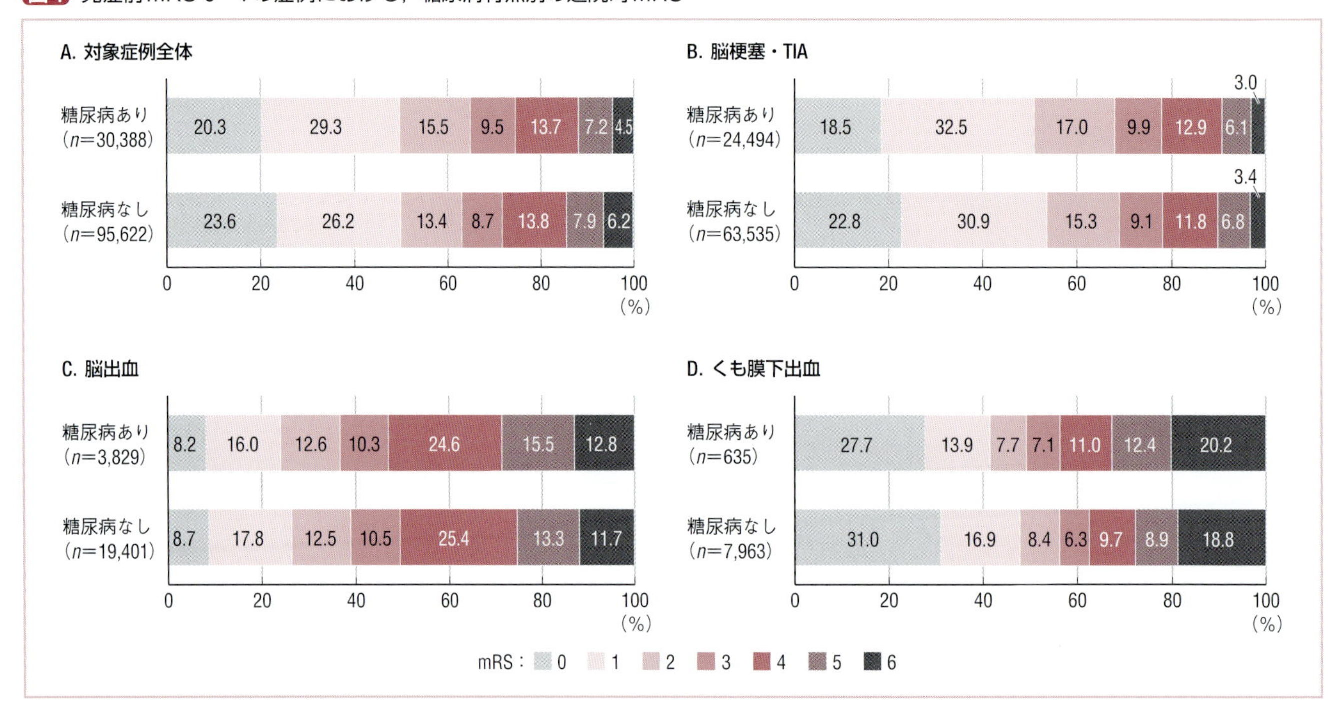

図4 発症前mRS 0～1の症例における，糖尿病有無別の退院時mRS

病：CE 24.8 % vs non-CE 36.7 %，脂質異常症：CE 27.1 % vs non-CE 45.8 %．ともに $p<0.001$，χ^2 検定）．

予後不良と関連する因子

退院時に介護が必要となる mRS 3 以上であることと関連する因子を，ロジスティック回帰分析を用いて検討した（表4）．脳梗塞では 75 歳以上，心房細動が退院時 mRS 3 以上と強く関連し，続いて女性，糖尿病，頭蓋内主幹動脈に 50 %以上の狭窄があることが関連した．『脳卒中データバンク 2015』では高血圧の関連は有意ではなかったが，今回は症例数の増加によるためか，95 %信頼区間下限がわずかに 1 を超えている．脂質異常症は逆に mRS 0～2（介護不要）であることと関連していた．脳出血については，年齢が強く関連し，心房細動，高血圧，糖尿病が弱く関連した．ここでも脂質異常症は mRS 0～2 であることと関連していた．興味深いことに，脳出血では主幹動脈に 50 %以上の狭窄があることは mRS 0～2 と関連していた．

考察

脳梗塞の入院時重症度については糖尿病，脂質異常症ともに，なし群で重症例の割合が多かった．このような結果になったことと関連した要因として，重症度の高い CE が，なし群に多く含まれていた可能性が考えられる．予後についての検討では，糖尿病は予後不良と関連し，脂質異常症は予後良好と関連していた．脳卒中急性期の高血糖は予後を悪化させる因子として知られており[1, 2]，それらを引き起こしやすい糖尿病が予後不良と関連することは理解しやすい．また，脳卒中発症前の血糖コントロールが不良であることも脳卒中発症後の予後不良と関連する[3]．糖尿病では血管透過性が亢進している場合があり，重症例では脳浮腫増悪や出血性変化をきたしやすいことも関連している可能性がある．

一方で，脂質異常症は動脈硬化関連脳梗塞の発症危険因子でありながら，脳卒中発症例を対象にした検討では予後良好と関連することが多くの研究で示されている[4, 5]．脳卒中発症前から脂質異常症に対してスタチンを含む脂質低下療法が介入されていた場合，発症時の症状が軽度であることと関連し，スタチン内服を継続した場合には予後良好と関連することが報告されている[6]．脂質異常症あり群で軽症が多く，予後が良好であったことは，スタチンによる血管保護効果などが関係した可能性がある．

また，入院時の血清コレステロール値と予後が関連することから[4, 5]，それ以外の要因があると考えられる．脳梗塞病型の

図5 脂質異常症有無別の発症前・退院時mRS

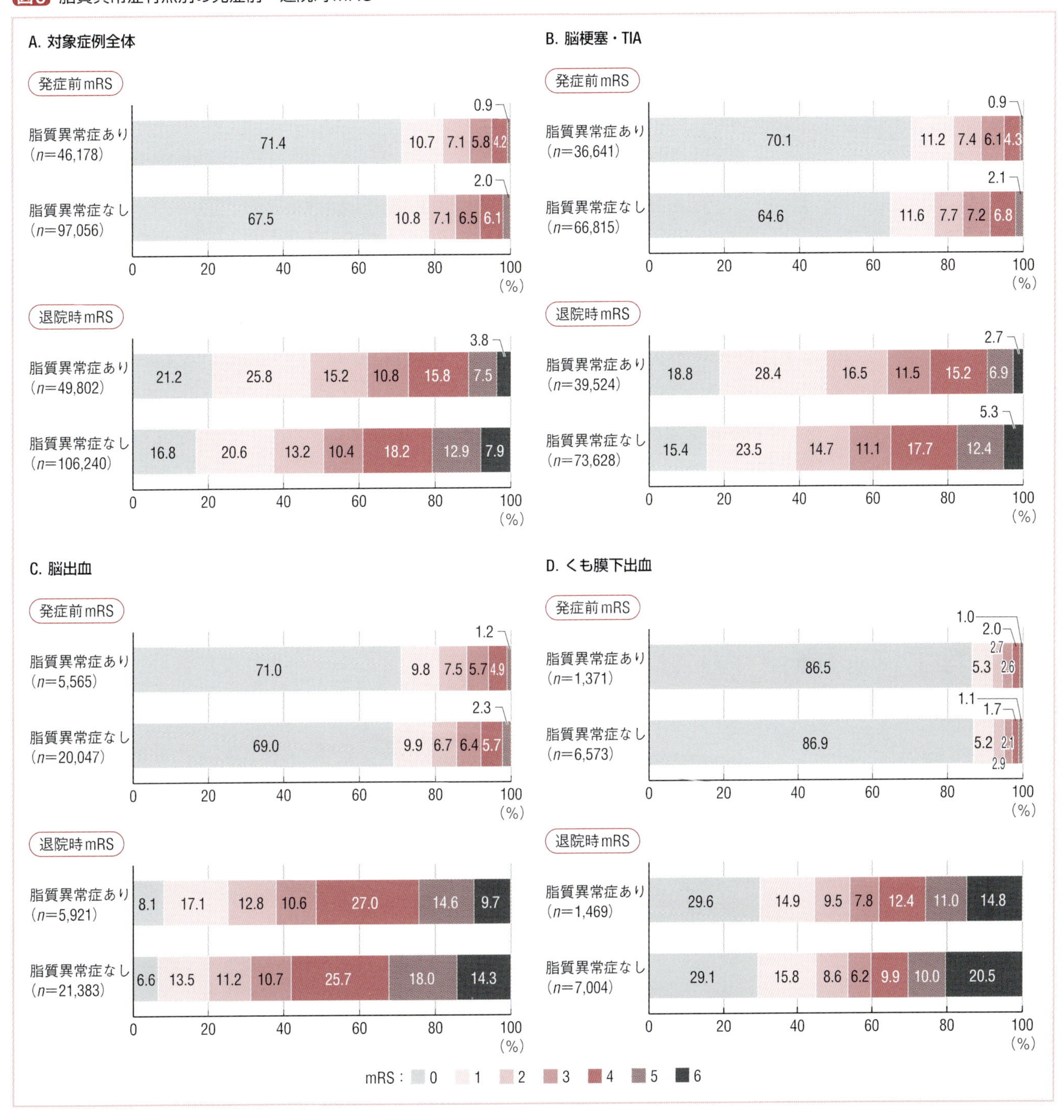

なかでは，最重症病型であるCEで脂質異常症の有病率が低いことから，脂質異常症なし群に予後不良のCEが多く含まれていた可能性はある．しかし，出血性脳卒中でも同様の傾向がみられている．血清コレステロール値が高いということは，消耗性疾患や低栄養状態がないことと関連していると考えられる．対象症例全体では脂質異常症あり群のほうがやや若い傾向にあり，年齢が交絡している可能性もある．脳卒中自体の重症度は同等であっても，発症前の体力が低い患者では日常生活動作レベルがより損なわれることになるのかもしれない．

図6 発症前mRS 0～1の症例における，脂質異常症有無別の退院時mRS

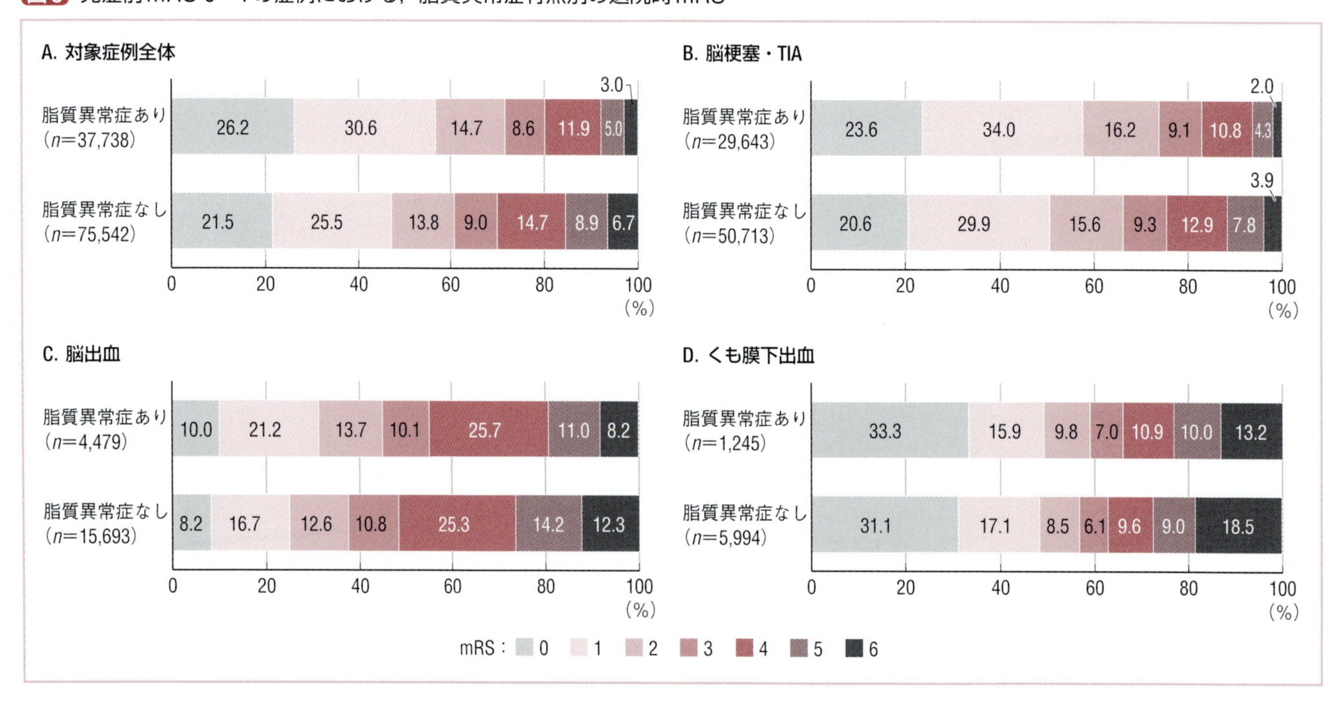

表3 頭蓋内主幹動脈に50％以上の狭窄を有する例の内訳

	全体	糖尿病		脂質異常症	
		有効データ数	有病率(％)	有効データ数	有病率(％)
脳卒中全体	4,144	4,101	33.2	4,024	42.3
脳梗塞	3,784	3,746	33.9	3,673	41.6
アテローム血栓性脳梗塞	1,932	1,915	38.1	1,873	45.4
ラクナ梗塞	552	548	42.9	542	47.6
心原性脳塞栓症	838	824	24.8	809	27.1
その他の脳梗塞	457	454	23.1	444	45.0
一過性脳虚血発作	288	285	24.6	285	49.8

有効データ：糖尿病・脂質異常症の有無が記載されていた例．
病型不明の脳梗塞は5例，脳出血など上記以外の病型は72例であった．

表4 退院時mRSが3以上になることと関連する因子の検討

	オッズ比	95％信頼区間
脳梗塞		
年齢（75歳以上）	2.14	2.07～2.21
性（女性）	1.36	1.31～1.40
心房細動	2.18	2.10～2.26
高血圧	1.04	1.00～1.08
糖尿病	1.29	1.24～1.33
脂質異常症	0.75	0.72～0.77
主幹動脈狭窄50％以上	1.29	1.18～1.42
脳出血		
年齢（75歳以上）	2.24	2.09～2.40
性（女性）	1.01	0.95～1.08
心房細動	1.31	1.16～1.47
高血圧	1.08	1.00～1.15
糖尿病	1.22	1.12～1.32
脂質異常症	0.72	0.67～0.77
主幹動脈狭窄50％以上	0.32	0.15～0.67

発症前mRS 0～1の例において検討した．

● 文献

1) Williams LS, et al. Effects of admission hyperglycemia on mortality and costs in acute ischemic stroke. Neurology 2002; 59: 67-71.
2) Wada S, et al. Outcome Prediction in Acute Stroke Patients by Continuous Glucose Monitoring. J Am Heart Assoc 2018; 7: e008744.
3) Kamouchi M, et al. Prestroke glycemic control is associated with the functional outcome in acute ischemic stroke: The Fukuoka Stroke Registry. Stroke 2011; 42: 2788-94.
4) Vauthey C, et al. Better outcome after stroke with higher serum cholesterol levels. Neurology 2000; 54: 1944-9.
5) Olsen TS, et al. Higher total serum cholesterol levels are associated with less severe strokes and lower all-cause mortality: Ten-year follow-up of ischemic strokes in the Copenhagen Stroke Study. Stroke 2007; 38: 2646-51.
6) Ishikawa H, et al. Influence of Statin Pretreatment on Initial Neurological Severity and Short-Term Functional Outcome in Acute Ischemic Stroke Patients: The Fukuoka Stroke Registry. Cerebrovasc Dis 2016; 42: 395-403.

3 心疾患合併脳卒中

吉村壮平

- ▶急性期脳卒中患者の3割が何らかの心疾患既往を有していた．
- ▶既往心疾患の過半数は心房細動または心房粗動，虚血性心疾患，またはうっ血性心不全であった．
- ▶心疾患既往患者は，脳卒中発症前のADLが低く，入院中の合併症併発の割合が高かった．
- ▶心疾患既往患者が脳卒中を発症すると，退院時転帰が不良で，自宅退院割合が低くなった．

はじめに

脳卒中急性期では合併症の頻度が高く，3か月後の死亡の半数は合併症によるもので，合併症により機能転帰も悪くなることが報告されている[1]．なかでも心疾患は，脳卒中とのリスク因子の共通性，心疾患が脳梗塞の原因になる可能性，心疾患治療薬が脳卒中発症に与える影響，脳卒中が心疾患を増悪させる可能性など，脳卒中と関係が強い．今回，脳卒中発症前の心疾患既往の有無と，脳卒中臨床経過や転帰との関連について検討した．

心疾患既往の割合

対象として，2016年10月から2018年末までに日本脳卒中データバンク新システムに登録された，発症から7日以内の全脳卒中症例を用いた．全脳卒中患者24,570例のうち約3割は何らかの心疾患既往を有していた（**図1**）．その内訳としては，心房細動または心房粗動，虚血性心疾患，うっ血性心不全が過半数を占めていた．心疾患を複数有する患者は25％であった．脳卒中データバンク登録患者の約3/4は脳梗塞またはTIAであるため，虚血性脳血管障害の原因，あるいはバイスタンダーとなる心疾患の割合が比較的高率であったと考える．

心疾患既往の有無別の発症前ADL

脳卒中発症前のmRSの分布を心疾患既往の有無別で比較した．心疾患既往を有すると脳卒中発症前のADLが有意に低かった（$p<0.001$，**図2**）．次に示すように，心疾患既往患者はより高齢で，脳卒中既往も高率であり，さらに心疾患自体によりADLが低下していた可能性がある．

心疾患既往有無別の背景因子，入院中合併症

心疾患既往の有無別で背景因子に多数有意な差を認めた．心疾患既往患者は年齢が高く，脳血管障害既往，高血圧症，脂質異常症，糖尿病，腎機能障害，悪性腫瘍の割合が高く，入院前の抗血小板薬，抗凝固薬，降圧薬，スタチン，糖尿病治療薬内服の割合が高く，入院時NIHSS中央値も重症であった（**表1**）．心疾患既往患者は脳卒中発症前よりADLが低下しており，さ

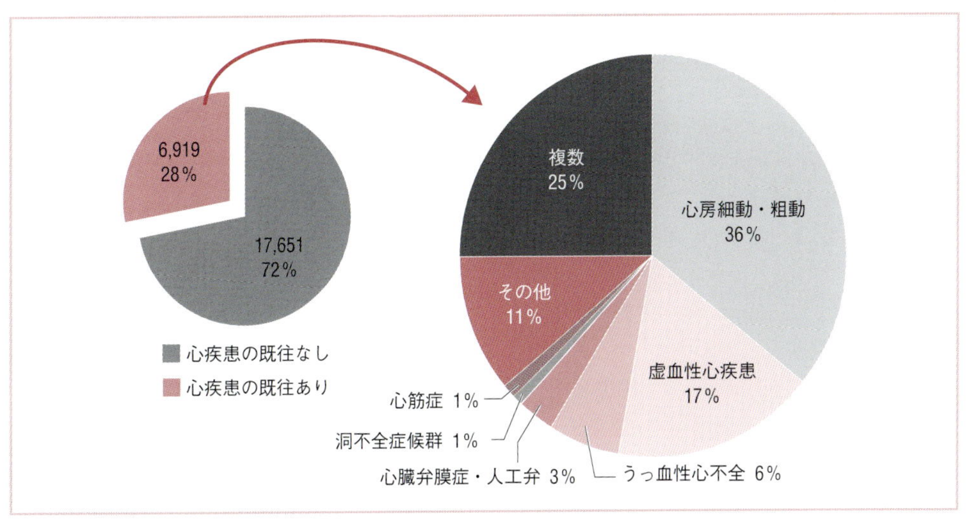

図1 全脳卒中患者の心疾患既往の割合

図2 心疾患既往有無別の発症前ADL（mRS）

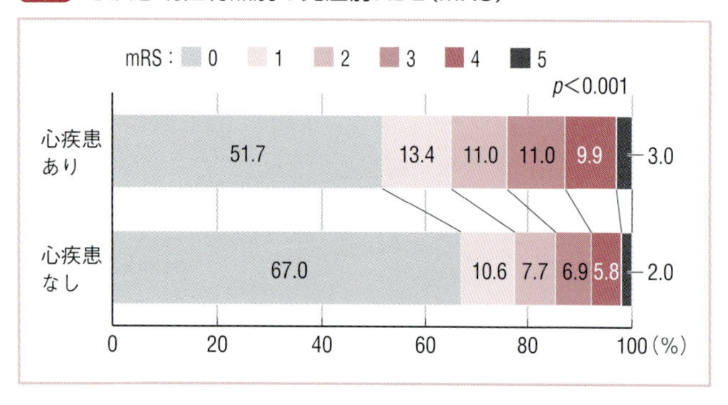

らに脳卒中も心原性脳塞栓症などの重症例が多いことが影響していると考える．

入院中合併症については，心疾患既往患者は既往のない患者に比べ，何らかの合併症を併発した割合が有意に高率であった（24.8％対18.1％，$p=0.001$）．虚血性心疾患，心不全，致死性不整脈などの心疾患合併症は予想される通りに心疾患既往患者で高率であったが，心疾患以外の肺炎，尿路感染，その他の重症感染症，急性腎障害も，心疾患既往患者で有意に高率であった（表2）．脳卒中後の早期運動療法が肺炎，尿路感染などの合併症発症リスクを低減させることが報告されているが[2]，心疾患既往患者では，心疾患の重症度によっては離床が進まず，合併症リスクが高くなった可能性がある．

深部静脈血栓だけは心疾患既往患者で低かった．入院前から抗凝固薬を内服している割合が高いことが影響しているかもしれない．

心疾患既往有無別の転帰，退院先

転帰については，平均在院日数に有意な差はなかったが，退院時転帰（mRS中央値）は心疾患既往患者で有意に不良であった．退院時のmRSが0〜2の転帰良好群は心疾患既往患者で有意に少なかった．退院時の抗血栓療法については，心疾患既往患者で抗血小板薬投与は少なく，抗凝固薬投与が高率であった（表3）．退院時転帰良好と心疾患既往の関連について多変量解析を行った．年齢，性，発症時神経学的重症度（NIHSS）は退院時転帰に有意に関連したが，心疾患既往の有意な関連はなくなった（表4）．心疾患既往のある患者は，高齢で，脳卒中発症前のADLが低く，脳卒中の重症度も高いことが脳卒中転帰不良に関連する大きな要因であることが示唆される．

心疾患既往有無別に退院先を比較すると，心疾患既往患者では，自宅退院割合が有意に低かった（43.1％対51.5％，$p<0.001$，図3）．

表1 心疾患既往有無別の背景因子

心疾患既往	No	Yes	p値
平均年齢，歳	71±14	79±11	<0.001
脳血管障害既往	21.9％	28.9％	<0.001
高血圧	64.2％	69.1％	<0.001
脂質異常	28.4％	31.3％	<0.001
糖尿病	21.8％	24.9％	<0.001
腎機能障害	5.9％	12.7％	<0.001
悪性腫瘍	8.3％	10.2％	<0.001
入院前　抗血小板薬	18.4％	33.3％	<0.001
入院前　抗凝固薬	3.5％	35.6％	<0.001
入院前　降圧薬	41.8％	59.4％	<0.001
入院前　スタチン	15.1％	24.7％	<0.001
入院前　糖尿病薬	13.6％	15.7％	<0.001
入院時NIHSS，中央値（IQR）	3（1，10）	6（2，16）	<0.001

表2 心疾患既往有無別の入院中合併症

心疾患既往	No	Yes	p値
何らかの合併症あり	18.1％	24.8％	0.001
肺炎	6.5％	10.1％	<0.001
尿路感染症	4.0％	5.4％	<0.001
その他の重症感染症	0.6％	1.0％	0.001
重大な出血（ISTH基準）	0.2％	0.4％	0.064
急性腎障害	0.5％	1.0％	<0.001
急性心筋梗塞/不安定狭心症	0.1％	0.4％	<0.001
骨折	0.2％	0.2％	0.71
心不全	0.6％	3.3％	<0.001
致死性不整脈	0.1％	0.2％	<0.001
痙攣発作	0.9％	0.9％	0.82
深部静脈血栓塞栓症	0.7％	0.4％	0.022

表3 心疾患既往有無別の転帰

心疾患既往	No	Yes	p値
在院日数，平均値（SD）	23.1（20.8）	23.0（19.8）	0.81
退院時mRS，中央値（IQR）	2（1，4）	3（1，4）	<0.001
退院時mRS 0〜2	9,693（54.9％）	2,940（42.5％）	<0.001
退院時　抗血小板薬	9,516（53.9％）	2,376（34.3％）	<0.001
退院時　抗凝固薬	2,300（13.0％）	3,607（52.1％）	<0.001

表4 退院時転帰良好（mRS 0〜2）と心疾患既往の関連

	オッズ比（95％CI）
心疾患既往あり	1.08（0.98〜1.18）
年齢	0.95（0.94〜0.95）
男性	0.84（0.77〜0.92）
NIHSS	0.82（0.82〜0.83）

図3 心疾患既往有無別の退院先

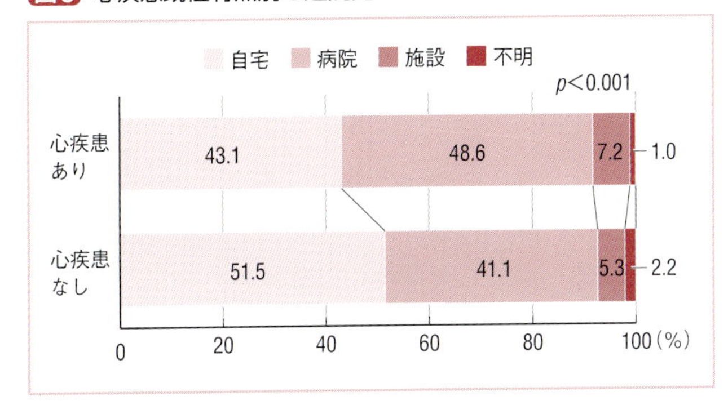

考察

心疾患既往を有する脳卒中患者は多いが，疾患の種類や重症度はさまざまで，個別の対応が必要になる．重症の心合併症を有する場合は，循環器専門医との連携が重要になる場面も多い．逆に，急性期脳卒中の治療・検査中に，それまで指摘されていなかった心房細動，虚血性心疾患，心不全，弁膜症などの無症候の心疾患が発見されることも多い．

今回，心疾患の種類別，年齢別，神経学的重症度別，治療内容の詳細な検討はできていないが，大規模レジストリー研究により，心疾患既往と脳卒中臨床経過に関連が強いことが改めて示された．

心疾患既往患者がいったん脳卒中を発症すると転帰不良となるリスクが高い．このような患者の診療では，心疾患の主治医と脳卒中診療医が連携を密にして，脳卒中発症予防にも注意して診療していくことが重要と考えられる．

本研究は，日本医療研究開発機構循環器疾患・糖尿病等生活習慣病対策実用化研究事業「全国的レジストリーによる脳卒中および循環器疾患の実態把握の確立と両疾患合併に関する包括的診療実態解明に関する研究（研究代表者：小川久雄）」の一環として行われた．

◉文献

1) Johnston KC, et al. Medical and neurological complications of ischemic stroke: Experience from the RANTTAS trial. RANTTAS Investigators. Stroke 1998; 29 (2): 447–53.
2) Ingeman A, et al. Processes of care and medical complications in patients with stroke. Stroke 2011; 42 (1): 167–72.

4 腎機能障害と脳卒中（脳梗塞，脳出血）

三輪佳織

- ▶脳卒中患者（脳梗塞，脳出血）における腎障害の有病率は 8.4 %であった．
- ▶腎障害の有病率は，脳梗塞では加齢に伴い増加を認めたが，脳出血では 50〜70 歳代で多く認めた．
- ▶腎障害を有する群や尿蛋白を有する群は重症度が高く，退院後の機能転帰不良を認めた．
- ▶推定腎糸球体濾過量（eGFR）区分の低下とともに重症度が高く，機能転帰不良を認めた．

脳卒中と腎機能障害（腎障害）は，高血圧や糖尿病といった共通の血管危険因子を有し，動脈硬化から細小血管障害といった共通の血管障害と関連する[1]．末期腎不全といった高度に進行した腎障害だけでなく，軽度の腎障害においても，脳卒中を含めた心血管死の発症リスクが上昇する[2]．腎障害，とくに慢性腎臓病は，脳卒中の発症危険因子であるだけでなく，重症度や転帰不良の危険因子でもある．

世界における慢性腎臓病の有病率は全年齢中約 9.1 %であり，1990 年から 29.3 %増大している[3]．一方，日本における慢性腎臓病の有病率は 1990 年から 5.9 %減少しているものの，依然として，患者数は約 2,141 万人，年齢調整罹患率人口 10 万人あたり年間 8,404 人と報告され，公衆衛生学上においても重要な疾患である[3]．さらに，慢性腎臓病は脳梗塞患者で 20〜35 %，脳出血患者で 20〜46 %が有し，脳卒中患者における有病率は高い[1]．以上から，腎障害患者に焦点をおいた脳卒中の実臨床に関する大規模調査は重要である．

日本脳卒中データベース（JSDB）では，「腎障害」は各施設の臨床医が病歴をもとに登録しており，腎障害と脳卒中の実態調査が可能である．本項では，脳卒中病型（脳梗塞〈アテローム血栓性脳梗塞，心原性脳塞栓症，ラクナ梗塞，その他の脳梗塞〉，脳出血〈高血圧性脳出血，脳アミロイド関連脳出血〉）における腎障害の頻度や，腎障害と脳卒中重症度や退院時機能予後の関連を報告する．2016 年より刷新された新 JSDB データベースは，入院時における血中 Cr（クレアチニン）値と尿定性検査による尿蛋白（−，±，+1，+2，+3）の登録を開始している．血中 Cr 値から推定腎糸球体濾過量（eGFR）を算出し，さらに eGFR 区分別（≧90，60〜89，45〜59，30〜44，<30）と蛋白尿の有無についても検証した．

腎障害の有病率

1999 年 8 月から 2018 年 12 月末までの全 JSDB データベース登録例 199,599 例のうち，腎障害の有無について 116,153 例の登録を認めた．腎障害例は 9,381 例で 8.1 %の有病率であった．

表1 脳卒中病型別の腎障害の有病率と推定腎糸球体濾過量（eGFR）

	合計	腎障害あり	腎障害なし	有病率（%）	GFR 測定症例数	GFR（mL/min/1.73 m²）mean（SD）
脳梗塞	83,759	7,042	76,717	8.4	10,569	65.3（24.1）
アテローム血栓性脳梗塞	26,379	2,193	24,186	8.3	8,113	63.4（23.8）
心原性脳塞栓症	23,250	2,220	21,030	9.6	2,381	62.8（22.2）
ラクナ梗塞	23,310	1,707	21,603	7.3	2,301	58.4（22.4）
その他の脳梗塞	10,500	907	9,593	8.6	1,791	66.7（22.9）
脳出血	21,025	1,768	19,257	8.4	1,954	69.7（25.9）
高血圧性脳出血	17,127	1,512	15,615	8.8	1,600	68.5（25.8）
CAA 関連脳出血	610	31	579	5.1	125	68.7（22.4）

CAA：脳アミロイド血管症

脳梗塞例（83,759 例）では 7,042 例で 8.4 %，脳出血例（21,025 例）では 1,768 例で 8.4 %の有病率を認めた（表 1）．

脳卒中病型別の腎障害の有病率

病型別の腎障害の頻度を表 1 に示す．心原性脳塞栓症で腎障害の頻度が最も高かった（9.6 %）．心原性脳塞栓症が高齢者に多いことが一因と推定する．次に，高血圧性脳出血で多かった（8.8 %）．一方，脳アミロイド関連脳出血では腎障害の頻度が最も低かった（5.1 %）．

年齢層別の腎障害有病率

腎障害の有病率について，脳梗塞では年齢層が高くなるにつれて，増加が顕著であった（p for trend<0.001，図 1）．90 歳代では 9.9 %と最多であった．一方，脳出血では，50 歳代やそれ以下の比較的若年世代で腎障害をすでに認め，60 歳代では 9.7 %と最多であった．80 歳代，90 歳代では有病率は減少傾向を認めた．

高齢の脳梗塞に腎障害が多い要因として，加齢による腎糸球

図1 年齢層別の腎障害有病率

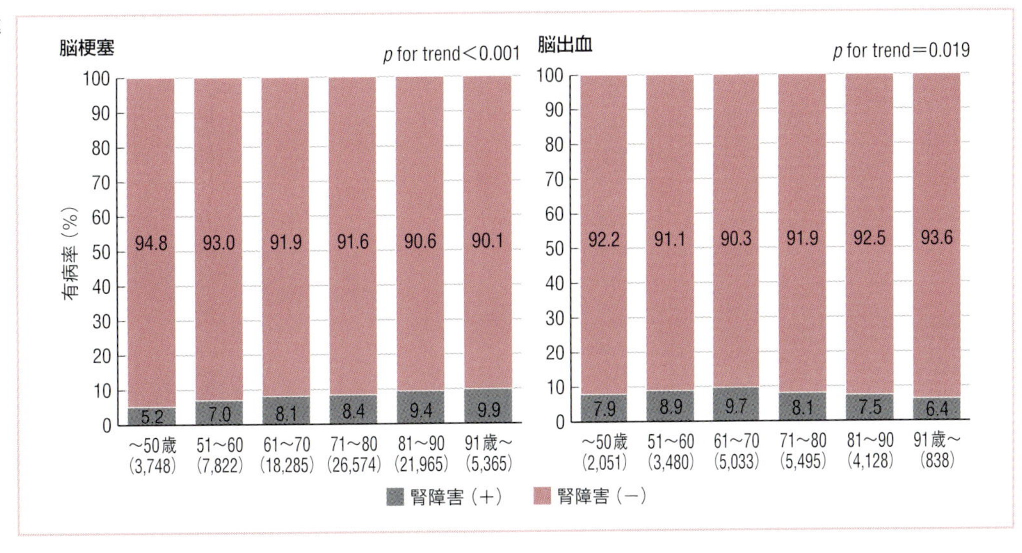

図2 腎障害別の入院時重症度

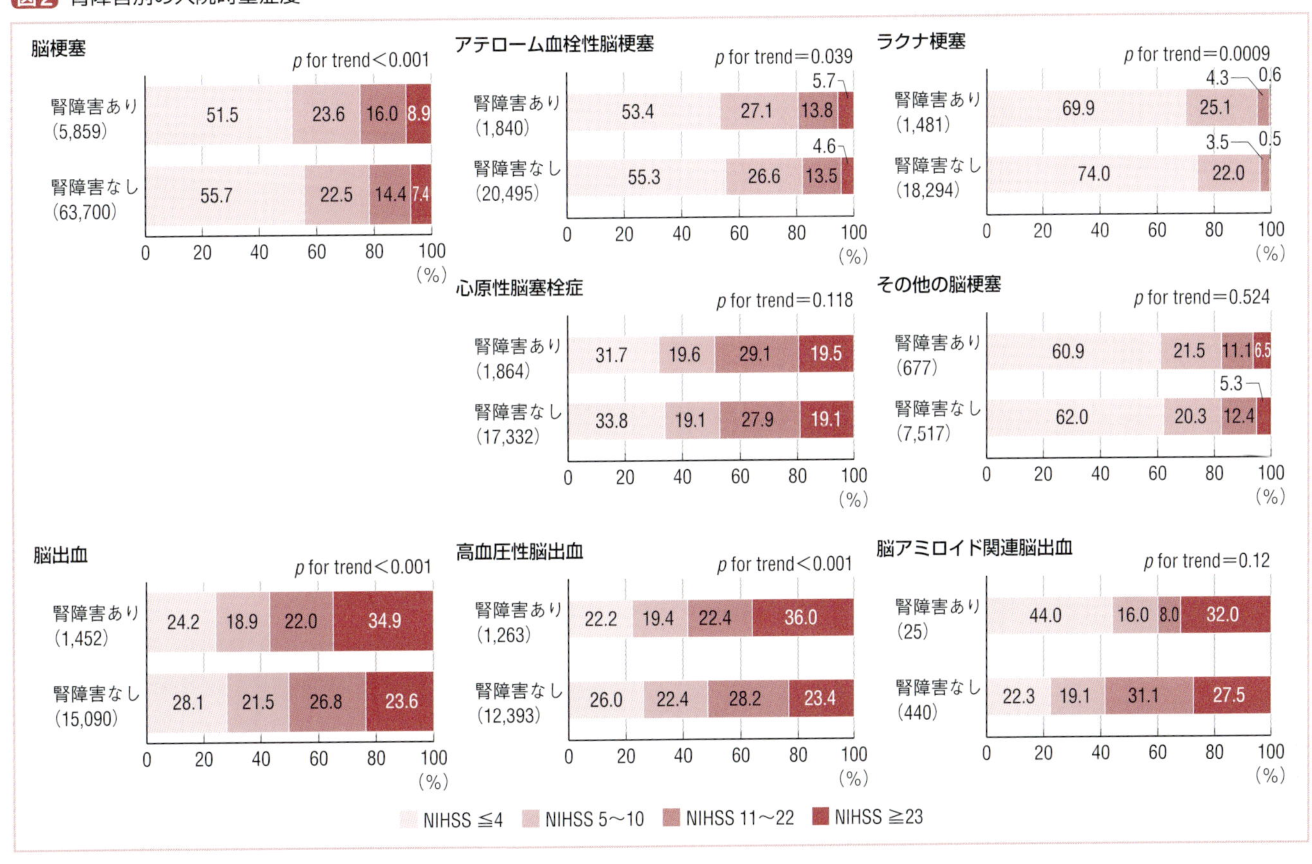

体濾過量の低下から，腎障害を高率に合併することを反映していると推定する．一方，脳出血においては，比較的低い年齢層に腎障害の頻度が高い要因として，すでに合併した腎障害と相関する細小血管障害の重症度や管理不十分の高血圧の影響を推定する．また，高齢者の脳出血に腎障害の頻度が低下した一因として，アミロイド血管症といった高血圧性以外の病態の増加を推定する．

腎障害別の入院時重症度

入院時重症度を NIHSS 4 以下，5～10，11～22，23 以上の

図3 腎障害別の退院時機能予後

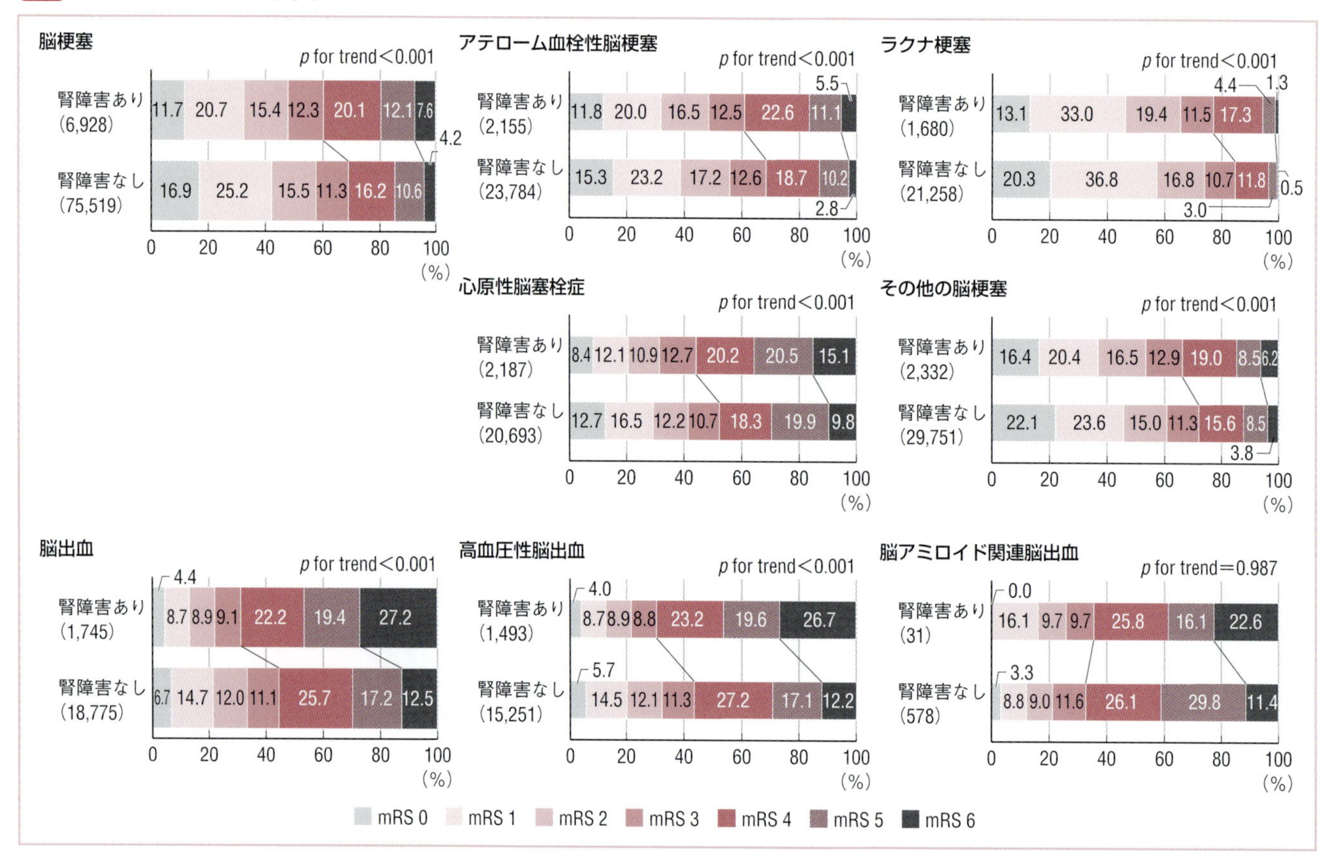

4 群に分類し，腎障害別に示す（図 2）．脳梗塞，脳出血とも，腎障害群は正常群に比べ，NIHSS の軽症が少なく，重症の頻度が高かった．脳梗塞の病型別の検討では，ラクナ梗塞とアテローム血栓性脳梗塞で腎障害の有無で重症度の群間差を認めた．心原性脳塞栓症やその他の脳梗塞では群間差は認めなかった（図 2）．脳出血の病型別は，高血圧性脳出血で群間差を認めた（図 2）．

腎障害別の退院時機能予後

腎障害別の退院時機能予後を図 3 に示す．腎障害を有すると，脳梗塞，脳出血のいずれも予後不良の群間差を認めた．mRS スコア 4 以上の重介助例や死亡例の割合は，脳梗塞で腎障害あり 39.8 %対腎障害なし 31.0 %，脳出血で 68.8 %対 55.4 %と，いずれも腎障害のない群に比し，予後不良の頻度が 10 %前後高かった．死亡例（mRS 6）の割合は，脳梗塞で腎障害あり 7.6 %対腎障害なし 4.2 %，脳出血で 27.2 %対 12.5 %と腎障害例における高死亡率が顕著であった．

以上から，脳梗塞のすべての臨床病型，高血圧性脳出血において腎障害例で予後不良の群間差を認めた（図 3）．腎障害を有すると重篤な機能転帰となる症例が多いことが示された．心原性脳塞栓症やその他の脳梗塞では入院時 NIHSS は腎障害別の群間差は認めないものの，機能予後では腎障害例で不良であった．

脳卒中病型別の推定腎糸球体濾過量（eGFR）

新データベースの登録患者のうち，Cr 値を登録された症例 10,626 例から eGFR≧150 mL/min/1.73 m^2 値（57 例）を除外後の 10,569 例を解析した．平均 eGFR 値は 65.3 ± 24.1 mL/min/1.73 m^2 であった．eGFR＜60 mL/min/1.73 m^2 は，4,172 例（39.5 %）であった．脳梗塞（8,113 例）では，63.4 ± 23.8 mL/min/1.73 m^2，脳出血（1,954 例）では 69.7 ± 25.9 mL/min/1.73 m^2 であった．病型別の eGFR 値を表 1 に示す．

推定腎糸球体濾過量（eGFR）区分と入院時重症度，退院時機能予後

入院時重症度（NIHSS）に関して（図 4），脳梗塞では eGFR 区分が低下するほど，NIHSS の軽症例が減少し，中等度～重症度例が増加傾向であった．脳出血では，eGFR＜45 mL/min/

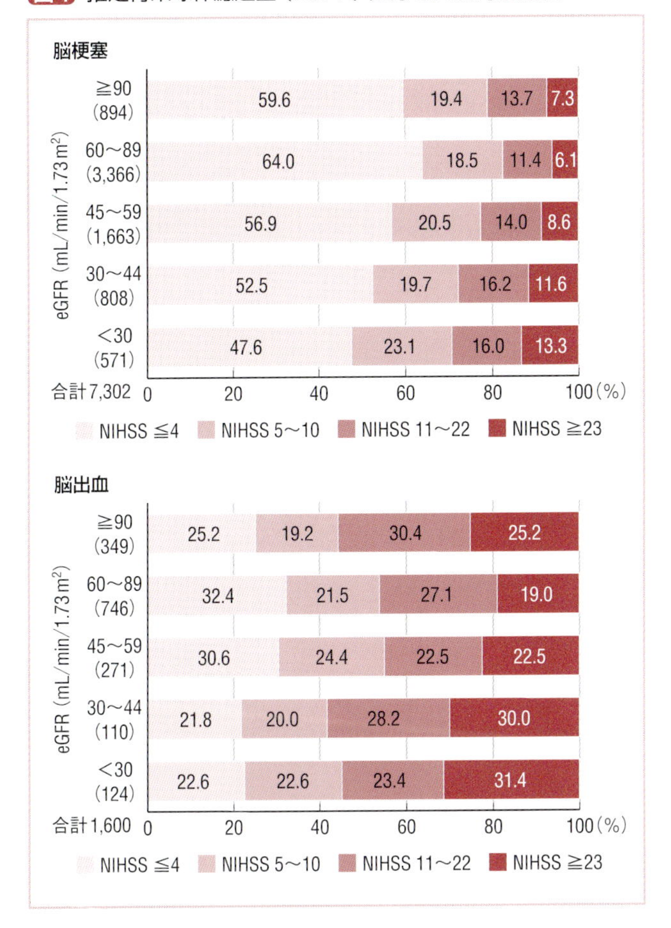

図4 推定腎糸球体濾過量（eGFR）区分と入院時重症度

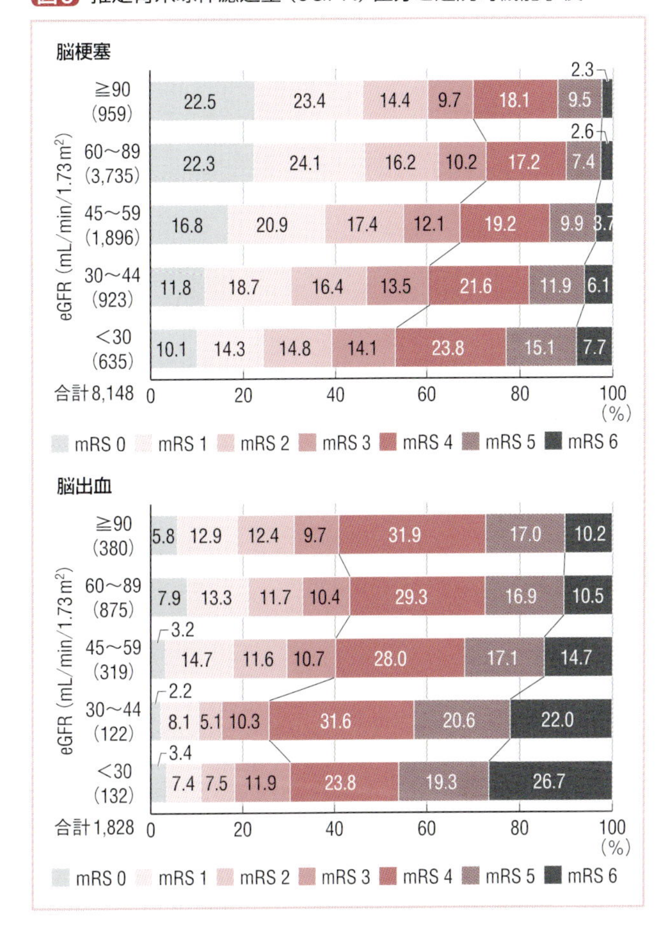

図5 推定腎糸球体濾過量（eGFR）区分と退院時機能予後

図6 蛋白尿（尿蛋白＋1以上）と入院時重症度

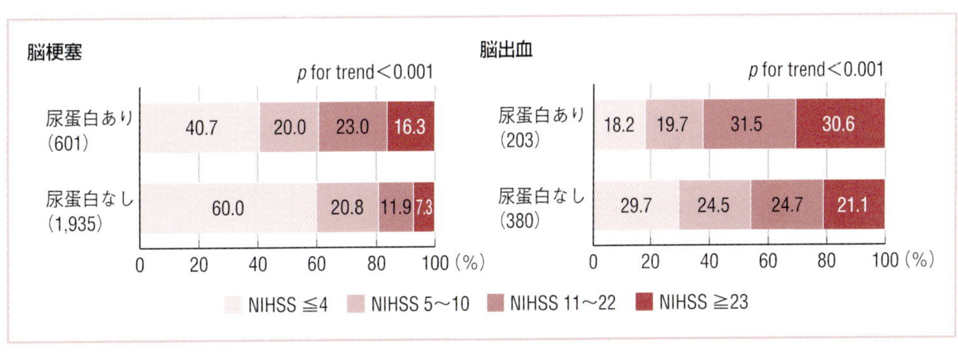

1.73 m² で NIHSS の軽症例が減少し，中等度～重症度群の増加が顕著であった．退院時機能予後（mRS）に関して（図5），脳梗塞では eGFR 区分が低下するほど，mRS スコアは重症化傾向にあった．脳出血においても同様の傾向で，とくに eGFR ＜45 mL/min/1.73 m² で mRS スコア 4 以上の割合が顕著な増加を認めた．

蛋白尿と入院時重症度，退院時機能予後

新データベースの登録患者で，入院時検査による尿蛋白（−，±，＋1，＋2，＋3）を登録された症例は 4,027 例（−：2,524 例，±：471 例，＋1：505 例，＋2：364 例，＋3：163 例）であった．入院時重症度（NIHSS）は，脳梗塞，脳出血とも蛋白尿（尿蛋白＋1 以上）を有すると，NIHSS の軽症例が減少し，中等度～重症度例が増加傾向であった（図6）．退院時機能予後（mRS）

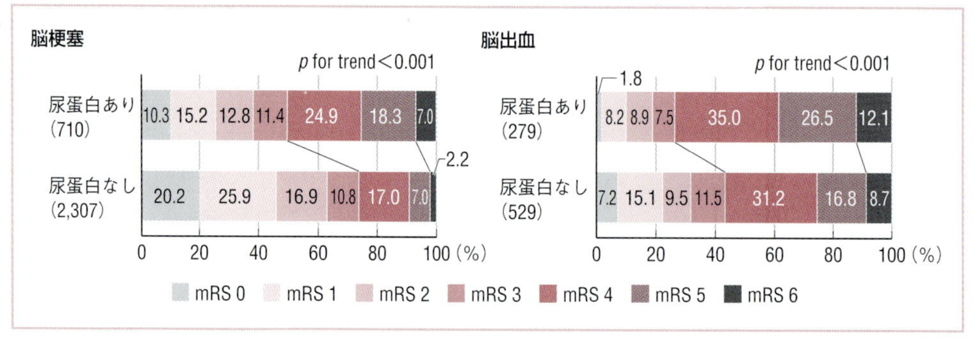

図7 蛋白尿（尿蛋白＋1以上）と退院時機能予後

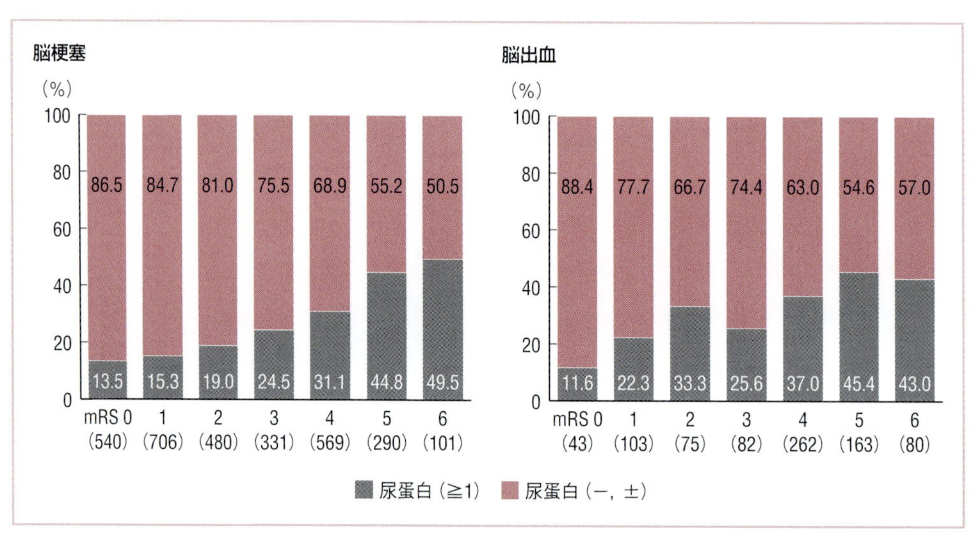

図8 退院時 mRS スコア別における蛋白尿（尿蛋白＋1以上）の頻度

ついても，蛋白尿例で，mRS スコアは重症化を認めた（図7）．

さらに，退院時 mRS スコア別の尿蛋白の頻度を図8に示す．mRS スコアが重症化になるほど，尿蛋白の有病率は増加の一途をたどった．

まとめ

腎障害別の脳梗塞，脳出血の特徴を検討した．脳梗塞病型や高血圧性脳出血において，腎障害の存在，eGFR 低値，蛋白尿はいずれも退院時機能予後不良に関連した．

文献

1) Toyoda K, et al. Stroke and cerebrovascular diseases in patients with chronic kidney disease. Lancet Neurol 2014; 13: 823-33.
2) van der Velde M, et al; Chronic Kidney Disease Prognosis Consortium. Lower estimated glomerular filtration rate and higher albuminuria are associated with all-cause and cardiovascular mortality: A collaborative meta-analysis of high-risk population cohorts. Kidney Int 2011; 79: 1341-52.
3) GBD Chronic Kidney Disease Collaboration. Global, regional, and national burden of chronic kidney disease, 1990-2017: A systematic analysis for the Global Burden of Disease Study 2017. Lancet 2020; 395: 709-33.

5 深部白質病変の進展が脳卒中の重症度，転帰に与える影響

園田和隆

- 虚血および出血性脳卒中患者において，Fazekas 分類による深部白質病変の進展は，高齢，女性，血管リスクが背景として認められた．
- 虚血性脳卒中患者において，深部白質病変はその進展に伴い，発症時重症度，およびその転帰を増悪させた．
- 出血性脳卒中患者において，重度の白質病変は発症時重症度を増悪させ，中等度から重度の白質病変は転帰を増悪させた．

背景

大脳白質病変は無症候性頭蓋内病変の一つであり，小血管の動脈硬化などを反映した脳実質の変性をさす．これは，MRI で脳室周囲や皮質下の T2 延長として観察され，とくに虚血性脳卒中発症のリスクと考えられている．一方で脳卒中の重症度やその転帰に与える影響については確立していない．

本検討では，日本脳卒中データバンク（JSDB）に登録された虚血性および出血性脳卒中患者を，大脳白質病変の最も一般的かつ簡便な Fazekas 分類を用いて分類し，脳卒中の重症度および転帰に与える影響を検証した．

方法

脳卒中データバンクに 2001 年 1 月から 2016 年 12 月に登録された，過去に脳卒中既往がなく，発症から 7 日以内の一過性脳虚血発作（TIA）を含む急性期脳梗塞と脳出血患者を対象とした．それぞれを Fazekas 分類に準拠してグレード 0～3 の 4 群に分け，グレード 0 を対照として各群の脳卒中重症度，転帰不良割合を比較した．重症度は発症時の NIHSS と規定し，転帰不良は退院時の mRS 3～6 と定義した．

Fazekas 分類，アウトカム，患者背景（年齢，性別，高血圧症の有無，糖尿病の有無）および脳卒中の分類（虚血性の場合は心原性，アテローム血栓性，ラクナおよびその他，出血性の場合は高血圧性およびその他），虚血性脳卒中の場合は再開通治療の有無のうち，データの欠損があるものは除外した．発症時重症度は t 検定を用いて，転帰不良については χ^2 検定を用いて検証した．

結果

虚血性脳卒中患者 14,114 人および出血性脳卒中患者 1,853 人が対象となった．

1. 虚血性脳卒中

全体では平均年齢 72.7 歳で男性が 58 %であった．大脳白質病変の進展に伴い，患者はより高齢で女性が多く高血圧症の割合が多くなった（表 1）．大脳白質病変の進展に伴い，入院時 NIHSS は階段状に高値となり，これは，年齢，性別，病型，高血圧および糖尿病の有無，発症前 mRS で調整しても同様の結果であった（表 2）．転帰不良の割合も同様に階段状に増加

表 1 虚血性脳卒中患者の背景

Fazekas 分類		Total	グレード 0	グレード 1	グレード 2	グレード 3	p 値
n		14,114	3,632	6,635	3,163	684	
年齢　平均 (SD)		72.7 (12.4)	64.7 (13.5)	73.3 (10.8)	78.8 (9.3)	81.8 (8.8)	<0.001
男性 (%)		8,188 (58.0)	2,380 (65.5)	3,962 (59.7)	1,574 (49.8)	272 (39.8)	<0.001
病型 (%)*	アテローム血栓性	4,445 (33.5)	910 (27.3)	2,326 (37.3)	997 (33.0)	212 (32.0)	<0.001
	心原性	3,547 (26.8)	945 (28.4)	1,653 (26.5)	786 (26.1)	163 (24.6)	
	ラクナ	3,912 (29.5)	955 (28.7)	1,746 (28.0)	980 (32.5)	231 (34.8)	
	その他	1,346 (10.2)	520 (15.6)	515 (8.3)	254 (8.4)	57 (8.6)	
高血圧症 (%)		9,075 (64.3)	1,932 (53.2)	4,409 (66.5)	2,254 (71.3)	480 (70.2)	<0.001
糖尿病 (%)		3,871 (27.4)	936 (25.8)	1,921 (29.0)	858 (27.1)	156 (22.8)	<0.001
再開通治療 (%)		672 (4.8)	205 (5.6)	304 (4.6)	143 (4.5)	20 (2.9)	0.007

* TIA は除く．

を示し，これについても年齢，性別，病型，高血圧および糖尿病の有無，発症前 mRS，発症時 NIHSS，再開通治療の有無で調整しても同様の結果であった（図1）．

2. 出血性脳卒中

全体では平均年齢 67.8 歳で男性が 53 %であり，虚血性脳卒中に比して年齢が若く男性の割合が低かった．大脳白質病変の進展に伴い，患者はより高齢で女性が多く高血圧症の割合が高くなる点は同様であった（表3）．入院時の NIHSS は高度の大脳白質病変（Fazekas 分類のグレード3）で高値を示し，これは，年齢，性別，病型，高血圧および糖尿病の有無，発症前 mRS

表2 大脳白質病変が虚血性脳卒中の重症度に与える影響

Fazekas 分類	NIHSS 中央値（四分位）	単変量解析				多変量解析			
		IRR	95 %信頼区間		p値	IRR	95 %信頼区間		p値
			下限	上限			下限	上限	
グレード0	3.0 (1.0, 6.0)	−	−	−	−	−	−	−	−
グレード1	4.0 (2.0, 8.0)	1.20	1.18	1.22	<0.001	1.08	1.06	1.10	<0.001
グレード2	4.0 (2.0, 10.0)	1.36	1.34	1.39	<0.001	1.10	1.07	1.12	<0.001
グレード3	5.0 (2.0, 12.0)	1.60	1.56	1.65	<0.001	1.17	1.13	1.20	<0.001

多変量解析は，年齢，性別，病型，高血圧および糖尿病の有無，発症前mRSで調整　IRR：incident rate ratio

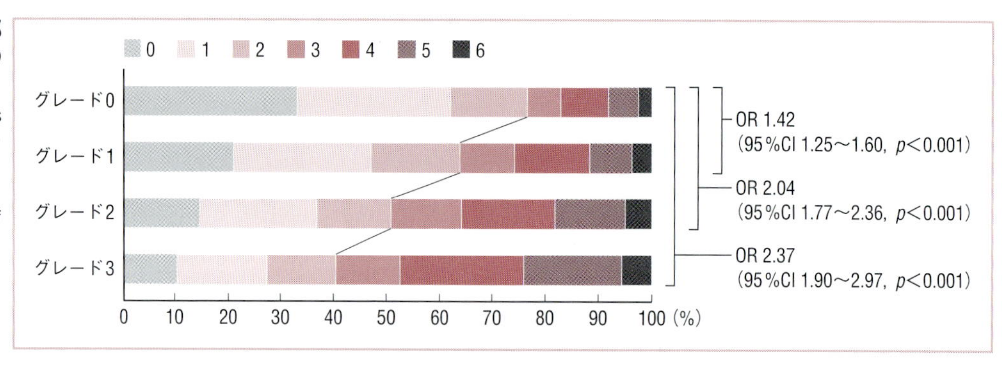

図1 虚血性脳卒中患者の深部白質病変別の転帰とその比較

mRS 3〜6の割合を多変量解析でFazekas分類グレード0を基準に各グレードを比較．
年齢，性別，病型，高血圧症の有無，糖尿病の有無，病前の mRS，入院時 NIHSS，再開通治療の有無で調整．
OR：オッズ比

表3 出血性脳卒中患者の背景

Fazekas 分類		Total	グレード0	グレード1	グレード2	グレード3	p値
n		1,853	525	846	350	132	
年齢　平均 (SD)		67.8 (15.1)	58.5 (15.8)	68.4 (13.2)	75.9 (10.9)	79.6 (9.9)	<0.001
男性 (%)		983 (53.0)	304 (57.9)	443 (52.4)	171 (48.9)	65 (49.2)	0.039
病型 (%)	高血圧性	1,437 (77.5)	356 (67.8)	696 (82.3)	284 (81.1)	101 (76.5)	<0.001
	その他	416 (22.5)	169 (32.2)	150 (17.7)	66 (18.9)	31 (23.5)	
高血圧症 (%)		1,225 (66.1)	302 (57.5)	575 (68.0)	258 (73.7)	90 (68.2)	<0.001
糖尿病 (%)		310 (16.7)	87 (16.6)	140 (16.5)	65 (18.6)	18 (13.6)	0.62

表4 大脳白質病変が出血性脳卒中の重症度に与える影響

Fazekas 分類	NIHSS 中央値（四分位）	単変量解析				多変量解析			
		IRR	95 %信頼区間		p値	IRR	95 %信頼区間		p値
			下限	上限			下限	上限	
グレード0	7.0 (2.0, 18.0)	−	−	−	−	−	−	−	−
グレード1	8.0 (3.0, 19.0)	1.01	0.98	1.04	0.538	0.94	0.91	0.97	<0.001
グレード2	9.0 (3.0, 20.0)	1.03	0.99	1.07	0.097	0.92	0.88	0.95	<0.001
グレード3	16.0 (6.5, 35.0)	1.60	1.53	1.68	<0.001	1.32	1.25	1.38	<0.001

多変量解析は，年齢，性別，病型，高血圧および糖尿病の有無，発症前mRSで調整．IRR：incident rate ratio

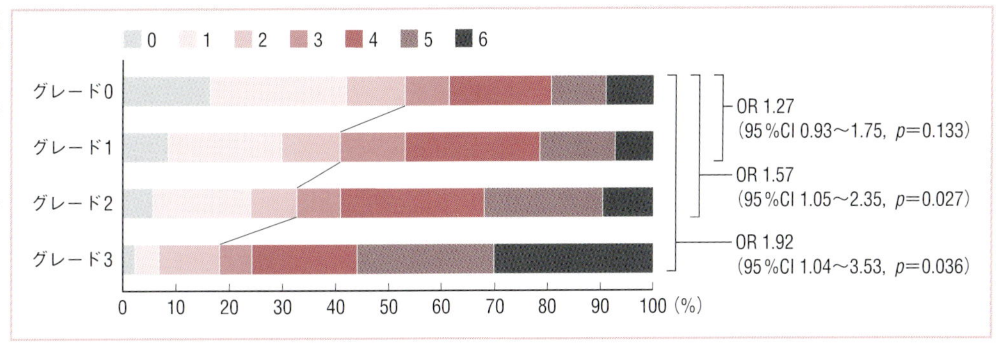

図2 出血性脳卒中患者の深部白質病変別の転帰とその比較

mRS 3～6の割合を多変量解析でFazekas分類グレード0を基準に各グレードを比較.
年齢，性別，病型，高血圧症の有無，糖尿病の有無，病前のmRS，入院時NIHSSで調整.
OR：オッズ比

で調整しても同様の結果であった（表4）．転帰不良の割合は階段状に増加傾向を示し，年齢，性別，病型，高血圧および糖尿病の有無，発症前mRS，発症時NIHSSで調整すると，中等度および高度の大脳白質病変（Fazekas分類のグレード2および3）で有意に転帰不良の割合が高かった（図2）．

考察

本検討では，大脳白質病変の進展が同一コホートで虚血性および出血性脳卒中の重症度および転帰を増悪することが示された．虚血性脳卒中患者の重症度への影響[1]や転帰への影響[2]についてはいくつか既報があり，本検討と同様の結果が報告されている．一方で，出血性脳卒中についての報告は限定的であるが，白質病変が血腫のサイズと関係するという報告[3]があり，出血性脳卒中の重症度や転帰への影響の一因となっている可能性が考えられる．

本検討では，虚血性脳卒中患者では白質病変の進展に伴い，線形に重症度や転帰が増悪しているのに比して，出血性脳卒中患者においては軽度の白質病変が与える影響は限定的であった．しかし，図2からは，Fazekas分類グレード1においても，グレード0に比すると転帰の増悪傾向がみられており，虚血性脳卒中に比して，症例数が限定的であったがために，統計学的有意差が得られなかった可能性が考えられる．これについては症例を蓄積しての再検討が望まれる．

文献

1) Helenius J, et al. Leukoaraiosis burden significantly modulates the association between infarct volume and National Institutes of Health Stroke Scale in ischemic stroke. Stroke 2015; 46: 1857-63.
2) Georgakis MK, et al. Wmh and long-term outcomes in ischemic stroke: A systematic review and meta-analysis. Neurology 2019; 92: e1298-308.
3) Lou M, et al. Relationship between white-matter hyperintensities and hematoma volume and growth in patients with intracerebral hemorrhage. Stroke 2010; 41: 34-40.

6 脳動脈解離，もやもや病と脳卒中

柏原健一

- ▶脳動脈解離による脳卒中は脳梗塞，くも膜下出血が多く，もやもや病による脳卒中は脳梗塞，脳出血が多かった．
- ▶脳動脈解離による脳卒中は 40〜50 歳代に多く，もやもや病による脳卒中は 40 歳代が最も多かった．
- ▶脳動脈解離による脳梗塞，くも膜下出血は男性がそれぞれ 74 %，55 %，もやもや病による脳卒中は女性が約 70 % と多かった．
- ▶脳動脈解離の解離部位は脳梗塞，くも膜下出血ともに頭蓋内椎骨動脈が多かった．

脳動脈解離，もやもや病に関連した脳卒中の病型と，発症年齢ごとの発症頻度，初発時症状，危険因子，治療，予後等をまとめた．対象は日本脳卒中データバンクに登録された，発症 7 日以内に受診した急性期脳梗塞患者 129,368 例，脳出血 33,178 例，くも膜下出血 11,091 例，一過性脳虚血発作（TIA）8,692 例のうち，脳動脈解離ないしもやもや病を背景に発症した患者である．TIA については旧データベース（DB）では脳梗塞とは別に分類されていたが，新 DB では脳梗塞・TIA に一括されている．本集計は新旧両 DB を含むが，新 DB 分類に従って集計，“脳梗塞” に TIA を含めた．もっとも，登録の多数を占める旧 DB でも脳動脈解離，もやもや病による TIA は登録がない．なお DB には入力が必須でない項目があり，患者数に比べて母数が少ない場合がある．

病型別患者数と発症年齢（図 1，2，表 1）

登録された脳動脈解離患者は 990 例であり，病型は脳梗塞が 566 例（57.2 %；男性 420，女性 146），脳出血 10 例（1.0 %），くも膜下出血 414 例（41.8 %；男性 227，女性 187）であった．また，もやもや病は 198 例であり，脳梗塞 56 例（28.3 %），脳出血 133 例（67.2 %），くも膜下出血 9 例（4.5 %）であった．頻度であるが，脳動脈解離による脳梗塞は TIA を含む虚血発症全脳卒中の 0.41 %，脳出血 0.03 %，くも膜下出血 3.71 % である．もやもや病では脳梗塞 0.04 %，脳出血 0.40 %，くも膜下出血 0.08 % である．

年齢別の発症頻度を図 1，2 に示す．脳動脈解離による脳血管障害は 40 歳代，50 歳代に多く，脳梗塞は 40 歳代，くも膜下出血は 50 歳代がピークであった．発症の平均年齢 ± SD はそれぞれ 54.8 ± 15.1 歳，54.8 ± 12.8 歳である（表 1）．一方，もやもや病は 30 歳代から 60 歳代に多く分布し，梗塞，出血とも 40 歳代がピークであった．平均年齢はそれぞれ 50.5 ± 16.8 歳，50.0 ± 14.9 歳である（表 1）．一般的な脳卒中は 40 歳代以後増加し，脳梗塞は 70 歳代，脳出血は 60 歳代，くも膜下出血は 50 歳代がピークとなるから，脳動脈解離による脳梗塞は一般の脳梗塞と比べて発症年齢が若い．もやもや病による脳梗塞，脳出血発症も一般の脳梗塞，脳出血と比べて若い．ちなみに 20 歳から 30 歳代までの脳梗塞，20 歳以上 60 歳未満のくも膜

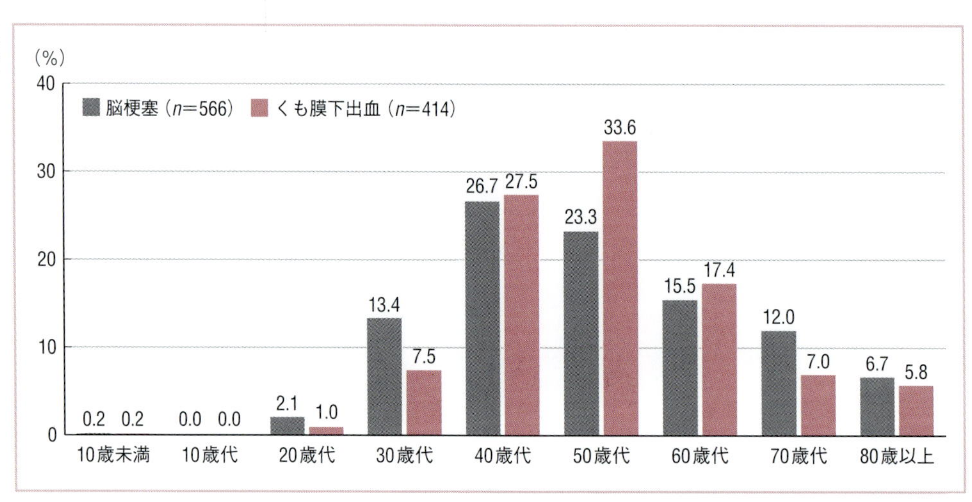

図1 脳動脈解離による脳梗塞，くも膜下出血の年代別発症頻度

図2　もやもや病による脳梗塞，脳出血の年代別発症頻度

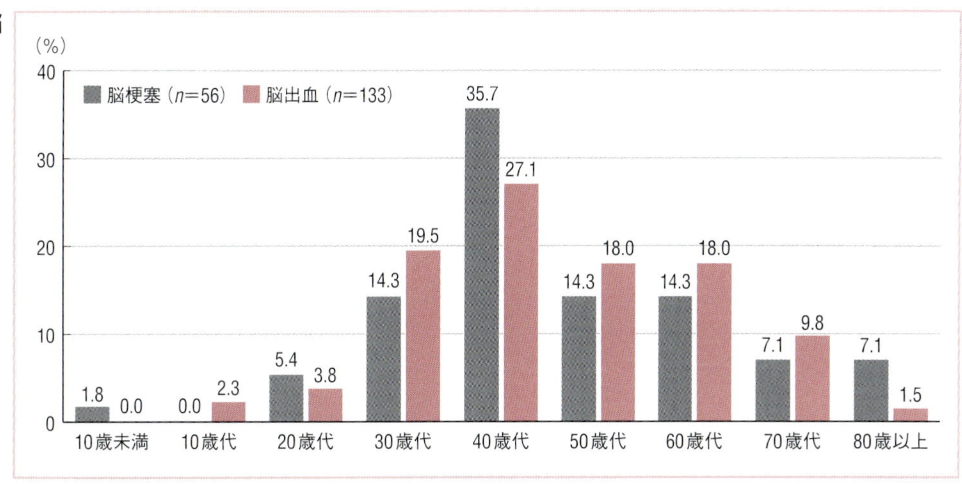

表1　脳動脈解離，もやもや病による脳卒中の性別，年齢，併存疾患

併存疾患等	脳動脈解離			もやもや病		
	脳梗塞（n=566）	くも膜下出血（n=414）	p	脳梗塞（n=56）	脳出血（n=133）	p
男性（%）	74.2	54.8	<0.001	26.8	28.6	ns
平均年齢±SD	54.8±15.1	54.8±12.8	ns	50.5±16.8	50.0±14.9	ns
心疾患（%）	10.2	7.4	ns	9.8	2.3	0.037
高血圧症（%）	51.6	47.2	ns	38.2	36.8	ns
脂質異常症（%）	25.5	18.3	0.013	25.9	11.1	0.014
糖尿病（%）	11.5	7.4	0.036	23.6	7.8	0.003
腎障害（%）	3.2	2.2	ns	0	0	ns
肝障害（%）	1.4	0.5	ns	0	0	ns
飲酒歴（%）	57.9	60.9	ns	31.6	43.0	ns
喫煙歴（%）	48.8	44.6	ns	34.1	21.6	ns

併存疾患の値は患者の割合（%）を示す．

表2　脳動脈解離による脳卒中の解離部位

解離脳動脈	脳梗塞	くも膜下出血
総頸動脈	1	0
頸部内頸動脈	6	0
頭蓋内内頸動脈	6	7
中大脳動脈	2	12
前大脳動脈	5	12
頸部椎骨動脈	4	0
頭蓋内椎骨動脈	34	27
脳底動脈	4	0
後大脳動脈	1	14

数値は患者数を示す．
有効登録総数は脳梗塞 n=57，くも膜下出血は不詳．

下出血では脳動脈解離が 6.6 %，10 歳以上 30 歳未満の脳出血ではもやもや病が 3.7 %と，若年層で頻度が高い．

危険因子（表 1）

脳動脈解離による脳梗塞は男性が 74.2 %と多く，くも膜下出血は男女同頻度である．もやもや病は脳梗塞，脳出血とも女性がそれぞれ 73.2 %，71.4 %と多い．併存疾患では脳動脈解離，もやもや病ともに高血圧症が多い．脳梗塞，脳出血間では脳動脈解離，もやもや病とも脳梗塞患者で脂質異常症，糖尿病の合併頻度が有意に高い．

ところで，脳梗塞危険因子の一つに片頭痛がある．この DB では，片頭痛の有無を記載していない症例が非常に多く，正確な検討とはいえないが，脳動脈解離による脳梗塞患者では片頭痛有無の記載がある 18 例中 8 例（44.4 %）が片頭痛を有し，これは一般の脳梗塞・TIA 患者全体で片頭痛有無の記載がある 4,639 例中 66 例（1.4 %）に比べて高頻度であった．同じく脳動脈解離によるくも膜下出血患者では片頭痛有無の記載がある 7 例中 2 例（28.6 %）が片頭痛を有していた．解離の背景を考えるうえで興味深い．

もやもや病による脳梗塞は初発例が 40 %である．一方，脳出血は初発例が 23 %と少ない．有意差はないが，もやもや病患者は一度脳卒中を生じると脳出血の危険が増す可能性がある．

脳動脈解離ともやもや病の発症部位

1. 脳動脈解離（表 2）

脳動脈解離を生じた血管の情報は脳梗塞患者でも 57 例にすぎず，記載数が少ないため，正確とはいえない．あえて集計すると表 2 のように脳梗塞例では頭蓋内椎骨動脈解離の頻度が高い．ほかには内頸動脈，前大脳動脈が多い．くも膜下出血例も椎骨動脈病変が多い．ほかには，後大脳動脈，中大脳動脈，

表3 もやもや病による脳出血の発現部位

出血部位	患者数（人）
被殻	43
視床	16
尾状核	1
テント上脳葉皮質・皮質下	22
脳幹	1
小脳	0
その他	1

図3 脳動脈解離，もやもや病による脳卒中の発症形式

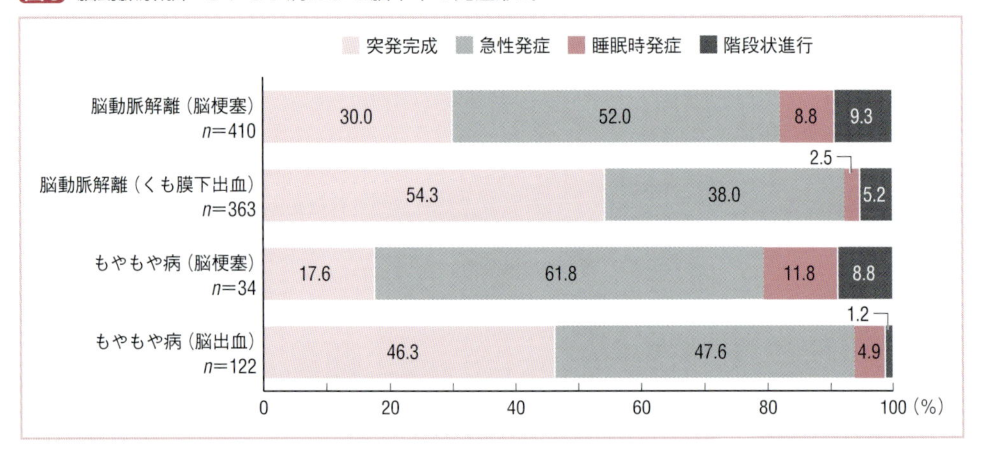

表4 脳動脈解離，もやもや病による脳卒中の初発症状

初発症状	脳動脈解離		もやもや病	
	脳梗塞（%）（n=448）	くも膜下出血（%）（n=314）	脳梗塞（%）（n=44）	脳出血（%）（n=111）
意識障害	12.5	61.8	18.2	51.4
上下肢麻痺	31.7	4.5	59.1	46.8
構音障害	29.0	1.9	34.1	14.4
顔面麻痺	2.2	0.6	0.0	0.9
感覚障害	19.4	1.3	11.4	2.7
頭痛	27.9	69.1	9.1	34.2
めまい	29.7	1.3	0.0	1.8
視覚障害	3.3	0.0	6.8	2.7
頭頸部痛	3.3	0.3	0.0	1.8
嚥下障害	9.8	0.0	0.0	0.9
嘔気・嘔吐	15.8	24.8	0.0	16.2
難聴	0.4	0.0	0.0	0.0
歩行障害	10.0	0.3	6.8	2.7

表5 脳動脈解離，もやもや病による脳梗塞の急性期治療

治療	脳動脈解離による脳梗塞（%）（n=566）	もやもや病による脳梗塞（%）（n=56）
t-PA	3.2	1.8
ワルファリン	1.4	0
抗トロンビン薬	29.0	51.8
エダラボン	40.1	26.8
低分子デキストラン点滴	5.3	16.1
高張液点滴	7.2	5.4
血管内治療	0.2	0
手術	1.1	1.8
アスピリン	11.7	16.1
シロスタゾール	3.5	3.6
クロピドグレル	3.4	1.8
オザグレル点滴	8.3	10.7
一般治療のみ	63.3	58.9

合計が100％を超えるのは，報告の母数が項目により異なることや，複数の処置がとられたことが原因と考えられる．

前大脳動脈が多い．

2. もやもや病の出血（表3）

もやもや病に関連した出血は被殻に多く，次いでテント上脳葉皮質・皮質下，視床であった．

発症形式および発症時症状

1. 発症形式（図3）

脳動脈解離，もやもや病による脳梗塞の発症形式は急性発症例が多い．出血性脳卒中は両病態とも突発的発症が約半数と多い．睡眠時発症や階段状の進行例は少ない．

2. 発症時の症状（表4）

脳動脈解離による脳梗塞では上下肢の麻痺，構音障害に加えて頭痛，めまい，嘔気・嘔吐，が多い．頭痛の多くは解離によると思われる．めまい，悪心の訴えが多いのは，椎骨動脈解離による脳幹・小脳梗塞が多いためと考えられる．くも膜下出血の場合は意識障害，頭痛が多く，嘔気・嘔吐を伴う．

もやもや病による脳梗塞では上下肢の麻痺や構音障害が多い．脳出血ではこれに加えて意識障害，頭痛，嘔気・嘔吐を伴う．

治療

1. 急性期（表5）

急性期に選択された治療は，脳動脈解離では一般的治療のみで経過をみた対応が過半数（63.3％），次いでエダラボン投与（40.1％）が多かった．3番目は抗トロンビン薬（ヘパリン，アルガトロバン）で29％，次いでアスピリン（11.7％），オザグレル（8.3％）などの抗血小板薬である．

表6 脳動脈解離，もやもや病による脳梗塞，脳出血の退院時治療

退院時治療薬	脳動脈解離		もやもや病	
	脳梗塞（%）（*n*=290）	くも膜下出血（%）（*n*=128）	脳梗塞（%）（*n*=31）	脳出血（%）（*n*=57）
抗血小板薬	79.7	43.0	83.9	5.3
抗凝固薬	9.7	2.3	6.5	1.8
降圧薬	35.2	52.3	19.4	52.6
スタチン	24.5	19.5	25.8	5.3
糖尿病薬	2.8	3.1	9.7	5.3
なし	4.5	10.2	6.5	19.3

表7 退院時の重症度

退院時mRS	脳動脈解離		もやもや病	
	脳梗塞（*n*=566）	くも膜下出血（*n*=414）	脳梗塞（*n*=56）	脳出血（*n*=133）
0	25.4	22.1	25.0	10.7
1	17.6	18.0	33.9	17.6
2	15.3	11.2	19.6	14.5
3	8.0	7.0	5.4	3.8
4	10.3	11.9	10.7	22.9
5	5.9	10.9	3.6	16.8
6	3.7	18.9	1.8	13.7

数値は各スコアを呈する患者の割合（%）を示す．

もやもや病による脳梗塞でも一般的治療のみが58.9 %と多く，次いで抗トロンビン薬（51.8 %），エダラボン（26.8 %）であった．低分子デキストラン（16.1 %），アスピリン（16.1 %），オザグレル（10.7 %）が続く．

両病態とも一般的治療のみにとどめる場合が多いのは，解離血管，もやもや血管や出血への配慮によると思われる．なお，両病態による出血性脳卒中への急性期治療は登録データが少ないため検討できなかった．

2. 退院時（表6）

退院時の治療は，脳動脈解離，もやもや病による脳梗塞患者では約 80 %で抗血小板薬が投与されていた．一部で抗凝固薬が用いられていた．合併症に応じてか，降圧薬，スタチンの併用も多くみられた．出血性脳卒中の場合は両病態ともに降圧薬の処方が多い．脳動脈解離では抗血小板薬投与者も 43.0 %と多い．

予後（表7）

脳動脈解離による脳梗塞は一般的に予後が良く，過半数（58.3 %）は退院の時点で mRS 2 以下である．一方，くも膜下出血の場合は二峰性であり，約半数（51.3 %）が mRS 2 以下であるのに対し，mRS 5 が 10.9 %，mRS 6 が 18.9 %に認められ，約 30 %が寝たきりか死に至る重篤な転機となった．

もやもや病による脳卒中も同様で，脳梗塞の場合は 78.5 %が mRS 2 以下である．一方，脳出血は mRS 2 以下が 42.8 %，mRS 5 が 16.8 %，mRS 6 が 13.7 %であり，やはり約 30 %が重篤化した．

7 一過性脳虚血発作後の虚血イベントの頻度および予測因子

上原敏志

▶一過性脳虚血発作（TIA）2,742 例のうち 107 例（3.9 %）に発症後 7 日以内の虚血イベント（脳梗塞，TIA および全身性塞栓症）を認めた．

▶脳血管障害の既往，1 週間以内の TIA の先行，脳主幹動脈狭窄性病変が虚血イベント発症の独立した有意な予測因子であった．

▶TIA の症状持続時間と虚血イベント発症とのあいだに有意な関連性はみられなかった．

ながらく一過性脳虚血発作（transient ischemic attack：TIA）は，画像診断等で梗塞巣が確認されたとしても，臨床症候が 24 時間以内に消失すれば TIA と診断（いわゆる time-based definition）されてきたが，アメリカ[1]をはじめ，WHO（世界保健機関）の国際疾病分類（ICD-11，2018 年）においても TIA は梗塞巣を有してはならないという tissue-based definition が世界のコンセンサスとなっている．2019 年 10 月，日本脳卒中学会も，「局所脳または網膜の虚血に起因する神経機能障害の一過性のエピソードであり，急性梗塞の所見がないもの．神経機能障害のエピソードは，長くとも 24 時間以内に消失すること」という定義を提唱した．

TIA は脳梗塞の前ぶれ発作であり，TIA 後の虚血イベントの発症率および予測因子を明らかにすることは臨床上きわめて重要であるが，tissue-based definition を用いた TIA 例におけるその後の虚血イベントの発症率や予測因子を検討した報告はほとんどない．そこで今回筆者らは，脳卒中データバンクのデータに基づいて tissue-based definition を用いた TIA 例における，症状持続時間と虚血イベントとの関係，および虚血イベント発症に関する予測因子を検討した．

方法

2016～18 年の脳卒中データバンクに登録された TIA 症例 2,742 例を対象とした．TIA の定義は，「症状持続時間が 24 時間以内で，画像上急性梗塞の所見がないもの」とする日本脳卒中学会が提案した tissue-based definition を用いた．組織プラスミノゲン活性化因子（t-PA）静注療法および血栓回収療法施行例は除外した．TIA の症状持続時間については，10 分未満，10 分以上 60 分未満，および 60 分以上 24 時間以内に分類した．虚血イベントの定義は，登録の根拠となった TIA 発症後 7 日以内の脳梗塞，TIA および全身性塞栓症であった．

調査項目は，性別，年齢，既往・併存症（脳血管障害，高血圧，脂質異常症，糖尿病，腎機構障害，虚血性心疾患），飲酒歴，喫煙歴，1 週間以内の TIA の先行，ABCD^2 スコア[2]，および脳主幹動脈狭窄性病変とした．脳主幹動脈狭窄性病変は，頸部および頭蓋内主幹動脈の 50 %以上の狭窄もしくは閉塞と定義した．

統計学的解析では，まず症状持続時間と虚血イベントの関連性についてロジスティック回帰分析を用いて検討した．症状持続時間 10 分未満をレファレンスとした．次に，虚血イベント発症群と非発症群で背景因子を比較検討した．パラメトリック連続変数の比較には Student-t 検定または Mann-Whitney U 検定，カテゴリー変数の比較には Fisher exact test または χ^2 検定を用いた．虚血イベント発症に関する予測因子の検討には，ロジスティック回帰分析（総当たり法および stepwise 法）を用いた．

結果

TIA 症例 2,742 例のうち 107 例（3.9 %）に虚血イベントを認めた．表 1 に TIA の症状持続時間と虚血イベント発症との関係を示す．症状持続時間と虚血イベント発症とのあいだに有意な関連性はみられなかった．表 2 に虚血イベント発症群と非発症群での背景因子の比較を示す．虚血イベント発症群は非発症群に比して，糖尿病の頻度が有意に高く，脳血管障害の既往，腎機能障害の既往，TIA の先行および脳主幹動脈狭窄性病変を有する頻度や ABCD^2 スコアが高い傾向にあった．多変量解析の結果，脳血管障害の既往，TIA の先行，脳主幹動脈狭窄性病変が虚血イベントの独立した有意な予測因子であった（表 3）．

表1 TIA の症状持続時間と虚血イベント発症との関係

症状持続時間	OR（95 % CI）	p 値
10 分未満	reference	
10～60 分	0.93（0.20～4.39）	0.923
60 分～24 時間	1.33（0.32～5.53）	0.691

OR：オッズ比，CI：信頼区間

表2 虚血イベント発症の有無による背景因子の比較

背景因子	虚血イベント		p値
	あり n=107	なし n=2,635	
男性, n(%)	63 (58.9)	1,585 (60.2)	0.79
年齢, 平均(SD), 歳	76.1 (10.2)	74.8 (12.6)	0.29
既往歴・併存症			
脳血管障害, n(%)	37 (34.6)	707 (26.8)	0.077
高血圧, n(%)	69 (64.5)	1,598 (60.6)	0.43
脂質異常症, n(%)	31 (29.0)	717 (27.2)	0.69
糖尿病, n(%)	34 (31.8)	617 (23.4)	0.046
腎機能障害, n(%)	11 (10.3)	162 (6.1)	0.085
虚血性心疾患, n(%)	12 (11.2)	280 (10.6)	0.119
飲酒歴			0.12
なし, n(%)	36 (40.0)	886 (41.1)	
過去に飲酒, n(%)	3 (3.3)	87 (4.0)	
4単位未満/週, n(%)	5 (5.6)	207 (9.6)	
4単位以上8単位未満/週, n(%)	18 (20.0)	241 (11.2)	
8単位以上/週, n(%)	11 (12.2)	219 (10.2)	
不明, n(%)	17 (18.9)	517 (24.0)	
喫煙歴			0.66
なし, n(%)	51 (48.1)	1,190 (46.5)	
過去に喫煙, n(%)	24 (22.6)	493 (19.3)	
喫煙, n(%)	20 (18.9)	526 (20.6)	
不明, n(%)	11 (10.4)	349 (13.6)	
1週間以内のTIAの先行, n(%)			0.083
あり	11 (13.4)	152 (8.0)	
なし	71 (86.6)	1,741 (92.0)	
ABCD^{2}スコア, 中央値(IQR)	5 (4〜6)	5 (4〜6)	0.067
脳主幹動脈狭窄性病変, n(%)	9 (8.4)	118 (4.5)	0.058

SD：標準偏差, IQR：四分位範囲

表3 虚血イベント発症に関する予測因子

	総当たり		stepwise	
	OR (95%CI)	p値	OR (95%CI)	p値
男性	0.72 (0.41〜1.26)	0.250		
年齢	0.99 (0.97〜1.02)	0.613		
既往歴・併存症				
脳血管障害	2.39 (1.41〜4.03)	0.001	2.32 (1.39〜3.87)	0.001
高血圧	1.06 (0.61〜1.85)	0.827		
脂質異常症	0.85 (0.48〜1.51)	0.581		
糖尿病	1.35 (0.77〜2.37)	0.302		
腎機能障害	1.86 (0.83〜4.14)	0.130		
虚血性心疾患	1.31 (0.59〜2.94)	0.508		
飲酒歴	1.01 (0.87〜1.17)	0.873		
喫煙歴	1.06 (0.80〜1.39)	0.694		
1週間以内のTIAの先行	2.45 (1.22〜4.93)	0.012	2.39 (1.21〜4.73)	0.012
脳主幹動脈狭窄性病変	2.22 (1.00〜4.93)	0.049	2.19 (1.01〜4.76)	0.047

OR：オッズ比, CI：信頼区間

考察

今回の検討では，TIA後7日以内の虚血イベント発症リスクは3.9%であった．スペインの30のストロークユニットから登録された1,137例のTIA患者を対象としたPROMAPA研究では，TIA後7日以内の脳卒中発症リスクは2.6%であった[3]．

今回の解析の結果，脳血管障害の既往，TIAの先行，脳主幹動脈狭窄性病変が虚血イベントの独立した有意な予測因子であった．前述のPROMAPA研究では，TIAの先行および狭窄性病変が7日以内の脳卒中発症の，脳卒中の既往および冠動脈疾患の既往が7日以降1年以内の脳卒中発症の予測因子であった[3]．21か国，4,789例のTIAまたは軽症脳卒中を対象とした大規模な国際共同前向き研究では，画像上の多発性虚血病変，ABCD^{2}スコア6〜7点，脳主幹動脈病変合併が1年以内の脳卒中再発の予測因子であった[4]．日本で行われたTIAを対象とした多施設前向き登録研究では，ABCD^{2}スコアと1年以内の脳梗塞発症とのあいだに関連性が認められた．

過去の報告では，TIAの症状持続時間と脳梗塞発症との関連性が示され，TIA後の脳梗塞リスクの予測因子であるABCD^{2}スコアの項目にも症状持続時間が含まれているが[2]，今回の検討では，TIAの症状持続時間と虚血イベントとのあいだに有意な関連性はみられなかった．

これまでtissue-based definitionを用いたTIA例を対象とした研究は少なく，今後さらなる検討が必要であると考える．

◉文献

1) Easton JD, et al. Definition and evaluation of transient ischemic attack. Stroke 2009; 40: 2276-93.
2) Johnston SC, et al. Validation and refinement of scores to predict very early stroke risk after transient ischaemic attack. Lancet 2007; 369: 283 92.
3) Purooy F, et al. How predictors and patterns of stroke recurrence after a TIA differ during the first year of follow-up. J Neurol 2014; 261: 1614-21.
4) Amarenco P, et al. One-year risk of stroke after transient ischemic attack or minor stroke. N Engl J Med 2016; 374: 1533-42.
5) Uehara T, et al. Incidence, predictors, and etiology of subsequent ischemic stroke within one year after transient ischemic attack. Int J Stroke 2017; 12: 84-9.

8 虚血性脳血管障害例における頭蓋内動脈狭窄の特徴

徳田直輝，今井啓輔

- 虚血性脳血管障害例における頭蓋内動脈狭窄の有病率は 4.1 %であった.
- 頭蓋内動脈狭窄と高血圧症，脂質異常症，糖尿病，飲酒，肥満が有意に相関していた.
- 虚血性脳血管障害例においては臨床病型にかかわらず，頭蓋内動脈狭窄のある場合にはない場合と比較し，退院時予後良好例が少なかった.
- 病変部位別でみると，中大脳動脈水平部（M1）狭窄の有病率が最も高く，M1 狭窄の有病率は女性と 50 歳未満，70, 80 歳代で高かった.
- 頭蓋内椎骨動脈狭窄の有病率は男性および 50 歳未満の若年者で高かった.

日本をはじめとした東アジア諸国では頭蓋内動脈狭窄（ICS）の頻度が高く[1]，症候性だけでなく，無症候性の ICS もまれならず存在している．今回，日本脳卒中データバンク（JSDB）に蓄積された発症 7 日以内の急性期虚血性脳血管障害例（脳梗塞例および一過性脳虚血発作例）のうち，データが不十分な例を除いた 60,884 例を対象として ICS の有病率を計算し，ICS と背景因子や予後との関連を検討するとともに，ICS の有病率について病変部位別・男女別・年齢別に多面的な解析を加えた．

なお，ICS の定義は MRA や CTA，DSA などの血管評価にて，頭蓋内内頸動脈（ICA），中大脳動脈（MCA）水平部（M1），MCA 島部（M2），前大脳動脈（ACA），頭蓋内椎骨動脈（VA），脳底動脈（BA），後大脳動脈（PCA）のいずれかに 50 %以上の狭窄があるものとした．

ICS の有病率とその背景因子・予後との関連

対象 60,884 例（男性 36,765 例，年齢 72.7 ± 12.3 歳）のうち ICS は 2,516 例でみられ，その有病率は 4.1 %であった．対象における脳梗塞臨床病型の内訳はラクナ梗塞 28.9 %，アテローム血栓性脳梗塞 32.3 %，心原性脳塞栓症 28.5 %，その他の脳梗塞 10.3 %であり，病型別の ICS の有病率はラクナ梗塞 2.4 %，アテローム血栓性脳梗塞 6.6 %，心原性脳塞栓症 2.9 %，その他の脳梗塞 4.0 %（図 1）と，当然の結果ながらアテローム血栓性脳梗塞で最も高かった．

ICS と背景因子について検討すると，**表 1** に示すように，高血圧症，脂質異常症，糖尿病，飲酒，肥満が有意に相関していた．ICS と予後について検討すると，虚血性脳血管障害例における退院時予後良好（mRS 0〜2）と負の相関がみられる因子として ICS が含まれており，予後良好に関する ICS の調整オッズ比（95 %信頼区間）は 0.80（0.72〜0.89）であった．脳梗塞臨床病型別に分析しても全病型において ICS がある例では予後良好例が少なくなっていた（図 2）．

図 1 脳梗塞臨床病型別の頭蓋内動脈狭窄の有病率

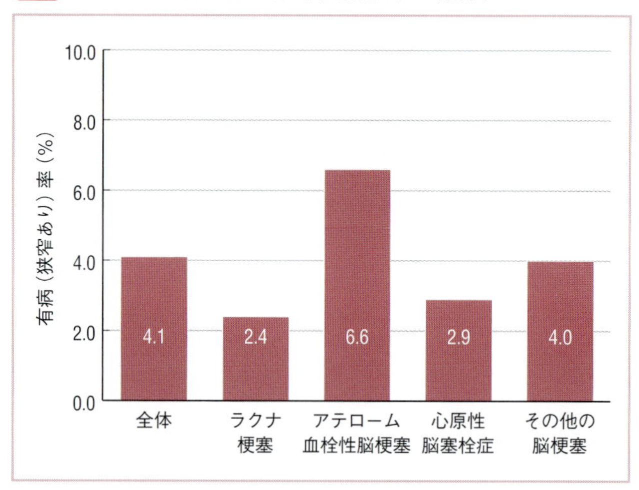

病変部位別，男女別，年齢別の ICS 有病率

病変部位別の ICS 有病率（図 3）は M1 狭窄が 1.48 %と最も高く，次に ICA 狭窄，M2 狭窄の順であった．ICS の有病率と性別については（図 3），ICS 全体では男性のほうで有病率が高かった（4.18 % vs 4.05 %）．病変部位別にみると，MCA 狭窄と ACA 狭窄に関しては女性のほうで，ICA 狭窄と VA 狭窄，BA 狭窄に関しては男性のほうで ICS 有病率が高かった．これらの病変部位別の結果を年齢別にみてみると（図 4），M1 狭窄に関しては 50 歳未満と 70, 80 歳代で，VA 狭窄に関しては 50 歳未満で ICS 有病率が高かった．それ以外の部位ではおおむね 70 歳代までは加齢に伴い有病率が高くなり，80 歳代，90 歳代では逆に加齢に伴い有病率が低くなっていた．M1 狭窄に限定して解析すると（図 5），その有病率は 50 歳未満と 70

表1 頭蓋内動脈狭窄と関連する背景因子

	頭蓋内動脈狭窄あり 2,516例	頭蓋内動脈狭窄なし 58,368例	*p*値	調整OR（95％CI）	*p*値
年齢（歳，平均±標準偏差）	72.6±12.0	72.7±12.3	0.76	1.02（1.00～1.02）	0.05
男性	1,538（61.1％）	35,227（60.4％）	0.44	0.89（0.74～1.08）	0.24
高血圧症	1,808（71.9％）	39,173（67.1％）	<0.01	1.47（1.19～1.83）	<0.01
脂質異常症	982（39.0％）	17,267（29.6％）	<0.01	1.56（1.30～1.86）	<0.01
糖尿病	855（34.0％）	15,304（26.2％）	<0.01	1.22（1.02～1.47）	<0.01
心房細動	472（18.8％）	13,173（22.6％）	<0.01	0.86（0.68～1.08）	0.19
虚血性心疾患	307（12.2％）	5,177（8.9％）	<0.01	1.29（0.99～1.67）	0.06
現在喫煙	578（23.0％）	11,626（19.9％）	0.84	－	－
飲酒（週8単位以上）	269（10.7％）	4,316（7.4％）	<0.01	1.36（1.03～1.78）	0.03
肥満（BMI 25以上）	192（7.6％）	4,296（7.4％）	<0.01	1.24（1.03～1.50）	0.03
NIHSS（点，平均±標準偏差）	7.1±8.0	7.0±8.4	0.58	－	－
DWI-ASPECTS（/11点，中央値（四分位））	9（6～10）	9（7～10）	0.13	－	－

χ^2検定，t検定ロジスティック回帰分析
BMI：body mass index，CI：信頼区間，DWI-ASPECTS：diffusion weighted image-Alberta Stroke Programme Early CT Score，NIHSS：National Institutes of Health Stroke Scale，OR：オッズ比

図2 脳梗塞臨床病型別の頭蓋内動脈狭窄の有無と退院時予後良好例の割合

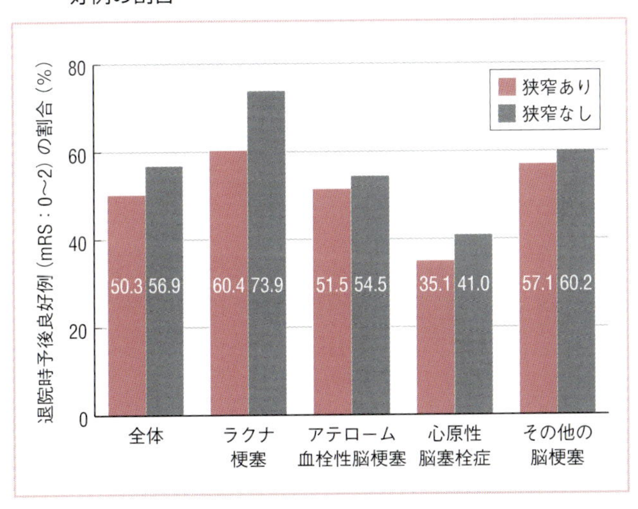

歳代の女性で高く，2峰性に分布していた．一方，VA狭窄に限定して解析すると（図6），その有病率は50歳未満の男性で最も高かった．

考察

本検討では急性期虚血性脳血管障害におけるICSの有病率は4.1％であった．『脳卒中データバンク2015』[2]と比較すると（11.2％），半分以下になっていた．動脈硬化危険因子の積極的な管理などにより日本でのICSの有病率が実際に低下してきている可能性もあるが，それ以上にデータ収集法が影響した可能性のほうが高いと考えられた．JSDBへの登録システム上，ICSについては「狭窄あり」をチェックするのみとなっているため，「狭窄なし」と「データ欠損」の区別がつかなかった可能性がある．Ueharaらは，MRAで見つかる無症候性ICS（定義は25％以上）の頻度を14.7％と報告しており[1]，日本でのICSの実際の有病率は4.1％よりも高いと推定される．ICSがあると，脳梗塞臨床病型にかかわらず，退院時予後良好例が少ないという結果については，『脳卒中データバンク2015』[2]の結果と同様であった．

本検討においてICSと最も相関がみられた背景因子は脂質異常症であった．ICSの機序に関しては従来の説とは異なり，頸動脈病変や冠動脈病変と同様に粥腫が主であるという報告も近年増えてきており，その危険因子として脂質異常症が注目されている[3]．症候性のICSに対する内科的治療として，脂質を含めた動脈硬化危険因子の積極的な管理の有効性を示した報告もある[4]．一方で，もやもや病の感受性遺伝子と報告されていたring finger protein 213（*RNF213*）遺伝子とICSとの関連が相次いで報告されてきており，わが国における3研究のメタ解析[5]でも，*RNF213*遺伝子p.R4810K多型はアテローム血栓性脳梗塞と強く関連していた．同遺伝子多型は女性と前方循環系のICS例に多くみられており，脳梗塞発症時の平均年齢は4.1歳若かった．20～60歳のICSを有する虚血性脳血管障害例のうち24％に同遺伝子変異がみられたとの単施設からの報告もあり[6]，ICSの背景因子としてはそのような遺伝的因子にも注目していく必要がある．

本検討において病変部位別のICS有病率はM1狭窄に関しては50歳未満と70歳代の女性で高かった．この結果については上述した*RNF213*遺伝子との関連（*RNF213*-related

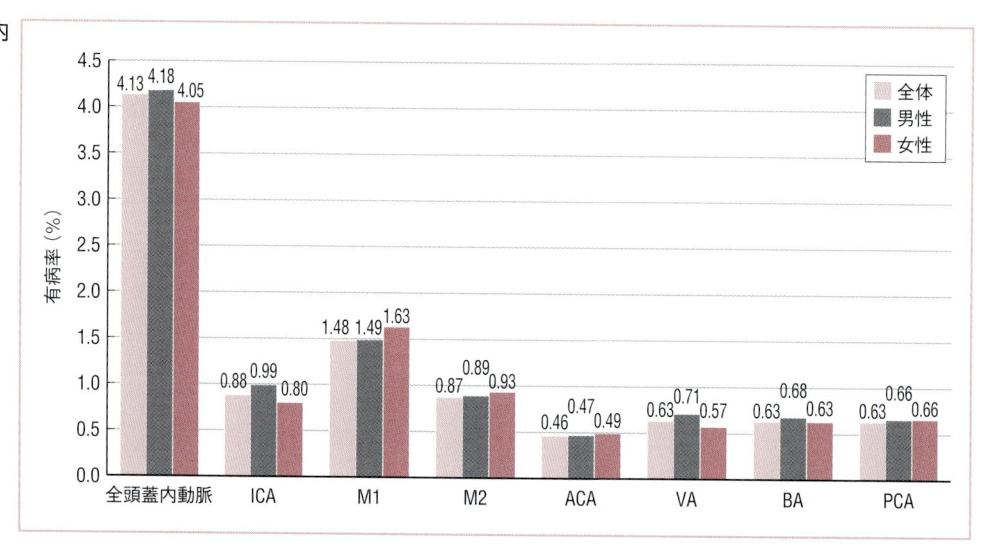

図3 病変部位別・男女別の頭蓋内動脈狭窄の有病率

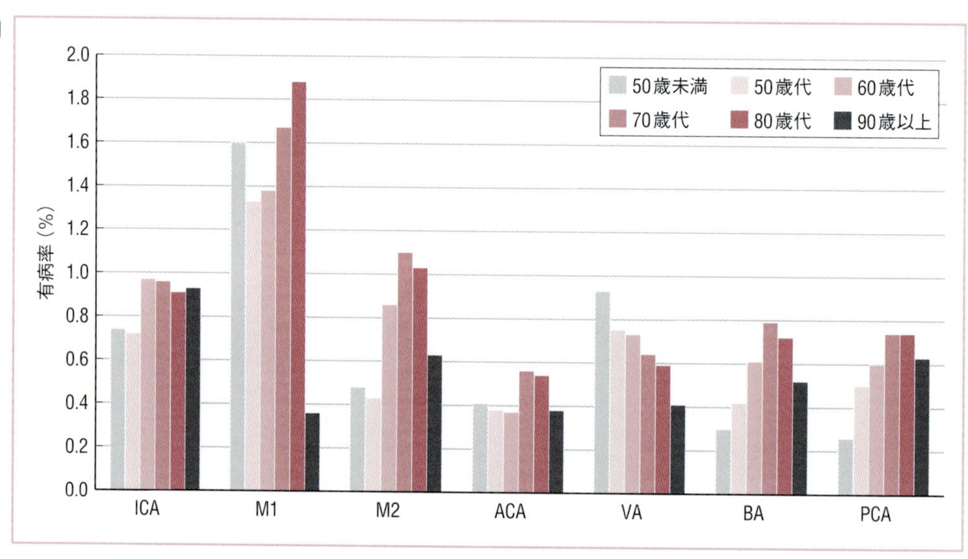

図4 病変部位別・年齢別の頭蓋内動脈狭窄の有病率

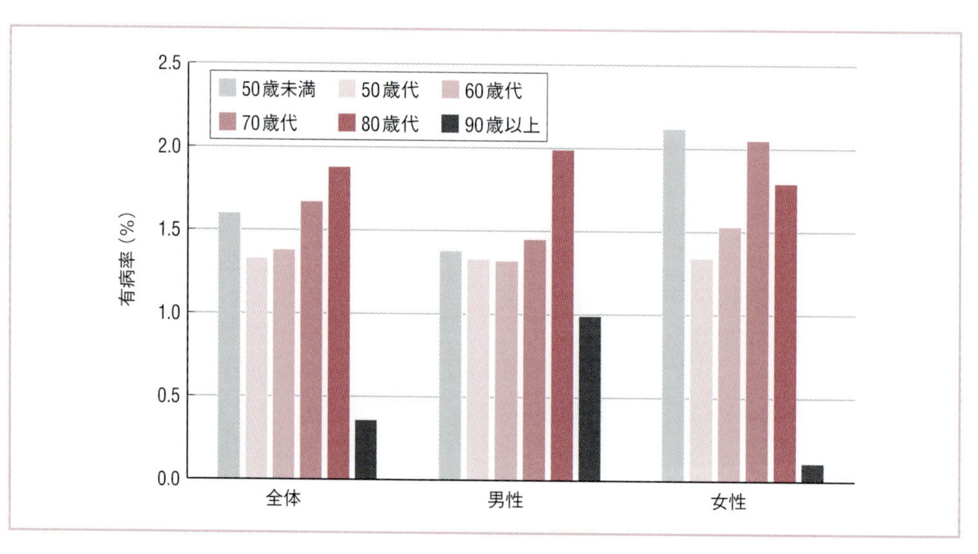

図5 男女別・年齢別の中大脳動脈水平部（M1）狭窄の有病率

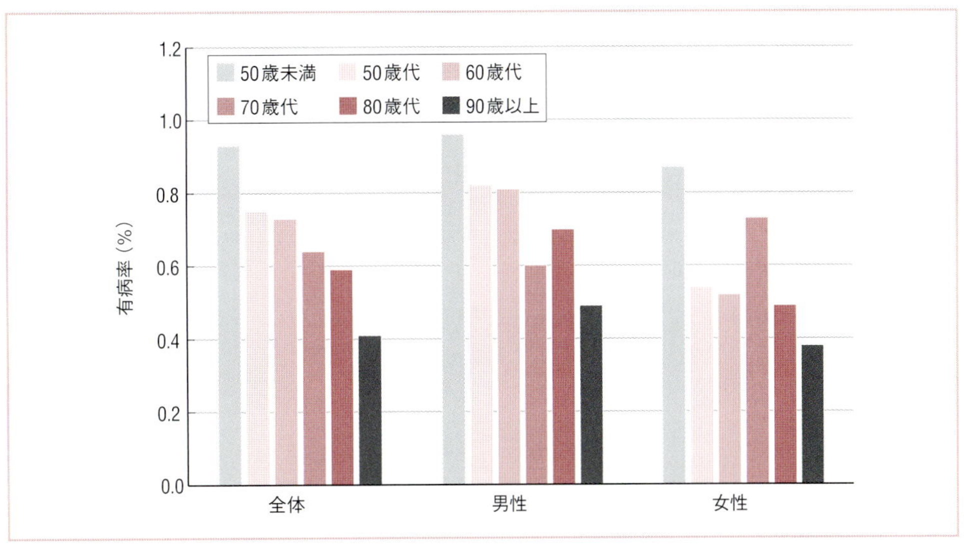

図6 男女別・年齢別の頭蓋内椎骨動脈（VA）狭窄の有病率

vasculopathy[5]）も考慮される．一方，VA狭窄の有病率に関しては50歳未満の男性で最も高かった．この結果については日本の若年男性でVAの脳動脈解離が多いこと[7]との関連も考慮される．病変部位にかかわらず，80歳代，90歳代にてICSの有病率が減少したことに関しては，ICSの有病者では虚血性心疾患などで高齢に達するまでに死亡することが多いなどの原因を推察したが，ICSと虚血性心疾患は多変量解析では有意な相関はなかったため（**表1**），詳細は不明であった．なお，上述したもやもや病や脳動脈解離については，本来，本書の別項（「6. 脳動脈解離，もやもや病と脳卒中」〈p.58〉）も参照したうえで考察すべきである．

ICSの治療に関しては今回検討していなかったが，内科的治療については，上述した動脈硬化危険因子の積極的管理とともに[4]，シロスタゾールを含む抗血小板薬の併用療法の有用性も報告されている[8]．その一方で，外科的治療については，経皮的脳血管形成術やステント留置術[4, 9, 10]，バイパス術の有用性は未確立のままである[10]．JSDBの解析結果が，ICSの病態解明とともに有用な治療の確立につながることに期待される．

文献

1）Uehara T, et al. Frequency and clinical correlates of occlusive lesions of cerebral arteries in Japanese patients without stroke. Evaluation by MR angiography. Cerebrovasc Dis 1998; 8: 267-72.
2）卜蔵浩和ほか．病型別にみた脳血管狭窄性病変と重症度・予後．小林祥泰（編）．脳卒中データバンク2015．中山書店；2015．pp.72-3.
3）上原敏志．頭蓋内動脈病変の診断と治療：内科的治療の動向．脳卒中2019；41：19-24.
4）Chimowitz MI, et al. Stenting versus aggressive medical therapy for intracranial arterial stenosis. N Engl J Med 2011; 365: 993-1003.
5）Okazaki S, et al. Moyamoya Disease Susceptibility Variant RNF213 p.R4810K Increases the Risk Of Ischemic Stroke Attributable to Large-Artery Atherosclerosis. Circulation 2019; 139: 295-8.
6）Kamimura T, et al. Prevalence of RNF213 p.R4810K Variant in Early-Onset Stroke with Intracranial Arterial Stenosis. Stroke 2019; 50: 1561-3.
7）Debette S, et al. Epidemiology, pathophysiology, diagnosis, and management of intracranial artery dissection. Lancet Neurol 2015; 14: 640-54.
8）Toyoda K, et al. Dual antiplatelet therapy using cilostazol for secondary prevention in patients with high-risk ischaemic stroke in Japan: A multicentre, open-label, randomised controlled trial. Lancet Neurol 2019; 18: 539-48.
9）Mori T, et al. Percutaneous transluminal cerebral angioplasty: serial angiographic follow-up after successful dilatation. Neuroradiology 1997; 39: 111-6.
10）脳動脈：血管内再開通療法（機械的血栓回収療法，局所線溶療法，その他）．日本脳卒中学会 脳卒中ガイドライン［追補2019］委員会（編）．脳卒中治療ガイドライン2015［追補2019対応］．協和企画；2019．p.70-72-2, 133-6.

9 branch atheromatous disease (BAD) とラクナ梗塞の臨床的比較検討

梅村敏隆

- ▶BADは，ラクナ梗塞より高齢者，女性で有意に多く，ラクナ梗塞はBADより高血圧，現喫煙，脳血管疾患の頻度が有意に高かった.
- ▶BADはラクナ梗塞より発症から来院までの時間が短く，来院時の重症度が高かった.
- ▶BADはラクナ梗塞と比較して入院後の早期神経症状進行が多く，退院時予後も不良であった.
- ▶急性期治療に関して，BADはアルガトロバン，エダラボン，ラクナ梗塞はオザグレルナトリウムの使用頻度が高く，BADでは抗血小板薬2剤併用も半数以上に認められた.

branch atheromatous disease (BAD) は1989年Caplanにより提唱された病理学的概念[1]で，主幹動脈からの穿通枝分岐部のアテロームプラークが原因となり穿通枝領域に梗塞を生じる．梗塞巣の拡大により神経症状が早期に進行することがあり，日常臨床ではその診断と治療に苦慮する場合がある．レンズ核線条体動脈および橋傍正中枝に生じる場合が最も多いが，視床膝状体動脈，視床穿通動脈，前脈絡叢動脈領域にも同様な機序で脳梗塞が発症する．一方，ラクナ梗塞では穿通動脈末梢のリポヒアリノーシスにより血管が閉塞し，その灌流領域に小梗塞（通常15 mm以下）が生じる．

BADのMR画像診断に関してはわが国から暫定基準が提唱されているが[2]，発症初期にはMR画像でBADとラクナ梗塞を鑑別することは困難な場合がある．日本人のBADとラクナ梗塞に関する臨床情報を把握することは，日常臨床における診断，治療に有益と思われる．日本脳卒中データバンクに登録されているBAD 803例とラクナ梗塞36,193例を対象に，危険因子，臨床指標，急性期治療に関して比較検討した．

危険因子

BADはラクナ梗塞と比較し，高齢，女性で有意に多く，ラクナ梗塞はBADより高血圧，現喫煙者，脳血管疾患の頻度が有意に高かった（表1）．日本人を対象とした多施設での解析データからも同様の結果が報告されている[3]．なお，糖尿病はBAD，ラクナ梗塞で有意差を認めなかったが，両病型とも椎骨動脈系病変の頻度が有意に高かった（図1）．

臨床指標

① 来院までの時間（7日以内症例）：発症から来院までの時間は平均値，中央値ともBADがラクナ梗塞より有意に短かった．発症24時間以内の来院は両病型とも約65 %であり有意差は認めなかった（表2）．

表1 病型別の危険因子

	BAD n=803	ラクナ梗塞 n=36,193	p値
年齢	73.9 (12.1)	70.8 (11.7)	<0.001
性別，男性	464 (57.8 %)	22,411 (61.9 %)	0.017
高血圧	548 (68.3 %)	25,703 (71.0 %)	0.001
糖尿病	242 (30.1 %)	10,433 (28.8 %)	NS
脂質異常症	301 (37.5 %)	12,095 (33.4 %)	NS
腎疾患	45 (5.6 %)	1,681 (4.6 %)	NS
脳血管障害既往	169 (21.0 %)	9,783 (27.0 %)	<0.001
心疾患既往	106 (13.2 %)	5,034 (13.9 %)	NS
喫煙歴			0.006
なし	356 (53.2 %)	14,321 (54.5 %)	
過去に喫煙	119 (17.8 %)	3,510 (13.4 %)	
現喫煙	172 (25.7 %)	7,653 (29.1 %)	
不明	22 (3.3 %)	804 (3.1 %)	

② 来院時NIHSS（重症度評価）：BADで有意にNIHSSが高く，重症度を層別した解析でもBADはラクナより重症度が有意に高かった（表2）．

③ 早期神経症状進行（early neurological deterioration：END）：BAD 26.1 %，ラクナ梗塞6.5 %でありENDの頻度はBADで有意に高かった（図2）．過去の報告でもBADに認められるENDの頻度は，進行の定義や血管系により異なるが，約15～45 %であり内頸動脈系より椎骨動脈系で進行の頻度は高い[3-5]．

④ 退院時（短期）予後：mRS 3～6はBADで51.6 %，ラクナ梗塞で27.1 %であり，BADで有意に予後不良であった（図3）．

⑤ 虚血性脳卒中再発（入院中）の頻度：入院中の虚血イベント再発はBADで有意に高かった（図4）．

図1 内頸動脈系と椎骨動脈系BADおよびラクナ梗塞の糖尿病合併頻度

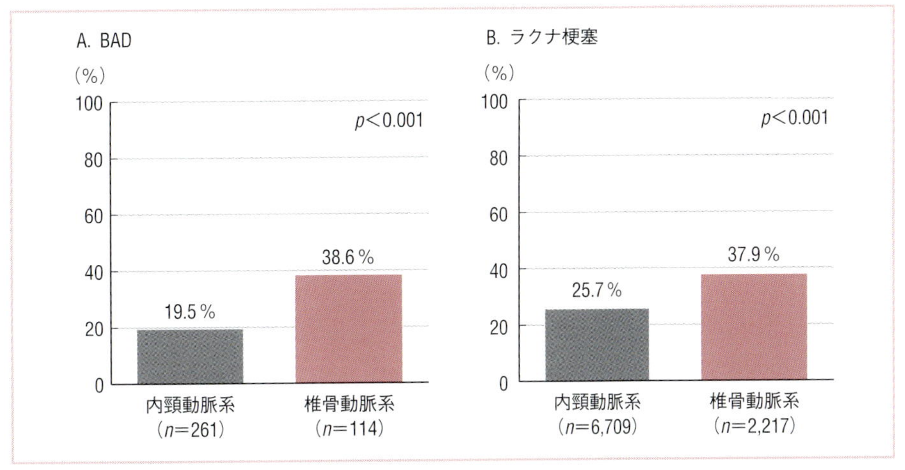

表2 発症から来院までの時間と来院時重症度

	BAD	ラクナ梗塞	p値
発症(最終未発症)から来院までの時間			0.83
4.5時間未満	146	3,544	
4.5時間以降24時間未満	230	5,243	
24時間以降7日以内	197	4,670	
平均値(SD)	17.3 (23.0)	24.2 (31.5)	<0.001
中央値(IQR)	9.8 (2.4〜22.9)	12.5 (3.8〜29.4)	<0.001
来院時重症度			<0.001
来院時NIHSS≦4	457 (60.7%)	23,000 (73.9%)	
5〜10	235 (31.2%)	6,753 (21.7%)	
≧11	61 (8.1%)	1,354 (4.4%)	
来院時NIHSS, 平均値(SD)	4.5 (4.8)	3.7 (4.0)	0.004
来院時NIHSS, 中央値(IQR)	3 (2〜5)	3 (1〜5)	0.011

図2 入院後進行

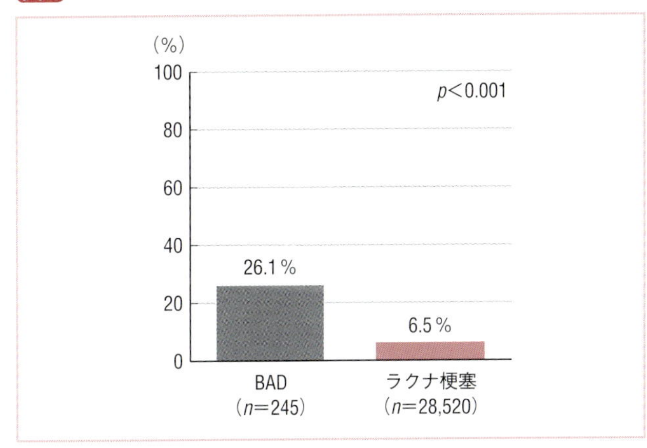

進行の定義:NIHSS 1点以上悪化の場合.
BAD:branch atheromatous disease

図3 病型別予後(退院時mRS)

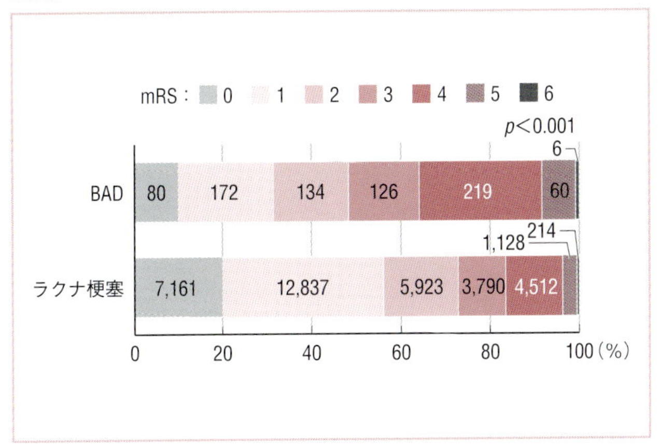

グラフ内の数値は症例数.

図4 虚血性脳卒中再発

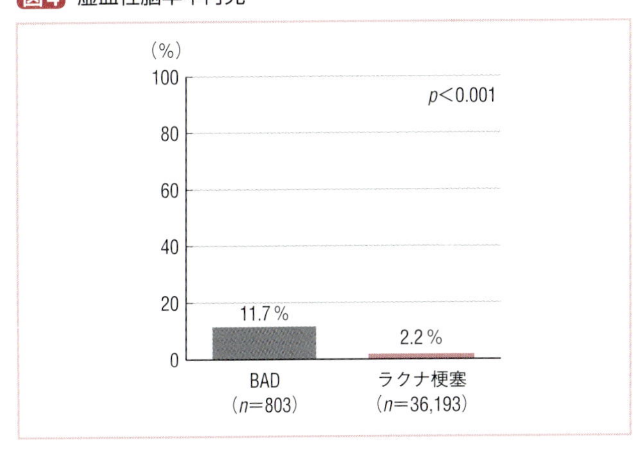

図5 経静脈抗凝固療法

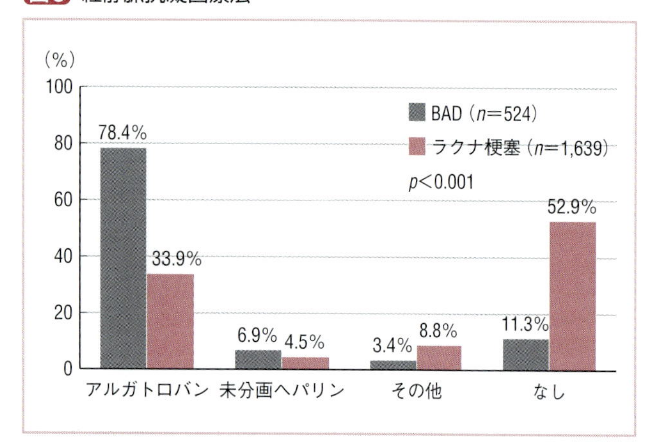

図6 オザグレルナトリウム

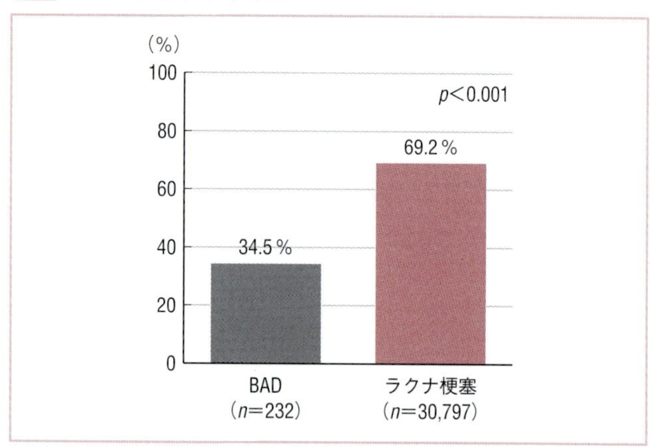

図7 エダラボン

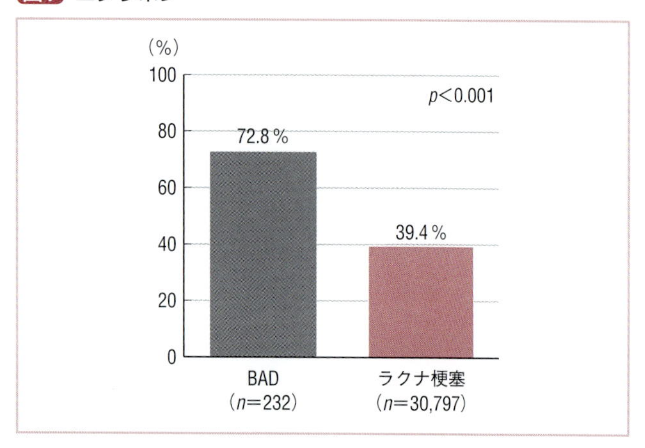

図8 t-PA

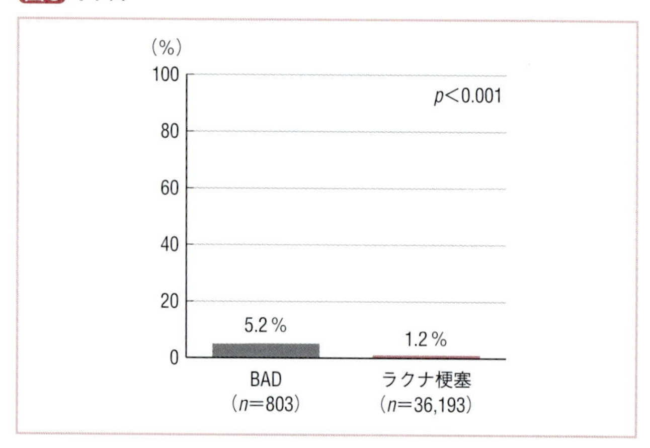

急性期治療

急性期点滴治療に関して両病型で比較検討すると，BAD ではアルガトロバン，エダラボンの使用頻度が有意に高く（ともに 70 %以上），ラクナ梗塞ではオザグレルナトリウムの使用頻度が有意に高かった（図 5〜7）．t-PA 使用症例数は少ないが，BAD で 5.2 %，ラクナ梗塞で 1.2 %に使用されていた（図 8）．なお，脳梗塞患者全体では，来院時 NIHSS 0〜4 の軽症例のうち 2.5 %に，t-PA が使用されていた（「13. 脳梗塞患者の救急受診と静注血栓溶解療法，急性期脳血管内治療」〈p.80〉参照）．近年注目されている超急性期脳血栓症に対する抗血小板薬 2 剤併用療法（dual antiplatelet therapy：DAPT）に関しては BAD で有意に高く，68.4 %に使用されていた（ラクナ梗塞は 40.1 %）（図 9）．また抗血小板薬単剤に関しては欠損データが多く詳細な検討ができなかったが，BAD でシロスタゾール，クロピドグレルの使用頻度が有意に高く，アスピリンに関しては両病型で有意差を認めなかった．なおスタチンの使用有無に関しての検討はできなかった．

図9 抗血小板薬2剤併用（DAPT）

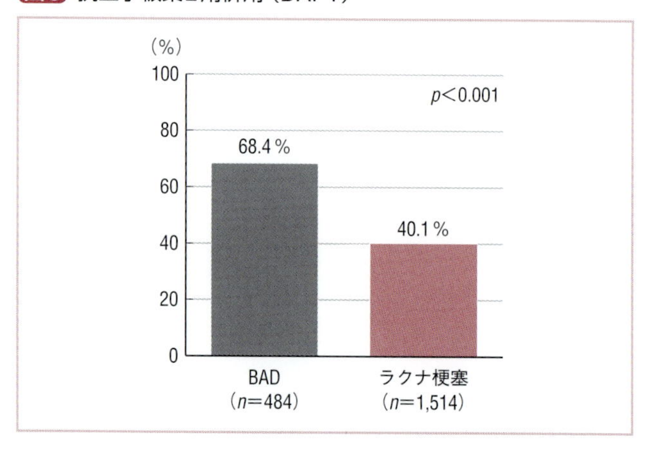

総括

BAD は高齢者，女性が多く，ラクナ梗塞は高血圧，現喫煙，脳血管疾患の頻度が有意に高く，危険因子に関しては両病型で差がみられた．糖尿病に関しては両病型とも椎骨動脈系病変が有意に多く，剖検例での報告を支持する結果であった．BADはラクナ梗塞と比較して入院後のENDが多く，退院時予後も不良であり，画像およびバイオマーカーを含めた早期診断が可能となることが期待される．急性期治療に関してBADではアルガトロバン，エダラボンに加えDAPTも多かったが，抗血小板薬の種類やスタチンの併用に関しては今後のデータ集積が必要と思われた．

文献

1）Caplan LR. Intracranial branch atheromatous disease: A neglected, understudied, and underused concept. Neurology 1989; 39: 1246-50.
2）高木 誠. Branch atheromatous disease. 柳澤信夫ほか（編）. Annual Review 神経. 中外医学社；2006. pp.119-28.
3）星野晴彦ほか. Branch atheromatous disease における進行性脳梗塞の頻度と急性期転帰. 脳卒中 2011；33（1）：37-44.
4）Yamamoto Y, et al. Predictive factors for progressive motor deficits in penetrating artery infarctions in two different arterial territories. J Neurol Sci 2010; 288: 170-4.
5）梅村敏隆ほか. Branch Atheromatous Disease（BAD）の進行と予後に関連する因子の臨床的検討. 脳卒中 2008；30（3）：462-70.

10 日本における椎骨脳底動脈系の脳梗塞の特徴

小柳正臣，波多野武人

- 椎骨脳底動脈（VBA）系の脳梗塞の頻度は欧米の報告に比して低かった．
- 内頸動脈（ICA）系脳梗塞に比して心原性脳塞栓症の割合が低く，軽症発症例が多かった．
- 椎骨脳底動脈（VBA）系脳梗塞の予後不良因子は，高年齢，女性，心原性脳塞栓症，発症前の mRS 高値，発症時の JCS 高値であった．

はじめに

椎骨脳底動脈（VBA）系脳梗塞はテント下に存在する脳幹，小脳，テント上の後頭葉，側頭葉の一部および視床に及ぶ範囲の脳梗塞である．本項では VBA 系脳梗塞を「虚血病巣の部位がテント下皮質枝，テント下穿通枝，視床のもの＋虚血巣の部位がテント上皮質枝かつ初回画像検査での閉塞血管が後大脳動脈（PCA）もしくは脳底動脈（BA）のもの」と，内頸動脈（ICA）系脳梗塞を「虚血病巣の部位が基底核/放線冠＋虚血巣の部位がテント上皮質枝かつ初回画像検査での閉塞血管が PCA もしくは BA 以外のもの」と定義をして解析を行った．

椎骨脳底動脈系脳梗塞の特徴および治療とその成績（表 1）

上記定義により渉猟した，VBA 系脳梗塞は 9,652 症例（7.5 %）であった．年齢の中央値は 73 歳，女性が 36.5 %であった．

脳梗塞の病型としてはラクナ梗塞が 35 %，アテローム血栓性脳梗塞が 35 %，心原性脳塞栓症が 18 %であった．

発症から来院までの時間の中央値は 4.7 時間，来院時の NIHSS の中央値は 3.0 であった．意識障害は 12 %，上肢・下肢の麻痺は 44 %，感覚障害は 14 %に，めまい，嘔吐，嚥下障害はそれぞれ 13 %，7.6 %，4.0 %にみられた．

閉塞血管部位は PCA が 389 例，BA は 218 例，鎖骨下動脈は 21 例であった．50 %以上の狭窄血管部位は BA が 296 例，椎骨動脈（VA）が 292 例，PCA が 249 例であった．虚血巣の部位は，テント下穿通枝領域が 70 %，視床が 30 %，テント上皮質枝が 29 %，テント下皮質枝が 5.1 %であった．

t-PA 治療は 281 例（2.9 %），急性期血栓回収療法は 208 例（2.2 %）に施行されていた．

来院 24 時間後の NIHSS の中央値は 2.0 であった．退院時の mRS 0～2 は 61 %で，死亡は 4.2 %であった．

内頸動脈系脳梗塞との差異（表 2）

内頸動脈系脳梗塞と比して，統計学的に有意であった因子は，年齢（低い），性別（男性が多い），病型（心原性脳塞栓症が少なく，ラクナ梗塞およびアテローム血栓性脳梗塞が多い），基礎疾患（高血圧，糖尿病，脂質異常症が多く，心房細動が少ない），発症から来院までの時間（長い），来院時の NIHSS（低値），発症時症状（意識障害，上肢・下肢の麻痺は少なく，嚥下障害，めまい，嘔吐は多い），発症前 mRS（0～2 が多い），body mass index（BMI）値（高い），t-PA 治療（少ない），急性期血栓回収療法（少ない），虚血イベントの再発（少ない），退院時 mRS 0～2（多い）であった．

椎骨脳底動脈系の予後不良因子

退院時 mRS 3～6 を予後不良とした．

退院時 mRS 3～6 は 39 %であった．統計学的有意であった予後不良因子は，年齢（高い），性別（女性が多い），病型（心原性脳塞栓症，およびアテローム血栓性脳梗塞が多く，ラクナ梗塞が少ない），基礎疾患（高血圧，糖尿病，心房細動，洞不全症候群，うっ血性心不全が多く，脂質異常症が少ない），発症から来院までの時間（短い），来院時の NIHSS（高値），発症時症状（意識障害，上肢・下肢の麻痺，言語障害，嚥下障害が多く，感覚障害，めまい，嘔吐は少ない），一過性脳虚血発作（TIA）先行（少ない），発症前 mRS（0～2 が少ない），JCS（高い），BMI（低い），閉塞血管（BA，VA が多い），虚血病巣（テント下穿通枝，テント下皮質枝，テント上皮質枝が多い），t-PA 治療（多い），急性期血栓回収療法（多い），虚血イベントの再発（多い）であった．

多変量解析では，高年齢，女性，病型が心原性脳塞栓症，発症前の mRS スコアが高い，発症時の JCS が高いということが予後不良因子であった（表 3）．

表1 椎骨脳底動脈系脳梗塞のbaseline characteristics（n=9,652〈欠測値含む〉）

年齢（歳），中央値（IQR）		73	(64～80)
女性，n（%）		3,526	(37)
脳梗塞の病型（重複含む）n（%）	ラクナ	3,420	(35)
	アテローム血栓性	3,341	(35)
	心原性	1,760	(18)
	その他	1,140	(12)
既往歴　n（%）	高血圧	6,811	(71)
	糖尿病	3,091	(32)
	脂質異常症	3,398	(35)
	心房細動	1,563	(16)
生活歴　n（%）	喫煙歴なし	4,576	(47)
	飲酒歴なし	4,161	(43)
発症から来院までの時間（時間），中央値（IQR）		4.7	(1.5～18)
発症時症状 n（%）	意識障害	1,205	(12)
	上肢または下肢麻痺	4,248	(44)
	感覚障害	1,372	(14)
	嚥下障害	390	(4.0)
	めまい	1,211	(13)
	嘔吐	733	(7.6)
TIA先行　n（%）		76	(0.8)
発症前mRS n（%）	0～2	7,819	(81)
	3～5	1,152	(12)
入院前薬 n（%）	抗血小板薬	2,247	(23)
	抗凝固薬	794	(8.2)
	降圧薬	5,368	(56)
	スタチン	658	(6.8)
	糖尿病薬	1,622	(17)
来院時JCSスコア　n（%）	0～3	8,049	(83)
	10～30	503	(5.2)
	100～300	336	(3.5)
来院時NIHSSスコア，中央値（IQR）		3.0	(1.0～6.0)
BMI，中央値（IQR）		23	(21～26)
初回画像検査での閉塞血管 n（%）	鎖骨下動脈	21	(0.2)
	頸部VA	1	(<0.1)
	頭蓋内VA	11	(0.1)
	BA	218	(2.3)
	PCA	389	(4.0)
50%以上の狭窄血管部位 n（%）	VA	292	(3.0)
	BA	296	(3.1)
	PCA	249	(2.6)
虚血病巣の部位（重複あり）n（%）	テント下　穿通枝	6,781	(70)
	テント下　皮質枝	497	(5.1)
	テント上　皮質枝	2,795	(29)
	視床	2,935	(30)
急性期治療	t-PA治療，n（%）	281	(2.9)
	来院からt-PA投与までの時間（分），中央値（IQR）	72	(42～102)
	急性期血栓回収療法，n（%）	208	(2.2)
24時間後NIHSSスコア，中央値（IQR）		2	(1～7)
虚血イベント再発，n（%）		327	(3.4)
退院時mRSスコア　n（%）	0～2	5,841	(61)
	3～5	3,343	(35)
	6	404	(4.2)

BA：脳底動脈，BMI：body mass index，IQR：四分位範囲，JCS：Japan coma scale，mRS：修正Rankinスケール，NIHSS：NIH Stroke Scale，PCA：後大脳動脈，TIA：一過性脳虚血発作，t-PA：組織プラスミノゲン活性化因子，VA：椎骨動脈

表2 椎骨脳底動脈系脳梗塞と内頸動脈系脳梗塞

		前方循環（n=119,716）	後方循環（n=9,652）	p値
年齢（歳），中央値（IQR）		74　(66～82)	73　(64～80)	<0.001
女性，n（%）		47,781 (40)	3,526 (37)	<0.001
脳梗塞の病型（重複含む）n（%）	ラクナ	32,785 (27)	3,420 (35)	<0.001
	アテローム血栓性	37,234 (31)	3,341 (35)	<0.001
	心原性	35,426 (30)	1,760 (18)	<0.001
	その他	13,760 (12)	1,140 (12)	0.41
既往歴 n（%）	高血圧	80,632 (67)	6,811 (71)	0.039
	糖尿病	31,251 (26)	3,091 (32)	<0.001
	脂質異常症	36,019 (30)	3,398 (35)	<0.001
	心房細動	26,865 (22)	1,563 (16)	<0.001
生活歴 n（%）	喫煙歴なし	48,530 (41)	4,576 (47)	<0.001
	飲酒歴なし	46,000 (38)	4,161 (43)	<0.001
発症から来院までの時間（時間），中央値（IQR）		3.1 (1.1～12)	4.7 (1.5～18)	<0.001
発症時症状 n（%）	意識障害	16,730 (14)	1,205 (12)	<0.001
	上肢または下肢麻痺	57,325 (48)	4,248 (44)	<0.001
	感覚障害	7,696 (6.4)	1,372 (14)	<0.001
	嚥下障害	2,419 (2.0)	390 (4.0)	<0.001
	めまい	3,954 (3.3)	1,211 (13)	<0.001
	嘔吐	2,455 (2.1)	733 (7.6)	<0.001
TIA先行，n（%）		727 (0.6)	76 (0.8)	0.85
発症前mRS n（%）	0～2	91,341 (76)	7,819 (81)	<0.001
	3～5	15,898 (13)	1,152 (12)	
来院時JCSスコア n（%）	0～3	83,826 (70)	8,049 (83)	<0.001
	10～30	8,174 (6.8)	503 (5.2)	
	100～300	3,414 (2.9)	336 (3.5)	
来院時NIHSSスコア，中央値（IQR）		4.0 (2.0～10)	3　(1～6)	<0.001
BMI，中央値（IQR）		23　(20～25)	23　(21～26)	<0.001
急性期治療	t-PA治療，n（%）	6,733 (5.6)	281 (2.9)	<0.001
	来院からt-PA投与までの時間（分），中央値（IQR）	72　(48～90)	72　(42～102)	0.88
	急性期血栓回収療法，n（%）	4,061 (3.4)	208 (2.2)	<0.001
24時間後NIHSSスコア，中央値（IQR）		3.0 (1.0～7.0)	2.0 (1.0～7.0)	
虚血イベント再発，n（%）		4,339 (3.6)	327 (3.4)	<0.001
退院時mRSスコア n（%）	0～2	65,920 (55)	5,841 (61)	<0.001
	3～5	46,162 (39)	3,343 (35)	
	6	5,464 (4.6)	404 (4.2)	

BMI：body mass index，IQR：四分位範囲，mRS：修正Rankinスケール，NIHSS：NIH Stroke Scale，TIA：一過性脳虚血発作，t-PA：組織プラスミノゲン活性化因子

表3 椎骨脳底動脈系脳梗塞における予後不良因子の検討（多変量解析）

	OR	95%CI	p値
年齢（歳）	1.0	1.0～1.1	<0.001
男性	0.80	0.7～0.9	0.001
病型：心原性脳塞栓症	1.6	1.4～1.9	<0.001
喫煙歴	1.1	1.0～1.2	0.061
発症前mRSスコア	2.3	2.2～2.4	<0.001
発症時JCSスコア	7.9	6.2～9.9	<0.001

CI：信頼区間，JCS：Japan coma scale，mRS：修正Rankinスケール，OR：オッズ比

考察

欧米の大規模脳卒中登録研究では脳梗塞の11～29 %が椎骨脳底動脈（VBA）系脳梗塞と報告されているが[1, 2]，本解析では7.5 %とそれら報告より低かった．登録研究ごとの選択バイアスの影響が考えられた．また人種，登録悉皆性，MRI診断の頻度の差なども影響があると考えられた．ただし，日本脳卒中データバンク（JSDB）は，内頸動脈（ICA）系とVBA系を直接選択する項目がないため，本解析では境界領域の脳梗塞（側頭葉や後頭葉の一部）の帰属が曖昧である可能性がある．

ICA系脳梗塞との比較では，心原性脳塞栓症の割合が低かった（18 % vs 30 %）．全心原性脳塞栓症のうち，VBA系は4.7 %であった．VBA系脳梗塞では心原性脳塞栓症よりもアテローム血栓性脳梗塞の割合が高いとの報告があり[1, 3]，それらと一致する．VBA系脳梗塞は発症時のNIHSSが低値であり，退院時のmRS 0～2の割合も高かった．これらの原因の一つとして，重症発症で予後不良となることが多い心原性脳塞栓症の割合が低いことが影響している可能性がある．

予後不良因子は，高年齢，女性，心原性脳塞栓症，発症前のmRS高値，発症時のJCS高値であった．なお，最も予後が悪いとされるBA閉塞は症例数が少なく，多変量解析の因子からははずしている．

◉ 文献

1) Sarikaya H, et al. Outcomes of intravenous thrombolysis in posterior versus anterior circulation stroke. Stroke 2011; 42 (9): 2498-502.
2) Caplan L, et al. New England medical center posterior circulation stroke registry: I. Methods, data base, distribution of brain lesions, stroke mechanisms, and outcomes. J Clin Neurol 2005; 1 (1): 14-30.
3) Weber R, et al. Thrombectomy in posterior circulation stroke: Differences in procedures and outcome compared to anterior circulation stroke in the prospective multicentre REVASK registry. Eur J Neurol 2019; 26 (2): 299-305.

11 脳梗塞急性期の頸動脈エコー検査

吉村壮平

- 急性期虚血性脳卒中診療において，入院中に頸動脈エコーが高率に施行されていた．
- 心原性脳塞栓症症例においてやや施行率が低く，動脈硬化病変について十分に評価されていない可能性がある．
- 重症例において施行率がやや低く，また入院中の頸動脈エコー施行は退院時転帰良好と関連していた．

はじめに

急性期虚血性脳血管障害の診療では，発症早期に頭頸部血管および心臓などの塞栓源評価を行って治療方針を決定する必要がある．この点で超音波検査は重要であり，とくに頸動脈エコーは，総頸動脈から内頸動脈にかけての狭窄，閉塞病変を簡便に描出でき，脳梗塞の病態把握と超急性期再灌流療法適応を含めた治療方針決定に必須の検査である．また，頸動脈解離（時に大動脈解離から及ぶ），血管炎，ボウ・ハンター症候群などの特殊な病態を診断したり，パルスドップラー波形による頭蓋内血行動態の評価，内中膜複合体厚測定による全身の動脈硬化評価など，脳卒中診療での有用性が高い．一方で，急性期入院中の頸動脈エコー検査の施行頻度や，検査を行うことで脳卒中転帰に与える有益性についての報告は乏しい．

今回，日本脳卒中データバンクの登録データを用い，急性期虚血性脳卒中患者に対する頸動脈エコー施行の実態について検討した．

急性期入院中の頸動脈エコー検査頻度

対象は2016年10月から2018年1月までに日本脳卒中データバンク（新システム）に登録された，発症から7日以内に入院した脳梗塞/一過性脳虚血発作（TIA）患者とした．入院中の頸動脈エコー施行率を調査し，病型，神経学的重症度，急性期再灌流療法の有無，退院時機能転帰による検査施行率の比較を行った．

対象となった脳梗塞/TIA患者17,636例中，入院中に頸動脈エコーを施行された患者は82％であった（図1）．急性期虚血性脳卒中診療において，入院中の頸動脈エコー施行率は比較的高率であると考えられた．

病型別頸動脈エコー検査頻度（図2）

病型別にみると，その他の脳梗塞での施行頻度が最も高率（87％）で，次いでアテローム血栓性脳梗塞（86％），ラクナ梗塞（83％）の順に施行頻度が高く，心原性脳塞栓症で最も低率（78％）であった．χ^2検定で病型間に有意な差を認めた（$p<0.001$）．心房細動などの明らかな塞栓源が確定した心原性脳塞栓症では，頸動脈の動脈硬化評価が十分に行われていない症例があるのかもしれない．しかし，虚血性心疾患例の脳卒中発症率は一般人の約3倍[1]とされ，症候性内頸動脈狭窄例の40％に虚血性心疾患が合併[2]するなど，心疾患と頸動脈病変の関連は強い．頸動脈以外の原因が明らかな症例においても，頸動脈エコーを施行すべきであると考える．

図1　入院中頸動脈エコー検査施行頻度

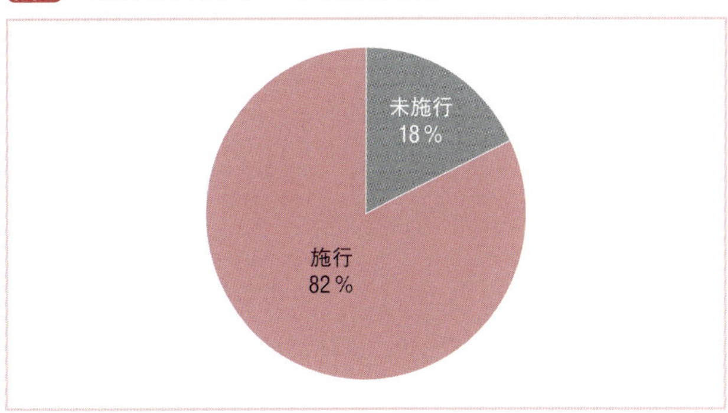

図2　病型別頸動脈エコー検査施行頻度

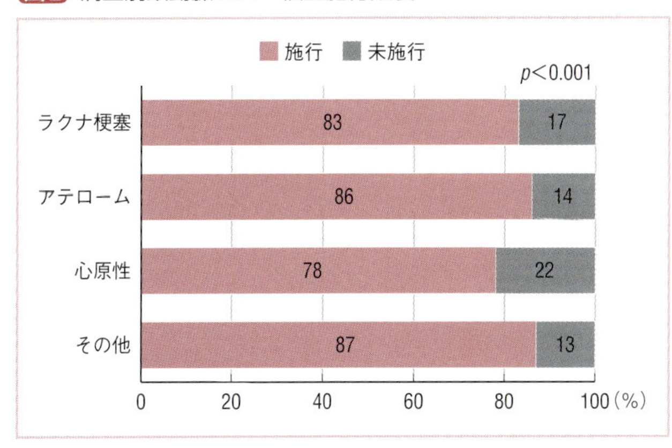

神経症候重症度別検査施行頻度（図3）

入院時のNIHSSスコアで神経症候重症度を層別化して頸部エコー施行頻度をみると，軽症なほど高率に頸動脈エコーが施行されていた（$p<0.001$）．DNAR（do not attempt resuscitation）指示の超重症例などで検査が控えられた可能性がある．

再灌流療法施行有無別検査施行頻度（図4）

急性期のt-PA静注療法と血管内治療を含む，再灌流療法施行の有無により，頸動脈エコー施行頻度に有意な差はなかった．

退院時転帰別検査施行頻度（図5）

退院時のmRSが0〜2の転帰良好群と3〜6の転帰不良群に層別化して施行頻度をみると，退院時転帰良好群のほうが頸動脈エコー施行頻度は高率であった（$p<0.001$）．退院時転帰良好と頸動脈エコーの関連について，多変量解析（multilevel mixed-effects logistic regression adjusted for institution）を行ったところ，年齢，性で補正したモデル1では，頸動脈エコー施行と転帰良好に有意な関連を認めたが，年齢，性，来院時NIHSS，再灌流療法有無，脳梗塞病型で補正したモデル2では，有意な関連はなかった（表1）．

頸動脈エコー施行例では，脳梗塞原因精査が適切になされ，退院時転帰改善に寄与した可能性もあるが，心原性脳塞栓症や重症例で検査頻度が低率であったことの影響が大きいと考えられる．

図3 神経症候重症度別頸動脈エコー検査施行頻度

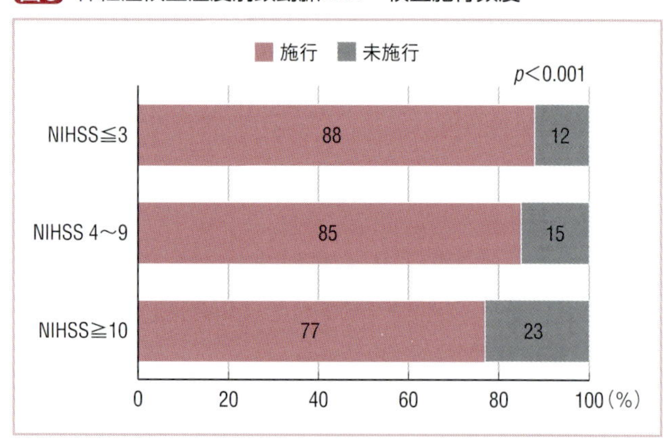

図4 再灌流療法施行有無別頸動脈エコー検査施行頻度

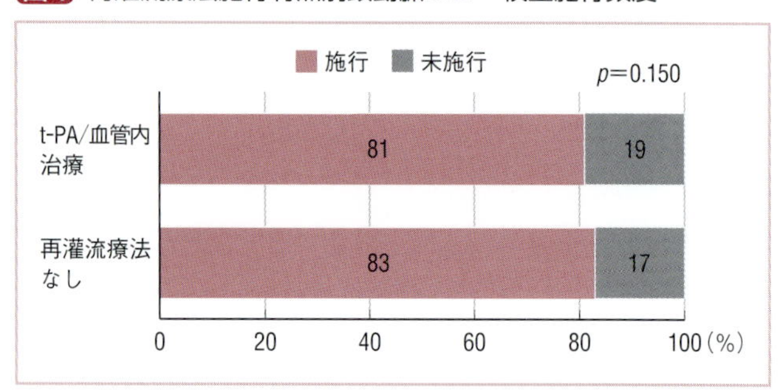

図5 退院時転帰別頸動脈エコー検査施行頻度

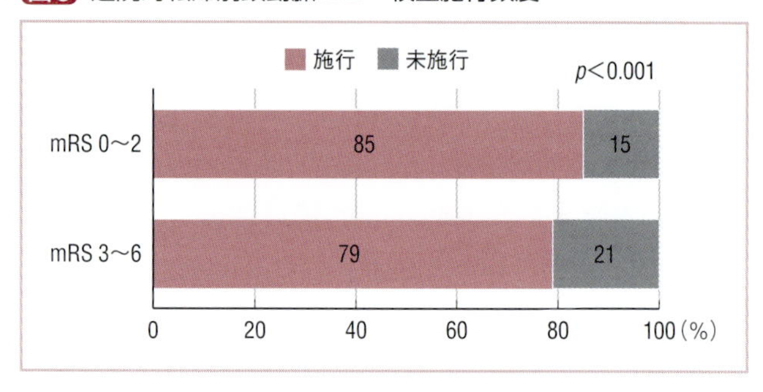

表1 退院時転帰良好（mRS 0〜2）と頸動脈エコー検査実施の関連

	モデル1		モデル2	
	OR（95％CI）	p	OR（95％CI）	p
頸動脈エコー	1.69（1.45〜1.96）	<0.001	1.12（0.92〜1.39）	0.261

multilevel mixed-effects logistic regression adjusted for institution
モデル1：年齢，性で補正．
モデル2：年齢，性，来院時NIHSS，再灌流療法有無，脳梗塞病型で補正．

考察

急性期虚血性脳卒中診療において，全症例に頸動脈エコーを施行することが患者の転帰や医療経済に有益であることは証明されていない．そのため，各国の脳卒中治療ガイドラインに検査を奨励する記載は乏しい．わが国のt-PA適正治療指針において，とくに大動脈解離が疑われる症例への頸動脈エコー施行が奨励されているが[3]，再灌流療法適応症例全例に施行する明確なエビデンスはない．エビデンスが欠如している要因の一つとして，エコー検査所見が機器の性能や検者の技能に依存し，標準化されていない検査であると認識されてきたことが考えられる．わが国では日本超音波医学会[4]や日本脳神経超音波学会[5]が中心となり，エコー条件や手技の標準化に努めているが，依然として施設間でエコーの施行頻度，所見の記録方法などに差異が存在する可能性がある．

一方で，簡便にベッドサイドで施行できること，プラークの内部性状，可動性の評価がリアルタイムに容易にできることなど，他の画像検査より秀でる点も多く，急性期虚血性脳卒中診療において頸動脈エコーはルーチンの検査と信じられている．近年は非常に画像が鮮明でかつ小型のエコー機器が登場しており，とくにER診療などでたいへん有用であると考えている．

今回，日本脳卒中データバンクというビッグデータを用いた，わが国での頸動脈エコー検査の実態検討では，治療適正化，均霑化のために重要な基礎情報を提供できたと考える．

本検討は脳卒中専門施設が主な対象施設と考えられるため，非専門施設や入院施設のないクリニックの現状を反映していない可能性がある．また，退院後の外来での検査や，フォローアップ入院で行われた検査は検討できない．施設により患者背景，臨床経過，転帰に差がある可能性があるため，退院時転帰に関する多変量解析では，multilevel mixed-effects logistic regression adjusted for institution を用いて，施設間での調整を行った．

本研究の要旨を，第38回日本脳神経超音波学会総会（2019年奈良）で発表した．

文献

1) Kannel WB, et al. Manifestations of coronary disease predisposing to stroke. The Framingham study. JAMA 1983; 250 (21): 2942-6.
2) Gates PC, et al. Identifying patients with symptomatic carotid artery disease at high and low risk of severe myocardial infarction and cardiac death. Stroke 2002; 33: 2413-6.
3) 日本脳卒中学会 脳卒中医療向上・社会保険委員会 静注血栓溶解療法指針改訂部会．静注血栓溶解（rt-PA）療法適正治療指針 第三版．2019年3月．脳卒中 2019; 41 (3): 205-46.
4) 日本超音波医学会用語・診断基準委員会/頸動脈超音波診断ガイドライン小委員会：超音波による頸動脈病変の標準的評価法2017. https://www.jsum.or.jp/committee/diagnostic/pdf/jsum0515_guideline.pdf
5) 日本脳神経超音波学会・栓子検出と治療学会合同ガイドライン作成委員会．頚部血管超音波検査ガイドライン．Neurosonology 2006; 19 (2): 49-69.

12 頸動脈狭窄症と頸動脈内膜剥離術（CEA），頸動脈ステント留置術（CAS）

西村　中，飯原弘二

- 発症から治療までの日数に関して，CEAでは15日以降で施行された症例が多く，CASでは発症から0〜2日で行っている症例が多かった.
- CASにおいて退院時mRS 3〜6および死亡率が高かったが，入院時の重症度によるものと考えられた.

はじめに

本項におけるデータは，虚血性脳卒中症例のうち，急性期治療に頸動脈内膜剥離術（CEA）および頸動脈ステント留置術（CAS）と記載されているものを解析したものである．データは臨床背景，入院中合併症，退院時アウトカムに関して解析を行っている．項目により回答率に差があるため，表記したデータに関しては回答率が80％を超えるものを記載した．各因子における関連などの統計的解析は行わず，純粋なデータの比較を行った.

対象となった症例に関して，虚血性脳卒中の発症を契機とした入院中にCEAもしくはCASを行った症例ということになるため，CEA/CASが行われた目的については，頸動脈狭窄症に対する脳卒中再発予防のための血行再建と，主幹動脈閉塞病変に対する超急性期の再開通療法が含まれているものと考えられる．虚血性脳卒中の原因となった頸動脈病変（狭窄か閉塞かなど）や発症に関する詳細についてのデータが不十分であるため，表1に発症日および治療日のデータが得られた症例における，発症日から治療日までの日数を分類した症例数を示した．CEAに関しては15日以降で施行された症例が多く，これらは虚血性脳卒中に対する急性期内科治療が終了した後にそのままの入院でCEAを行ったものと推察される．CASに関しては発症から0〜2日で行っている症例が多く，超急性期の再開通療法が多く含まれているものと考えられる.

脳梗塞急性期におけるCEA

虚血性脳卒中131,128症例のうち，CEAを行ったのは406例であり，平均年齢は71.0±8.3歳，男性が358例（88.2％）であった．入院時の重症度に関して，JCSは0〜3が304例（95.9％），10〜30が11例（3.5％），100〜300が2例（0.6％）であり，NIHSSについては0〜5が282例（79.9％），6〜11が47例（13.3％），12以上が24例（6.8％）であった．併存疾患に関しては，高血圧が299例（76.7％），糖尿病が129例（32.8％），脂質異常症が191例（50.7％），心疾患が82例（20.6％），現喫煙が120例（36.3％）であった（表2）．退院時のmRSは0〜2が312例（77.6％），3〜6が90例（22.4％）で，入院中の死亡が7例（1.7％）であった（表3）.

表1　発症日からCEA/CASまでの日数

	CEA（*n*=406）	CAS（*n*=221）
回答のあった症例数	258	194
0〜2日	21	96
3〜7日	25	24
8〜14日	57	49
15日以降	155	25

脳梗塞急性期におけるCAS

虚血性脳卒中131,128症例のうち，CASを行ったのは221例であり，平均年齢は72.2±10.1歳，男性が193例（87.3％）であった．入院時の重症度に関して，JCSは0〜3が179例（87.3％），10〜30が18例（8.8％），100〜300が8例（3.9％）であり，NIHSSについては0〜5が105例（53.3％），6〜11が35例（17.8％），12以上が57例（28.9％）であった．併存疾患に関しては，高血圧が167例（76.6％），糖尿病が61例（27.9％），脂質異常症が105例（47.9％），心疾患が67例（30.3％），現喫煙が68例（33.2％）であった（表4）．退院時のmRSは0〜2が116例（52.7％），3〜6が104例（47.3％）で，入院中の死亡が5例（2.3％）であった（表3）.

考察

脳卒中急性期におけるCEAとCASに関しては，日本脳卒中データバンク（JSDB）のデータ解析の結果から，CEAにおいては発症2週間以降に行われることが多く，CASにおいてはとくに発症0〜2日と急性期に行われることが多いことが明らかとなった．虚血性脳血管障害の再発は，とくにlarge artery diseaseにおいては，発症後最初の7〜14日に多く，一過性脳虚血発作または軽症脳卒中後の脳卒中再発は，2日で6.7％，7日以内で10.4％，28日以内に13.4％と報告され，なかでも

表2 CEA症例の臨床背景

		症例数	%
全体		406	
平均年齢（標準偏差）		71.0（±8.3）	
性別（男性）		358	88.2
入院時JCS	0〜3	304	95.9
	10〜30	11	3.5
	100〜300	2	0.6
入院時NIHSS	0〜5	282	79.9
	6〜11	47	13.3
	12〜	24	6.8
併存疾患	高血圧	299	76.7
	糖尿病	129	32.8
	脂質異常症	191	50.7
	心疾患	82	20.6
	現喫煙	120	36.3

頸動脈狭窄症は，早期再発を予測する最も重要な危険因子とされている[1,2]．症候性頸動脈狭窄に関しては，発症2週間以内にCEAを施行することの有効性が示されており[3]，欧米におけるガイドラインでもこれを推奨している．一方，症候性狭窄症に対し急性期にCEAを行う際に，周術期脳虚血性あるいは出血性合併症のリスクが増えることも危惧される．日本においては，脳卒中再発よりも周術期合併症のリスクを考慮し，2週間以降に治療が行われていることが推察される．

一方，CASに関しては発症早期に行われていることが多く，このなかには急性閉塞に対する再開通療法が含まれているためと考えられるが，JSDBでは，責任血管や急性期治療に関しての回答率が低いため，詳細までは解析できなかった．

治療のアウトカムに関しては，退院時mRSや死亡率などはCASのほうが高くなっているが，これは入院時NIHSSなどの重症度がCASで高いことに影響されているものと考えられる．発症2日以内のurgent CEAに関しては，とくに症状が安定していないstroke-in-evolution（SIE）の症例における周術期合併症のリスクが高いことが報告されている一方[4]，urgent CASに関しては安全であるとの報告も散見されるものの[5]，一定の見解は得られておらず，これらの超急性期症例に対する血行再建術の選択に関しては今後の課題である．

おわりに

本項ではJSDBにおけるCEAおよびCASを行われた症例に関する特徴やアウトカムなどについて報告した．CEA/CASについては，近年の大規模臨床試験において周術期合併症や脳卒中発症率が時代とともに低下している．これは内科治療の進

表3 CEA/CASのアウトカム

		CEA		CAS	
		症例数	%	症例数	%
退院時mRS	0〜2	312	77.6	116	52.7
	3〜6	90	22.4	104	47.3
死亡		7	1.7	5	2.3

表4 CAS症例の臨床背景

		症例数	%
全体		221	
平均年齢（標準偏差）		72.2（±10.1）	
性別（男性）		193	87.3
入院時JCS	0〜3	179	87.3
	10〜30	18	8.8
	100〜300	8	3.9
入院時NIHSS	0〜5	105	53.3
	6〜11	35	17.8
	12〜	57	28.9
併存疾患	高血圧	167	76.6
	糖尿病	61	27.9
	脂質異常症	105	47.9
	心疾患	67	30.3
	現喫煙	68	33.2

歩がベースにあるためであり，現在，内科治療単独と血行再建治療を比較したRCTが進行している．今後は，さまざまなmodalityを用いてプラーク診断や血管の動脈硬化の程度を包括的に評価することでリスクの層別化を行い，個々の患者に応じて内科治療，CEAおよびCASを組み合わせた，より精細な治療選択の重要性が増すものと考えられる．

◉文献

1) Giles MF, et al. Risk of stroke early after transient ischaemic attack: A systematic review and meta-analysis. Lancet Neurol 2007; 6(12): 1063-72.
2) Wu CM, et al. Early risk of stroke after transient ischemic attack: A systematic review and meta-analysis. Arch Intern Med 2007; 167(22): 2417-22.
3) Rothwell PM, et al. Endarterectomy for symptomatic carotid stenosis in relation to clinical subgroups and timing of surgery. Lancet 2004; 363(9413): 915-24.
4) Rerkasem K, et al. Systematic review of the operative risks of carotid endarterectomy for recently symptomatic stenosis in relation to the timing of surgery. Stroke 2009; 40(10): e564-72.
5) Nakagawa N, et al. Urgent Carotid Artery Stenting for Carotid-Related Stroke-in-Evolution. Oper Neurosurg (Hagerstown) 2018; 14(1): 9-15.

13 脳梗塞患者の救急受診と静注血栓溶解療法，急性期脳血管内治療

丸山路之

- 急性期脳梗塞患者の救急受診，静注血栓溶解療法および急性期脳血管内治療の施行率には一定の地域差がみられた．
- 静注血栓溶解療法および急性期脳血管内治療の開始までに要する時間は，年々短縮されていた．
- 静注血栓溶解療法の軽症例への施行率は低く有効性も示されないが，中等症以上の症例では転帰良好例占有率を有意に上昇させる結果が示された．
- 急性期脳血管内治療の施行率は年々上昇し，推奨される適応条件の遵守率は高く，既報に比べて死亡率は低かった．
- 手挙げ参加方式のJSDBが内包する症例バイアスに留意する必要がある．

本項では，脳卒中急性期医療のなかで発症→一刻も早い救急受診→適応患者へ迅速な組織プラスミノゲン活性化因子（t-PA）であるアルテプラーゼを用いた静注血栓溶解法（t-PA静注療法）施行→さらに適応患者へ迅速な脳血管内治療（EVT）施行という現在の脳梗塞治療に欠かせない一連の流れの実態が俯瞰的に追えるようなデータ解析を行った．

対象と方法

対象の母集団は，t-PA静注療法の発症4.5時間までの保険適用が可となった時期の2012年9月から2018年12月までに登録された発症（最終未発症確認）後7日以内の臨床病型を問わない脳梗塞のうち，院内発症例を除いた34,546症例である．同条件下での救急対応を解析するため，適正治療指針第二版[1]（t-PA静注療法指針）の適応基準に拠った時期の症例のみを対象とした．一方，EVTの適応基準には最新の適正使用指針第4版[2]（EVT指針）に至るまでの変遷があるが，解析には2012年9月以降の症例を等しく扱った．

登録時に入力が必須でない項目や2016年1月に新データバンクに切り替わった際に変更された項目があり，対象症例の母数は解析内容ごとに異なるためそれを明記した．また，地域別の比較解析では，登録症例数の少ない四国，沖縄地方の実績は参考にとどめた．

急性期脳梗塞患者の救急受診の実態

来院方法で救急車等の救急システム利用有無が入力された33,220例中，利用ありは19,237例（57.9％）で，地域別では近

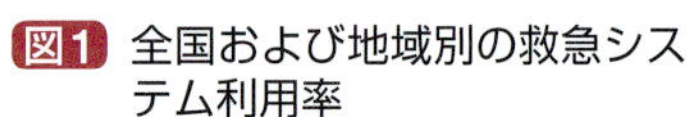
図1 全国および地域別の救急システム利用率

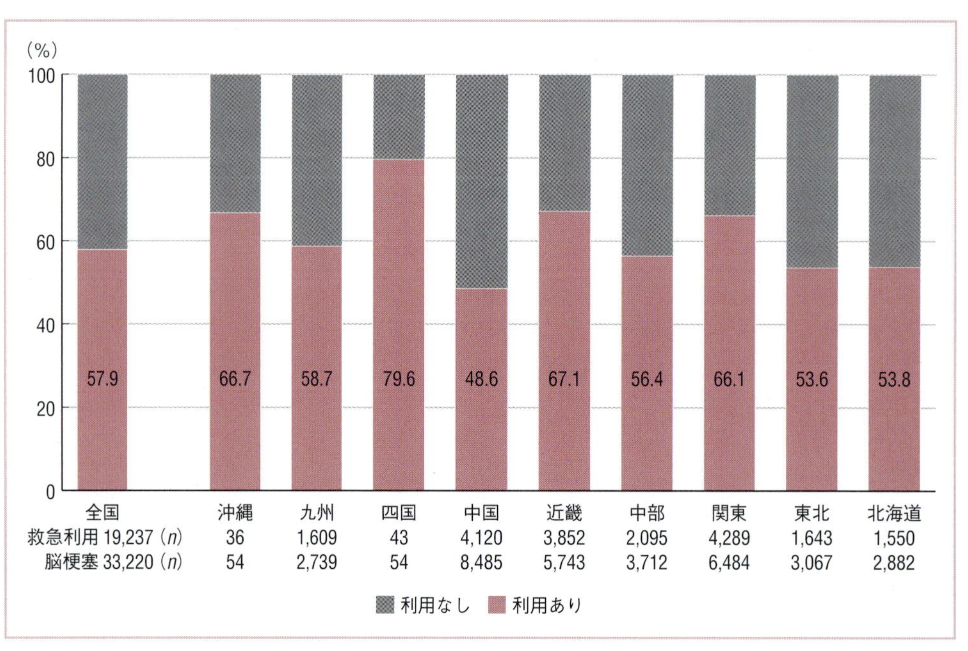

図2 全国および地域別の脳梗塞発症後来院までの時間経過分布

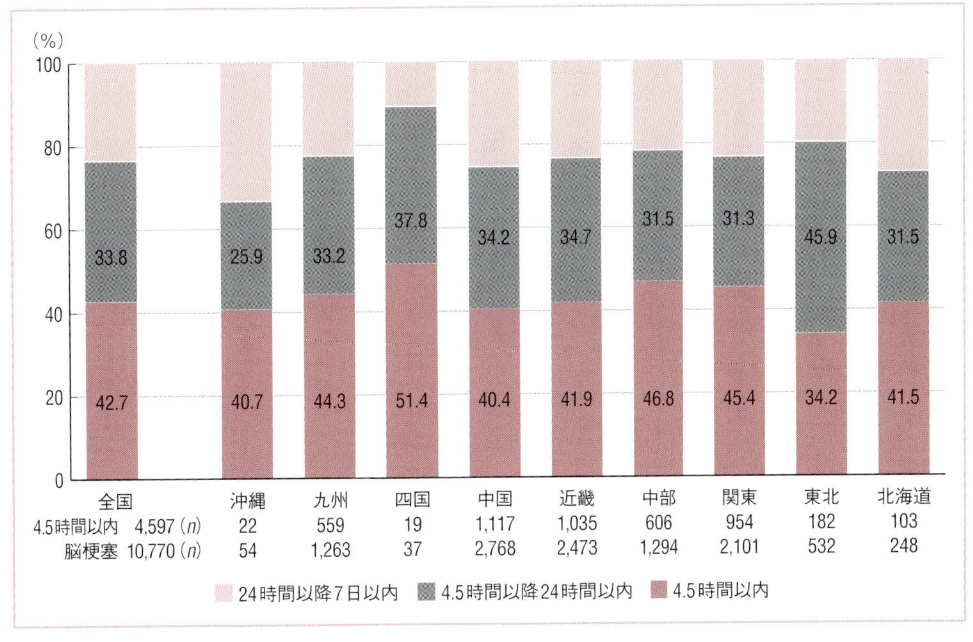

図3 全国および地域別のt-PA静注療法施行率

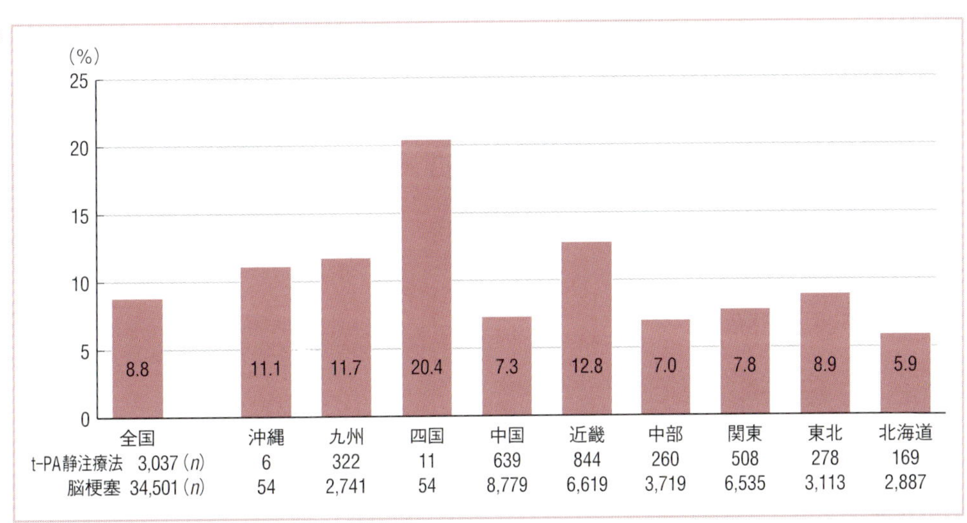

畿，関東で高く，中国，東北，北海道，中部で低い傾向がみられた（**図1**）．

発症後，来院までの時間経過がわかる10,770例を発症4.5時間以内，4.5時間以降24時間以内，24時間以降7日以内の3段階に分類すると，発症後4.5時間までに来院したものは4,597例（42.7％），4.5から24時間は3,639例（33.8％）で，地域別では中部，関東で4.5時間以内来院例の比率が高く，東北，中国で低い傾向がみられた（**図2**）．

静注血栓溶解療法の実態

t-PA静注療法施行の有無が入力された34,501例中，施行ありは3,037例（8.8％）で，地域別の施行率は近畿，九州で高く，北海道，中部，中国，関東で低い傾向がみられた（**図3**）．

t-PA静注療法施行例の発症から来院までの時間は2016年以降の862例で確認でき，平均88.6±85.3分で，一方来院から施行までの時間は1,838例で確認でき，平均72.6±48.1分であった．年次推移をみると両者とも年々短縮されていた（**図4**）．

t-PA静注療法施行例の年齢は平均75.2歳，中央値77歳，80歳代が969例（31.9％）でいちばん多く，81歳以上の施行例も1,156例（38.1％）を占め，性別は女性が1,266例（41.7％）であった．症候性頭蓋内出血の発症の有無がわかる1,874例中，出血ありは271例（14.5％）で，このうち発症前の抗血栓薬服

図4 発症〜来院〜t-PA静注療法施行平均時間の年次推移

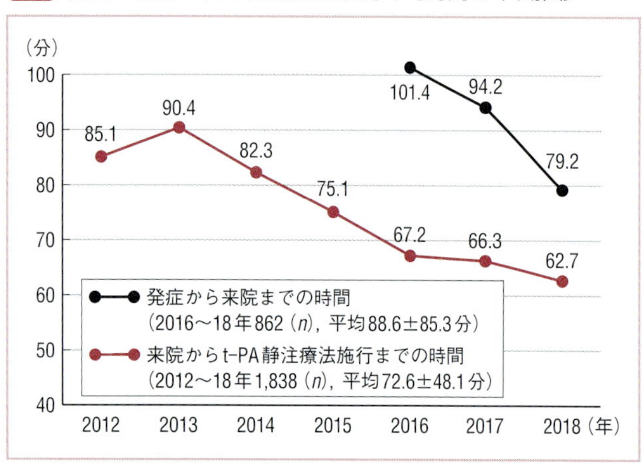

用の有無と出血発症率の関係をみても，服用なし群とあり群のあいだで有意差はなかった．退院時のmRSがわかるものはEVTを併施した661例を含めた場合3,018例で，転帰良好例をmRS 0, 1とすると883例（29.3 %），0〜2とすると1,326例（43.9 %）となり，死亡退院例は183例（6.1 %）であった．これに対し，t-PA静注療法のみを施行した2,357例に限って解析してもmRS 0〜2 44.7 %，死亡例5.6 %と転帰比率はほぼ変わらなかった（図5）．

来院時のNIHSSがわかる全29,710例中，t-PA静注療法施行例は2,495例，NIHSS中央値は12で，スケール段階別の施行率をみるとNIHSS 0〜4では2.5 %と低いが，5〜10が11.6 %，11〜16が20.3 %と中等症以上の各群で高くなり，26以上でも17.5 %で施行されていた（図6）．

図5 t-PA静注療法施行例の内訳と合併症，転帰の比率

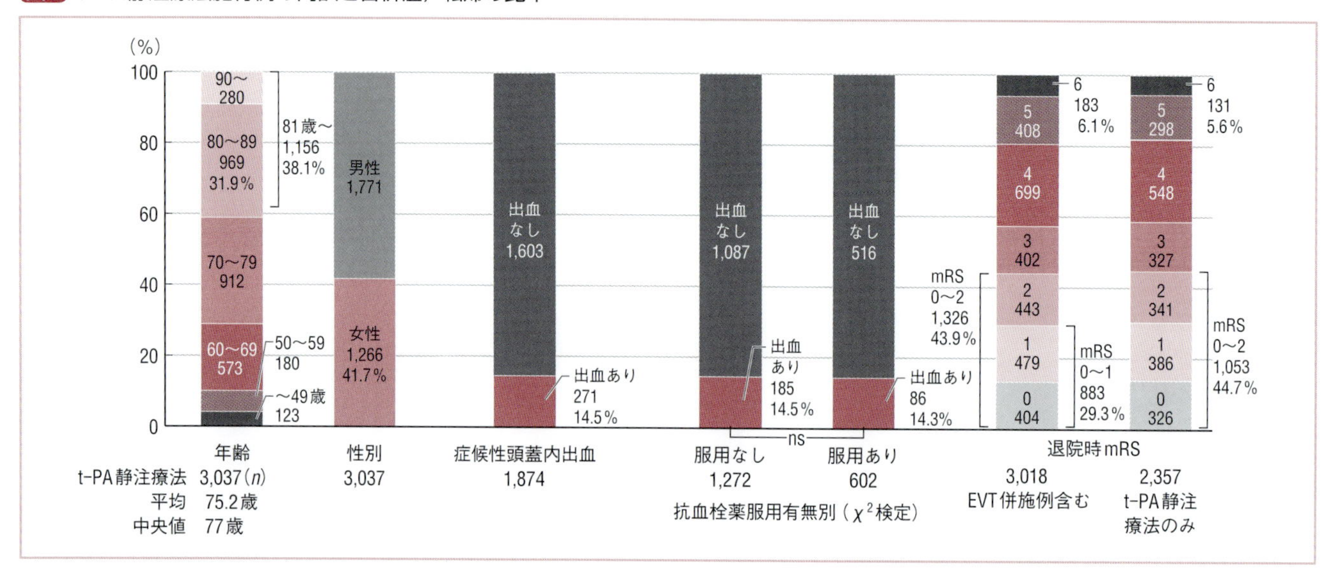

図6 来院時NIHSS段階別のt-PA静注療法施行数と施行率

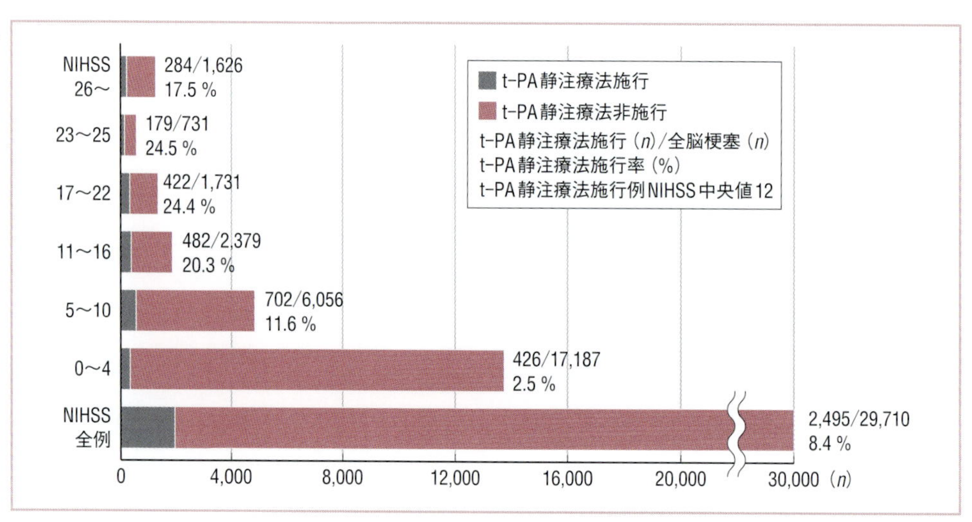

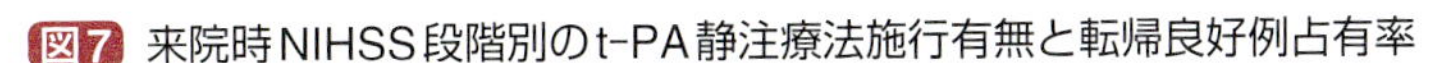

図7 来院時NIHSS段階別のt-PA静注療法施行有無と転帰良好例占有率

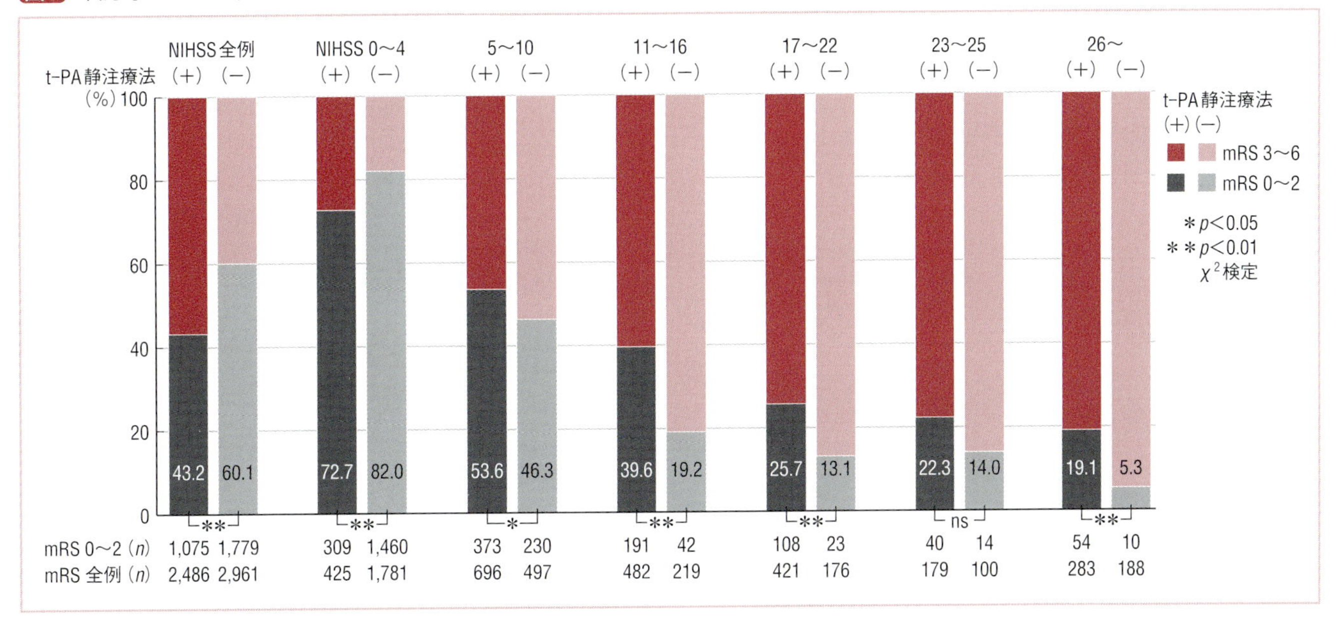

図8 全国および地域別の急性期EVT施行率

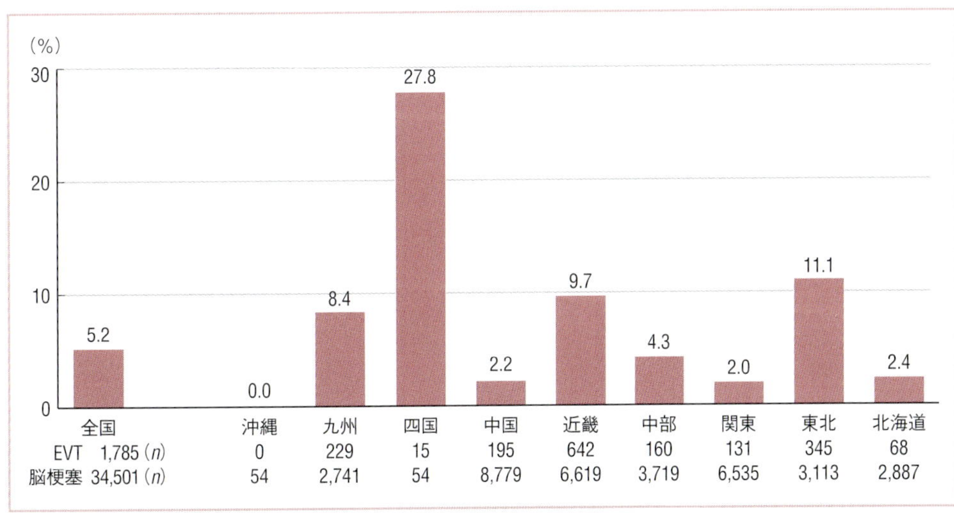

t-PA 静注療法施行例と発症 4.5 時間以内の来院に限ったt-PA 静注療法非施行例で，来院時 NIHSS と退院時 mRS の関係をみた．評価可能なものは EVT 併施 584 例を含む t-PA 静注療法施行 2,486 例，非施行 2,961 例で，全体の退院時転帰良好例（mRS 0～2）の占有率は，施行群 43.2 %，非施行群 60.1 %と，t-PA 静注療法を施行しないほうが有意に高く，NIHSS の段階別にみても来院時 NIHSS 0～4 では施行群 72.7 %，非施行群 82.0 %と同様の有意差がみられた．しかし NIHSS 5～10 では施行 53.6 %，非施行 46.3 %と施行群で有意に高く，同様に 11～16，17～22 および 26 以上のスケール段階でも t-PA 静注療法施行群のほうが転帰良好例占有率が有意に高い結果となった（図 7）．図にはないが，EVT 併施例を除いて t-PA 静注療法のみを施行した症例に限って検討しても同じ結果が得られた．

急性期脳血管内治療の実態

急性期 EVT 施行の有無がわかる 34,501 例中，施行ありは 1,785 例（5.2 %）で，地域別の施行率は東北，近畿，九州で高く，関東，中国，北海道，中部で低い傾向がみられた（図 8）．

EVT 施行率が年々高くなっていたのに呼応して，来院から穿刺までの時間は 2016 年以降の症例に限られるものの徐々に短縮されており，平均 86.1 ± 69.9 分であった．一方，穿刺から再開通までの時間は平均62.7±40.8分で，明らかな年次変化はみられなかった（図9）．また，EVT施行例のうち発症から来院までの時間区分がわかる1,096例中，1,057例（96.4％）は4.5時間以内に来院していた．

図9 急性期EVT施行率と治療時間経過の年次推移

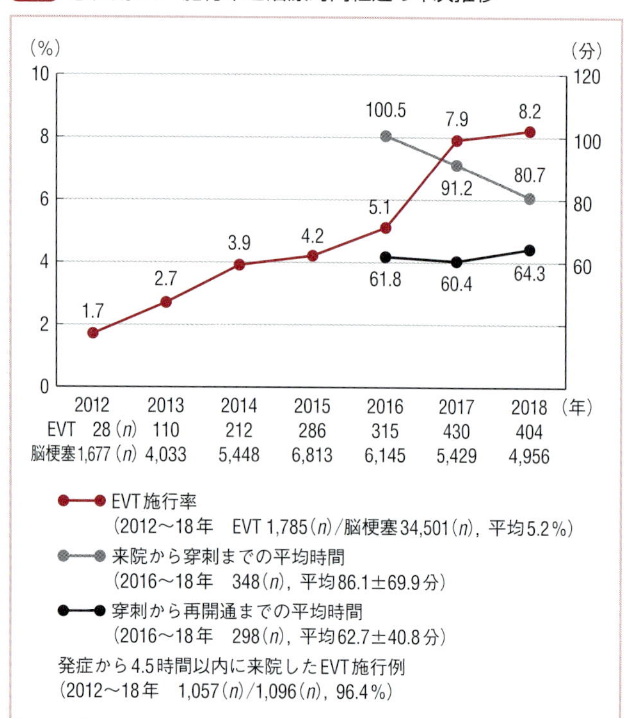

EVT施行例の年齢は，平均75.1歳，中央値77歳で，80歳代が587例（32.9％）といちばん多く，性別は女性が684例（38.3％）であった．発症前mRSをみると1,778例中0〜1が77.3％，来院時NIHSSの中央値は15で，1,600例中スケール6以上が75.4％を占めた．t-PA静注療法が併施された症例は661例（37.0％）で，血管閉塞部位は911例で確認でき，重複例を含めて内頸動脈218例，中大脳動脈M1部303例，M2部以遠253例，脳底動脈131例であった．なお，評価可能症例数が少ないため図示していないが，DWIでのAlberta Stroke Program Early CT Score（DWI-ASPECTS）が6以上のものは184例中150例（81.5％）であった．Thrombolysis in Cerebral Infarction（TICI）グレードで再灌流の程度を評価できるのは356例に限られたが，TICI 2b以上が80.3％であった．退院時mRSで転帰良好例（0〜2）は1,782例中691例（38.8％），死亡例は144例（8.1％）であった（図10）．

考察

2018年12月に公布，翌年12月に施行された「健康寿命の延伸等を図るための脳卒中，心臓病その他の循環器病に係る対策に関する基本法」では，居住する地域にかかわらず適切な急性期脳卒中医療を受けられるよう，救急搬送からt-PA静注療法，EVTに至る良質な医療体制の整備と均霑化が必要とされている．公布直前までの登録症例による本解析では，これらに

図10 急性期EVT施行例の内訳と転帰の比率

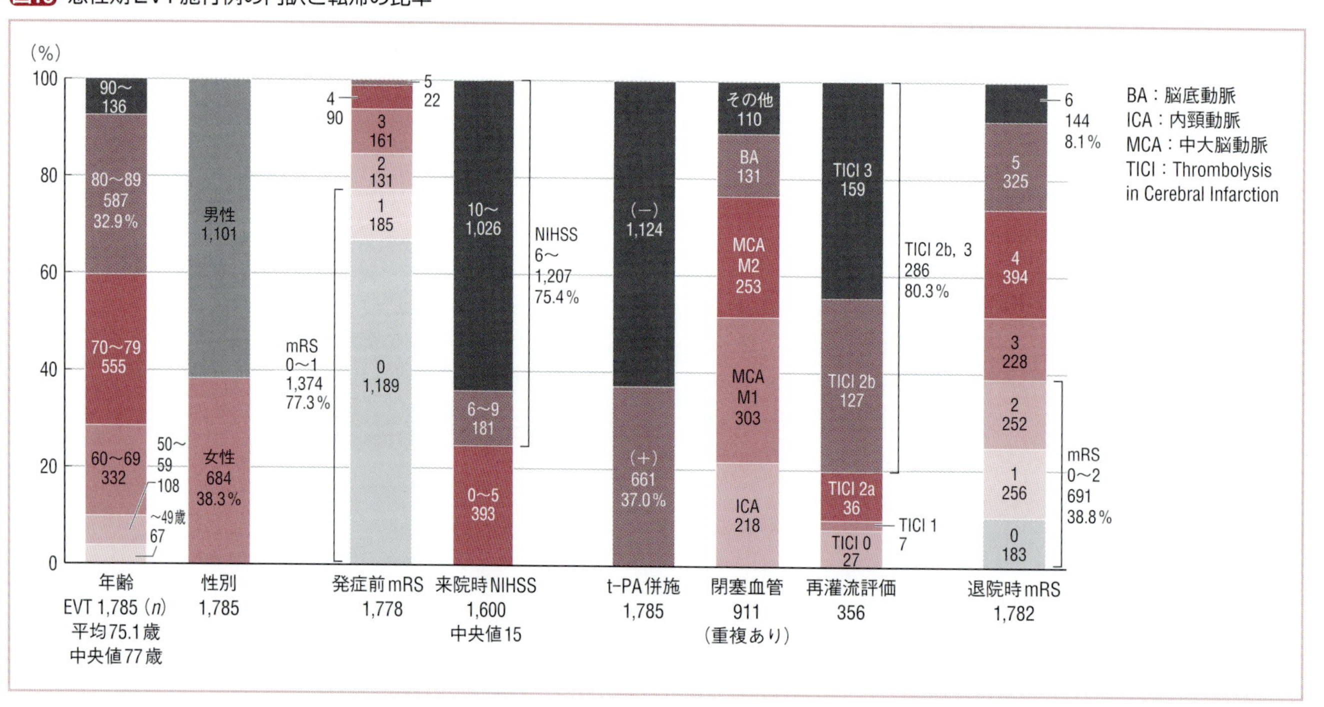

一定の地域差があることが確認された．しかし，悉皆調査ではない日本脳卒中データバンク（JSDB）では，地域ごとの参加施設数の多寡，各施設の機能などによるバイアスを排除できず，都市部にある施設の参加が多い近畿や関東での救急システム利用率の高さ，専門性の高い施設の参加が多い近畿，東北，九州でのt-PA静注療法とEVT施行率の高さ，などはその反映と考えられる．したがって，この結果が各地域間の脳卒中急性期医療の差異を普遍的に表しているとはいえないことに留意が必要である．

t-PA静注療法施行の有効性では，退院時mRSで転帰良好例の占有率が既報論文[3-5]と比較して低い結果が示された．本解析では，t-PA静注療法指針で慎重投与の条件とされる81歳以上の症例も多く，平均年齢が既報のいずれと比べても高いことが理由の一つと考えられるが，その一方で，死亡率は発症後3時間以内投与であった時期の報告を含めていずれよりも低いという結果が得られた．また，来院時NIHSS 0～4の軽症例ではt-PA静注療法施行率は低く，施行しても転帰良好例占有率はむしろ下がるのに対し，中等症以上では慎重投与条件とされるNIHSS 26以上を含めてt-PA静注療法施行の効果が得られることもわかった．

EVT施行例についても，EVT指針で推奨されている臨床条件に視点をおいて個別の解析を行ったが，発症後時間，発症前mRS，来院時NIHSS，閉塞血管，ASPECTSなどの推奨条件が比較的遵守されており，t-PA静注療法併施も4割弱に行われている実態が明らかになった．臨床条件による治療効果の差異や再灌流の評価などは専門領域に譲るが，平均年齢や年齢中央値が本解析より低い既報論文[6-10]と比較して転帰良好例の占有率は同等または低いことが示された一方で，死亡率はそれらよりも低いという結果が得られた．

ただしt-PA静注療法，EVT両解析の成績を既報と比較する際の共通条件として，年齢など症例背景の違いに加えて，転帰は急性期病院がほとんどを占めるJSDB参加施設の退院時点での評価に拠っており，治療後3か月で判断されることが多い長期予後と比較できるかどうかの点についても十分な留意が必要である．

◉ 文献

1）峰松一夫ほか．rt-PA（アルテプラーゼ）静注療法適正治療指針 第二版．脳卒中2012；34：441-80.
2）岩間　亨ほか；日本脳卒中学会，日本脳神経外科学会，日本脳神経血管内治療学会．経皮経管的脳血栓回収用機器 適正使用指針 第4版．脳卒中2020；42：281-313.
3）Nakagawara J, et al. Thrombolysis with 0.6 mg/kg intravenous alteplase for acute ischemic stroke in routine clinical practice: The Japan post-Marketing Alteplase Registration Study（J-MARS）. Stroke 2010; 41: 1984-9.
4）Wahlgren N, et al. Thrombolysis with alteplase for acute ischaemic stroke in the Safe Implementation of Thrombolysis in Stroke-Monitoring Study（SITS-MOST）: an observational study. Lancet 2007; 369: 275-82.
5）Emberson J, et al. Effect of treatment delay, age, and stroke severity on the effects of intravenous thrombolysis with alteplase for acute ischaemic stroke: a meta-analysis of individual patient data from randomised trials. Lancet 2014; 384: 1929-35.
6）Berkhemer OA, et al. A randomized trial of intraarterial treatment for acute ischemic stroke. N Engl J Med 2015; 372: 11-20.
7）Goyal M, et al. Randomized assessment of rapid endovascular treatment of ischemic stroke. N Engl J Med 2015; 372: 1019-30.
8）Jovin TG, et al. Thrombectomy within 8 hours after symptom onset in ischemic stroke. N Engl J Med 2015; 372: 2296-306.
9）Campbell BCV, et al. Endovascular therapy for ischemic stroke with perfusion-imaging selection. N Engl J Med 2015; 372: 1009-18.
10）Saver JL, et al. Stent-retriever thrombectomy after intravenous t-PA vs. t-PA alone in stroke. N Engl J Med 2015; 372: 2285-95.

14 虚血性脳血管障害に対する急性期抗血小板薬併用療法

杉森 宏

- 急性期脳梗塞患者に対して 33.3 %に複数の抗血小板薬が投与されていた．とくにラクナ梗塞，アテローム血栓性脳梗塞，branch atheromatous disease で頻度が高かった．
- ラクナ梗塞，アテローム血栓性脳梗塞の軽症例であっても 42〜55 %に 2 剤の抗血小板薬が投与されていた．
- 最も頻用されている抗血小板薬はクロピドグレルなどチエノピリジン系で，アスピリン，シロスタゾールと続いていた．
- アスピリンは依然として重用されているが，その使用頻度は以前よりも下がる傾向にあることが示唆された．

はじめに

『脳卒中治療ガイドライン 2015』[1]における「II 脳梗塞・TIA」の「1-4 急性期抗血小板療法」に記載がある治療は，① 発症早期のアスピリン，② 非心原性脳梗塞に対する亜急性期までの2剤併用療法（dual antiplatelet therapy：DAPT），そして，③ 発症 5 日以内の脳血栓症（非心原性脳梗塞）に対するオザグレルナトリウム点滴投与，の 3 つのみである．

② の脳梗塞急性期に対する DAPT は 2013 年の CHANCE 研究[2]に由来するものであるが，以降も早期の強化療法，すなわち 2 剤併用の有効性と長期投与の際の出血性合併症の多さを示す研究[3]が発表されている．2 剤以上を投与する強化療法において共通するのは発症早期，おおむね 2 週間以内の再発抑制効果の差が大きく，その後はほぼ同じ率で推移していることである．そのなかでわが国では，慢性期二次予防ではあるが，非心原性脳梗塞後のシロスタゾールの追加が再発抑制に有効かつ出血性合併症を増やさないことが報告されており[4]，抗血小板療法の新たな地平を拓いたといえよう．

脳卒中データバンクはあくまで全国横断的な観察データであり，とくに有効性や安全性について因果関係や各治療の比較ができるわけではない．本項では上述の研究成績をふまえたうえで，日本での脳梗塞に対する急性期治療として DAPT がどれくらい用いられているかを中心に抗血小板療法を論じてみたい．

脳梗塞に対する DAPT の実施頻度

発症 7 日以内の脳梗塞，一過性脳虚血発作（TIA）患者を対象とした場合，33.3 %に DAPT が用いられていた（**図 1**）．さらに病型別にみるとラクナ梗塞 25.8 %，アテローム血栓性脳梗塞で 40.8 %，その他の脳梗塞が 29.6 %で，とくに branch atheromatous disease（BAD）で 15.5 %と高頻度に使用されていた．心原性脳塞栓症は 5.7 %と低く，大動脈原性塞栓症は 2 %とさらに低かった．発症早期には必ずしも診断が確定していないことが想定されるが，こういった場合でも画像所見などから塞栓性機序を早期から鑑別できているためにこういった疾患に対する DAPT は少ないのであろう．

なお，アルガトロバンは抗凝固薬なのでこれらの集計には含まれておらず，アテローム血栓性脳梗塞においても DAPT が 4 割程度である理由はある程度説明できる．以上のように比較的病型に応じた治療薬が急性期から選択されていることがわかる．

DAPT 高頻度疾患の背景因子と重症度

虚血の機序から推測できるようにアテローム血栓性脳梗塞とラクナ梗塞において DAPT の頻度が高かったので，この 2 つに絞って背景因子と重症度を検討した（**表 1**，**図 2**）．ラクナ梗塞患者においては DAPT 群のほうが若年で女性が少なく（すなわち男性が多く），脂質異常症，飲酒歴，喫煙歴のある患者が多かった．一方，アテローム血栓性脳梗塞でも，より若年で女性が少なく，脂質異常症，飲酒歴の頻度が高かった．

先述の急性期治療に対する DAPT の研究[3]では病型にかかわらず NIHSS 3 以下の脳梗塞・TIA 患者が対象であったので，NIHSS の階層別に，とくに 3 以下と 4 以上での DAPT の使用頻度を検討した．**図 2** に示す通り，おおむね四分位に分けて示しているが，NIHSS 3 以下の患者はどちらの病型でも 4 割以上に DAPT が行われていた．

海外であればこれらの患者群はほとんど DAPT で治療されることになるのかもしれないが，今回 10 割にならなかったのは出血性合併症の懸念や海外では使われていない抗血小板薬であるオザグレルナトリウムの投与が関与していると思われる．ただし，今回の検討では治療薬選択に関する個々の治療判断までは判然としなかった．

どちらの病型でも重症例では使用率は低下し，とくにアテローム血栓性脳梗塞患者では統計学的に有意であったが，これは

表1 ラクナ梗塞/アテローム血栓性脳梗塞患者におけるDAPTの有無と背景因子

	ラクナ梗塞			アテローム血栓性脳梗塞		
	DAPTなし	DAPTあり	p値	DAPTなし	DAPTあり	p値
n	811	544		826	860	
年齢，平均（SD）	73.31（11.91）	71.47（11.65）	0.005	76.34（12.05）	74.42（11.58）	＜0.001
女性	324（40.0％）	184（33.8％）	0.022	315（38.1％）	269（31.3％）	0.003
高血圧	523（64.5％）	359（66.0％）	0.57	545（66.0％）	593（69.0％）	0.19
脂質異常	215（26.5％）	178（32.7％）	0.014	241（29.2％）	324（37.7％）	＜0.001
糖尿病	202（24.9％）	144（26.5％）	0.52	244（29.5％）	258（30.0％）	0.84
腎機能障害	43（5.3％）	36（6.6％）	0.31	55（6.7％）	60（7.0％）	0.8
週8単位以上の飲酒歴	62（7.6％）	72（13.2％）	＜0.001	73（8.8％）	80（9.3％）	＜0.001
現在の喫煙歴	169（20.8％）	161（29.6％）	＜0.001	159（19.2％）	186（21.6％）	0.16
来院時NIHSS 中央値（IQR）	2.00（1.00，5.00）	2.00（1.00，4.00）	0.26	3.00（1.00，9.00）	3.00（1.00，6.00）	0.047

連続値はt検定またはWilcoxonの順位和検定，カテゴリカル変数はχ^2検定で解析．
SD：標準偏差，IQR：四分位範囲

図1 病型別 DAPTの使用率

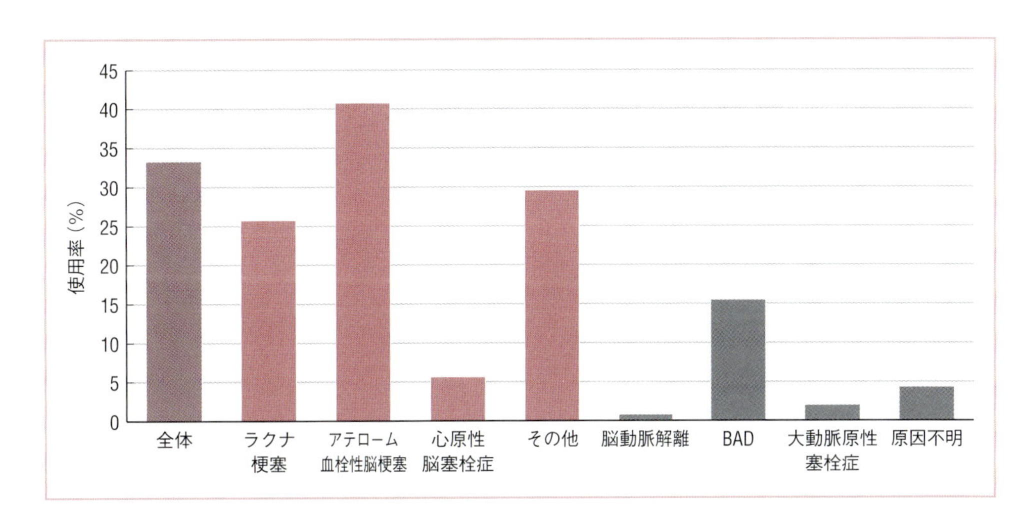

図2 NIHSS別 DAPTの使用率

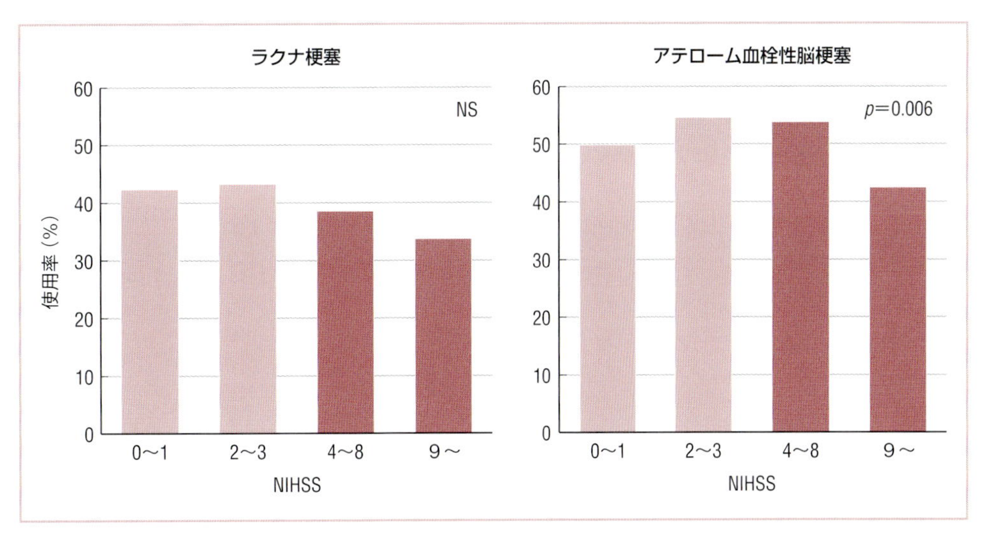

図3 アテローム血栓性脳梗塞におけるDAPTと退院時mRS

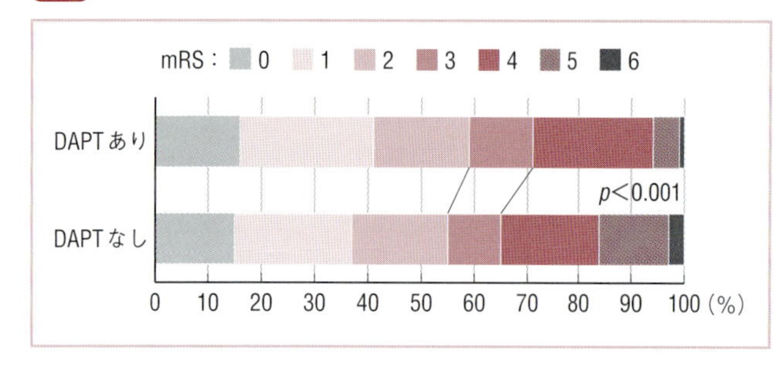

内服が困難になってくることに起因すると推察される.

DAPTの有無と退院時予後

DAPTの有無と退院時予後を検討すると，ラクナ梗塞患者においてはまったく差はみられなかったが，アテローム血栓性脳梗塞患者では図3のようにDAPTありの群のほうが，mRSが0から2あるいは3までの患者の割合がわずかに多かった（$p<0.001$）．性別・年齢からして違う2群であり，DAPTをしたくてもできなかったのかそれとも単にしなかったのかという因子を組み入れられないので解釈に注意は必要だが，ラクナ梗塞との違いは興味深い.

退院時抗血小板薬の種類と抗凝固薬の併用

最後に退院時まで抗血小板療法が継続されているかについて検討した．ラクナ梗塞患者には87.1％に，アテローム血栓性脳梗塞患者には86.4％に抗血小板薬が処方されていた．このうち抗血小板薬のみを抗血栓薬として選択されたのはそれぞれ84％と81％で，抗凝固薬を併用したものは3％と5％であった．当然ながら圧倒的多数は抗血小板薬のみであるが，その内訳を図4に示す．単独の使用ではクロピドグレルなどのチエノピリジン系が40％前後を占めて最多である．アスピリンはどちらの病型でも1/4ほどで，併用療法を加えてもアスピリンのシェアは半分程度とクロピドグレルの64％に比べて少ない.

前回の『脳卒中データバンク2015』に掲載された発症7日以内の抗血小板薬使用に関するデータでは，年次とともに減ってはいたもののアスピリンがまだ過半数を占めて最多であったが，今回の退院時処方では完全に逆転している．ラクナ梗塞でシロスタゾールの処方が目立つが，これはCSPS2の結果をふまえているのであろう.

抗凝固療法との併用は先述の通り5％に満たないので数字のみ記載する．ラクナ梗塞の場合，アスピリンが34％，クロピドグレル50％，シロスタゾール16％，一方アテローム血栓性脳梗塞ではアスピリン24％，クロピドグレル59％，シロスタゾール17％であった．どうしても併用せざるをえないと

図4 退院時抗血小板薬の選択

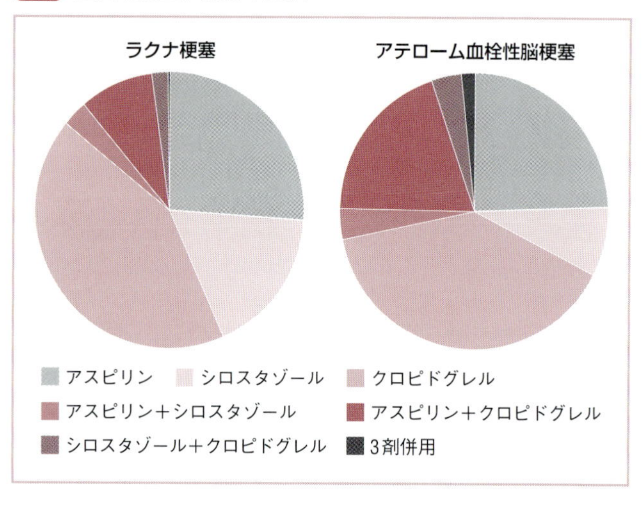

きは出血リスクを考えてアスピリン以外を選択しようとする傾向がみえる.

AFIRE試験[5]で安定した冠動脈疾患のある心房細動患者に対してリバーロキサバン単独療法がアスピリンの併用よりも安全性に優れ，有効であることが示された現在となっては，抗血小板薬，とくにアスピリンと抗凝固薬との併用療法はより抑制的になってしかるべきである.

おわりに

従来の抗血小板薬に関する研究は軽症脳梗塞やTIAが対象であったり慢性期患者が対象であったりして実臨床に当てはまる成績は少ないなかで，日本の臨床家が経験や発症機序の考察で補いながら診療をしていることの一端が本項で述べたような数字に表れていると感じられる.

今後もアスピリン以外の抗血小板薬へのシフトが進むであろうことが予想されるが，急性期治療では内服薬よりも静注薬のほうが投与しやすいことは確かであり，新たな剤型の開発にも期待したい.

◉ 文献

1) 日本脳卒中学会脳卒中ガイドライン委員会（編）．脳卒中治療ガイドライン2015．協和企画；2015.
2) Wang Y, et al. The CHANCE Investigators. Clopidogrel with aspirin in acute minor stroke or transient ischemic attack. N Engl J Med 2013; 369 (1): 11-9.
3) Johnston SC, et al. Clopidogrel and aspirin in acute ischemic stroke and high-risk TIA. N Engl J Med 2018; 379 (3): 215-25.
4) Toyoda K, et al. Dual antiplatelet therapy using cilostazol for secondary prevention in patients with high-risk ischaemic stroke: A multicentre randomised controlled trial. Lancet Neurol 2019; 18 (6): 539-48.
5) Yasuda S, et al. Antithrombotic therapy for atrial fibrillation with stable coronary disease. N Engl J Med 2019; 381 (12): 1103-13.

15 脳梗塞への抗凝固療法

板橋　亮

▶急性期脳梗塞に対する抗凝固注射薬が転帰を改善するとのエビデンスは非常に乏しい．
▶日本の急性期脳梗塞診療において急性期経静脈抗凝固療法が行われる頻度は高い．
▶日本脳卒中データバンク（JSDB）の解析から急性期経静脈抗凝固療法は転帰と関連しなかった．

エビデンスの解説

急性期脳梗塞に対する効果が検討された抗凝固注射薬として，未分画ヘパリン，低分子ヘパリン，そしてアルガトロバンがあげられる．未分画ヘパリンおよび低分子ヘパリンに関する代表的な臨床試験を**表1**に示す[1-5]．静注はTrial of Org 10172 in Acute Stroke Treatment（TOAST）のみで他は皮下注射による研究であり，病型や対照群の治療内容の違い等はあるものの，転帰改善効果を示せず出血リスク上昇を伴った研究が多い．50%以上の動脈硬化性主幹動脈狭窄病変による脳梗塞を対象としたFraxiparine in Stroke Study for the treatment of ischemic stroke（FISS-tris）でのみ転帰改善効果を示しているが，これは副次評価項目であった[5]．

アルガトロバンは，日本では発症48時間以内の脳血栓症に対する投与が承認されている．急性期脳梗塞を対象とした複数の臨床試験があるものの，いずれも小規模である[6,7]．t-PA静注療法後の抗血栓療法として高用量で投与した報告が出ている等[8]，静注抗凝固薬として重要な薬剤ではあるが，国際的には

表1 脳梗塞急性期におけるヘパリン注射の効果を検討した試験まとめ

	IST (1997)[1]	TOAST (1998)[2]	HAEST (2000)[3]	TAIST (2001)[4]	FISS-tris (2007)[5]
対象病型	すべての脳梗塞病型	すべての脳梗塞病型	心房細動を有する脳梗塞	すべての脳梗塞病型	主幹動脈閉塞性病変（アテローム血栓）
発症時間	発症48時間以内	発症24時間以内	発症30時間以内	発症48時間以内	発症48時間以内
症例数	19,435	1,275	449	1,486	353
抗凝固薬	未分画ヘパリン	低分子ヘパリン（ダナパロイド）	低分子ヘパリン（ダルテパリン）	低分子ヘパリン（チンザパリン）	低分子ヘパリン（ナドロパリン）
用量	1回5,000単位/1回12,500単位	第Xa凝固因子活性を指標にした用量調節	1回100 IU/kg	高用量175 anti-Xa IU/kg 低用量100 anti-Xa IU/kg	3,800 anti-Xa IU
投与方法	1日2回皮下注射	ボーラス投与後に持続静注	1日2回皮下注射	皮下注射	1日2回皮下注射
対照群	非投与もしくはアスピリン300 mg/日	プラセボ	アスピリン160 mg/日	アスピリン300 mg/日	アスピリン160 mg/日
投与期間	14日間	7日間	14日間	10日間	10日間
再発等	14日以内の再発 2.9% vs 3.8%（$2p<0.01$）	10日以内の再発 1.7% vs 1.8%（ns）	14日以内の再発 8.5% vs 7.5%（ns）	15日以内の再発 3.7% vs 4.7% vs 3.1%（ns）	10日以内の悪化 6% vs 5%（ns）
脳内出血	14日以内 1.2% vs 0.4%（$2p<0.0001$）	10日以内 2.4% vs 0.8%（$p<0.005$）	14日以内 2.7% vs 1.8%（ns）	15日以内 1.4% vs 0.6% vs 0.2%（高用量vsアスピリン OR 7.15）	6か月以内 14% vs 9%（ns）
頭蓋外出血	14日以内 1.3% vs 0.4%（$2p<0.0001$）	10日以内 5.2% vs 1.8%（$p<0.005$）	14日以内 5.8% vs 1.8%（OR 3.4）	15日以内 0.8% vs 0.4% vs 0.4%（ns）	−
転帰	6か月後 死亡/要介助 62.9% vs 62.9%（ns）	3か月後 転帰良好 75.2% vs 73.7%（ns）	6か月後 ADL自立 22.8% vs 21.3%（ns）	6か月後 mRS 0〜2 41.5% vs 42.4% vs 42.5%（ns）	6か月後 mRS 0〜1 54% vs 44% OR 1.55

（International Stroke Trial Collaborative Group. Lancet 1997[1]/The Publications Committee for the Trial of ORG 10172 in Acute Stroke Treatment（TOAST）Investigators. JAMA 1998[2]/Berge E, et al. Lancet 2000[3]/Bath PM, et al. Lancet 2001[4]/Wong KS, et al. Lancet Neurol 2007[5]より）

その効果を確立したものとしては認識されていない.

急性期脳梗塞に対する抗凝固療法に関して，対照（治療なし）と比較した試験のみを対象としたCochraneライブラリーの統合解析が発表されているが，全死亡（オッズ比〈OR〉1.05，95％信頼区間〈CI〉0.98〜1.12），死亡または要介助（OR 0.99，95％ CI 0.93〜1.04）のいずれも減少させていない．脳梗塞再発を有意に減少させているが（OR 0.76，95％ CI 0.65〜0.88），症候性頭蓋内出血を増加させた（OR 2.55，95％ CI 1.95〜3.33）．症候性の肺塞栓を有意に減少させたものの（OR 0.60，95％ CI 0.44〜0.81），頭蓋外出血の増加（OR 2.99，95％ CI 2.24〜3.99）によりその効果は消失したと結論づけている[9]．

JSDBにおける急性期脳梗塞に対する抗凝固療法

1. 目的

日本の実臨床における脳梗塞急性期の抗凝固療法の実態を明らかにする．

2. 方法

日本脳卒中データバンク（JSDB）に登録された，1998年から2018年までの発症7日以内脳梗塞/一過性脳虚血発作，合計139,928例を対象とした．急性期に行われている抗凝固療法の登録情報として，2015年以前（旧JSDB）は，急性期抗凝固薬としてワルファリン，抗トロンビン＿抗Xa薬，抗トロンビン薬点滴の有無，として登録されており，2016年以降（新JSDB）は経静脈抗凝固療法の有無，未分画ヘパリン，アルガトロバン，その他の静注抗凝固療法の有無，として登録されている．内服の抗凝固薬に関しては検討対象から外した．

これらの対象症例において，急性期経静脈抗凝固療法の有無と，出血性合併症および退院時転帰の関連に関して検討した．出血合併症は国際血栓止血学会（ISTH）基準（1. 致死的な出血，2. 重要な部位または臓器における症候性出血〈頭蓋内出血を含む〉，および/または，3. ヘモグロビン値が2 g/dL以上低下する出血，全血または赤血球2単位以上の輸血が必要な出血）に統一した．

3. 結果

2015年以前（旧JSDB）ではヘパリン静注療法施行の有無に関して登録されていないため，抗トロンビン薬点滴（アルガトロバン）投与と登録されている例以外は，判定困難とした．対象となった139,928例のうち，急性期経静脈抗凝固療法の有無に関して判定困難65,373例，発症前mRS 2以下もしくは不明である19,332例，退院時転帰が不明である2,464例を除外し，最終的に52,759例で解析した．対象症例中の病型は，ラクナ梗塞20,426例，アテローム血栓性脳梗塞20,801例，心原性脳塞栓症4,290例，脳梗塞その他4,382例，一過性脳虚血発作2,860例であった（図1）．急性期経静脈抗凝固療法は50,834例で施行され，1,925例で行われていなかった．背景因子の違いを表2に示す．

図1 脳梗塞病型分布

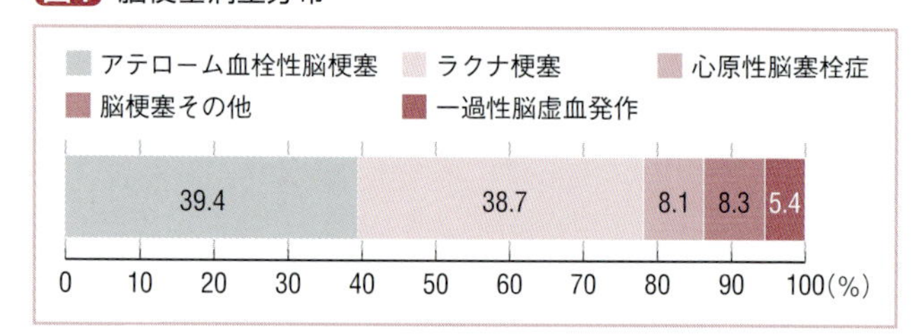

表2 背景因子

背景因子		急性期経静脈抗凝固療法なし（n=1,925）	急性期経静脈抗凝固療法あり（n=50,834）	p値
年齢 平均値±標準偏差		73.2±12.2	70.1±11.7	<0.001
男性（%）		1,204（62.5）	33,137（65.2）	0.018
発症前抗血栓療法（%）		669（46.8）	12,628（39.8）	<0.001
入院時NIHSS 中央値（四分位範囲）		2（1〜7）	3（1〜5）	0.643
入院時収縮期血圧 平均値±標準偏差		159.8±29.2	161.0±27.8	0.094
入院時拡張期血圧 平均値±標準偏差		89.6±19.4	87.9±16.9	<0.001
高血圧（%）		1,182（61.4）	36,238（72.7）*	<0.001
糖尿病（%）		417（21.7）	15,438（31.0）*	<0.001
脂質異常症（%）		516（26.8）	18,856（41.6）*	<0.001
心疾患（%）		591（30.7）	9,125（18.1）*	
脳卒中既往（%）		404（21.0）	10,660（21.7）*	0.498
病型（%）	心原性脳塞栓症	586（30.4）	3,704（7.3）	<0.001
	アテローム血栓性脳梗塞	370（19.2）	20,431（40.2）	
	脳梗塞その他	369（19.2）	4,013（7.9）	

*n=50,834から欠測値のある例を除外して計算した比率.

表3 退院時mRS 0～1に関する多変量解析

説明変数	オッズ比	95％信頼区間	*p*値
75歳以上	0.56	0.53～0.58	<0.001
入院時NIHSS 4点以下	7.61	7.28～7.95	<0.001
男性	1.12	1.08～1.17	<0.001
急性期経静脈抗凝固療法	0.95	0.84～1.08	0.44

急性期経静脈抗凝固療法を施行されていた群は，有意に高齢で男性が多く，発症前抗血栓療法が少なく，心血管危険因子合併の頻度が高く，アテローム血栓性脳梗塞例が多かった．入院時NIHSSには有意な差はなかった．急性期経静脈抗凝固療法の内訳は，未分画ヘパリン1,688例，アルガトロバン48,922例，その他224例であった．年齢，入院時NIHSS，性別を調整した多変量解析モデルでは，急性期経静脈抗凝固療法は退院時転帰であるmRS 0～1とは独立して関連しなかった（表3）．また，ISTH基準による症候性頭蓋内出血を含めた入院中重大出血に関しても，多変量解析モデルにおいて急性期経静脈抗凝固療法と重大出血は関連しなかった（表4）．

表4 入院中重大出血イベントに関する多変量解析

説明変数	オッズ比	95％信頼区間	*p*値
75歳以上	1.04	0.59～1.85	0.881
入院時NIHSS 4点以下	0.21	0.11～0.37	<0.001
男性	1.06	0.59～1.90	0.841
発症前抗血栓薬内服	1.03	0.59～1.80	0.927
急性期経静脈抗凝固療法	0.65	0.32～1.36	0.253

エビデンスとJSDBのデータをふまえた今後の急性期経静脈抗凝固療法

前述したが，本データバンクにおいてヘパリンも含めた急性期経静脈抗凝固療法を悉皆的に調査できてはいないため，そのほとんどがアルガトロバンを投与したデータとなっている．そのような制限を考慮に入れても，日本において脳梗塞急性期に経静脈抗凝固療法が行われる頻度は高いといってよいであろう．しかしながら，わが国の脳梗塞診療を反映する大規模な実臨床のデータにおいては，脳梗塞急性期の経静脈抗凝固療法は転帰との関連を示さなかった．一方で，重大な出血合併症増加とも関連していない．

前述したように，抗凝固注射薬が脳梗塞転帰を改善させるとのエビデンスは非常に乏しい．急性期経静脈抗凝固療法に期待される効果は脳梗塞の病型によっても異なると考えられ，一つは心原性脳塞栓症の早期再発予防であり，もう一つは動脈硬化性病変が原因と推測される非心原性脳梗塞における急性期再発もしくは増悪予防目的であろう．前者に関しては，直接作用型経口抗凝固薬（DOAC）の登場により，ヘパリンブリッジを経ない経口抗凝固薬開始に関するデータが出てきている[10]．一方，軽症の非心原性脳梗塞や一過性脳虚血発作に対してはアスピリンにクロピドグレルをloadingで開始するdual antiplatelet therapy（DAPT）のエビデンスが確立した．これらの点をふまえて急性期経静脈抗凝固療法の位置づけを考えると，その適応は症例に応じて慎重に考えるべきといえる．

文献

1）International Stroke Trial Collaborative Group. The International Stroke Trial（IST）: A randomised trial of aspirin, subcutaneous heparin, both, or neither among 19435 patients with acute ischaemic stroke. Lancet 1997; 349: 1569-81.
2）The Publications Committee for the Trial of ORG 10172 in Acute Stroke Treatment（TOAST）Investigators. Low molecular weight heparinoid, ORG 10172（Danaparoid）, and outcome after acute ischemic stroke: A randomized controlled trial. JAMA 1998; 279: 1265-72.
3）Berge E, et al. Low molecular-weight heparin versus aspirin in patients with acute ischaemic stroke and atrial fibrillation: A double-blind randomised study. HAEST Study Group. Heparin in Acute Embolic Stroke Trial. Lancet 2000; 355: 1205-10.
4）Bath PM, et al. Tinzaparin in acute ischaemic stroke（TAIST）: A randomised aspirin-controlled trial. Lancet 2001; 358: 702-10.
5）Wong KS, et al. Low-molecular- weight heparin compared with aspirin for the treatment of acute ischaemic stroke in Asian patients with large artery occlusive disease: A randomised study. Lancet Neurol 2007; 6: 407-13.
6）LaMonte MP, et al. Argatroban anticoagulation in patients with acute ischemic stroke（ARGIS-1）: A randomized, placebo-controlled safety study. Stroke 2004; 35: 1677-82.
7）Kobayashi S, et al. Effect of the thrombin inhibitor argatroban in acute cerebral thrombosis. Semin Thromb Hemost 1997; 23: 531-4.
8）Barreto AD, et al. Randomized, multicenter trial of ARTSS-2（argatroban with recombinant tissue plasminogen activator for acute stroke）. Stroke 2017; 48: 1608-16.
9）Sandercock PA, et al. Anticoagulants for acute ischaemic stroke. Cochrane Database Syst Rev 2015; 2015: CD000024.
10）Paciaroni M, et al. Early recurrence and major bleeding in patients with acute ischemic stroke and atrial fibrillation treated with non-vitamin-K oral anticoagulants（RAF-NOACs）study. J Am Heart Assoc 2017; 6: e007034.

16 急性期リハビリテーションの実施状況の検討と食事に関する検討

福田弘毅

- 急性期リハビリテーションは2015年まで，実施症例数が徐々に増えてきている.
- リハビリテーション実施症例では3日以内に開始される例が漸増し，2016年以降では約95％を占めた.
- 食事の開始時期は虚血性に比べて出血性脳卒中で遅い傾向だが，すべての病型で70％以上が3日以内に食事が開始されていた.
- 入院7日目に食事摂取していない症例は，出血性脳卒中や入院時の重症度が高いほど増加し，退院時のmRSも4以上が多かった.
- 入院中に嚥下評価を実施している症例では7日目に食事摂取ができている症例が多かった.

リハビリテーション実施時期の検討—経年的解析

まず，脳卒中患者への急性期リハビリテーション（以下リハ）の実施状況について1998年以降の経年的解析を行った．調査開始以降2015年までリハ実施割合は年々増加し，2004年までの実施率68.5％に対して，2013〜15年には91.0％に達した．ただし2016年以降の新登録システムへの変更後の集計では，実施率が78.1％にまで減少した．新システムでリハ情報の登録方式が変わったことや参加施設の一部加除があったことなどの，このデータバンク自体の事情による影響を否定できない．

リハ実施症例だけで検討すると3日以内にリハを開始している症例の割合が徐々に増加しており，2016〜18年ではリハ実施の93.6％が3日以内に開始されていた（図1）．ただし24時間以内にリハが開始される割合は近年漸減し，2016年以降は20.9％である．

最近のリハビリテーション実施時期の検討

ここからは，最近の急性期リハの状況を検討するため2016〜18年のデータを解析した．

病型別の検討では，脳梗塞と高血圧性脳出血において60％前後の症例でリハが実施されていた（図2）．くも膜下出血のリハ実施は約50％であったが，リハが実施された症例の約8割が3日以内に開始されており，その他の病型でもほとんどが3日以内に開始されていた．

年齢別の検討では，高齢の患者ほどリハ実施率が高く，3日以内の実施率も高くなっていた（図3）．重症度別の検討では，入院時NIHSSが4点以下の軽症および23点以上の重症でリハ実施率が50％台にとどまっていたが，5〜22点の中等症でも約2割でリハが実施されていなかった（図4）．

図1 リハビリテーション開始時期の経年的解析

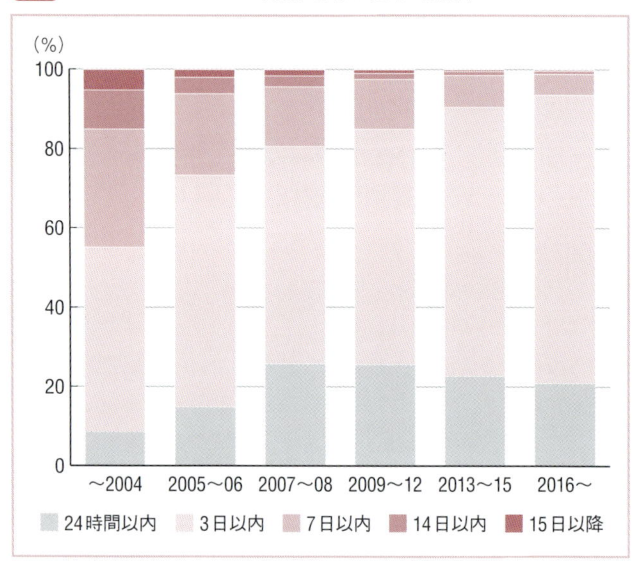

食事開始時期，7日目の食事摂取状況，および嚥下評価

今回の調査では新たに食事開始時期や7日目での食事摂取状況，嚥下評価の有無が調査項目に追加となっており，リハの観点からこれらについても検討を行った．データはすべて2016〜18年の患者で食事開始時期についてのデータ入力がある患者を対象としており，データ未入力および食事摂取なしの症例は除外した．

食事開始時期は病型により大きな差が認められた（図5）．24時間以内の食事開始はラクナ梗塞では61.0％であるのに対して，アテローム血栓性梗塞では48.1％，心原性脳塞栓症では29.6％とその割合が減少していた．出血性脳卒中ではさら

図2 リハビリテーション実施時期の病型別解析（2016～18年）

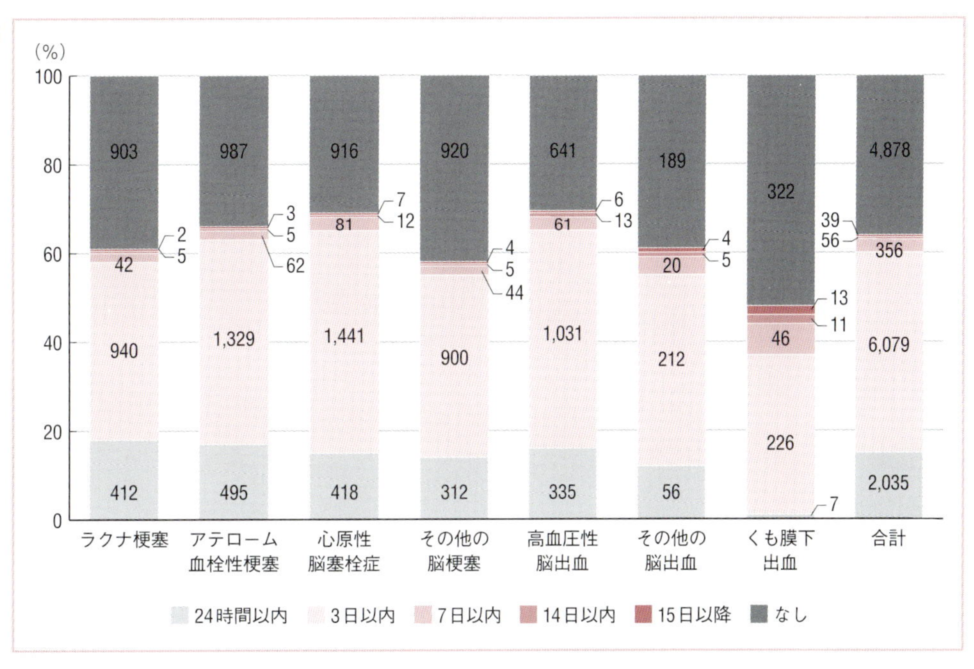

図3 リハビリテーション実施時期の年齢別解析（2016～18年）

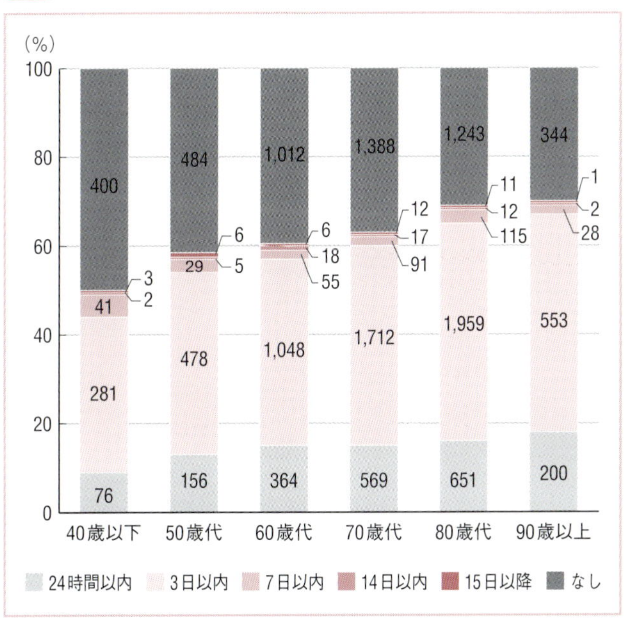

図4 リハビリテーション実施時期の入院時NIHSS別解析（2016～18年）

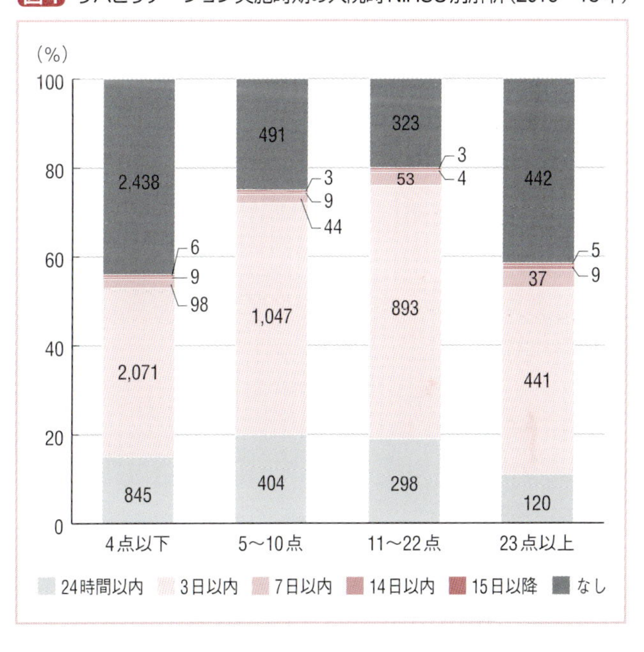

にその割合が低下し，脳出血では約 20 %，くも膜下出血では 3 %にすぎなかった．しかしすべての病型で約 70 %以上が 3 日以内に食事開始となっていた．

入院時の NIHSS 別の検討では点数が上がると食事開始時期が遅くなっているが，11～22 点の中等症でも約 80 %が 3 日以内に食事開始となっていた（図 6）．

入院 7 日目に食事摂取ができているかどうかについて，病型，重症度との関係を検討した．7 日目の食事摂取の有無は出血性脳卒中でややその割合が低かった（図 7）．また入院時の NIHSS が高い症例ほど 7 日目に食事摂取できていない症例が増加した（図 8）．退院時の mRS との関係を検討したところ，7 日目に食事を摂取していない症例では退院時の mRS が明らかに高く，とくに 4 以上の割合が高かった（図 9）．

入院中の嚥下評価の有無と 7 日目の食事摂取の有無の関係に

図5 食事開始時期の病型別解析（2016〜18年）

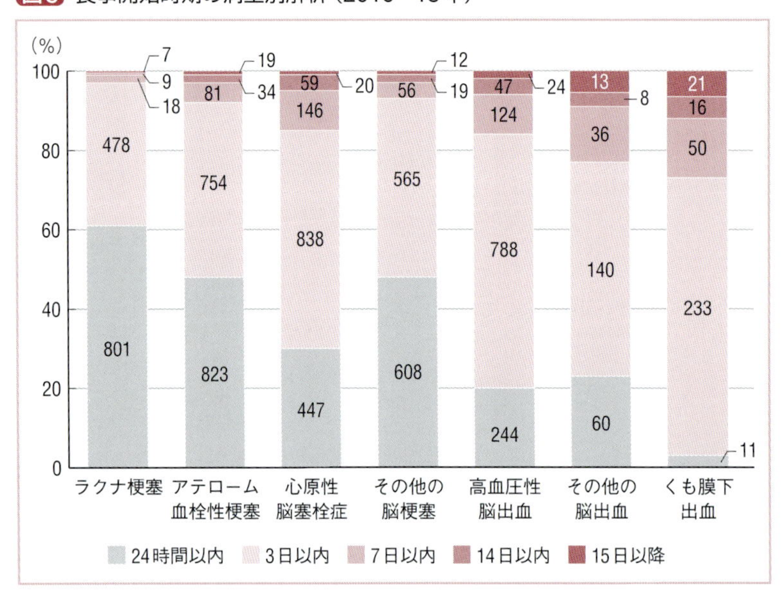

図6 食事開始時期の入院時NIHSS別解析（2016〜18年）

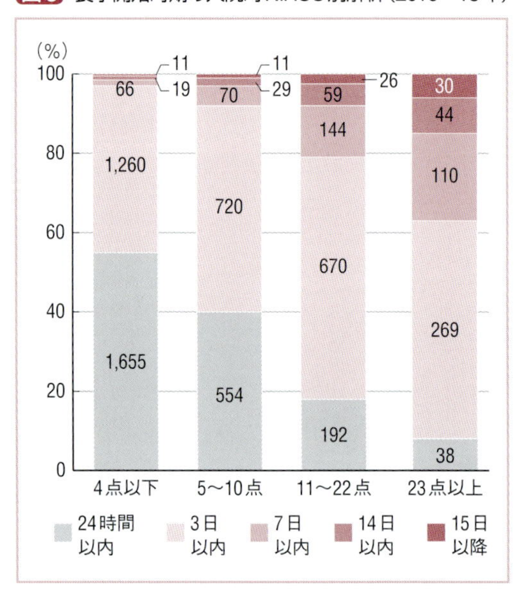

図7 7日目の食事摂取の有無の病型別解析（2016〜18年）

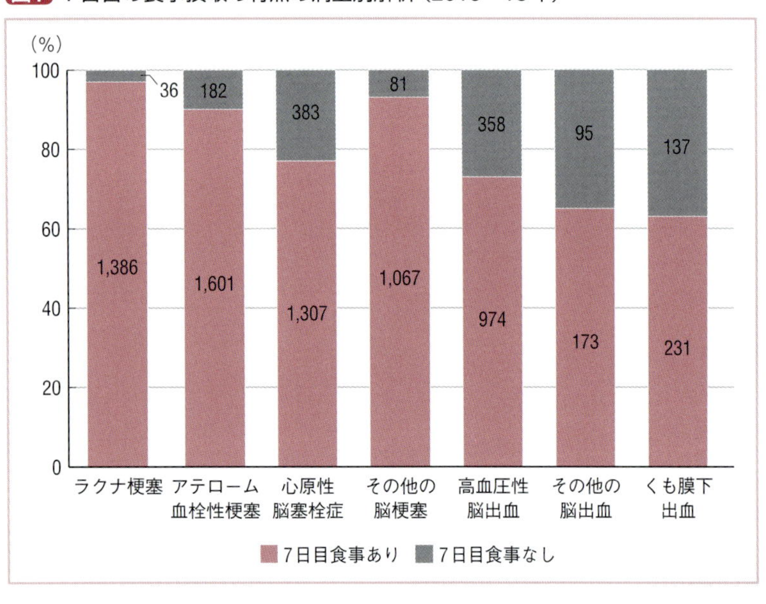

図8 7日目の食事摂取の有無の入院時NIHSS別解析（2016〜18年）

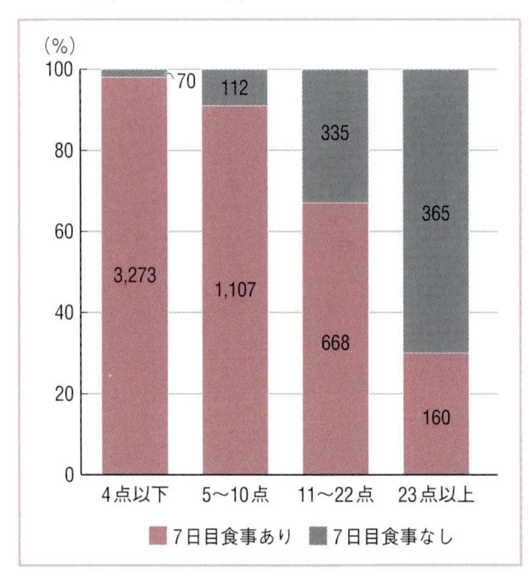

ついて調べたところ，嚥下評価ありの症例では7日目に食事摂取ができている症例が有意に多かった（**図10**）．

考察

今回の調査からは，リハの実施は入院時の重症度や病型が大きくかかわっていると考えられた．最近の傾向として，リハ実施の多くは3日以内に開始されている反面，2013年以降は24時間以内にリハが開始される割合が漸減していた．前述のとおり，登録システムの変更などの影響を検討する必要があるが，『脳卒中データバンク2015』との比較で，NIHSS 23点以上の重症例でリハ未実施の症例がかなり増加していた．

超早期リハの有効性について検討したAVERT III試験では24時間以内の超早期からの離床介入の有効性は示されなかったが[1]，これらの患者に対するCART解析による別解析では急性期における離床介入を早期に短時間ずつ頻回に実施したほうが予後良好であると示されている[2]．AVERT IIIでの通常群でも48時間以内に訓練が開始されており，早期リハ開始の有用性については否定されるものではなく，病態や重症度を考

図9 7日目の食事摂取の有無と退院時mRSの関係（2016〜18年）

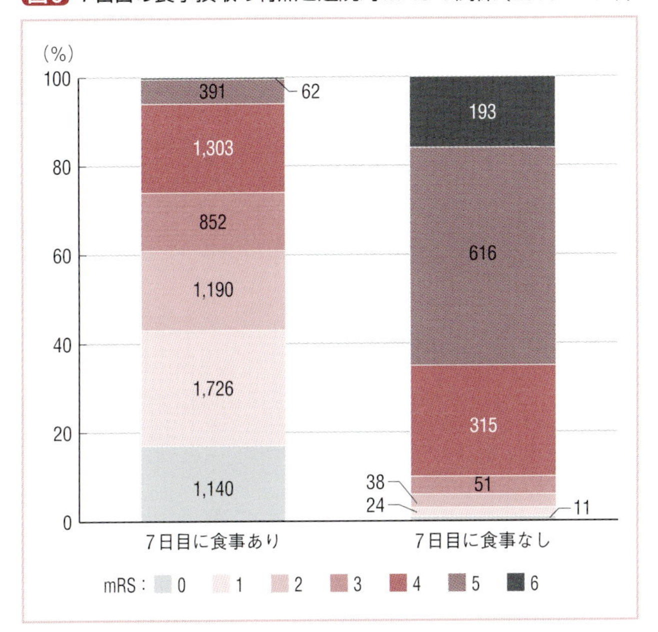

図10 嚥下評価の有無と7日目の食事摂取の関係（2016〜18年）

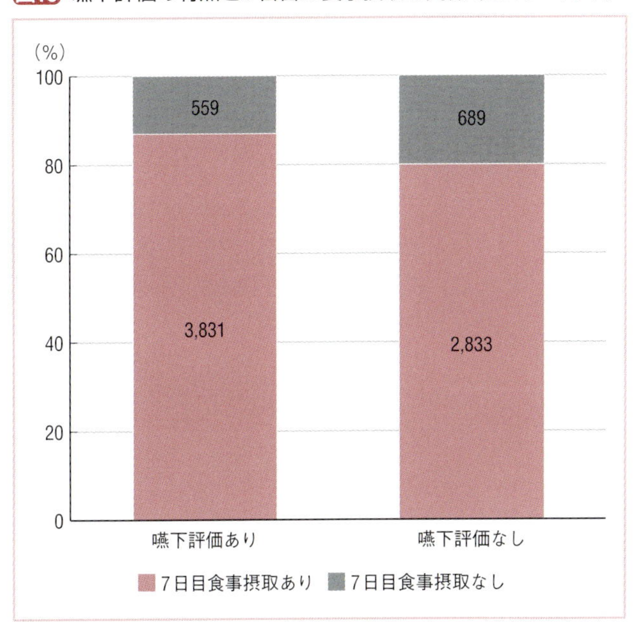

慮したうえで早期からリハを検討する必要があるといえる．しかし，今回のデータからはリハ未実施の患者が近年増加し，中等症の患者でも約2割でリハ未実施のままとなっていることが判明した．未実施の理由については調査されていないため詳細は不明であるが，早期リハの重要性が謳われている状況でこの傾向が今後も続くのか慎重に検討する必要がある．

食事開始時期については脳卒中病型と入院時の重症度が大きくかかわっていた．また，多くの症例が入院3日以内に食事開始となっているものの，7日目の時点で食事摂取が中断となっている症例があり，これらは病状の進行や合併症の影響などが推測された．嚥下評価の有無が7日目の食事摂取に関係することや，7日目の食事摂取の有無が退院時ADLと関係することが今回の調査から明らかとなった．嚥下評価の時期やその内容についても検討し，積極的な嚥下評価やリハ介入の有効性についてさらに検討が必要であると考える．

文献

1）AVERT trial collaboration group. Efficacy and safety of very early mobilization within 24 h of stroke onset（AVERT）: A randomized controlled trial. Lancet 2015; 386: 46-55.

2）Bernhardt J, et al. Prespecified dose-response analysis for A Very Early Rehabilitation Trial（AVERT）. Neurology 2016; 86（23）: 2138-45.

17 脳梗塞入院後の進行，再発と症候性頭蓋内出血

佐々木正弘，鈴木明文，師井淳太，石川達哉

- 脳梗塞入院後の急速進行と進行の割合は10.6％と2.5％で，再発は4.2％，症候性頭蓋内出血は0.054％であった．
- 急速進行の危険因子は女性，75歳以上，NIHSS低値，拡張期血圧高値，意識障害であった．
- 進行の危険因子は75歳以上，心房細動，脂質異常なし，心原性脳塞栓症なし，意識障害であった．
- 再発の危険因子は男性，収縮期血圧高値，心原性脳塞栓症，アテローム血栓性脳梗塞，オザグレル点滴なし，エダラボンなし，アスピリンなし，シロスタゾールなしであった．
- 症候性頭蓋内出血の危険因子は降圧薬なし，心原性脳塞栓症，アテローム血栓性脳梗塞，その他の脳梗塞，意識障害ありであった．

脳梗塞入院後の神経症候の悪化は，後遺症の程度を左右し転帰にも大きく影響するため（表1），入院時に予測が可能になることは治療戦略の面から重要になってくる．神経症候の進行を入院時に予測することは容易なことではないが，入院時の臨床的特徴を検討した．同様に抗血栓療法中の再発や頭蓋内出血についても，入院時の臨床的特徴を検討することで，予測が可能であれば，治療戦略の一助になると思われる．

表1 脳梗塞入院後の進行，再発と症候性頭蓋内出血の転帰

	退院時mRS，*n*（%）			*p*値
	0～1	2～5	6	
非進行群（*n*=1,167）	587（50）	569（49）	11（1）	
急速進行群（*n*=142）	23（16）	115（81）	4（3）	<0.001
進行群（*n*=34）	3（9）	26（76）	5（15）	<0.001
非再発・非出血群（*n*=87,417*）	36,578（42）	46,954（54）	3,885（4）	
再発群（*n*=3,828*）	1,356（35）	2,171（57）	301（8）	<0.001
出血群（*n*=48）	4（8）	25（52）	19（40）	<0.001

*退院時mRSの記載がない例は除外した．

脳梗塞入院後の進行

対象症例は全脳梗塞（1,343症例）で，神経症候の進行は入院時NIHSSに比べ，入院後24時間以内に2点以上増加している群（急速進行群）と入院後7日に2点以上増加している群（進行群）として，それぞれを入院24時間以内および7日で点数不変か減点している群（非進行群）の2群間で比較することで解析した．有意水準5％とした．脳卒中データバンクの旧データベースでは24時間後や7日後のNIHSS値を収集していなかったため，この解析は新データベース登録例のみを対象とした．

1. 結果─急速進行群（142症例）vs 非進行群（1,167症例）（表2）

急速進行群の割合は10.6％で，非進行群に比べ，性別は女性の割合（49.3％ vs 37.7％，$p=0.007$），平均年齢（77.5±12.3 vs 72.7±12.5，$p<0.001$），75歳以上の割合が有意に高かった（64.8％ vs 49.6％，$p<0.001$）．入院時現症では，JCSは「意識障害あり」の割合が有意に高く（JCS：意識清明は35.2％ vs 55.4％，$p<0.001$），このうちJCS I桁が最も多く（72症例，50.7％），NIHSS（平均値）（7.9±7.7 vs 6.5±8.2，$p=0.062$）は高い傾向，入院時収縮期・拡張期脳血圧は有意に高かった（164.1±28.9 mmHg/93.2±19.3 mmHg vs 158.3±28.9 mmHg/88.3±19.6 mmHg，$p=0.049/0.014$）．虚血病巣はテント下穿通枝の割合が高い傾向であった（24.1％ vs 14.7％，$p=0.060$）．急性期治療では抗血小板薬2剤同時併用の割合が高い傾向であった（42.0％ vs 31.3％，$p=0.071$）．

ステップワイズ法による解析では，急速進行に関与する独立した危険因子は性別：女性，年齢：75歳以上，現症：NIHSS低値，現症：拡張期血圧高値，JCS：「意識障害あり」であった（表3）．

2. 結果─進行群（34症例）vs 非進行群（1,167症例）（表2）

進行群の割合は2.5％で，非進行群に比べ，平均年齢（78.9±10.8 vs 72.7±12.5，$p=0.005$），75歳以上の割合（73.5％ vs 49.6％，$p=0.006$）が有意に高かった．既往症では，心房細動の割合が有意に高く（41.2％ vs 17.5％，$p<0.001$），脂質異常は有意に低く（17.6％ vs 36.7％，$p=0.023$），服用薬の割合では，抗凝固薬が有意に高かった（30.8％ vs 14.3％，$p=0.019$）．入院時現症では，JCSは「意識障害あり」の割合が有意に高く（JCS：意識清明は35.3％ vs 55.4％，$p=0.017$），このうちJCS I桁が最も多く（15症例，44.1％），NIHSS（平均値）も有意に高かった（10.2±10.0 vs 6.5±8.2，$p=0.011$）．

ステップワイズ法による解析では，進行に関与する独立した

表2 脳梗塞入院後の進行（急速進行群と進行群）

			急速進行群；A n=142	非進行群；B n=1,167	A vs B p値	進行群；C n=34	C vs B p値
女性，n（%）			70（49）	440（38）	0.007	15（44）	0.450
年齢，平均±SD（歳）			77.5±12.3	72.7±12.5	<0.001	78.9±10.8	0.005
年齢：75歳以上，n（%）			92（65）	579（50）	<0.001	25（74）	0.006
既往，n（%）	高血圧		107（75）	796（68）	0.082	21（62）	0.430
	脂質異常症		51（36）	428（37）	0.860	6（18）	0.023
	糖尿病		39（28）	322（28）	0.970	11（32）	0.540
	心房細動		31（22）	204（18）	0.200	14（41）	<0.001
	頸動脈狭窄症		2（8）	31（20）	0.130	1（17）	0.830
服用薬，n（%）	降圧薬		75（68）	588（66）	0.570	17（65）	0.990
	スタチン		27（25）	244（27）	0.560	5（19）	0.370
	糖尿病薬		24（22）	209（23）	0.730	6（23）	0.980
	抗凝固薬		20（18）	128（14）	0.270	8（31）	0.019
飲酒，n（%）			45（44）	471（47）	0.560	7（29）	0.081
喫煙，n（%）			44（41）	436（43）	0.620	9（35）	0.380
JCS，n（%）	意識清明		50（35）	647（55）	<0.001	12（35）	0.017
	I桁		72（51）	412（35）		15（44）	
	II桁		14（10）	82（7）		4（12）	
	III桁		6（4）	26（2）		3（9）	
入院時現症	NIHSSスコア，平均±SD		7.9±7.7	6.5±8.2	0.062	10.2±10.0	0.011
	収縮期血圧，平均±SD（mmHg）		164.1±28.9	158.3±28.9	0.049	166.6±26.9	0.110
	拡張期血圧，平均±SD（mmHg）		93.2±19.3	88.3±19.6	0.014	91.3±15.2	0.400
虚血病巣，n（%）	テント下穿通枝		14（24）	87（15）	0.060	2（13）	0.880
	テント下皮質枝		9（15）	58（9）	0.170	3（18）	0.250
	基底核/放線冠		28（48）	223（38）	0.120	3（20）	0.160
	視床		4（7）	51（9）	0.650	1（7）	0.790
	テント上皮質枝		26（45）	310（53）	0.260	11（73）	0.110
病型，n（%）	ラクナ梗塞		30（21）	319（27）	0.110	5（15）	0.100
	アテローム血栓性脳梗塞		54（38）	362（31）	0.090	13（38）	0.370
	心原性脳塞栓症		44（31）	344（30）	0.710	12（35）	0.460
	その他の脳梗塞		18（13）	157（14）	0.800	4（12）	0.780
	BAD		4（44）	37（38）	0.690	1（33）	0.880
急性期治療，n（%）	オザグレル点滴		0	0		0	
	抗血小板薬2剤同時併用		29（42）	204（31）	0.071	5（31）	0.990
	シロスタゾール		0	0		0	
	クロピドグレル・チクロピジン		0	0		0	
	経静脈抗凝固療法	なし	36（40）	340（46）		5（29）	
		未分画ヘパリン	22（24）	182（24）	0.350	6（35）	0.460
		アルガトロバン	32（35）	205（27）	0.350	6（35）	0.460
		その他	1（1）	21（3）		0	
	血管内再開通療法 Penumbra System®		7（64）	31（55）	0.610	1（100）	0.370
	ステントリトリバー		5（45）	36（64）	0.240	0	0.190

危険因子は年齢：75歳以上，既往：心房細動，既往：脂質異常なし，病型：心原性脳塞栓症なし，JCS：「意識障害あり」であった（表4）.

資料の限界

新データベース登録10,205症例のうち，入院後24時間と7日後のNIHSSの項目がデータ欠損（87％）になっているため，

表3 急速進行群の危険因子

	急速進行群（n=142）		
	オッズ比	95％信頼区間	p値
女性	0.61	0.38～0.98	0.039
75歳以上	1.88	1.12～3.15	0.016
入院時NIHSS	0.95	0.91～0.99	0.010
入院時収縮期血圧	1.02	1.01～1.03	0.001
入院時JCS	1.73	1.16～2.57	0.007

表4 進行群の危険因子

	進行群（n=34）		
	オッズ比	95％信頼区間	p値
75歳以上	3.24	1.08～9.67	0.036
既往：心房細動	4.99	1.85～13.52	0.002
既往：脂質異常症	0.30	0.10～0.88	0.029
病型：心原性脳塞栓症	0.32	0.11～0.91	0.034
入院時JCS	1.68	1.04～2.71	0.035

偏りが生じている可能性があり，一部は臨床現場での乖離が生じる可能性がある．

脳梗塞入院後の再発（表5）

対象症例は全脳梗塞症例で，虚血イベントが再発した群（再発群）と，虚血イベント再発がなかった群（非再発群）とを比較し解析した．なお，除外対象は症候性頭蓋内出血群とした．

1. 結果─再発群 vs 非再発群

全脳梗塞92,819症例のうち除外対象48症例を除いた92,771症例で検討した．再発群は3,901症例，4.2％で，非再発群と比べ，男性の割合が高い傾向にあった（61.9％ vs 60.4％，p=0.062）．既往症では，心房細動の割合（27.7％ vs 23.7％，p<0.001）と糖尿病（29.7％ vs 27.9％，p=0.015）は有意に高く，脂質異常は有意に低かった（32.8％ vs 34.4％，p=0.045）．服用薬の割合では，降圧薬は有意に低く（55.2％ vs 80.2％，p<0.001），スタチン（18.3％ vs 9.9％，p<0.001）と抗凝固薬（17.5％ vs 15.3％，p=0.004）は有意に高く，糖尿病薬（22.5％ vs 20.8％，p=0.057）は高い傾向にあった．生活歴では飲酒の割合が有意に高かった（46.8％ vs 41.5％，p<0.001）．入院時現症では，JCSは「意識障害あり」の割合が有意に高く（JCS：意識清明は45.2％ vs 55.4％，p<0.001），このうち意識清明の割合が最も多く（790症例，45.2％），収縮期血圧が有意に高かった（160.9±28.6 mmHg vs 158.6±28.2 mmHg，p<0.001）．臨床スコアでは，$ABCD^2$スコア（4.6±1.4 vs 4.2±1.5，p<0.001）も$CHADS_2$スコア（2.4±1.3 vs 2.1±1.3，p<0.001）も有意に高かった．虚血病巣はテント上皮質枝（75.2％ vs 64.1％，p<0.001）とテント下穿通枝（25.9％ vs 22.3％，p=0.025）の割合が有意に高かった．病型では，ラクナ梗塞の割合は有意に低く（17.7％ vs 29.1％，p<0.001），アテローム血栓性脳梗塞（36.9％ vs 31.5％，p<0.001），心原性脳塞栓症（35.2％ vs 29.1％，p<0.001），BAD（60.5％ vs 19.6％，p<0.001）は有意に高かった．急性期治療では，ワルファリン服用（4.5％ vs 2.9％，p<0.001），抗Xa薬服用（3.7％ vs 0.8％，p<0.001），エダラボン使用（50.7％ vs 44.0％，p<0.001），オザグレル点滴（31.2％ vs 27.6％，p<0.001），血管内治療（0.9％ vs 0.5％，p<0.001），抗血小板薬2剤同時併用（39.7％ vs 33.2％，p=0.043）の割合が有意に高く，抗トロンビン薬点滴（54.4％ vs 58.3％，p<0.001）とアスピリン内服（3.9％ vs 8.3％，p<0.001）は有意に低く，クロピドグレル・チクロピジン内服も低い傾向にあった（3.8％ vs 4.4％，p=0.073）．

ステップワイズ法による解析では，進行に関与する独立した危険因子は性別：男性，現症：収縮期血圧高値，病型：心原性脳塞栓症，病型：アテローム血栓性脳梗塞，急性期治療：オザグレル点滴なし，急性期治療：エダラボンなし，急性期治療：アスピリンなし，急性期治療：シロスタゾールなしであった（表6）．

資料の限界

脳卒中データバンクでは「臨床指標：虚血イベント再発」の登録が本来必須登録であった旧データベースで未登録でも登録可能であったため，「あり」のフラグ以外の欠損症例を「なし」で再登録したデータを使用している．再発率は以前の報告と類似しているため，本資料で解析したが，一部は臨床現場での乖離が生じる可能性がある．

脳卒中入院後の頭蓋内出血（表5）

対象症例は全脳梗塞症例で，症候性頭蓋内出血の群（出血群）と，出血しなかった群（非出血群）とを比較し解析した．なお，除外対象は虚血イベントを再発した群とした．

症候性頭蓋内出血の定義は「NIHSSが4点以上増悪し，その原因と思われる血腫を形成する出血が認められる場合．※再開通療法により生じたSAHは『その他の再開通療法による有害事象』に記載」とした．

1. 結果─出血群 vs 非出血群

全脳梗塞92,819症例のうち除外対象3,901症例を除いた88,918症例で検討した．出血群は48症例，0.054％で，非出血群と比べ，女性の割合が高い傾向（52.1％ vs 39.6％，p=0.078），平均年齢（76.9±10.9 vs 73.0±12.3，p=0.030），75歳以上の割合は有意に高かった（64.6％ vs 49.4％，p=0.035）．服用薬の割合では，降圧薬が有意に低く（54.5％ vs 80.2％，p<0.001），スタチンは有意に高く（21.2％ vs 9.9％，p=0.036），

表5 脳梗塞入院後の再発と症候性頭蓋内出血

			再発：A n=3,901	非再発・非出血：B n=88,877	A vs B p値	出血：C n=48	C vs B p値
女性，n(%)			1,488 (38)	35,227 (40)	0.062	25 (52)	0.078
年齢，平均±SD(歳)			73.0±11.9	73.0±12.3	0.810	76.9±10.9	0.030
年齢：75歳以上，n(%)			1,974 (51)	43,900 (49)	0.140	31 (65)	0.035
既往，n(%)	高血圧		2,754 (71)	59,522 (70)	0.160	30 (63)	0.240
	脂質異常症		1,235 (33)	26,445 (34)	0.045	16 (33)	0.870
	糖尿病		1,142 (30)	23,362 (28)	0.015	15 (31)	0.600
	心房細動		1,050 (28)	19,445 (24)	<0.001	13 (27)	0.580
	頸動脈狭窄症		12 (7)	239 (10)	0.160	0	0.450
服用薬，n(%)	降圧薬		1,282 (55)	47,078 (80)	<0.001	18 (55)	<0.001
	スタチン		426 (18)	5,794 (10)	<0.001	7 (21)	0.036
	糖尿病薬		522 (23)	12,234 (21)	0.057	11 (33)	0.078
	抗凝固薬		407 (18)	8,982 (15)	0.004	7 (21)	0.350
	飲酒，n(%)		1,298 (47)	25,572 (42)	<0.001	16 (41)	0.950
	喫煙，n(%)		1,172 (41)	25,645 (40)	0.450	17 (43)	0.780
JCS，n(%)	意識清明		790 (45)	39,144 (55)	<0.001	12 (25)	<0.001
	I桁		740 (42)	23,176 (33)		22 (46)	
	II桁		172 (10)	5,831 (8)		7 (15)	
	III桁		46 (3)	2,453 (4)		7 (15)	
入院時現症・臨床スコア	NIHSS，平均±SD		7.1±7.9	7.2±8.5	0.240	14.1±11.5	<0.001
	収縮期血圧，平均±SD(mmHg)		160.9±28.6	158.6±28.2	<0.001	159.5±35.8	0.830
	拡張期血圧，平均±SD(mmHg)		87.3±17.4	86.9±17.5	0.170	87.6±21.6	0.790
	ABCD^{2}スコア，平均±SD		4.6±1.4	4.2±1.5	<0.001	−	−
	CHADS$_2$スコア，平均±SD		2.4±1.3	2.1±1.3	<0.001	−	−
	ASPECTS，平均±SD		−	8.6±2.3	−	8.3±2.5	0.760
	DWI-ASPECTSスコア，平均±SD		−	7.7±2.9	−	6.3±4.9	0.250
虚血病巣，n(%)	テント下穿通枝		180 (26)	4,702 (22)	0.025	3 (10)	0.088
	テント下皮質枝		21 (13)	417 (9)	0.085	10 (28)	<0.001
	基底核/放線冠		198 (29)	5,948 (28)	0.870	10 (32)	0.620
	視床		75 (11)	2,072 (10)	0.400	1 (3)	0.220
	テント上皮質枝		522 (75)	13,495 (64)	<0.001	23 (74)	0.240
病型，n(%)	ラクナ梗塞		690 (18)	25,778 (29)	<0.001	3 (6)	<0.001
	アテローム血栓性脳梗塞		1,438 (37)	27,944 (32)	<0.001	13 (27)	0.510
	心原性脳塞栓症		1,371 (35)	25,827 (29)	<0.001	26 (54)	<0.001
	その他の脳梗塞		408 (11)	9,267 (10)	0.960	8 (17)	0.160
	BAD		95 (61)	630 (20)	<0.001	1 (17)	0.860
急性期治療，n(%)	t-PA点滴静注		163 (5)	3,660 (5)	0.540		
	抗トロンビン薬点滴		1,884 (54)	43,277 (58)	<0.001		
	エダラボン		1,757 (51)	32,653 (44)	<0.001		
	オザグレル点滴		1,216 (31)	24,515 (28)	<0.001	0	<0.001
	アスピリン		135 (4)	6,163 (8)	<0.001		
	シロスタゾール		206 (5)	2,048 (2)	<0.001	0	0.290
	クロピドグレル，チクロピジン		147 (4)	3,881 (4)	0.073	0	0.140
	ワルファリン		156 (5)	2,128 (3)	<0.001		
	抗トロンビン，抗Xa薬		127 (4)	588 (1)	<0.001		
	抗血小板薬2剤同時併用		87 (40)	2,015 (33)	0.043	6 (18)	0.068
	血管内治療		31 (0.9)	348 (0.5)	<0.001		
	経静脈抗凝固療法	なし	64 (28)	2,303 (35)	0.012	20 (54)	0.086
		未分画ヘパリン	76 (33)	1,704 (26)		8 (22)	
		アルガトロバン	85 (37)	2,403 (36)		8 (22)	
		その他	4 (2)	275 (4)		1 (2)	
	血管内再開通療法Penumbra System®		6 (35)	186 (51)	0.210	3 (50)	0.960
	ステントリトリバー		11 (65)	223 (61)	0.770	2 (33)	0.170

表6 再発群の危険因子

		再発群（n=3,901）		
		オッズ比	95％信頼区間	p値
男性		1.12	1.00〜1.26	0.047
入院時収縮期血圧		1.00	1.00〜1.01	0.001
病型：心原性脳塞栓症		1.73	1.47〜2.03	0.000
病型：アテローム血栓性脳梗塞		2.09	1.80〜2.41	0.000
急性期治療	オザグレル点滴	0.72	0.63〜0.83	0.000
	エダラボン	0.75	0.67〜0.84	0.000
	アスピリン	0.60	0.47〜0.78	0.000
	シロスタゾール	0.28	0.14〜0.56	0.000

糖尿病薬（33.3％ vs 20.8％，p=0.078）は高い傾向にあった．入院時現症では，JCSは「意識障害あり」の割合が有意に高く（JCS：0は25.0％ vs 55.4％，p<0.001），このうちJCS I桁が最も多く（22症例，45.8％），NIHSS（平均値）は有意に高かった（14.1±11.5 vs 7.2±8.5，p<0.001）．虚血病巣はテント下皮質枝の割合が有意に高く（27.8％ vs 8.8％，p<0.001），テント下穿通枝は低い傾向であった（9.7％ vs 22.3％，p=0.088）．病型では，ラクナ梗塞の割合が有意に低く（6.3％ vs 29.1％，p<0.001），心原性脳塞栓症が有意に高かった（54.2％ vs 29.1％，p<0.001）．急性期治療ではオザグレル点滴の割合が有意に低かった（0.0％ vs 27.6％，p<0.001）．

表7 出血群の危険因子

		出血群（n=48）		
		オッズ比	95％信頼区間	p値
既往服用：降圧薬		0.37	0.18〜0.77	0.008
病型	心原性脳塞栓症	50.61	7.68〜333.68	0.000
	アテローム血栓性脳梗塞	14.5	2.36〜89.02	0.004
	その他の脳梗塞	54.78	9.00〜333.33	0.000
入院時JCS		1.61	1.11〜2.35	0.013

ステップワイズ法による解析では，進行に関与する独立した危険因子は，既往：降圧薬なし，病型：心原性脳塞栓症，病型：アテローム血栓性脳梗塞，病型：その他の脳梗塞，JCS：「意識障害あり」であった（**表7**）．なお，その他の脳梗塞とは「前述2病型とBAD，大動脈原性脳塞栓症，脳静脈血栓症，その他の確定した原因，原因不明」以外の原因とした．

資料の限界

脳卒中データバンクでは「臨床指標：症候性頭蓋内出血」の定義での登録であるため，臨床現場での乖離が生じる可能性がある．

参考文献

- 日本脳卒中学会脳卒中ガイドライン委員会．脳卒中治療ガイドライン2015．協和企画；2015.
- 小林祥泰（編）．脳卒中データバンク2015．中山書店；2015.

18 脳出血部位，血腫量と転帰

宇野昌明

- 近年は 80 歳以上の高齢での発生が増加し，とくに女性では 40 %以上が 80 歳以上の高齢者であった.
- 来院時の意識が清明であれば退院時 mRS 0～2 は 53.7 %であったが，来院時昏睡症例の死亡率は 60.1 %であった.
- 出血部位別にみると脳幹出血の死亡率は 34.4 %で最も高かった．また退院時 mRS 4～5 は視床出血が 50.8 %で最も悪かった.
- 全体では血腫量が 15 mL を超えると予後不良となる．被殻出血では 10 mL 未満，視床出血では 5 mL 未満であれば退院時予後は良好であった.
- 自宅に退院できる症例の平均年齢は若く，高齢になるほど自宅に帰れなかった.

脳出血は脳卒中の新規発生の約 25 %を占め，かつ脳卒中死亡の 30 %を占めている．高血圧の管理により，その発生割合は減少したが，最近ではその割合はほぼ横ばいとなっている．脳梗塞症例と比較して，退院時予後が不良であることは以前から報告されている.

この項では主に脳出血の部位，その血腫量と退院時予後について検討した．対象症例は脳卒中データバンクに蓄積された脳出血症例の 23,108 例である.

発症年齢の年次推移

1998～2018 年の性別ごとの発症年齢の推移を図 1 に示す．全体では男性が 13,215 例，女性が 9,893 例であった．男性の発症平均年齢は 65.6 ± 13.4 歳，女性が 72.0 ± 14.1 歳で，女性が有意に高年齢で発症していた（$p<0.001$）．高齢者（80 歳以上）の占める割合は近年増加し，2018 年では 80 歳以上が占める割合は男性で 23.4 %，女性は 43.6 %であった.

出血部位

対象例を出血部位により分類したところ，被殻 6,582 例（31.1 %），視床 5,936 例（28.1 %），尾状核 295 例（1.4 %），皮質/皮質下 4,541 例（21.5 %），脳幹 1,800 例（8.5 %），小脳 1,825 例（8.6 %），脳室内 161 例（0.8 %）であった（図 2）.

各出血部位別の平均年齢は被殻出血 65.0 ± 13.6 歳，視床出血 70.4 ± 12.2 歳，尾状核出血 66.4 ± 16.1 歳，皮質/皮質下出血 71.7 ± 15.0 歳，脳幹出血 65.1 ± 14.4 歳，小脳出血 71.2 ± 13.3 歳，脳室内出血 64.5 ± 17.5 歳であった．視床出血，皮質/皮質下出血，

図1　発症年齢の年次推移

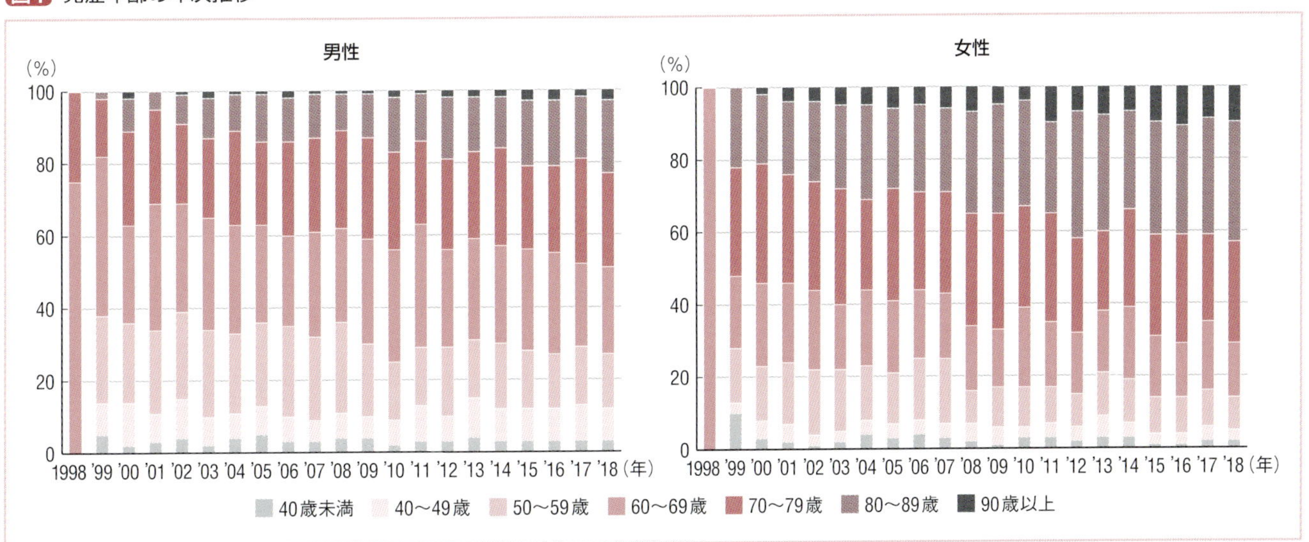

図2 出血部位

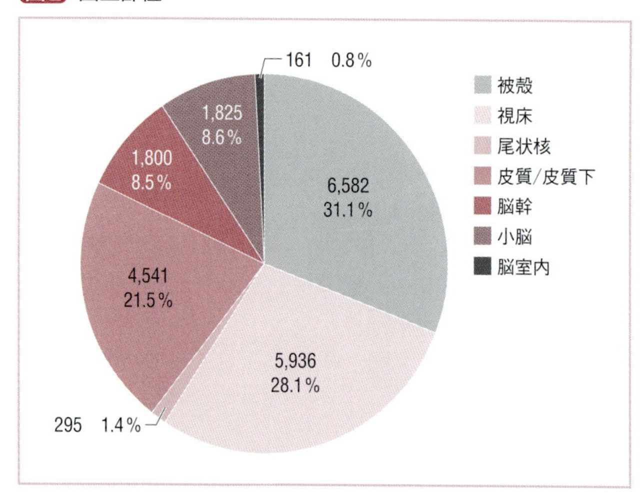

図3 来院時意識レベルと退院時のmRS

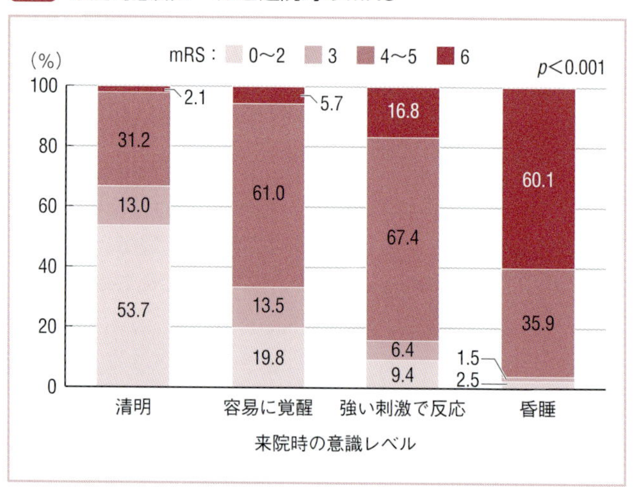

図4 出血部位と退院時mRS

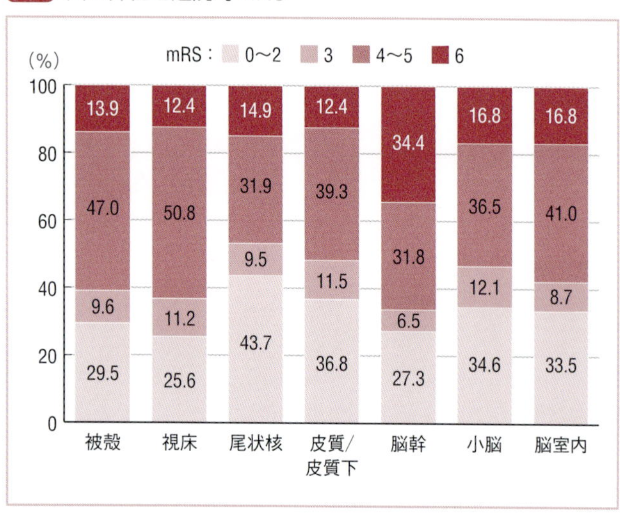

図5 血腫量と退院時予後との関係

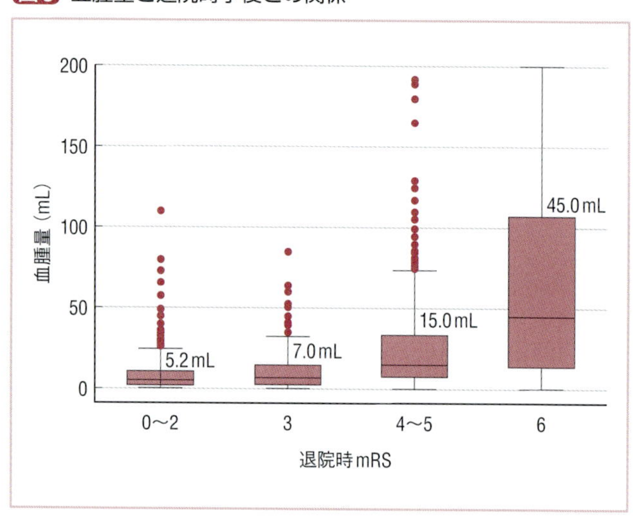

小脳出血の発症年齢が高くなっていたが，有意差はなかった．

来院時意識レベルと退院時 mRS の関係

来院時の意識が清明であれば退院時 mRS 0〜2 は 53.7 %，mRS 4〜5 が 31.2 %，死亡率は 2.1 %であった．逆に意識障害の程度が強くなれば mRS 0〜2 の率は著明に低下し，来院時昏睡であればわずか 2.5 %の症例のみが mRS 0〜2 であった．死亡率も意識障害が重度になれば増加し，来院時昏睡であれば死亡率は 60.1 %になった．以上より来院時の意識障害がその症例の予後を決定する（図3）．

出血部位とその退院時予後

出血部位別の退院時予後を図4 に示す．退院時 mRS が 0〜2 である率は尾状核，皮質/皮質下出血の順で高く，視床，脳幹，被殻出血の順で低い．視床出血は mRS 4〜5 の率が 50.8 %と最も高く，次いで被殻出血，脳室内出血が高くなっている．死亡率は脳幹が 34.4 %と最も高く，他の部位は 12.4 %から 16.8 %と大きくは変わらなかった．

血腫量と転帰

全脳出血の血腫量（中央値）と退院時予後についての関連を図5 に示す．血腫量が多くなれば退院時 mRS は有意に悪化するが，血腫量を出血部位別に検討すると，被殻出血は 10 mL 未満では比較的予後は良いが，10 mL を超えると予後は悪くなり， mRS 4, 5, 6 の血腫量は中央値でそれぞれ 20 mL，40 mL，89.5 mL であった．視床出血では 5 mL を超えると急

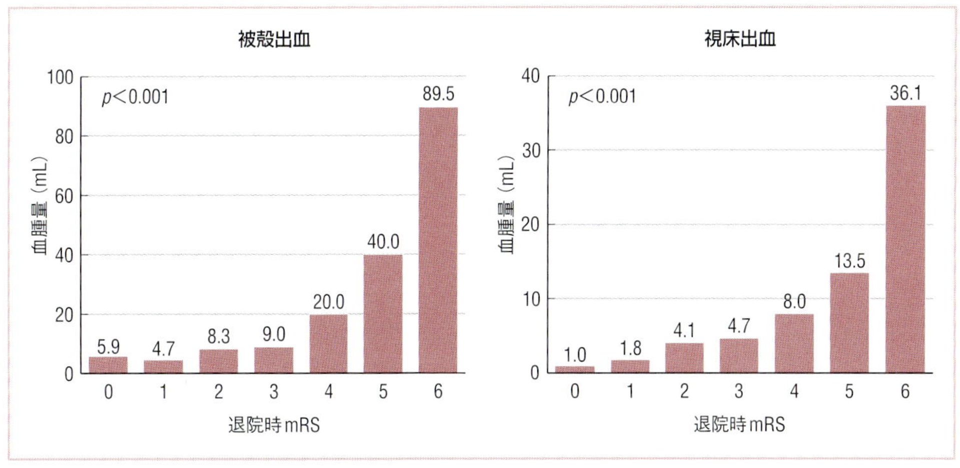

図6 血腫量（中央値）と退院時mRS

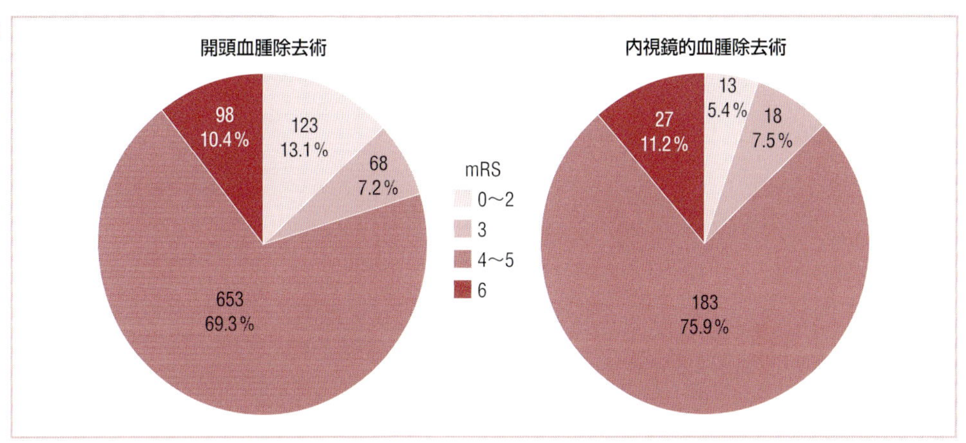

図7 開頭血腫除去術と内視鏡的血腫除去術の退院時mRS

激に悪くなり，退院時 mRS 4, 5, 6 の血腫量は中央値でそれぞれ 8 mL，13.5 mL，36.1 mL であった（図6）．皮質/皮質下出血は 20 mL を超えると予後が不良となり，mRS 4, 5, 6 の血腫量は中央値でそれぞれ 27 mL，49.1 mL，80 mL であった．

外科的治療と予後

外科的治療を受けた 2,151 症例，2,384 手術を検討すると，その内訳は開頭血腫除去術が 960 例（40.3 %），内視鏡的血腫除去が 241 例（10.1 %），定位血腫ドレナージ術 220 例（9.2 %），脳室ドレナージ術 781 例（32.8 %），外減圧術（減圧開頭術）123 例（5.2 %），その他 59 例（2.5 %）が施行されていた．

開頭血腫除去術と内視鏡的血腫除去術を受けた患者の退院時 mRS を図7に示す．退院時の mRS 0～2 の率はそれぞれ 13.1 %と 5.4 %である，mRS 4～5 が 69.3 %と 75.9 %であり，有意差はなかった．死亡率も 10.4 %と 11.2 %で，両手術方法とも有意差はなかった．

手術症例の血腫量と退院時 mRS を出血部位別に検討すると被殻出血は 10 mL 未満では比較的予後は良いが，10 mL を超えると mRS 0～3 は 29.7 %で，30 mL を超えると 90 %以上が予後不良となる．視床出血では 10 mL 未満で mRS 0～3 は 47.5 %であったが，10 mL を超えると急激に予後は悪くなり，退院時 mRS が 0～3 は 10～30 mL で 13.5 %，30 mL から 60 mL で 5.6 %，60 mL 以上になると mRS 0～2 はなく，mRS 3 のみが 7.1 %で，非常に悪くなった（図8）．

退院先

退院時の mRS の年次推移は大きな変化はなく，mRS 0～2 は約 30 %前後，mRS 3 は 10 %前後，mRS 4～5 は 45 %，死亡は 15 %前後で推移している．

退院時 mRS と退院先を検討すると，リハビリテーション施設への退院（転院）が最も多く，次いで自宅退院が多くなっている．リハビリ施設へ退院（転院）した症例の退院時 mRS 0～2 は 17.2 %で，mRS 4～5 が 67.0 %であり，リハビリ施設に退院（転院）時には，2/3 の症例は重度の機能障害を後遺していることがわかる（図9）．

退院先で独居での自宅退院ができた症例の平均年齢は63.5歳，

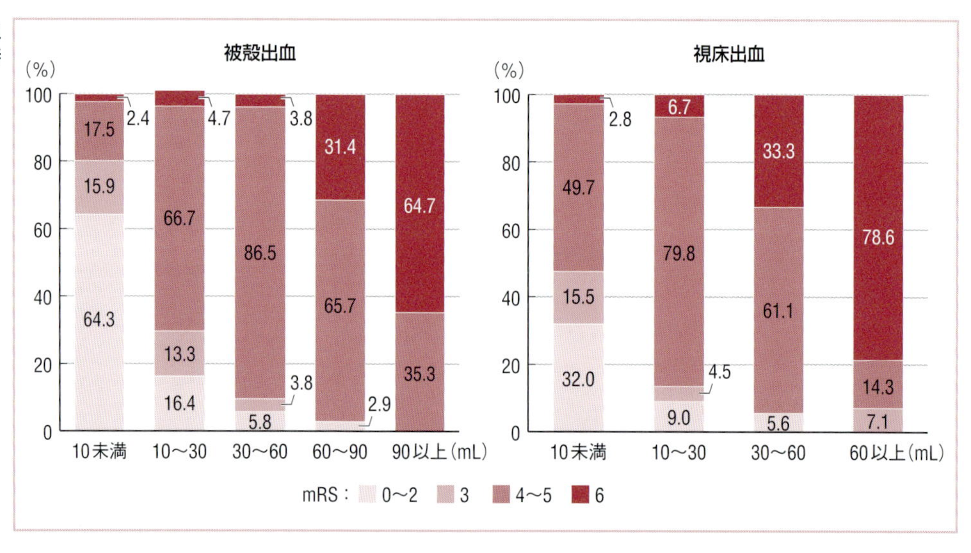

図8 被殻出血手術症例と視床出血手術症例の血腫量と退院時mRS

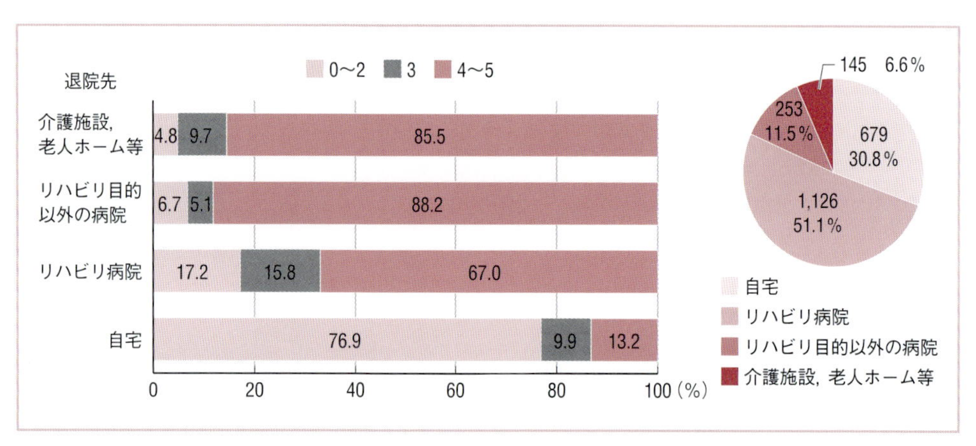

図9 退院時mRSと退院先

家族同居の自宅退院は66.8歳であったが，リハビリ施設へ退院（転院）した症例の平均年齢は69.0歳，リハビリ以外の病院，介護施設等へ退院した症例の平均年齢はそれぞれ76.0歳，81.0歳と高くなっていた．自宅へ退院できない症例は高齢者が多かった．

19 脳出血患者における抗血栓薬内服割合の変遷とその影響

園田和隆

- 脳出血患者における抗血栓薬内服は 15 年間で 11 %から 29 %に増加していた.
- 抗血栓薬内服脳出血患者は非内服患者に比して，高齢で男性が多く，血管リスクをもつ割合が高かった.
- 抗血小板薬内服群，ワルファリン内服群，DOAC 内服群，抗血小板および抗凝固薬併用群に分けて，非内服群と比較すると，いずれも発症時の NIHSS が高値であった.
- 同様の検討で抗血小板薬内服群，ワルファリン内服群，抗血小板および抗凝固薬併用群は非内服群に比して退院時の転帰が悪かった.

背景

かつて，脳出血は高血圧等を背景に日本の死亡原因の主たる要因であり，国民病といわれていたが，食生活の欧米化等を背景に 1970 年代には死亡原因で脳梗塞に準ずるようになった[1]. 一方で，脳梗塞や虚血性心疾患の増加および，これらに対する二次予防の有効性の確立は，抗血栓薬の使用機会を大きく増やすことにつながっている.

脳梗塞に対する再開通治療をはじめとした急性期加療の発達に比して，脳出血において転帰を改善する治療は確立しておらず，むしろ，前述の抗血栓薬による影響が懸念される．脳卒中データバンクに集約した症例を用いて，脳出血患者における抗血栓薬内服実態およびその経時変化を明らかにするとともに，抗血栓薬が脳出血の重症度および転帰に与える影響を検証した.

方法

脳卒中データバンクに 2001 年 1 月から 2015 年 12 月に登録された原則として発症 7 日以内の脳出血患者を対象とした．このうち，年齢，性別，高血圧症，糖尿病，心房細動の有無，発症から来院までの期間，入院時 NIHSS，入院中死亡，発症時の抗血栓薬内服のうち欠損があるものは除外した．抗血栓薬は内服なし，抗血小板薬，ワルファリン，直接作用型経口抗凝固薬（DOAC），抗血小板薬と抗凝固薬（ワルファリン，DOAC いずれも含む）の併用の 5 群に分けた．内服割合の変遷は前述の 4 群の割合を 1 年ごとに集計し，その経年変化を検証した．転帰に与える影響は，全患者を発症前の抗血栓薬に応じて，前述の 5 群に分け，内服なし群を対照に各群で発症時 NIHSS，退院時の転帰不良および死亡（mRS 3～6）および入院中死亡の割合を比較し，多変量解析でその影響を検証した．発症時 NIHSS については Poisson 回帰分析を用い，退院時転帰不良および死亡と入院中死亡についてはロジスティック回帰分析を用いて解析した.

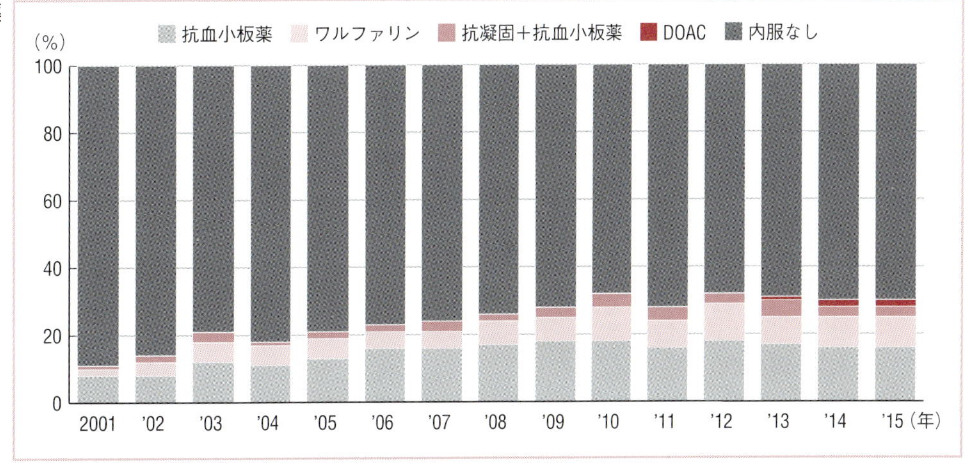

図1 脳出血患者の発症前抗血栓薬内服の経時的変化
DOAC：直接作用型経口抗凝固薬

表1 病前内服別の患者背景

	内服なし (*n*=10,187)	抗血小板薬 (*n*=2,125)	ワルファリン (*n*=994)	DOAC (*n*=40)	抗凝固＋抗血小板薬 (*n*=368)	*p*
年齢，平均（SD）	68.1 (14.8)	73.6 (11.1)	74.0 (9.9)	78.0 (9.3)	73.4 (9.2)	<0.001
女性（%）	4,867 (47.8)	848 (39.9)	378 (38.0)	20 (50.0)	92 (25.0)	<0.001
高血圧症（%）	6,683 (65.6)	1,770 (83.3)	774 (77.9)	29 (72.5)	313 (85.1)	<0.001
糖尿病（%）	1,572 (15.4)	590 (27.8)	215 (21.6)	8 (20.0)	91 (24.7)	<0.001
心房細動（%）	300 (2.9)	173 (8.1)	602 (60.6)	31 (77.5)	200 (54.3)	<0.001
発症前mRS，中央値（IQR）	0 (0〜1)	0 (0〜2)	1 (0〜2)	0 (0〜2)	0 (0〜3)	<0.001
入院時NIHSS，中央値（IQR）	10 (4〜22)	12 (5〜28)	11 (4〜26)	14 (4〜29)	15 (6〜32)	<0.001
在院日数，中央値（IQR）	25 (12〜45)	23 (8〜44)	23 (11〜43)	22 (5〜47)	29 (16〜42)	<0.001
退院時mRS，中央値（IQR）	4 (2〜5)	4 (3〜6)	4 (2〜5)	5 (3〜6)	4 (3〜5)	<0.001

DOAC：直接作用型経口抗凝固薬，SD：標準偏差，IQR：四分位範囲

表2 発症時抗血栓薬内服が重症度に与える影響

	IRR	95％信頼区間		*p*
		下限	上限	
内服なし	reference	−	−	−
抗血小板薬	1.04	1.03	1.06	<0.001
ワルファリン	1.13	1.11	1.15	<0.001
DOAC	1.19	1.10	1.28	<0.001
抗凝固＋抗血小板薬	1.18	1.15	1.21	<0.001

DOAC：直接作用型経口抗凝固薬，IRR：incident rate ratio

表3 発症時抗血栓薬内服が退院時転帰不良および死亡に与える影響

	OR	95％信頼区間		*p*
		下限	上限	
内服なし	reference	−	−	−
抗血小板薬	1.29	1.13	1.49	<0.001
ワルファリン	1.29	1.03	1.62	0.027
DOAC	0.74	0.29	1.95	0.554
抗凝固＋抗血小板薬	1.67	1.19	2.34	0.003

DOAC：直接作用型経口抗凝固薬，OR：オッズ比

表4 発症時抗血栓薬内服が入院中死亡に与える影響

	OR	95％信頼区間		*p*
		下限	上限	
内服なし	reference	−	−	−
抗血小板薬	1.29	1.09	1.51	0.002
ワルファリン	2.06	1.62	2.63	<0.001
DOAC	0.71	0.26	1.98	0.517
抗凝固＋抗血小板薬	2.53	1.82	3.53	<0.001

DOAC：直接作用型経口抗凝固薬，OR：オッズ比

結果

13,714人が対象となり，平均年齢69.5歳，女性45％であった．

1. 脳出血患者の発症前抗血栓薬内服の経時的変化

図1に発症前抗血栓薬内服の経時的変化を示す．抗血栓薬内服の割合は，2001年に11％であったが，経時的に上昇し，2015年には29％となった．最も割合が高かったのは2012年の32％で2010年代は総じて30％前後で推移した．抗血小板薬内服（抗凝固薬との併用も含む）は，2001年の9％から2006年までに18％まで上昇し，以降も同程度で推移した．抗凝固薬（抗血小板薬との合併およびDOACも含む）は2001年の4％から2010年には14％に上昇し，以降も同程度で推移した．抗血小板薬と抗凝固薬の併用は2001年は1％であったが，増加傾向で2013年は5％となり，2015年は3％であった．DOAC内服は2011年に0.1％認め，2015年には2％まで上昇していた．

2. 抗血栓薬内服が脳出血の重症度および転帰に与える影響

表1に検討した脳出血患者の背景を示す．全体で抗血栓薬内服中の患者はより高齢で男性が多く，高血圧，糖尿病罹患の割合が高かった．また，発症前のmRSについても抗血栓薬内服中患者で高い傾向であった．

発症時重症度については，年齢，性別，高血圧の有無，糖尿病の有無，心房細動の有無で調整した結果，いずれの群も非内服群に比して有意に発症時NIHSSが高値であった（**表2**，**図2A**）．退院時転帰不良および死亡の割合については，年齢，性別，高血圧の有無，糖尿病の有無，心房細動の有無，入院時NIHSS，入院日数で調整した結果，抗血小板薬内服群，ワルファリン内服群および抗血小板，抗凝固薬併用群は有意に多い結果であり（**表3**，**図2B**），入院中死亡についても，同様の結果であった（**表4**，**図2C**）．

図2 発症時抗血栓薬内服が脳出血の重症度と転帰に与える影響

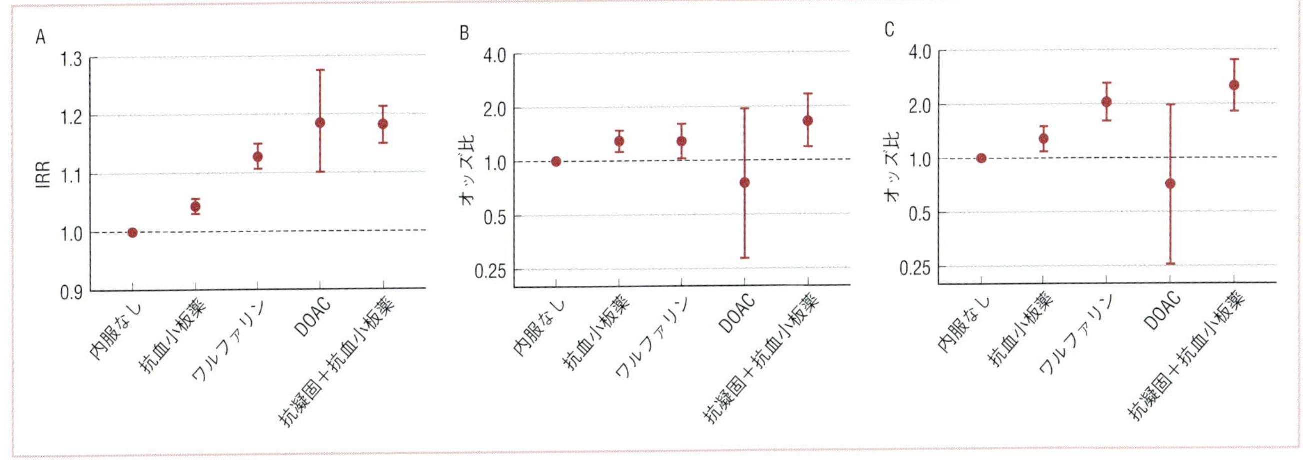

A：内服なし群に比した各群の発症時NIHSSの多変量解析結果．NIHSSの差はIRRで検討した．
B：同様に各群での転帰不良および死亡の割合の多変量解析結果．割合はオッズ比で検討した．
C：同様に各群での入院中死亡の割合の多変量解析結果．割合はオッズ比で検討した．

考察

本検討では，脳出血患者の背景として，抗血栓薬の内服割合が経年的に増加していることが明らかとなった．抗血小板薬は15年間で約2倍に増加しているが，抗凝固薬は同期間で3倍以上の増加を認めている．これは，高齢化などを背景に心房細動の有病率が上昇していることが要因と考えられる[2]．また，2015年時点で全体の30％程度が抗血栓薬関連の脳出血であるという点は，先進国において脳出血の1/3程度が抗血栓薬関連であるという報告とも合致する[3]．

抗血栓薬が脳出血に与える影響としては，いずれの抗血栓薬も発症時の重症度を悪化させる結果であった．またDOAC以外の抗血栓薬は，転帰も増悪させた．重症度に与える影響については明確ではないが，転帰に与える影響については既報とも一致する[4]．DOACが転帰に与える影響については，本検討では同薬剤を使用した症例数が少なく，今後さらなる症例の蓄積が求められる．

文献

1）Statistics and information department, ministry of health, labour and welfare. Vital statistics of Japan, 1951-2017.
2）Schnabel RB, et al. 50 year trends in atrial fibrillation prevalence, incidence, risk factors, and mortality in the Framingham Heart Study: A cohort study. Lancet 2015; 386: 154-62.
3）Béjot Y, et al. Intracerebral haemorrhage profiles are changing: Results from the Dijon population-based study. Brain 2013; 136: 658-64.
4）Toyoda K, et al. Antithrombotic therapy influences location, enlargement, and mortality from intracerebral hemorrhage. The Bleeding with Antithrombotic Therapy（BAT）Retrospective Study. Cerebrovasc Dis 2009; 27: 151-9.

20 脳出血の外科治療

大仲佳祐，溝上達也，若林伸一

- 高血圧性脳出血の手術加療における背景因子の特徴として，血腫量が多く重症例であること，また出血部位として被殻・皮質下・小脳があげられた.
- 内視鏡下血腫除去術は，開頭血腫除去術と比較して血腫量には影響されず，視床出血でより多く施行される傾向があった.
- 手術加療群は保存的加療群と比し転帰不良例が多い結果であったが，JCS が 2 桁の小脳出血，JCS が 3 桁の重症例に対しては手術加療の有効性が示された.

2000 年から 2018 年の期間に日本脳卒中データバンク（JSDB）に登録された急性期脳出血症例は 33,178 例（男性 19,062 例，女性 14,116 例）であり，前回の解析から 6 年間で 15,000 例以上登録されている．本項では，解析データの記載がある高血圧性脳出血（32,113 例）を対象とし，保存的加療を行った群と手術加療を行った群の背景因子を比較検討した．また，入院時の JSS の記載のある症例（21,959 例）を対象に，重症度分布と予後，重症度・病変・治療法別 JSS の改善値について比較し，手術加療の臨床的意義や，近年増加してきている内視鏡下血腫除去術の特徴について述べる.

高血圧性脳内出血における保存群，手術群の背景因子の比較

保存的加療群（以下，保存群 28,749 例〈89.5 %〉），手術加療群（以下，手術群 3,364 例〈10.5 %〉）に関して，背景因子として，年齢，性別，脳出血の危険因子（脳血管障害の既往，糖尿病，脂質異常，腎機能障害，心房細動，飲酒歴，喫煙歴，抗血小板薬内服，抗凝固薬内服），入院時 NIHSS，血腫量，出血部位（被殻，視床，尾状核，皮質下，脳幹，小脳，脳室内），水頭症，脳室内穿破を比較した．ロジスティック回帰分析の結果において，脳血管障害の既往，来院時 NIHSS，血腫量，出血部位（被殻，皮質下，小脳）に有意差を認めた（表 1）．入院時 NIHSS，血腫量，被殻・皮質下・小脳出血例の割合は手術群で有意に多かった．保存群では脳血管障害の既往のある症例が有意に多かった.

手術加療群での手術方法別の頻度

登録されている術式は多岐にわたるが，開頭血腫除去術，穿頭血腫除去術（定位的脳内血腫除去術を含む），内視鏡下血腫除去術，脳室ドレナージに大別された．それぞれ登録された数は，開頭血腫除去術 1,181 例（43.1 %），穿頭血腫除去術 310 例（11.3 %），内視鏡下血腫除去術 254 例（9.3 %），脳室ドレナージ 998 例（36.4 %）であった.

表 1　保存群と手術群の背景因子の比較

	オッズ比	95 %信頼区間	p値
性別（男性）	1.11	0.92〜1.35	0.267
脳血管障害の既往	0.73	0.60〜0.88	0.001
糖尿病の既往	1.09	0.89〜1.34	0.404
脂質異常の既往	1.07	0.88〜1.31	0.494
腎機能障害の既往	0.86	0.66〜1.13	0.276
心房細動の既往	1.02	0.74〜1.39	0.923
飲酒歴	1.07	1.01〜1.12	0.642
喫煙歴	1.02	0.93〜1.13	0.642
入院前薬　抗血小板薬	1.09	0.89〜1.34	0.412
入院前薬　抗凝固薬	1.09	0.81〜1.47	0.585
入院時 NIHSS	1.05	1.04〜1.06	<0.001
血腫量	1.01	1.01〜1.02	0.001
被殻	3.56	2.65〜4.77	<0.001
視床	1.35	0.99〜1.83	0.06
テント上脳葉　皮質・皮質下	2.50	1.80〜3.47	<0.001
小脳	4.95	3.49〜7.03	0.014

保存群に対する手術群のオッズ比を示している（ロジスティック回帰分析）.

開頭血腫除去術と内視鏡下血腫除去術の背景因子の比較

内視鏡下血腫除去術の特徴を調べるため，開頭血腫除去術（1,181 例）と内視鏡下血腫除去術（254 例）に対し先の背景因子を同様に比較した．ロジスティック回帰分析では，被殻・皮質下・小脳出血では有意に開頭血腫除去術が多く，逆に視床出血では内視鏡下血腫除去術が多くなる傾向があった．その他の因子には両群間に有意差は認めなかった（表 2）.

高血圧性脳出血の重症度分布と予後の比較

高血圧性脳出血の保存群と手術群における入院時の重症度分布に関して，入院時のJSSの記載のある症例21,959例を対象に，保存群19,471例と手術群2,488例における入院時JSSのヒストグラムを示す（図1，2）．保存群ではJSS 0～2の軽症例とJSS 28の最重症例に二相性のピークが認められ，JSS 8～9以下が50％を占めていた．一方，手術群ではJSS 16前後の中等症～重症に症例が集中していた．

保存群と手術群の予後比較として，退院時のmRSの記載がある31,383例（保存群28,084例，手術群3,299例）を対象に解析した．mRS 0～2の予後良好例は手術群で9.2％，保存群で34.1％であった．手術群ではmRS 4～5の予後不良例が70.1％と過半数を占め，mRS 6の死亡例は13.0％と保存群の14.8％より若干少なかったが，機能的予後に関しては手術加療を行っても難しい現状であった（図3）．

これらの結果は，前回の解析時（2015年）と変わらない傾向であった[1]．

表2 開頭血腫除去術と内視鏡下血腫除去術の背景因子の比較

	オッズ比	95％信頼区間	p値
性別（男性）	1.29	0.63～2.65	0.488
脳血管障害の既往	0.54	0.25～1.19	0.125
糖尿病の既往	1.15	0.55～2.39	0.708
脂質異常の既往	1.59	0.76～3.31	0.215
腎機能障害の既往	1.63	0.67～3.95	0.277
心房細動の既往	0.33	0.09～1.20	0.092
飲酒歴	0.89	0.73～1.08	0.228
喫煙歴	1.22	0.87～1.72	0.248
入院前薬　抗血小板薬	0.75	0.35～1.61	0.454
入院前薬　抗凝固薬	2.24	0.73～6.88	0.159
入院時NIHSS	0.99	0.96～1.02	0.514
被殻	0.19	0.05～0.78	0.021
視床	3.43	0.85～13.93	0.085
テント上脳葉　皮質・皮質下	0.22	0.05～0.92	0.038
小脳	0.17	0.04～0.84	0.03

開頭血腫除去術に対する内視鏡下血腫除去術のオッズ比を示している（ロジスティック回帰分析）．

重症度・病変・治療法別JSSの改善値

JSS変化の解析が可能であった内視鏡下血腫除去術は2009年の解析時は20例であり，2015年の解析時は50例，今回は254例であった．2014年4月に内視鏡下脳内血腫除去術が保険収載され，その実施件数は増加傾向にあるものの，JSDBの参加施設においてはそこまで広く普及はしていない結果であった．

被殻出血（5,171例），皮質下出血（3,555例），視床出血（5,227例），小脳出血（1,341例）を対象とし，重症度別に治療法（開頭血腫除去術，穿頭血腫除去術，内視鏡下血腫除去術，脳室ドレナージ，保存群）ごとに入院時と退院時のJSSの記載がある症例について変化を比較検討した（表3）．JCS 300の最重症

図1 保存群の入院時JSS分布

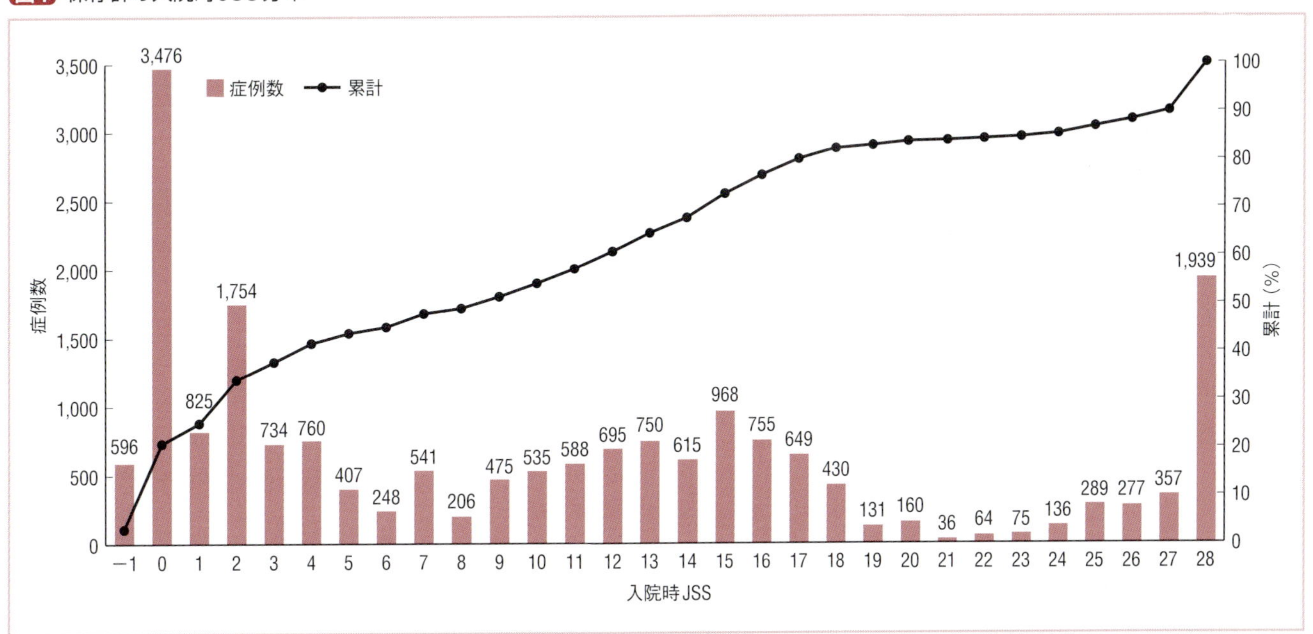

図2 手術群の入院時JSS分布

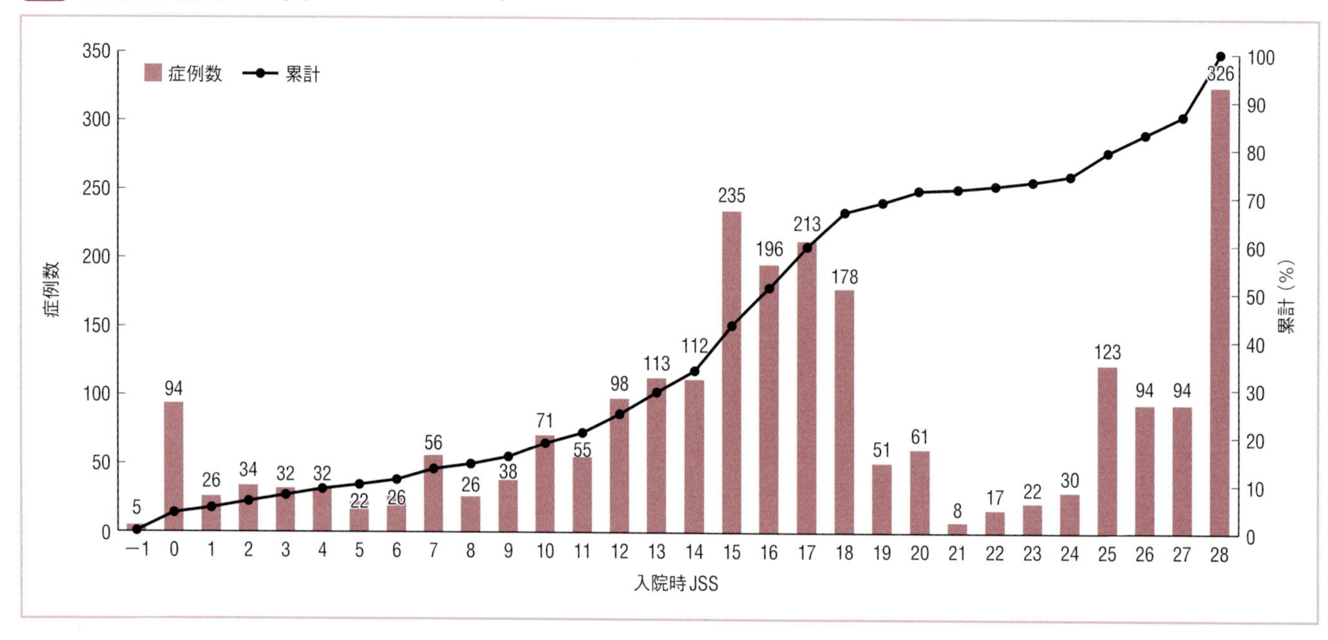

図3 手術群と保存群の退院時mRS

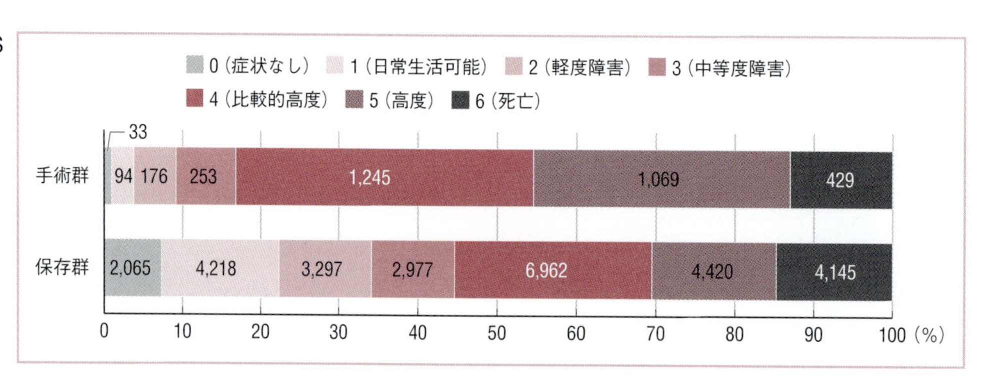

例は対象から除外した．被殻出血では，入院時 JCS 100〜200 の重症例で，保存群に対して開頭血腫除去術，穿頭血腫除去術の JSS の改善度が有意に高かった．皮質下出血でも，JCS 100〜200 の重症例で保存群と比較して開頭血腫除去術の JSS の改善度が有意に高かった．視床出血では，JCS 1 桁，2 桁の症例において保存群と比較して脳室ドレナージ群の JSS の改善度が有意に低かった．JCS 100〜200 の重症例では，保存群と比較して脳室ドレナージ群で JSS の改善度が有意に高かった．小脳出血では，JCS 2 桁，JCS 200〜300 という中等症以上の症例で，保存群に対して開頭血腫除去術で JSS の改善度が有意に高かった．

考察

保存群と手術群の比較において脳血管障害の既往が少なかったことに関しては，もともとの状態（mRS）が悪く手術適応となりにくいことなどが考えられる．

近年，内視鏡下血腫除去術の施行例が増加しつつあり，比較的高齢の患者や，脳室内出血や視床出血など，深部出血症例であっても低侵襲に手術が行えるようになってきている．今回の検討では，視床出血で内視鏡下血腫除去が多い傾向がみられた．逆に，脳表に近い皮質下出血，小脳出血，被殻出血ではそのメリットが少ないためか開頭血腫除去術が選択されていた．

高血圧性脳出血に対する手術加療の効果は限定的であり，STICH study[1]では手術による機能予後改善の効果は否定された．『脳卒中治療ガイドライン 2015』[2]でも，その適応は限られたものになっている．今回の解析では，重症例に対する手術加療は保存的加療に比べ JSS の改善が良かった．意識レベルの良い症例では JSS 改善効果は低く，重症例で効果が高いという実臨床での感覚に近い結果といえる．視床出血の重症例では脳室ドレナージで有意な JSS 改善が得られており，急性水頭

表3 重症度・病変・治療法別JSSの改善値

		JCS 1桁	*n*	JCS 2桁	*n*	JCS 100〜200	*n*
被殻	開頭術	1.76±8.35	93	4.26±6.60	148	5.46±7.98	136
	穿頭術	3.80±4.34	54	5.76±7.53	41	5±5.57	15
	保存的	2.43±5.37	3,230	4.93±7.40	905	0.78±5.46	518
	内視鏡	2.5±6.37	8	4.14±6.40	14	3±7.21	9
皮質下	開頭術	1.98±7.57	101	3.64±8.69	95	6.31±9.69	54
	穿頭術	0.7±8.65	20	3.5±5.32	6	−3±4.24	2
	保存的	0.96±5.93	2,414	1.86±7.88	506	2.68±8.32	348
	内視鏡	6.33±4.62	3	−4±5	3	7±6.56	3
視床	穿頭術	2±1.41	2	3.5±7	4	6.17±6.21	6
	ドレナージ	−3.5±10.84	68	1.10±8.83	101	4.73±8.29	149
	保存的	1.78±5.26	3,513	3.57±7.21	872	1.36±6.42	506
	内視鏡	8.5±0.71	2	−8±11.31	2	−6.5±9.19	2
小脳	開頭術	1.30±10.56	27	6.26±7.45	38	9.55±9.97	29
	ドレナージ	1.76±7.00	38	4±9.14	37	6.7±10.09	20
	保存的	0.90±4.48	864	2.66±8.39	179	1.77±7.88	108
	内視鏡	3	1		0		0

＊：$p<0.05$．数値はJSS改善値の平均±標準偏差．

症の関与が推察される．一方，軽症，中等症例では，ドレナージによる有効なJSSの改善は得られておらず，適応は慎重に検討する必要があると思われる．

手術群では重症例が多い傾向にあることから，手術加療を行ってもmRS 4〜5の例が多いが，一定の救命効果はあるものと考えられる．内視鏡下血腫除去術の機能予後改善に関しては，今回の解析では症例が少なく有意差は認められなかった．脳室内穿破を伴う視床出血の重症例などは内視鏡下血腫除去術の良い適応となる可能性があり，今後の解析が待ち望まれる．

文献

1) Mendelow AD, et al. Early surgery versus initial conservative treatment in patients with spontaneous supratentorial intracerebral haematomas in the International Surgical Trial in Intracerebral Haemorrhage (STICH): A randomized trial. Lancet 2005; 365: 387-97.
2) 日本脳卒中学会 脳卒中ガイドライン2015委員会（編）．脳卒中治療ガイドライン2015．協和企画：2019．pp.155-9.

参考文献

- 貞廣浩和ほか．脳出血重症度別頻度・手術加療頻度・手術加療群と保存的加療群の予後比較．小林祥泰（編）．脳卒中データバンク2015．中山書店；2015．pp.136-7.

21 脳血管攣縮の頻度と転帰

玉井雄大，井上雅人，原　徹男

- 発症3日以内のくも膜下出血のうち，根治術が施行された症例で脳血管攣縮の頻度は37.2％であった．
- 開頭術群と血管内治療群では，血管内治療群で脳血管攣縮の頻度が低かった．
- 脳血管攣縮の合併は，開頭術群において神経学的重症度，出血量，動脈瘤の部位と，血管内治療群において神経学的重症度，急性水頭症と相関を認めた．
- 脳血管攣縮の合併は転帰不良と相関していた．

くも膜下出血（SAH）における脳血管攣縮（CVS）は，SAHの予後に大きく影響する，いまだに確立された治療方法のない合併症であり，SAHの治療上重要な病態である．前版の『脳卒中データバンク2015』では，脳動脈瘤破裂によるSAHにおいて画像上のCVSの頻度は全体で28.3％と報告されている[1]．

今回の検討では発症3日以内の脳動脈瘤破裂によるSAHのうち，開頭術あるいは血管内治療にて根治術が行われた症例で画像上のCVSの合併の有無について記載があったものを対象とした．CVSの頻度については開頭術群と血管内治療群に分け，それぞれの群内において各項目（年齢，神経学的重症度，Fisher分類，動脈瘤の部位，急性水頭症の合併の有無，退院時mRS）との関連について検討を行った．解析はχ^2検定を用いて$p<0.05$を有意差ありとした．

発症3日以内のSAHのうち根治術が施行された症例でCVSの合併の有無について記載があったものは1,168例（開頭術群715症例，血管内治療群419症例，両方34例）であった．

図1 脳血管攣縮の頻度

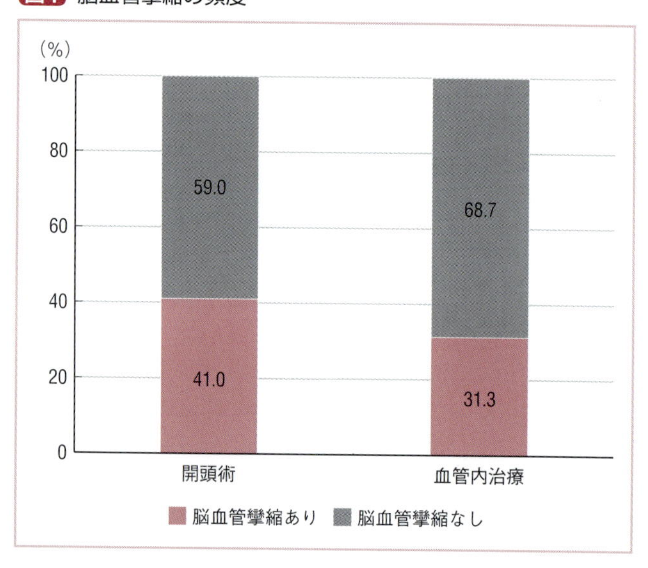

図2 年齢と脳血管攣縮

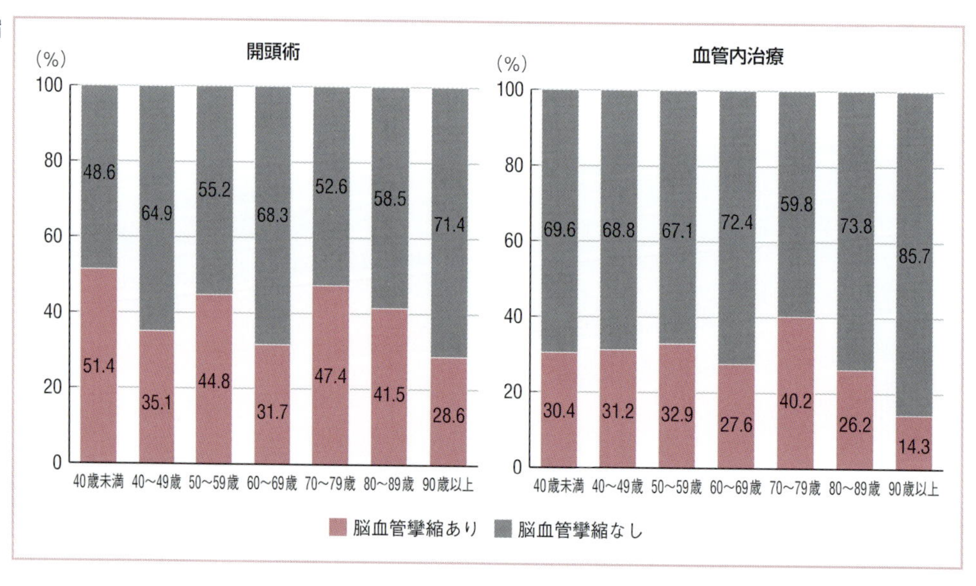

脳血管攣縮の頻度

対象患者1,168例のうちCVSを認めた症例は434例（37.2 %）であった．各群とCVSの関係を図1に示す．開頭術群におけるCVSの頻度は41.0 %，血管内治療群におけるCVSの頻度は31.3 %であり，血管内治療群において有意に低かった（p<0.05，χ^2検定）．

年齢と脳血管攣縮

各群における年齢とCVSの関係を図2に示す．開頭術群，血管内治療群ともに年齢とCVSの頻度について有意差を認めなかった．

神経学的重症度と脳血管攣縮

各群における神経学的重症度（WFNSグレード）とCVSの関係を図3に示す．WFNSグレードI～IIIを軽症IV～Vを重症と定義すると，開頭術群におけるCVSの頻度は軽症で36.3 %，重症で48.1 %であり，重症において有意に高かった（p<0.05，χ^2検定）．血管内治療群におけるCVSの頻度は軽症で28.6 %，重症で35.1 %であり，重症で多い傾向にあったが有意差は認めなかった（p=0.15，χ^2検定）．

Fisher分類と脳血管攣縮

各群におけるFisher分類とCVSの関係を図4に示す．開頭術群におけるCVSの頻度はFisherグループ3では41.4 %であり，有意に高かった（p<0.05，χ^2検定）．血管内治療群におけるCVSの頻度はFisher分類にて有意差を認めなかった．

水頭症と脳血管攣縮

各群における急性水頭症とCVSの関係を図5に示す．開頭術群におけるCVSの頻度は急性水頭症の有無による有意差を認めなかった．血管内治療群におけるCVSの頻度は急性水頭症を併発なしで21.1 %，併発ありで40.0 %であり，併発なしにおいて有意に低かった（p<0.05，χ^2検定）．

動脈瘤の部位と脳血管攣縮

各群における動脈瘤の部位とCVSの関係を図6に示す．開

図3　神経学的重症度と脳血管攣縮

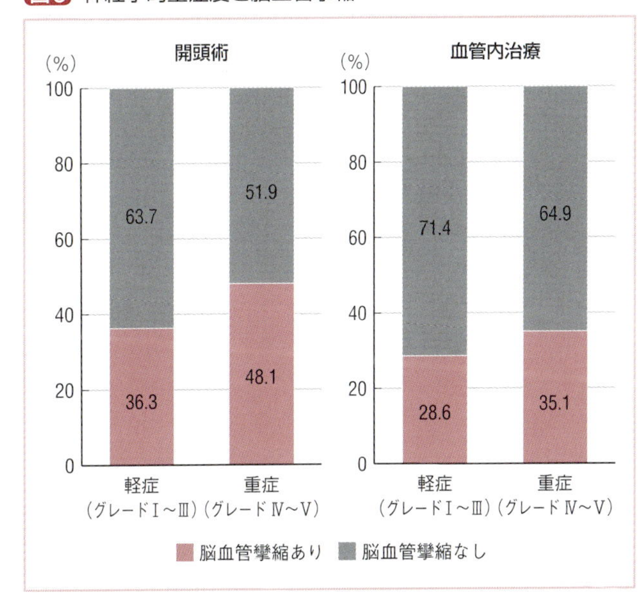

図4　Fisher分類と脳血管攣縮

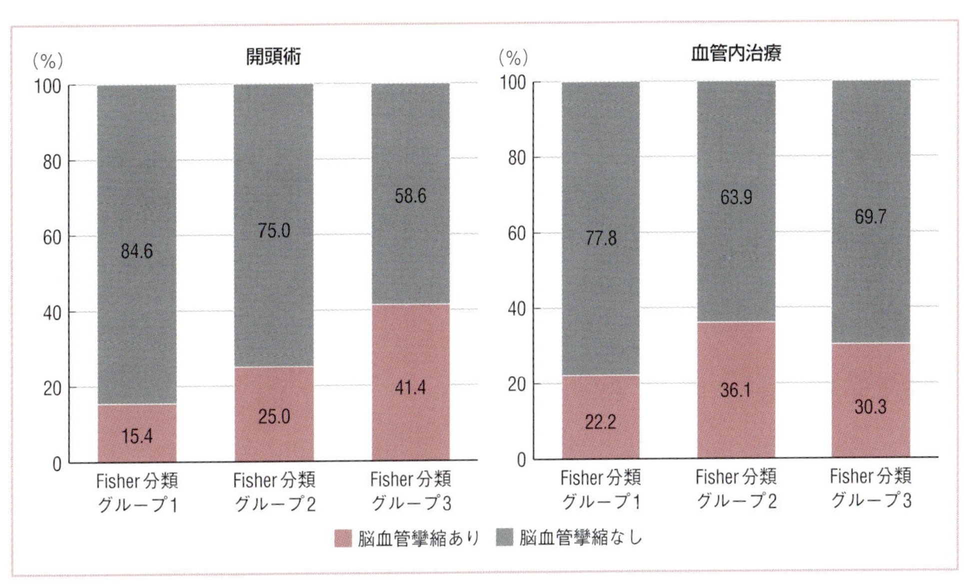

図5 急性水頭症と脳血管攣縮

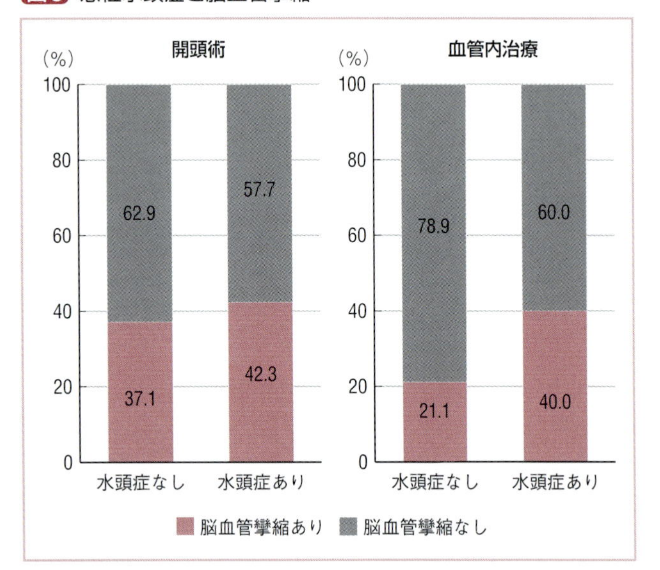

図7 脳血管攣縮と転帰

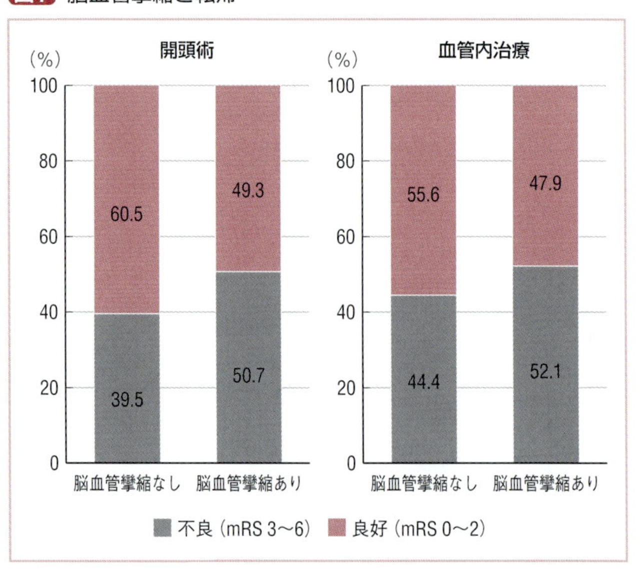

図6 動脈瘤の部位と脳血管攣縮

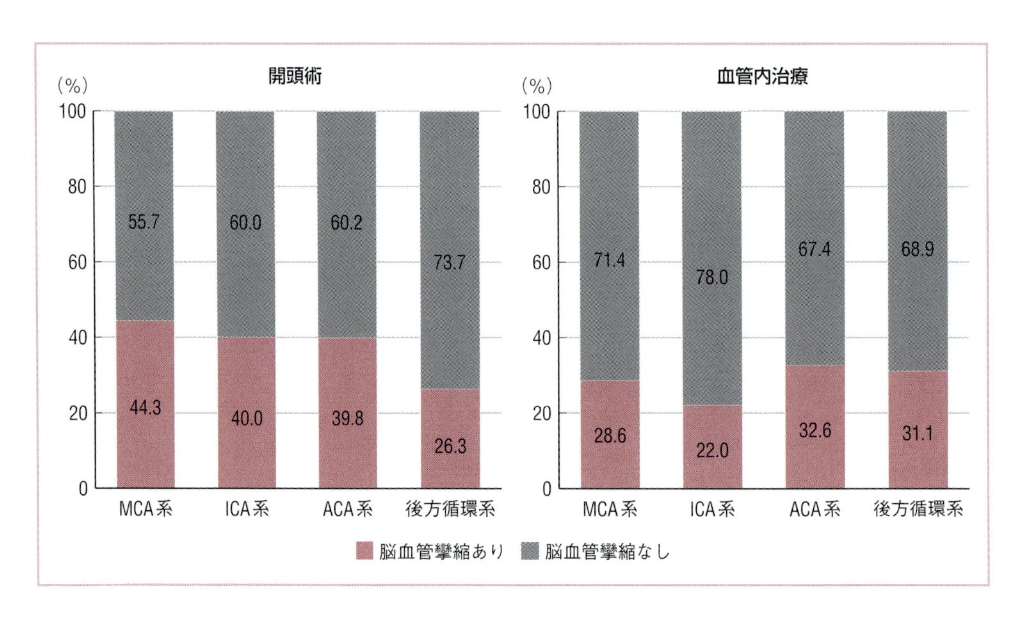

頭術群におけるCVSの頻度は有意差はないもののMCA系で44.3 %とやや高く，後方循環系で26.3 %と低い傾向にあった（$p=0.16$, 0.06, χ^2検定）．血管内治療群におけるCVSの頻度は有意差はないもののICA系で22 %とやや低い傾向にあった（$p=0.18$, χ^2検定）．

脳血管攣縮と転帰

各群におけるCVSと転帰の関係を図7に示す．mRS 0〜2を転帰良好，3〜6を不良と定義すると，開頭術群における転帰不良はCVSなしで39.5 %，CVSありで50.7 %であり，CVSありで有意に不良であった（$p<0.05$, χ^2検定）．血管内治療群における転帰不良はCVSなしで44.4 %，CVSありで52.1 %であり，有意差はないもののCVSありで不良の傾向にあった（$p=0.13$, χ^2検定）．

考察

発症3日以内のSAHのうち根治術が施行された症例でCVSの頻度は37.2 %であり，開頭術群と血管内治療群では，血管内治療群でCVSの頻度が有意に低かった．これまでさまざまな報告があるが，最近のCochraneのレビューでは差はわずかであるが血管内治療群で低いというメタ解析の結果が出ている[2]．開頭術群においてはWFNSグレードIV，Vの重症例や

Fisher グループ3と血腫量が多い症例ではCVSの頻度が有意に高く，一方で動脈瘤の部位が後方循環系の症例ではCVSの頻度は低い傾向にあった．血管内治療群においてはWFNSグレードIV，Vの重症例ではCVSの頻度が高い傾向にあり，反対に急性水頭症を併発していない症例ではCVSの頻度は有意に低かった．CVSの危険因子についてはWFNSグレードIV，VやFisherグループ3とする報告があるが[3]，本検討では開頭術群で同様の傾向にあった．転帰についてはCVSの合併は転帰不良因子であるとされており[4]，本検討においてもとくに開頭術群において有意に転帰不良に関係していた．

◉ 文献

1) 熊切　敦ほか．脳血管攣縮の頻度と予後．小林祥泰（編）．脳卒中データバンク2015．中山書店；2015．pp.162-5.
2) Lindgren A, et al. Endovascular coiling versus neurosurgical clipping for people with aneurysmal subarachnoid hemorrhage. Cochrane Database Syst Rev 2018; 8: CD003085.
3) Crobeddu E, et al. Predicting the lack of development of delayed cerebral ischemia after aneurysmal subarachnoid hemorrhage. Stroke 2012; 43: 697-701.
4) AlMatter M, et al. Results of interdisciplinary management of 693 patients with aneurysmal subarachnoid hemorrhage: Clinical outcome and relevant prognostic factors. Clin Neurol Neurosurg 2018; 167: 106-11.

脳卒中と栄養管理
―病型，来院時NIHSSと栄養摂取経路，嚥下評価，栄養サポートチーム評価日，言語聴覚士介入日―

片山正輝，小泉健三，菅　貞郎

- 脳卒中患者の退院時栄養摂取状況は，経口摂取 85.0 %，経管栄養 12.6 %，入院 7 日目の栄養摂取状況は経口摂取 83.7 %，経管栄養 14.5 %で，退院時とおおむね同様であった．
- 入院後の食事開始日は，脳卒中全体では平均2.1日・中央値1日，脳梗塞平均1.7日・中央値1日，脳出血平均2.8日・中央値 1 日，言語聴覚士介入日は，脳卒中全体では平均 2.4 日・中央値 1 日，脳梗塞平均 2.1 日・中央値 1 日，脳出血平均 2.7 日・中央値 1 日と比較的早いが，栄養サポートチーム評価日は，脳卒中全体では平均 9.6 日・中央値 7 日，脳梗塞で平均 8.7 日・中央値 6 日，脳出血で平均 11.9 日・中央値 7 日と入院日から期間があった．
- 各病型に対する栄養摂取経路情報の登録は，旧 DB では脳梗塞 13.8 %，脳出血 15.9 %，くも膜下出血 13.0 %であったが，新 DB では脳梗塞 34.8 %，脳出血 34.1 %，くも膜下出血 35.3 %であり，栄養管理に関する登録は経時的に増加していた．

目的

脳卒中患者の栄養管理（栄養摂取経路，食事開始日，栄養サポートチーム〈以下 NST〉評価日，言語聴覚士〈以下 ST〉介入日，嚥下評価の有無）について，解析を行う．

対象と方法

脳卒中データバンクに登録された 184,627 例（2016 年途中までの旧登録方式によるもの〈以下，旧 DB〉157,974 例，2016 年途中からの新登録方式によるもの〈以下，新 DB〉26,653 例）のうち，脳梗塞 139,928 例（旧 DB 119,817 例，新 DB 20,111 例），脳出血 33,458 例（旧 DB 28,094 例，新 DB 5,364 例），くも膜下出血 11,241 例（旧 DB 10,063 例，新 DB 1,178 例）について，旧 DB では退院時の栄養摂取経路，新 DB では入院 7 日目の栄養摂取経路，来院時 NIHSS を調査した．新 DB では，食事開始日，NST による評価日，ST の介入日，嚥下評価の有無も調査した．くも膜下出血では，WFNS グレードと入院 7 日目の栄養摂取経路を解析した．

結果

栄養摂取経路が登録された脳卒中患者の病型は，脳梗塞 旧 DB 74.1 %，新 DB 75.7 %，脳出血 旧 DB 20.0 %，新 DB 19.8 %，くも膜下出血は旧 DB 5.9 %，新 DB 4.5 %であった．旧 DB では全症例の 14.1 %，新 DB では全症例の 34.7 %について栄養摂取状況が判明した．退院時の栄養摂取状況（旧 DB）は，経口摂取 85.0 %，経管栄養 12.6 %，静脈栄養 2.4 %，入院 7 日目の栄養摂取状況（新 DB）は，経口摂取 83.7 %，経管栄養 14.5 %，静脈栄養 3.8 %であった（表 1）．

新 DB では，食事開始日，NST 評価日，ST 介入日，嚥下評価の有無について調査が追加された．入院後の食事開始日は，

表1 脳卒中患者の病型別栄養摂取経路（退院時および入院7日目）

項目	退院時の栄養摂取（旧DB）				入院7日目の栄養摂取状況（新DB）			
n（全脳卒中）	157,974				26,653			
n（栄養摂取経路情報あり）	22,297（14.1 %）[*1]				9,250（34.7 %）[*2]			
n（病型別）		脳梗塞 16,528（74.1 %）	脳出血 4,458（20.0 %）	くも膜下出血 1,311（5.9 %）		脳梗塞 7,003（75.7 %）	脳出血 1,831（19.8 %）	くも膜下出血 416（4.5 %）
経口摂取あり	18,957（85.0 %）	14,545（88.0 %）	3,395（76.2 %）	1,017（77.6 %）	7,739（83.7 %）	6,167（88.1 %）	1,310（71.6 %）	262（63.0 %）
経管栄養あり	2,813（12.6 %）	1,717（10.4 %）	875（19.6 %）	221（16.9 %）	1,344（14.5 %）	728（10.4 %）	482（26.3 %）	134（32.2 %）
静脈栄養あり	534（2.4 %）	266（1.6 %）	193（4.3 %）	75（5.7 %）	350（3.8 %）	215（3.1 %）	93（5.1 %）	42（10.1 %）
来院時NIHSS，平均値(SD)	7.8（9.2）	6.5（7.9）	12.1（10.8）	12.5（10.6）	7.7（8.9）	6.6（8.0）	12.5（10.6）	10.3（14.6）
来院時NIHSS，中央値(IQR)	4（1～11）	3（1～8）	9（3～18）	10（4～19）	4（2.00，11.00）	3（1～8）	10（4～19）	1（0～19）

[*1] 経口摂取と経管栄養の両方選択が7例，[*2] 経口摂取，経管栄養，静脈栄養複数選択が183例．

表2 脳卒中患者の病型別食事開始日，嚥下評価，NST評価日，ST介入日

全脳卒中 *n*（新DB）=26,653		脳梗塞	脳出血	くも膜下出血
食事開始日	*n*=13,698 （51.4％）	10,426	2,739	533
平均値（SD）	2.1 （15.9）	1.7 （16.5）	2.8 （13.8）	5.2 （13.9）
中央値（IQR）	1 （0，1）	1 （0，1）	1 （1，2）	2 （1，4）
NST評価日	*n*=651 （2.4％）	516	110	25
平均値（SD）	9.6 （26.4）	8.7 （23.8）	11.9 （35.2）	19.3 （31.0）
中央値（IQR）	7 （2，11）	6 （2，10）	7 （1，12）	12 （2，23）
ST介入日	*n*=16,858 （63.2％）*	12,708	3,570	580
平均値（SD）	2.4 （7.7）	2.1 （6.8）	2.7 （9.3）	6.2 （12.1）
中央値（IQR）	1 （1，2）	1 （1，2）	1 （1，2）	2 （1，6）
嚥下評価	*n*=26,653 （100％）	20,111	5,364	1,178
なし	9,861 （37.0％）	7,354 （36.6％）	1,951 （36.4％）	556 （47.2％）
あり	16,792 （63.0％）	12,757 （63.4％）	3,413 （63.6％）	622 （52.8％）

＊*n*=16,861から1,097日2例，26,187日1例を除いた16,858例．

表3 脳梗塞患者の栄養摂取経路（退院時および入院7日目）

項目	退院時の栄養摂取状況（旧DB）				入院7日目の栄養摂取状況（新DB）			
脳梗塞総数	119,817				20,111			
n（病型別）		ラクナ梗塞 32,316（29.2％）	アテローム血栓性脳梗塞 35,993（32.5％）	心原性脳塞栓症 31,931（28.8％）		ラクナ梗塞 4,396（22.3％）	アテローム血栓性脳梗塞 5,304（26.9％）	心原性脳塞栓症 5,551（28.1％）
n（栄養摂取経路情報あり）	16,528（脳梗塞総数の13.8％）				7,003（脳梗塞総数の34.8％）			
n（病型別）		ラクナ梗塞 4,391（26.6％）	アテローム血栓性脳梗塞 4,878（29.5％）	心原性脳塞栓症 4,673（28.3％）		ラクナ梗塞 1,642（23.4％）	アテローム血栓性脳梗塞 2,124（30.3％）	心原性脳塞栓症 1,987（28.4％）
経口摂取あり	14,545（88.0％）	4,267（97.2％）	4,378（89.7％）	3,510（75.1％）	6,167（88.1％）	1,596（97.2％）	1,899（89.4％）	1,517（76.3％）
経管栄養あり	1,717（10.4％）	110（2.5％）	439（9.0％）	996（21.3％）	728（10.4％）	46（2.8％）	198（9.3％）	400（20.1％）
静脈栄養あり	266（1.6％）	14（0.3％）	61（1.3％）	167（3.6％）	215（3.1％）	13（0.8％）	45（2.1％）	126（6.3％）
来院時NIHSS，平均値（SD）	6.9（8.5）	3.7（3.9）	6.5（7.5）	12.4（10.8）	6.7（8.4）	3.2（3.6）	5.6（6.9）	11.8（10.6）
来院時NIHSS，中央値（IQR）	4（1，9）	3（1，5）	4（2，8）	9（3，20）	3（1，9）	2（1，4）	3（1，7）	9（3，20）
7日目NIHSS，平均値（SD）	—				4.7（7.7）	2.2（3.7）	4.4（6.7）	7.6（10.1）
7日目NIHSS，中央値（IQR）	—				2（0，5）	1（0，3）	2（0，5）	3（0，11）

脳卒中全体で平均2.1日・中央値1日，脳梗塞平均1.7日・中央値1日，脳出血平均2.8日・中央値1日，ST介入日は，脳卒中全体では平均2.4日・中央値1日，脳梗塞平均2.1日・中央値1日，脳出血平均2.7日・中央値1日と比較的早いが，NST評価日は，脳卒中全体では平均9.6日・中央値7日，脳梗塞で平均8.7日・中央値6日，脳出血で平均11.9日・中央値7日であった．くも膜下出血では，入院後の食事開始日は平均5.2日・中央値2日，ST介入日は平均6.2日・中央値2日，NST評価日は平均19.3日・中央値12日といずれも脳梗塞，脳出血よりも遅かった．嚥下評価は全脳卒中症例の63.0％に行われていた．NST評価日の記録は全脳卒中症例の2.4％，入院9.6日目で，食事開始日，ST介入日が約2日であることから，治療開始後に栄養不良が疑われた症例に限定して評価，介入する傾向にあると推測された（**表2**）．

1. 脳梗塞

登録された脳梗塞の，退院時栄養摂取状況は13.8％（旧DB），入院7日目の栄養摂取状況は34.8％（新DB）が登録された．退院時の栄養摂取状況は，ラクナ梗塞で経口摂取97.2％，経管栄養2.5％，アテローム血栓性脳梗塞で経口摂取89.7％，経管栄養9.0％，心原性脳塞栓症で経口摂取75.1％，経管栄養21.3％であった．7日目の栄養摂取状況は，ラクナ梗塞で経口摂取97.2％，経管栄養2.8％，アテローム血栓性脳梗塞で89.4％，経管栄養9.3％，心原性脳塞栓症で経口摂取76.3％，経管栄養20.1％であった（**表3**）．

新DBからは食事開始日，NST評価日，ST介入日，嚥下評価日の記録が収集された．食事開始日は，ラクナ梗塞では平均

表4 脳梗塞患者の食事開始日，嚥下評価，NST評価日，ST介入日

全脳梗塞 n（新DB）=7,003		ラクナ梗塞	アテローム血栓性脳梗塞	心原性脳塞栓症
食事開始日	n=3,762*	860	1,199	983
平均値（SD）	2.0（19.1）	0.8（3.1）	2.4（31.8）	2.8（7.7）
中央値（IQR）	1（0, 1）	0（0, 1）	1（0, 1）	1（0, 2）
NST評価日	n=496*	145	140	94
平均値（SD）	8.8（24.2）	7.2（5.9）	6.5（5.9）	15.0（54.0）
中央値（IQR）	6（2, 10）	6（3, 10）	5（1, 10）	6（2, 10）
ST介入日	n=4,695*	1,051	1,432	1,447
平均値（SD）	2.1（6.5）	1.7（4.0）	1.9（3.6）	2.3（6.4）
中央値（IQR）	1（1, 2）	1（1, 2）	1（1, 2）	1（1, 2）
嚥下評価	n=7,003*	1,642	2,124	1,987
なし	3,134（44.8％）	766（46.7％）	907（42.7％）	947（47.7％）
あり	3,869（55.2％）	876（53.3％）	1,217（57.3％）	1,040（52.3％）

* 病型（ラクナ梗塞，アテローム血栓性脳梗塞，心原性脳塞栓症）が登録されていない症例を除くため表2のnと差異を認める．

表5 脳出血患者の栄養摂取経路（退院時および入院7日目）

脳出血 退院時の栄養摂取経路（旧DB） n=28,094	経口摂取あり	経管栄養あり	静脈栄養あり
栄養摂取経路情報あり n=4,458（15.9％）*1	3,395（76.2％）	875（19.6％）	193（4.3％）
来院時NIHSS，平均値（SD）	8.7（8.0）	22.0（10.2）	30.6（10.6）
来院時NIHSS，中央値（IQR）	6（2, 13）	21（15, 29）	34（23, 40）
脳出血 入院7日目の栄養摂取経路（新DB） n=5,364	**経口摂取あり**	**経管栄養あり**	**静脈栄養あり**
栄養摂取経路情報あり n=1,831（34.1％）*2	1,310（71.5％）	482（26.3％）	93（5.1％）
来院時NIHSS，平均値（SD）	8.1（7.2）	22.2（9.6）	26.7（11.9）
来院時NIHSS，中央値（IQR）	6（3, 12）	22（15, 30）	30（17, 38）

*1 経口摂取，経管栄養のうち複数選択が5例.
*2 経口摂取，経管栄養，静脈栄養の複数選択が54例.

0.8日・中央値0日，アテローム血栓性脳梗塞では平均2.4日・中央値1日，心原性脳塞栓症では平均2.8日・中央値1日であった．NST評価日は，ラクナ梗塞では平均7.2日・中央値6日，アテローム血栓性脳梗塞では平均6.5日・中央値5日，心原性脳塞栓症では平均15.0日・中央値6日であった．ST介入日は，ラクナ梗塞では平均1.7日・中央値1日，アテローム血栓性脳梗塞では平均1.9日・中央値1日，心原性脳塞栓症では平均2.3日・中央値1日であった（表4）．食事開始日，ST介入日が，1～3日以内であるのに対して，NST評価日が6～15日であることから入院後1～2週で栄養状態が不良，NST介入評価が必要になる症例が少なくないことを示している．

2. 脳出血

登録された脳出血の，退院時栄養摂取状況は15.9％（旧DB），入院7日目の栄養摂取状況は34.1％（新DB）が登録された．退院時の栄養摂取経路は，経口摂取ありが76.2％・来院時NIHSSは平均8.7，経管栄養ありが19.6％・来院時NIHSSは平均22.0であった．入院7日目の栄養摂取経路は，経口摂取ありが71.5％・来院時NIHSSは平均8.1，経管栄養ありが26.3％・来院時NIHSSは平均22.2であった（表5）．

食事開始日は，入院7日目に経口摂取ありの場合平均2.5日・中央値1日，入院7日目に経管栄養ありの場合平均6.0日・中央値3日であった．NST評価日は，入院7日目に経口摂取ありの場合平均12.2日・中央値6日，入院7日目に経管栄養ありの場合平均11.1日・中央値9日，入院7日目に静脈栄養ありの場合平均14.6日・中央値10日であった．ST介入日は，入院7日目に経口摂取ありの場合平均2.6日・中央値1日，入院7日目に経管栄養ありの場合平均4.7日・中央値2日，入院7日目に静脈栄養ありの場合平均2.4日・中央値1日であった（表6）．

退院時と入院7日目における「経口摂取あり」について，それぞれ来院時NIHSSのカットオフ値を算出したところ，いずれも13.5であった．つまり，脳出血において来院時NIHSS<14の場合，入院7日目，退院時ともに「経口摂取が開始される」という結果であった．

3. くも膜下出血

登録されたくも膜下出血の，退院時栄養摂取状況は13.0％

表6 脳出血患者の食事開始日，嚥下評価，NST評価日，ST介入日

脳出血 入院7日目の栄養摂取経路（新DB）n=5,364	経口摂取あり	経管栄養あり	静脈栄養あり
食事開始日 n=1,033*1	804	239	27
平均値（SD）	2.5 (16.4)	6.0 (8.6)	5.1 (5.2)
中央値（IQR）	1 (1, 2)	3 (1, 6)	3 (1, 9)
NST評価日 n=106*2	79	24	5
平均値（SD）	12.2 (41.1)	11.1 (10.8)	14.6 (10.0)
中央値（IQR）	6 (1, 11)	9 (1, 19)	10 (9, 14)
ST介入日 n=1,395*3	1,021	363	57
平均値（SD）	2.6 (15.2)	4.7 (9.6)	2.4 (3.5)
中央値（IQR）	1 (1, 2)	2 (1, 4)	1 (1, 2)
嚥下評価 n=1,885*4	1,310	482	93
なし	494 (37.7%)	223 (46.3%)	59 (63.4%)
あり	816 (62.3%)	259 (53.7%)	34 (36.6%)

*1 表2の2,739例のうち経口摂取，経管栄養，静脈栄養の登録ありが1,033例．
*2 表2の110例のうち経口摂取，経管栄養，静脈栄養の登録ありが106例．
*3 表2の3,570例のうち経口摂取，経管栄養，静脈栄養の登録ありが1,395例．
*4 表2の5,364例のうち経口摂取，経管栄養，静脈栄養の登録ありが1,885例．

表7 くも膜下出血患者の退院時栄養摂取経路

くも膜下出血 退院時の栄養摂取経路（旧DB）	経口摂取あり	経管栄養あり	静脈栄養あり
n=1,311*（くも膜下出血n=10,063の13.0%）	1,017 (77.6%)	221 (16.9%)	75 (5.7%)
来院時NIHSS，平均値（SD）	5.8 (10.9)	23.7 (15.0)	30.9 (14.7)
来院時NIHSS，中央値（IQR）	0 (0, 5)	28 (10, 38)	40 (27, 40)

* 経口摂取と経管栄養の両方選択が2例．

表8 くも膜下出血患者のWFNSグレードと栄養摂取経路（退院時および入院7日目）

WFNS		I	II	III	IV	V
くも膜下出血 退院時の栄養摂取経路（旧DB）	n=1,266*1	506 (40.0%)	281 (22.2%)	69 (5.5%)	183 (14.5%)	227 (17.9%)
経口摂取あり	n=983	485 (95.8%)	238 (84.7%)	57 (82.6%)	123 (67.2%)	80 (35.2%)
経管栄養あり	n=212	17 (3.4%)	39 (13.9%)	10 (14.5%)	51 (27.9%)	95 (41.9%)
静脈栄養あり	n=73	5 (1.0%)	4 (1.4%)	2 (2.9%)	10 (5.5%)	52 (22.9%)
くも膜下出血 入院7日目の栄養摂取経路（新DB）	n=416*2	161 (38.7%)	90 (21.6%)	17 (4.1%)	61 (14.7%)	87 (20.9%)
経口摂取あり	n=262	135 (83.9%)	66 (73.3%)	10 (58.8%)	28 (45.9%)	23 (26.4%)
経管栄養あり	n=134	23 (14.3%)	26 (28.9%)	7 (41.2%)	30 (49.2%)	48 (55.2%)
静脈栄養あり	n=42	9 (5.6%)	4 (4.4%)	2 (11.8%)	6 (9.8%)	21 (24.1%)

*1 くも膜下出血n=10,063，栄養摂取経路情報ありのくも膜下出血n=1,311（13.0%）．うちWFNSグレード情報ありがn=1,266，経口摂取と経管栄養の両方選択が2例．
*2 くも膜下出血n=1,178，栄養摂取経路情報ありのくも膜下出血n=416（35.3%）．うちWFNSグレード情報ありがn=416，経口摂取，経管栄養，静脈栄養複数選択が22例．

（旧DB），入院7日目の栄養摂取状況は35.8%（新DB）が登録された．退院時栄養摂取経路は，経口摂取あり77.6%，経管栄養あり16.9%，静脈栄養あり5.7%で，それぞれの来院時NIHSSは5.8，23.7，30.9であった（表7）．

WFNSグレードと栄養摂取経路を検討すると，WFNSグレードI〜IIIでは退院時経口摂取ありが82〜95%，入院7日目に経口摂取ありは59〜84%であった．WFNSグレードVの場合，退院時経口摂取ありは，35.2%であった（表8）．食事開始日はWFNSグレードにかかわらず中央値2〜3日，NST評価日の中央値は，WFNSグレードIで4日，WFNSグレー

表9 くも膜下出血患者のWFNSグレードと食事開始日，嚥下評価，NST評価日，ST介入日

		WFNS				
くも膜下出血（新DB）	n=1,178	I	II	III	IV	V
食事開始日	n=222	87	59	11	36	29
平均値（SD）		3.7（7.0）	4.2（7.0）	2.6（1.9）	7.6（11.1）	7.5（16.5）
中央値（IQR）		2 （1，3）	2 （2，3）	2 （1，5）	3 （2，6.5）	3 （2，5）
NST評価日	n=25	13	7	1	3	1
平均値（SD）		17.1（41.3）	17.4（12.5）	34	25.7（24.1）	27
中央値（IQR）		4 （1，12）	22 （3，26）	34	23 （3，51）	27
ST介入日	n=232	81	64	11	37	39
平均値（SD）		5.0（7.4）	4.8（7.8）	4.1（5.5）	11.2（30.0）	10.0（18.9）
中央値（IQR）		2 （1，5）	2 （1，4）	3 （1，5）	3 （2，7）	4 （1，9）
嚥下評価	n=416	161	90	17	61	87
なし		74 （46.0％）	31 （34.4％）	5 （29.4％）	24 （39.3％）	54 （62.1％）
あり		87 （54.0％）	59 （65.6％）	12 （70.6％）	37 （60.7％）	33 （37.9％）

ドII～Vで22～34日，ST介入日の中央値はWFNSグレードにかかわらず2～4日であった．嚥下評価は，WFNSグレードI～IVで54～70％，WFNSグレードVでは37.9％で行われた（表9）．

まとめと考察

脳卒中患者の退院時栄養摂取状況は経口摂取85.0％，経管栄養12.6％，7日目の栄養摂取状況は経口摂取83.7％，経管栄養14.5％で，退院時の栄養摂取状況とおおむね同様であった．食事開始日は，脳卒中全体で平均2.1日・中央値1日，脳梗塞平均1.7日・中央値1日，脳出血平均2.8日・中央値1日，ST介入日は，脳卒中全体では平均2.4日・中央値1日，脳梗塞平均2.1日・中央値1日，脳出血平均2.7日・中央値1日と比較的早いが，NST評価日は，脳卒中全体では平均9.6日・中央値7日，脳梗塞で平均8.7日・中央値6日，脳出血で平均11.9日・中央値7日と入院からNST評価日まで期間があった．発症前の栄養状態には問題なく，入院9～11日後に栄養状態が悪化した結果のNST評価と考えられる．NST評価・介入開始は，栄養状態が良好な入院早期に行い，栄養状態の悪化を予防することが望ましいため，より早期からのNST介入を啓発する必要がある．

悉皆性の観点では，各病型全例に対する栄養摂取経路情報の登録が旧DB 脳梗塞13.8％，脳出血15.9％，くも膜下出血13.0％，新DB脳梗塞34.8％，脳出血34.1％，くも膜下出血35.3％であり，悉皆性は不十分だが，栄養管理に関する登録は経時的に増加し，栄養管理に関する関心の向上を反映していると考えられる．

栄養摂取状況の指標は，2020年4月から診療報酬上，摂食嚥下支援チームの報告義務となったFOIS（Functional Oral Intake Scale）の採用を検討してもよいと考える．

23 脳卒中患者の来院方法と時間帯

大前智也，柳澤俊晴

- 全脳卒中患者中 60.1 %が救急搬送され，経年的に増加していた.
- 外来受診患者は NIHSS 4 以下の軽症が 70 %以上で，救急搬送患者は 5 以上の中等症，重症が 60 %以上であった.
- 外来受診患者は 10 時台がピークで，救急搬送患者は二峰性（10 時台と 19 時台）のピークがみられた.
- 脳卒中患者の 49.1 %，救急搬送患者の 63.7 %が発症（最終未発症）から 4.5 時間未満に来院しているが，一方で，外来患者の 38.8 %が 24 時間以上を経過して来院している .
- 発症時刻不明患者は 6 時台から緩やかに増加し，22 時台に最も多く来院する.

はじめに

脳卒中患者が医療機関に来院する方法，時間帯はサーカディアンリズムによる発症の日内変動や，患者の社会生活状況が関与する[1]．脳卒中データバンクに登録された患者の救急システム利用，病型，重症度，来院時間帯，発症確認，発症（もしくは最終未発症確認）～来院時間の関係を解析した.

対象と方法

脳卒中データバンクに登録された 177,864 人を対象とし，救急システム利用の有無で救急搬送患者，外来受診患者に，発症確認の有無で発症時刻確認患者，発症時刻不明患者に分類した.来院方法を病型別（ラクナ梗塞，アテローム血栓性脳梗塞，心原性脳塞栓症，高血圧性脳出血，くも膜下出血)，NIHSS で解析した。来院時間帯は 61,914 人が対象となり，病型別，発症（最終未発症）～来院時間で解析した.

結果

1. 来院方法

来院方法は全脳卒中患者中外来 39.9 %，救急搬送 60.1 %であった．ラクナ梗塞，アテローム血栓性脳梗塞，心原性脳塞栓症，高血圧性脳出血，くも膜下出血の順に外来受診が多く．NIHSS 高値なほど救急搬送が増加していた（図 1）．外来受診患者の 75 %が NIHSS 4 以下，救急搬送患者の 64.9 %が 5 以上であった（図 2).

2. 来院時間の日内変動

外来受診患者数は 10 時台に顕著なピークがみられた．救急搬送患者数は 7 時台から増加し，10 時，19 時台に二峰性のピ

図1 脳卒中患者の外来・救急搬送の割合

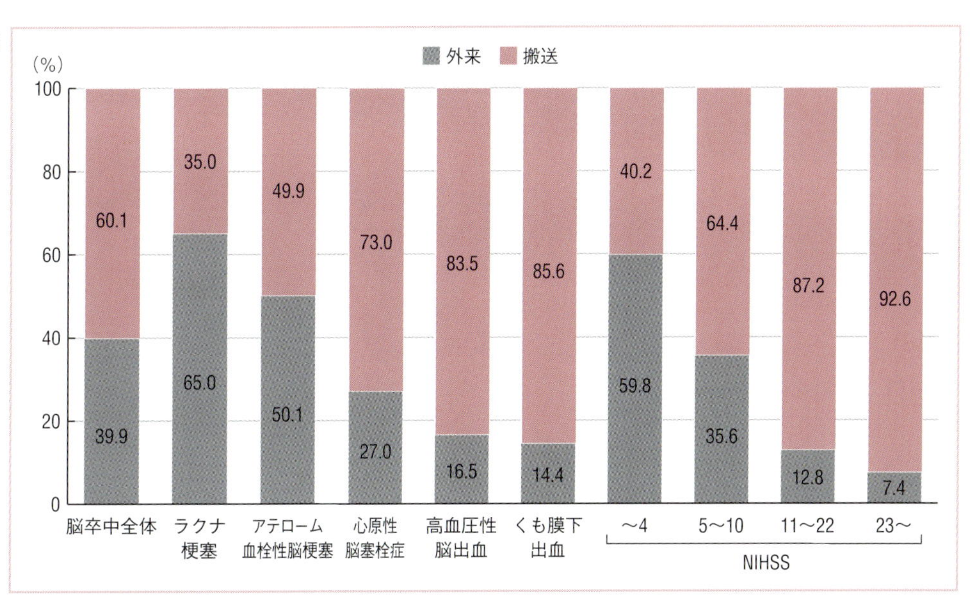

図2 外来・搬送患者の重症度

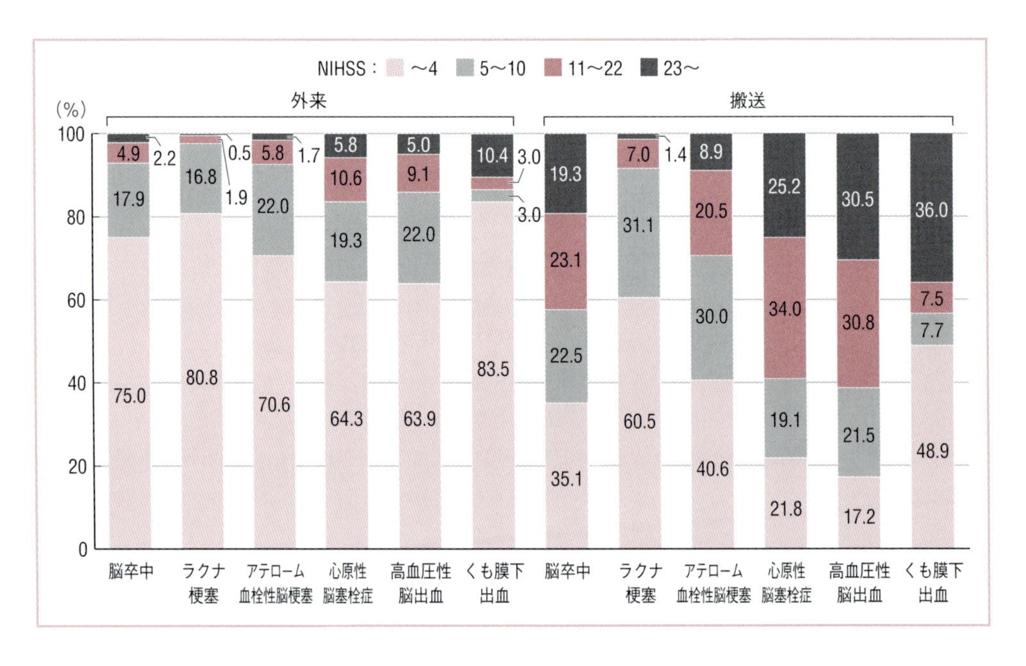

図3 外来・搬送患者の来院時間帯

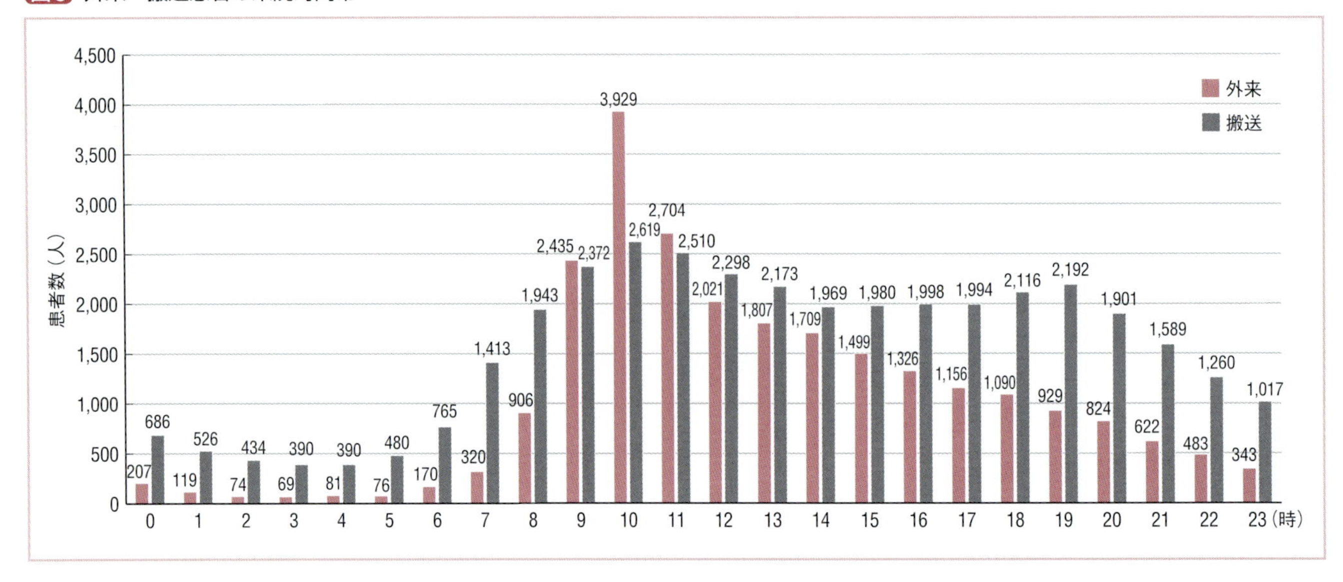

ークがみられる（**図3**）．発症時刻確認患者数は7時，12時台に二峰性のピークがある．発症時刻不明患者数は6時台から緩やかに増加し，22時台に最も多く増加する（**図4**）．

3. 来院時間の病型別解析

① 外来受診患者：ラクナ梗塞，アテローム血栓性脳梗塞，心原性脳塞栓症は7～12時に増加する（**図5**）（χ^2 検定 $p<0.05$）．

② 救急搬送患者：アテローム血栓性脳梗塞，心原性脳塞栓症，高血圧性脳出血は7～12時に顕著に増加し，緩やかに減少する（**図5**）（χ^2 検定 $p<0.05$）．

③ 発症時刻確認患者：ラクナ梗塞，アテローム血栓性脳梗塞，心原性脳塞栓症は1～6時に比較的多く来院し，7～12，13～18時に増加する（**図6**）（χ^2 検定 $p<0.05$）．

④ 発症時刻不明患者：心原性脳塞栓症は7～12，13～18，19～24時に顕著に増加，ラクナ梗塞は19～24時に急激に増加する（**図6**）（χ^2 検定 $p<0.005$）．

4. 発症（最終未発症）～来院時間と日内変動

脳卒中患者の49.1 %，救急搬送患者の63.7 %が4.5時間未満で，外来患者の38.8 %が24時間以降に来院している．発症

図4 発症時刻確認・不明患者の来院時間帯

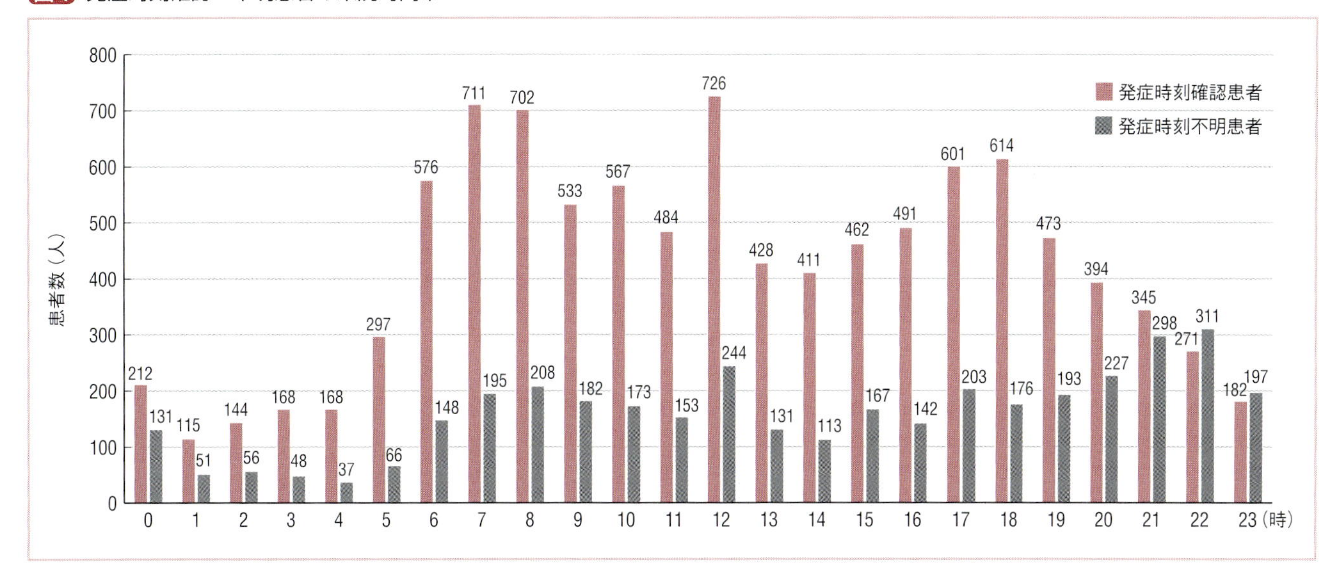

図5 外来・搬送患者の病型別来院時間帯

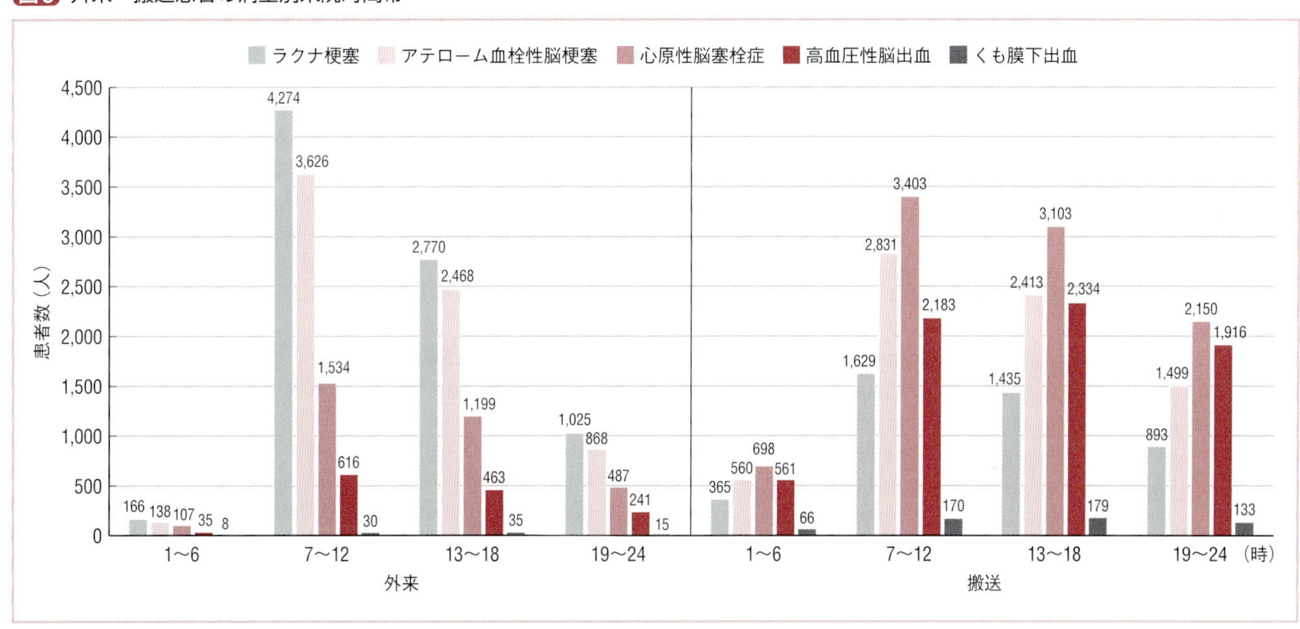

時刻確認患者の比率は全時間帯で大きく変化していない．発症時刻不明患者は19〜24時に4.5〜24時間未満の患者が増加する（図7）（χ^2検定p<0.001）．

なお，発症時刻確認患者，発症時刻不明患者の来院時間帯の解析（図4, 6, 7）は，脳卒中データバンクの新システムへの変更後に登録された13,925人を対象としている．

考察

全脳卒中患者中の救急搬送患者の割合は『脳卒中データバンク2005』（2005年版）53.6％，2009年版55.9％，2015年版56.7％から本解析60.1％に増加している[2]．病型別でラクナ梗塞，アテローム血栓性脳梗塞患者，重症度別でNIHSS 4以下，5〜10の軽症，中等症患者の搬送が2015年版よりも増加している．外来受診患者が10時台に顕著に増加することは，緩徐

図6 発症時刻確認・不明患者の病型別来院時間帯

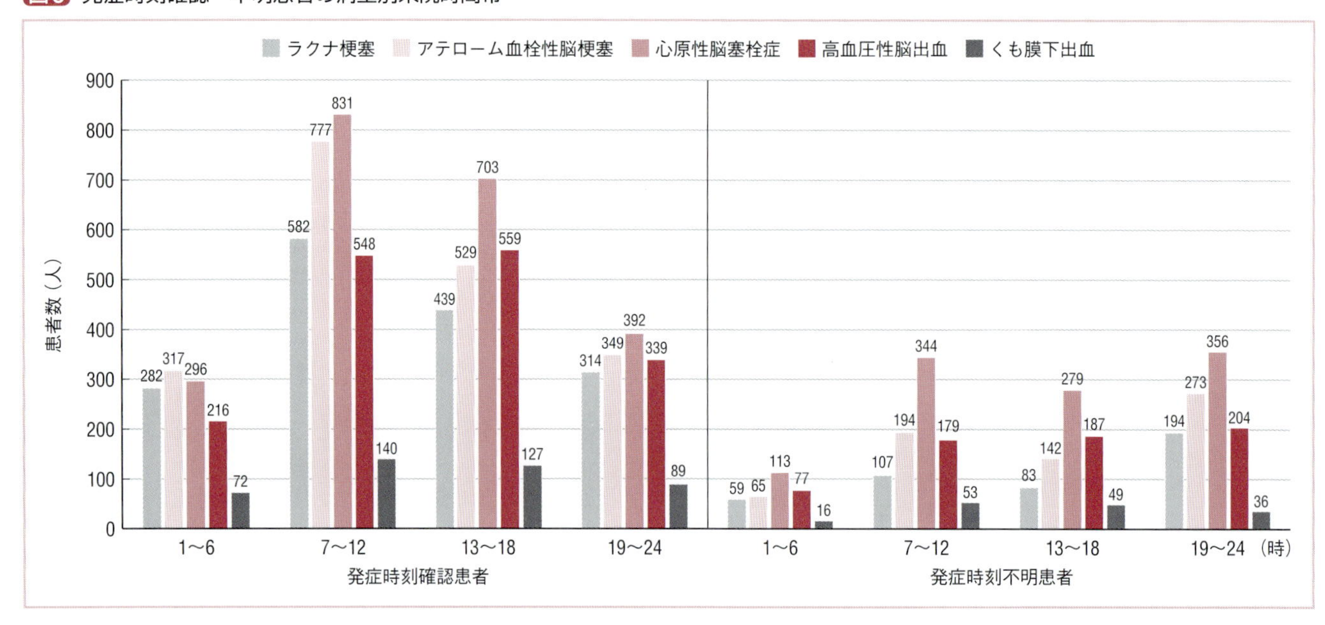

図7 発症（最終未発症）〜来院時間と日内変動

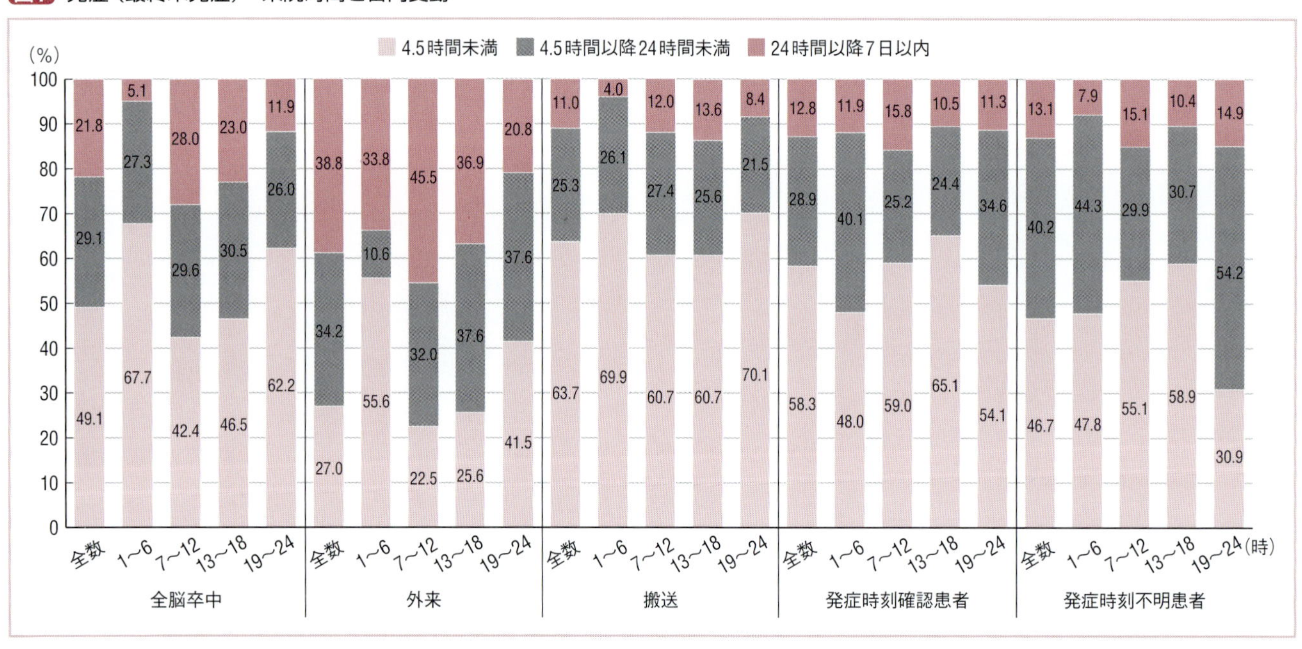

に発症するラクナ梗塞，アテローム血栓性脳梗塞患者が午前中外来開始を待って来院するためと考えられる．7〜12時台の外来患者のうち，45.5％が発症（最終未発症）時刻から24時間以降に受診している．搬送の増加から脳卒中の啓発は進んでいると考えられるが，依然として受診の遅れも相当数認められる．

救急搬送患者の60〜70％は発症（最終未発症）時刻から4.5時間以内に搬送される．突然発症のアテローム血栓性脳梗塞，心原性脳塞栓症，高血圧性脳出血患者の搬送が午前中から増加し，夕方まで続くためと考えられる．二峰性のピークは2015年版の発症時間帯別解析でも報告され[3)]，本解析で発症時刻確認患者は4.5時間以内に60％前後が来院しており，発症時刻と来院時刻の解析であるが同様の結果と考える．日中から夜間まで続く搬送は医療体制に考慮すべきであろう．

発症時刻確認患者で 1～6，7～12 時の来院患者の 48.0 %，59.0 %が，発症から 4.5 時間未満であることは，早朝起床後の活動中の発症が主体と考えられ，高齢者のライフスタイルの関与が示唆される．19～24 時の来院での 4.5 時間以降 24 時間未満患者の増加は，家人が帰宅後に患者の症状を発見するためと推察される．発症時刻確認患者と発症時刻不明患者の 4.5 時間未満の来院は 11.6 %の差があり，症状覚知，安否確認の啓蒙により早期受診搬送率の増加が期待される．

◉文献

1）Elliott WJ. Circadian variation in the timing of stroke onset: A meta-analysis. Stroke 1998; 29: 992-6.
2）板橋　亮ほか．脳卒中の病型別・重症度別来院方法と発症-来院時間．小林祥泰（編）．脳卒中データバンク 2015．中山書店；2015．pp.24-5.
3）柏原健一．病型別，男女別にみた発症の日内・週内変動．小林祥泰（編）．脳卒中データバンク 2015．中山書店；2015．pp.22-3

第3部

JSDBを用いた最近の研究

第3部 緒言

「第３部　日本脳卒中データバンクを用いた最近の研究」では，脳卒中データバンクの情報を用いて執筆，公表された英語原著論文のうち，この10年間に公表された下記の12論文について，筆頭著者の先生自らに，内容をご解説いただいた．当該論文の内容に留まらず，公表後の臨床情報を加えて内容を更新されたものも含んでいる．

1. 脳卒中と性差

Koichiro Maeda, Kazunori Toyoda, Kazuo Minematsu, Shotai Kobayashi, Japan Standard Stroke Registry Study Group. Effects of sex difference on clinical features of acute ischemic stroke in Japan. J Stroke Cerebrovasc Dis 22: 1070-1075, 2013.

2. 脳卒中の季節変動

Shunya Takizawa, Takeo Shibata, Shigeharu Takagi, Shotai Kobayashi, Japan Standard Stroke Registry Study Group. Seasonal variation of stroke incidence in Japan for 35631 stroke patients in the Japanese Standard Stroke Registry, 1998-2007. J Stroke Cerebrovasc Dis 22: 36-41, 2013.

3. 飲酒と脳梗塞

Hiroyuki Shiotsuki, Yasuaki Saijo, Yoichi Ogushi, Shotai Kobayashi, Japan Standard Stroke Registry Study Group. Relationships between alcohol intake and ischemic stroke severity in sex stratified analysis for Japanese acute stroke patients. J Stroke Cerebrovasc Dis 28: 1604-1617, 2019.

4. 発症前抗血栓療法と入院時神経学的重症度の経年的変化

Tomohisa Nezu, Naohisa Hosomi, Gregory Yh Lip, Shiro Aoki, Ryo Shimomura, Hirofumi Maruyama, Yoshiki Yagita, Masayasu Matsumoto, Shotai Kobayashi, Japan Standard Stroke Registry Study Group. Temporal trends in stroke severity and prior antithrombotic use among acute ischemic stroke patients in Japan. Circ J 80: 2033-2036, 2016.

5. 加齢の面からみた虚血性脳卒中

Yuji Kato, Takeshi Hayashi, Norio Tanahashi, Shotai Kobayashi, Japan Standard Stroke Registry Study Group. Cardioembolic stroke is the most serious problem in the aging society: Japan standard stroke registry study. J Stroke Cerebrovasc Dis 24: 811-814, 2015.

6. 心房細動の種類と脳梗塞

Ichiro Deguchi, Takeshi Hayashi, Takuya Fukuoka, Shotai Kobayashi, Norio Tanahashi, Japan Standard Stroke Registry Study Group. Features of cardioembolic stroke with persistent and paroxysmal atrial fibrillation - a study with the Japan Stroke Registry. Eur J Neurol 22: 1215-1219, 2015.

7. 脳梗塞のエダラボン治療

Susumu Kobayashi, Shingo Fukuma, Tatsuyoshi Ikenoue, Shunichi Fukuhara, Shotai Kobayashi. Effect of edaravone on neurological symptoms in real-world patients with acute ischemic stroke: Japan Stroke Data Bank. Stroke 50: 1805-1811, 2019.

8. スタチン治療と脳梗塞転帰 J-STARS-L

Eiichi Nomura, Akifumi Suzuki, Isao Inoue, Jyoji Nakagawara, Kazuo Takahashi, Tetsuya Takahashi, Yasuhiro Manabe, Chiaki Yokota, Kazunori Okada, Tetsuhiro Nishihara, Yasumasa Yamamoto, Koichi Noda, Shinichi Takahashi, Setsuro Ibayashi, Makoto Takagi, Kazuo Kitagawa, Norio Tanahashi, Masaru Kuriyama, Koichi Hirata, Naohisa Hosomi, Kazuo Minematsu, Shotai Kobayashi, Masayasu Matsumoto, J-STARS-L Investigators. Subsequent vascular events after ischemic stroke: the Japan Statin Treatment Against Recurrent Stroke-Longitudinal. J Stroke Cerebrovasc Dis 24: 473-9, 2015.

9. 脳出血重症度と転帰の危険因子

Naohisa Hosomi, Takayuki Naya, Hiroyuki Ohkita, Mao Mukai, Takehiro Nakamura, Masaki Ueno, Hiroaki Dobashi, Koji Murao, Hisashi Masugata, Takanori Miki, Masakazu Kohno, Shotai Kobayashi, James A Koziol, Japan Standard Stroke Registry Study Group. Predictors of intracerebral hemorrhage severity and its outcome in Japanese stroke patients. Cerebrovasc Dis 27: 67-74, 2009.

10. くも膜下出血と続発性正常圧水頭症

Shigeki Yamada, Masatsune Ishikawa, Kazuo Yamamoto, Tadashi Ino, Toru Kimura, Shotai Kobayashi, Japan Standard Stroke Registry Study Group. Aneurysm location and clipping versus coiling for development of secondary normal-pressure hydrocephalus after aneurysmal subarachnoid hemorrhage: Japanese Stroke DataBank. J Neurosurg 123: 1555-1561, 2015.

11. 破裂脳動脈瘤の退院時転帰

Fusao Ikawa, Masaru Abiko, Daizo Ishii, Jyunpei Ohshita, Toshinori Matsushige, Takahito Okazaki, Shigeyuki Sakamoto, Eisuke Hida, Shotai Kobayashi, Kaoru Kurisu. Analysis of outcome at discharge after aneurysmal subarachnoid hemorrhage in Japan according to the Japanese stroke databank. Neurosurg Rev 41: 567-574, 2018.

Fusao Ikawa, Masaru Abiko, Daizo Ishii, Jyumpei Ohshita, Takahito Okazaki, Shigeyuki Sakamoto, Shotai Kobayashi, Kaoru Kurisu. Effect of actual age on outcome at discharge in patients by surgical clipping and endovascular coiling for ruptured cerebral aneurysm in Japan. Neurosurg Rev 41: 1007-1011, 2018.

12. 破裂脳動脈瘤に対する開頭手術と脳血管内手術のスコアリングモデル開発と検証

Michitsura Yoshiyama, Fusao Ikawa, Toshikazu Hidaka, Shingo Matsuda, Iori Ozono, Kazunori Toyoda, Shotai Kobayashi, Shuhei Yamaguchi, Kaoru Kurisu. Development and validation of scoring indication of surgical clipping and endovascular coiling for aneurysmal subarachnoid hemorrhage from the post hoc analysis of Japan Stroke Data Bank. Neurol Med Chir advance online publication, 2020.

1 脳卒中と性差

前田亘一郎

- 脳梗塞発症時の年齢は，女性のほうが高かった．
- 心原性脳塞栓症は女性に，アテローム血栓性脳梗塞は男性に多かった．
- 危険因子は，糖尿病は男性が，脂質異常症は女性が，有意に有病率が高かった．心房細動の有病率は有意な性差を認めなかった．
- 女性は発症時の重症度が高く，退院時の予後が不良だった．

筆者らは，日本脳卒中データバンク（JSDB）に2000〜07年に登録された急性期脳梗塞33,953例を対象に，発症時年齢，脳梗塞病型，脳梗塞危険因子，発症時重症度および予後の性差について検討し，2013年に報告した[1]．それによれば，女性は男性と比較して発症時の年齢が高く，病型では心原性脳塞栓症および分類不能（その他）の脳梗塞の割合が高く，危険因子では高血圧症と脂質異常症の合併率が高く，急性期病院入院時のNIHSSスコアが高く，急性期病院退院時のmRSのグレードも高く予後が不良であった．

本項では，JSDBに2000〜18年12月までに登録された脳卒中症例のうち，発症から7日以内に入院した急性期脳梗塞89,517例を対象に，性別が発症時の年齢，脳梗塞の病型，脳梗塞危険因子の有病率，発症時の重症度と予後に与える影響について，その経年的な推移を脳梗塞の発症日によって2000〜04年（第1群），2005〜09年（第2群），2010〜14年（第3群），2015〜18年（第4群）の4群に分けて検討した．

発症時期ごとの内訳は，第1群が19,198例（女性7,482例），第2群が24,734例（女性9,697例），第3群が25,324例（女性9,994例），第4群が20,261例（女性8,271例）であった．

発症時の年齢

脳梗塞発症時の年齢は，すべての発症時期群において女性のほうが高かった（平均年齢 第1群：女性74.4歳/男性68.9歳，第2群：女性75.9歳/男性69.8歳，第3群：女性77.7歳/男性71.3歳，第4群：女性78.6歳/男性72.1歳）．なお，男女とも，経年的に発症時の年齢が上昇していた．

脳梗塞の病型と危険因子

表1に，性別ごとの脳梗塞病型の割合と危険因子の有病率，および年齢で補正した結果を示す．

男性では，すべての発症時期群でアテローム血栓性脳梗塞が最も多かった．女性では，第2群以降の発症時期群で心原性脳塞栓症の割合が最も高かった．

年齢で補正すると，すべての発症時期群でアテローム血栓性脳梗塞は男性に多く，心原性脳塞栓症は女性に多かった．また，分類不能（その他）の脳梗塞は，第3群および第4群において女性に多かった．

すべての発症時期群において，男女とも高血圧症が最も有病率の高い危険因子だった．年齢で補正すると，高血圧症は第4群では有意に男性に多かったが，ほかの発症時期群では有意な性差は認めなかった．

糖尿病の有病率は男性のほうが高く，年齢で補正してもすべての発症時期群において有意に男性に多かった．脂質異常症は，年齢で補正するとすべての発症時期群において有意に女性に多かった．

心房細動は，すべての発症時期群において女性のほうが有病率が高かった．しかし，年齢で補正すると有意な性差は認めなかった．

多量の飲酒，および喫煙は，すべての発症時期群において男性のほうがその頻度が高かった．

脳梗塞発症時の重症度と予後

図1に，発症時期群および性別ごとの急性期病院入院時NIHSSスコアの分布を示す．急性期病院入院時のNIHSSスコアは，すべての発症時期群において女性のほうが高かった．年齢，脳梗塞病型，危険因子の有無で補正しても，入院時NIHSSスコアは女性のほうが有意に高かった．

図2に，発症時期群および性別ごとの急性期病院退院時のmRSの分布を示す．mRSグレード0〜2を予後良好，グレード4〜6を予後不良と定義すると，すべての発症時期群において，退院時の予後良好は男性が多く，予後不良は女性が多かった．死亡退院（mRSグレード6）は，女性のほうが多かった．年齢，脳梗塞病型，危険因子の有無，入院時NIHSSスコアで補正しても，すべての発症時期群において，退院時の予後良好は男性

表1 脳梗塞病型と危険因子

第1群：2000～04年 (n=19,198)		女性 n=7,482	男性 n=11,716	女性のオッズ比	95％CI	p値
年齢		74.4±11.7	68.9±11.4			**
脳梗塞病型	アテローム血栓性（%）	31.7	35.3	0.825	0.775～0.879	**
	心原性（%）	30.4	25.6	1.084	1.014～1.159	*
	ラクナ（%）	30.7	31.2	1.071	1.004～1.143	*
	その他/分類不能（%）	7.3	7.9	1.105	0.987～1.237	
危険因子	脳卒中既往（%）(n=17,846)	28.3	31.1	0.778	0.727～0.833	**
	高血圧症（%）(n=18,126)	64.7	62.3	1.060	0.994～1.130	
	糖尿病（%）(n=18,211)	24.0	28.5	0.857	0.799～0.919	**
	脂質異常症（%）(n=17,259)	26.5	23.9	1.300	1.209～1.398	**
	心房細動（%）(n=18,275)	26.5	23.0	0.951	0.885～1.022	
	多量の飲酒（%）(n=15,441)	0.8	15.3	0.053	0.039～0.070	**
	現在の喫煙（%）(n=15,465)	7.2	42.9	0.120	0.107～0.133	**

第2群：2005～09年 (n=24,734)		女性 n=9,697	男性 n=15,037	女性のオッズ比	95％CI	p値
年齢		75.9±11.9	69.8±11.4			**
脳梗塞病型	アテローム血栓性（%）	29.7	34.1	0.803	0.758～0.850	**
	心原性（%）	32.4	25.0	1.156	1.090～1.227	**
	ラクナ（%）	30.4	32.3	1.028	0.971～1.089	
	その他/分類不能（%）	7.5	8.5	1.063	0.964～1.171	
危険因子	脳卒中既往（%）(n=23,680)	26.7	29.8	0.727	0.684～0.773	**
	高血圧症（%）(n=23,863)	70.2	69.7	0.954	0.899～1.011	
	糖尿病（%）(n=24,106)	24.0	31.4	0.738	0.695～0.784	**
	脂質異常症（%）(n=20,870)	34.7	32.6	1.250	1.176～1.329	**
	心房細動（%）(n=23,609)	28.0	22.1	1.030	0.966～1.098	
	多量の飲酒（%）(n=17,456)	1.2	15.6	0.081	0.064～0.100	**
	現在の喫煙（%）(n=17,726)	8.5	38.7	0.175	0.158～0.192	**

第3群：2010～14年 (n=25,324)		女性 n=9,994	男性 n=15,330	女性のオッズ比	95％CI	p値
年齢		77.7±11.9	71.3±11.8			**
脳梗塞病型	アテローム血栓性（%）	27.2	33.4	0.747	0.705～0.791	**
	心原性（%）	38.4	28.6	1.246	1.178～1.318	**
	ラクナ（%）	25.5	28.9	0.970	0.914～1.029	
	その他/分類不能（%）	8.9	9.1	1.161	1.060～1.272	**
危険因子	脳卒中既往（%）(n=22,503)	26.5	30.2	0.701	0.659～0.747	**
	高血圧症（%）(n=23,583)	77.2	76.2	0.940	0.882～1.002	
	糖尿病（%）(n=22,790)	23.7	33.1	0.667	0.627～0.710	**
	脂質異常症（%）(n=20,661)	41.9	41.4	1.176	1.109～1.248	**
	心房細動（%）(n=22,118)	29.8	23.0	1.050	0.983～1.120	
	多量の飲酒（%）(n=15,385)	1.3	16.7	0.082	0.065～0.102	**
	現在の喫煙（%）(n=15,533)	6.8	33.5	0.182	0.162～0.204	**

第4群：2015～18年 (n=20,261)		女性 n=8,271	男性 n=11,990	女性のオッズ比	95％CI	p値
年齢		78.6±12.4	72.1±12.0			**
脳梗塞病型	アテローム血栓性（%）	26.1	33.2	0.696	0.653～0.742	**
	心原性（%）	34.6	25.5	1.195	0.120～1.275	**
	ラクナ（%）	23.2	25.5	1.015	0.949～1.087	
	その他/分類不能（%）	16.1	15.8	1.215	1.122～1.316	**
危険因子	脳卒中既往（%）(n=19,191)	25.1	28.4	0.720	0.673～0.771	**
	高血圧症（%）(n=19,687)	71.1	72.1	0.852	0.799～0.910	**
	糖尿病（%）(n=19,307)	21.5	31.5	0.623	0.582～0.668	**
	脂質異常症（%）(n=18,553)	37.8	36.9	1.157	1.086～1.232	**
	心房細動（%）(n=18,705)	25.2	19.8	0.973	0.902～1.028	
	多量の飲酒（%）(n=13,957)	1.2	13.9	0.092	0.071～0.116	**
	現在の喫煙（%）(n=14,996)	6.9	31.7	0.195	0.174～0.218	**

オッズ比（OR）は年齢で補正．＊：$p<0.05$，＊＊：$p<0.001$

図1 入院時NIHSSスコア

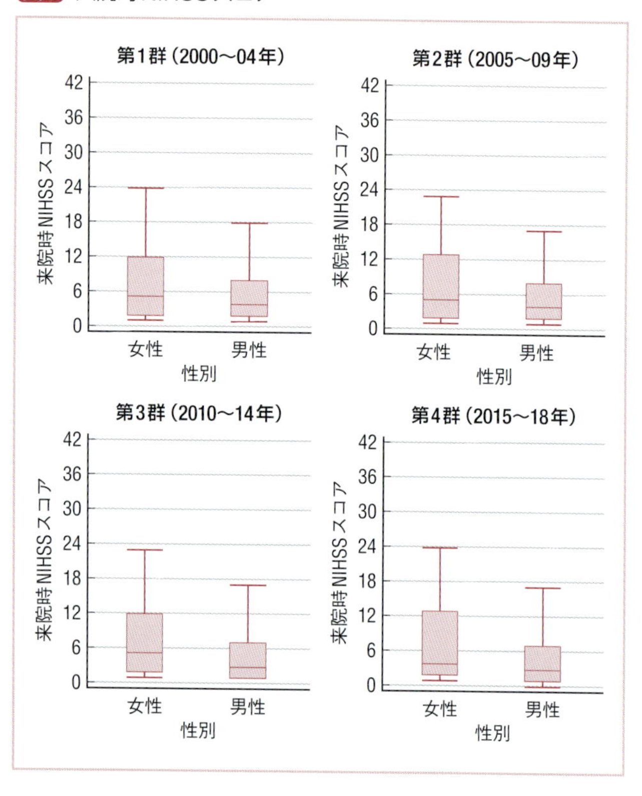

が有意に多く，予後不良は女性が有意に多かった．死亡退院は，有意な性差を認めなかった．結果を表2に示す．

まとめ

急性期脳梗塞の性差について，2000～18年のJSDB登録データを発症時期で4群に分けて検討した．その結果，すべての発症時期群において，女性は男性と比較して発症年齢が高かった．年齢などで補正すると，女性はアテローム血栓性脳梗塞の割合が低く，心原性脳塞栓症の割合が高かった．また，糖尿病の有病率，多量の飲酒および喫煙の頻度が低く，脂質異常症の有病率が高かった．心房細動の有病率に有意な差は認めなかった．そして，急性期病院入院時の重症度が高く，急性期病院退院時の予後が悪い傾向を認めた．

脳梗塞危険因子の管理は，脳梗塞の発症予防に不可欠である．また，脳梗塞発症後10年で約5割の患者が再発し，アテローム血栓性脳梗塞や心原性脳塞栓症では同じ病型で再発しやすいと報告されている[2]．性別による，脳梗塞の病型や危険因子の差異を認識することは，脳梗塞の発症予防の観点から有用であると考える．

図2 退院時mRS

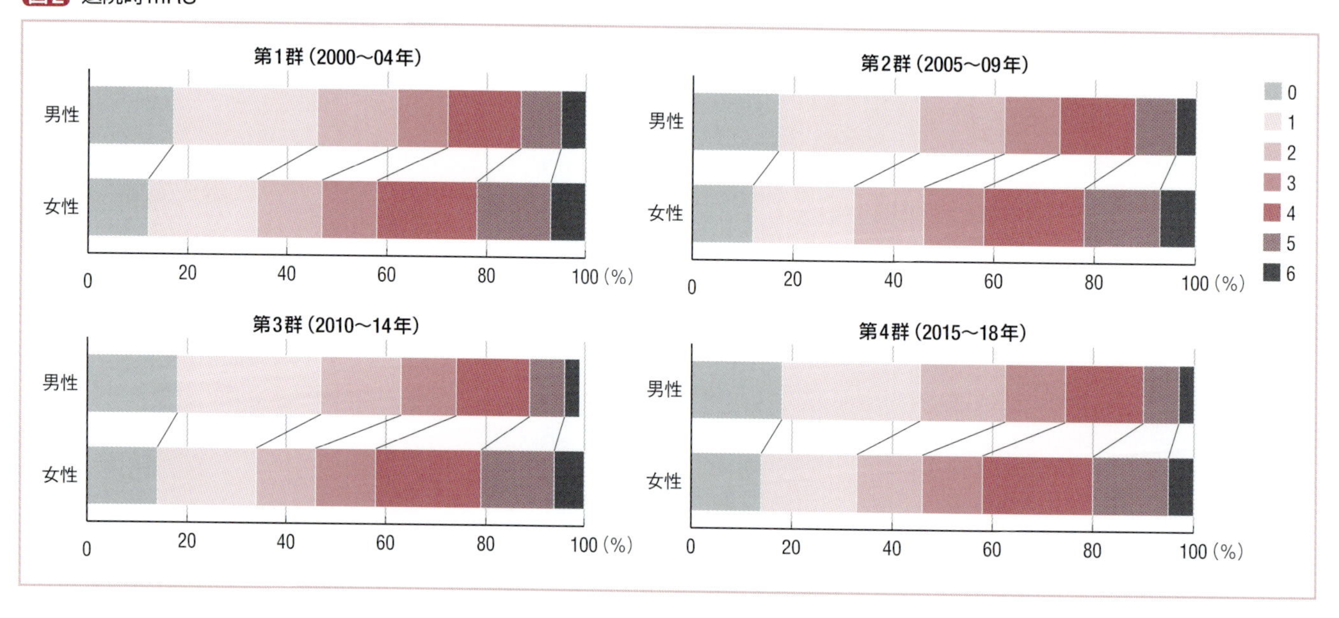

表2 退院時予後

第1群	女性	男性	女性のオッズ比	95% CI	p値
予後良好（mRS 0～1）	34.1%	46.2%	0.779	0.698～0.869	＜0.0001
予後不良（mRS 4～6）	41.8%	27.9%	1.313	1.162～1.484	＜0.0001
死亡退院（mRS 6）	7.2%	4.9%	0.914	0.726～1.151	0.4444
第2群	**女性**	**男性**	**女性のオッズ比**	**95% CI**	**p値**
予後良好（mRS 0～1）	33.4%	45.5%	0.846	0.772～0.926	0.0003
予後不良（mRS 4～6）	41.0%	26.3%	1.352	1.219～1.500	＜0.0001
死亡退院（mRS 6）	6.6%	3.8%	0.966	0.784～1.190	0.7446
第3群	**女性**	**男性**	**女性のオッズ比**	**95% CI**	**p値**
予後良好（mRS 0～1）	34.6%	47.1%	0.780	0.711～0.857	＜0.0001
予後不良（mRS 4～6）	41.5%	25.6%	1.475	1.327～1.639	＜0.0001
死亡退院（mRS 6）	6.0%	3.4%	0.924	0.741～1.152	0.4821
第4群	**女性**	**男性**	**女性のオッズ比**	**95% CI**	**p値**
予後良好（mRS 0～1）	32.9%	46.2%	0.846	0.769～0.931	0.0006
予後不良（mRS 4～6）	42.5%	25.6%	1.368	1.228～1.523	＜0.0001
死亡退院（mRS 6）	4.8%	2.8%	1.052	1.038～1.066	0.0647

年齢，脳梗塞病型，危険因子，入院時NIHSSスコアで補正．

◉文献

1）Maeda K, et al. Effects of sex difference on clinical features of acute ischemic stroke in Japan. J Stroke Cerebrovasc Dis 2013; 22: 1070-5.

2）Hata J, et al. Ten year recurrence after first ever stroke in a Japanese community: The Hisayama study. J Neurol Neurosurg Psychiatry 2005; 76: 368-72.

2 脳卒中の季節変動

瀧澤俊也

- 高血圧性脳出血の季節別の発症頻度には有意差があり，夏に比べて冬のほうが高かった．
- 脳梗塞全体の季節別の発症頻度には有意差があり，冬に比べて夏のほうが高かった．
- 脳梗塞病型別の解析では，ラクナ梗塞・アテローム血栓性脳梗塞は，冬に比べ夏のほうが多かったが，心原性脳塞栓症は，夏に比べ冬のほうが多かった．
- 北日本・南日本で比較すると日本全体とほぼ同じ結果であったが，北日本のアテローム血栓性脳梗塞では冬と夏の有意差はなかった．
- 75歳以上の脳梗塞全体の発症頻度は，心原性脳塞栓症の割合増加の影響で夏に比べ冬のほうが高かった．

脳卒中の発症頻度の季節変動については世界各国からさまざまな報告があるが，メタ解析[1]においても均一な見解が得られていない．日本からの報告[2-5]に限っても，母集団の規模・地域・解析年代によって脳卒中発症の季節変動は一定の結果ではない．この結論には大規模なデータ解析こそゴールに近づくと考え，本項では1998～2018年までに登録された156,342例の大規模データをもとに，季節別ないしは月別の脳出血および脳梗塞の発症頻度をχ^2検定で解析した．加えて，北日本と南日本とで脳卒中発症の季節変動に地域差があるか否か，75歳以上の高齢患者では季節変動の影響が異なるかについても検討した．さらに，過去の『脳卒中データバンク2009』（1998～2007年，47,782例）[4]の結果と比較し，大まかな季節変動の経時的変化を検討した．

脳卒中発症の季節変動（1998～2018年）

日本脳卒中データバンクの大規模データ156,342例（1998年12月～2018年12月，脳出血26,978例，脳梗塞129,364例）を対象とし，季節別ないしは月別の脳出血および脳梗塞の発症頻度をχ^2検定で解析した．なお，季節は春：3～5月，夏：6～8月，秋：9～11月，冬：12～2月と定義した．

図1 高血圧性脳出血の季節別発症数

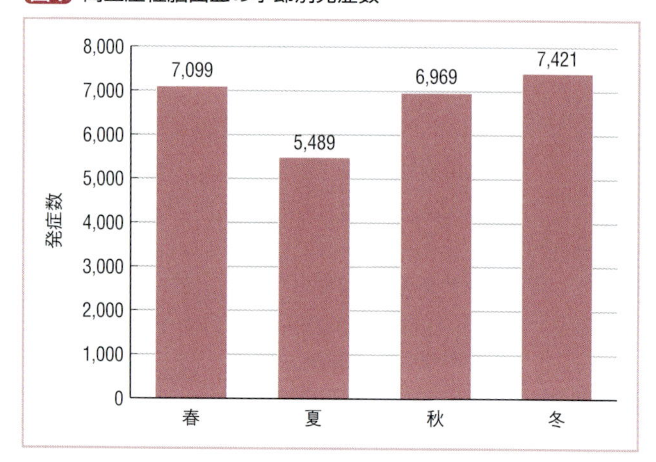

図2 高血圧性脳出血の月別発症数

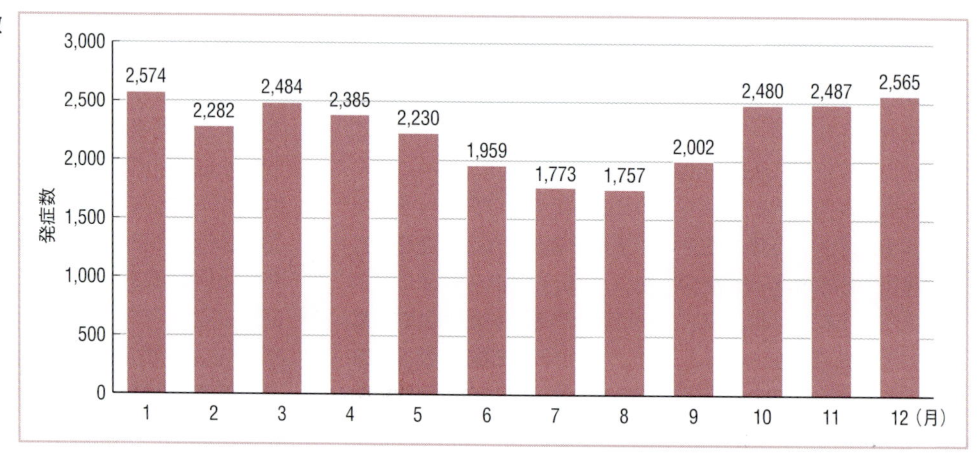

1. 高血圧性脳出血発症の季節変動

高血圧性脳出血の季節別の発症頻度には有意差があり（$p<0.001$），夏に比べて，冬のほうが多かった（incidence ratio〈IR〉$=1.352$，$p<0.001$）（図1）．高血圧性脳出血の月別の発症頻度にも有意差があり（$p<0.001$），6月から9月に少なく，10月から3月に多かった（図2）．

2. 脳梗塞発症の季節変動

脳梗塞全体の季節別の発症頻度には有意差があり（$p<0.001$），冬に比べて，夏のほうが多かった（IR$=1.012$，$p<0.001$）（図3）．脳梗塞の月別の発症頻度にも有意差があり（$p<0.001$），とくに2月に減少していた（図4）．

3. 脳梗塞病型別の季節変動（図5）

脳梗塞を病型別に解析すると，ラクナ梗塞（IR$=1.135$，$p<0.001$）・アテローム血栓性脳梗塞（IR$=1.049$，$p=0.001$）ともに，冬に比べ夏のほうが多かった．一方，心原性脳塞栓症は，夏に比べ冬のほうが多かった（IR$=1.132$，$p<0.001$）．

4. 北日本・南日本における高血圧性脳出血発症の季節変動

日本は地理的に南北に長く気候も異なるため，北日本と南日本での季節変動の比較を行った（北のラインは新潟，群馬，栃木，埼玉，東京，神奈川，千葉と定め，それを含めた以北の都道県

図3 脳梗塞の季節別発症数

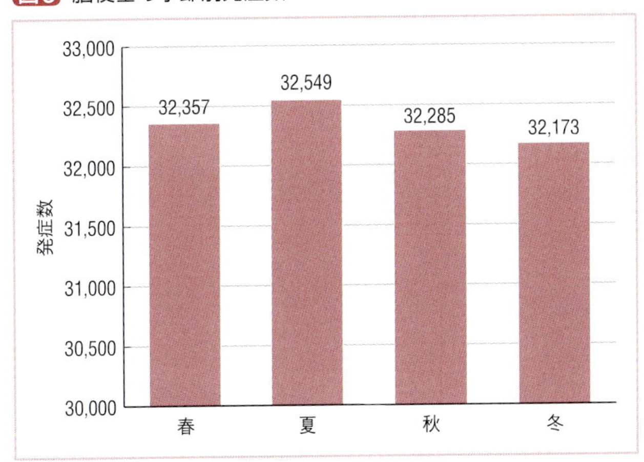

図4 脳梗塞の月別発症数

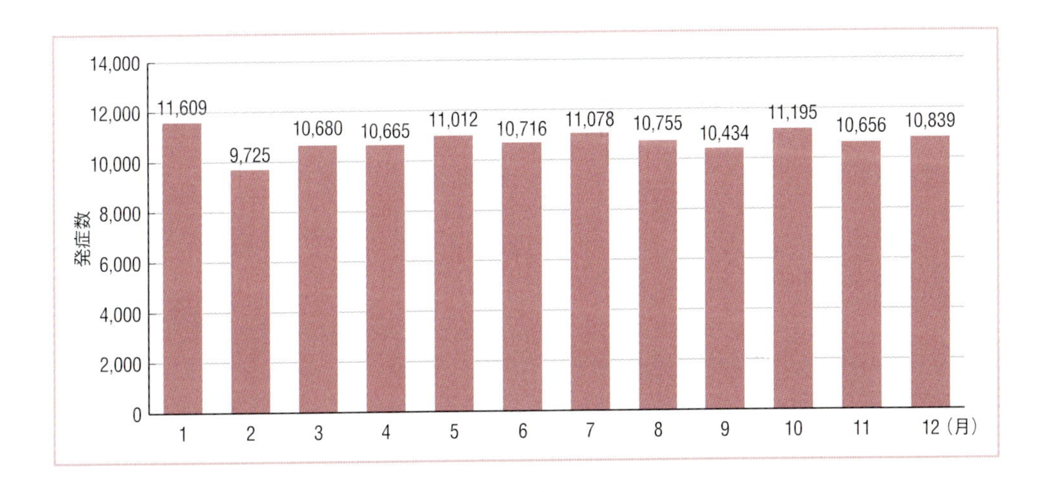

図5 脳梗塞病型別の季節別発症数

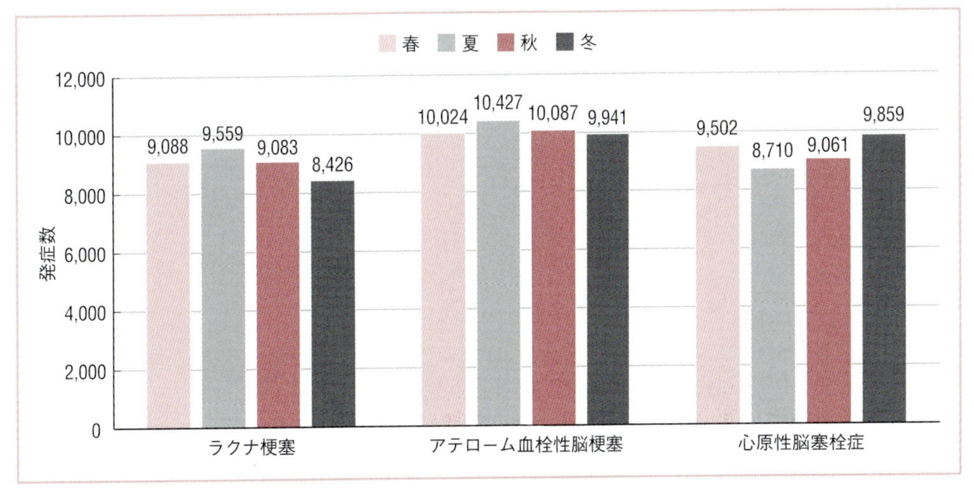

図6 北日本・南日本における脳梗塞病型別の季節別発症数

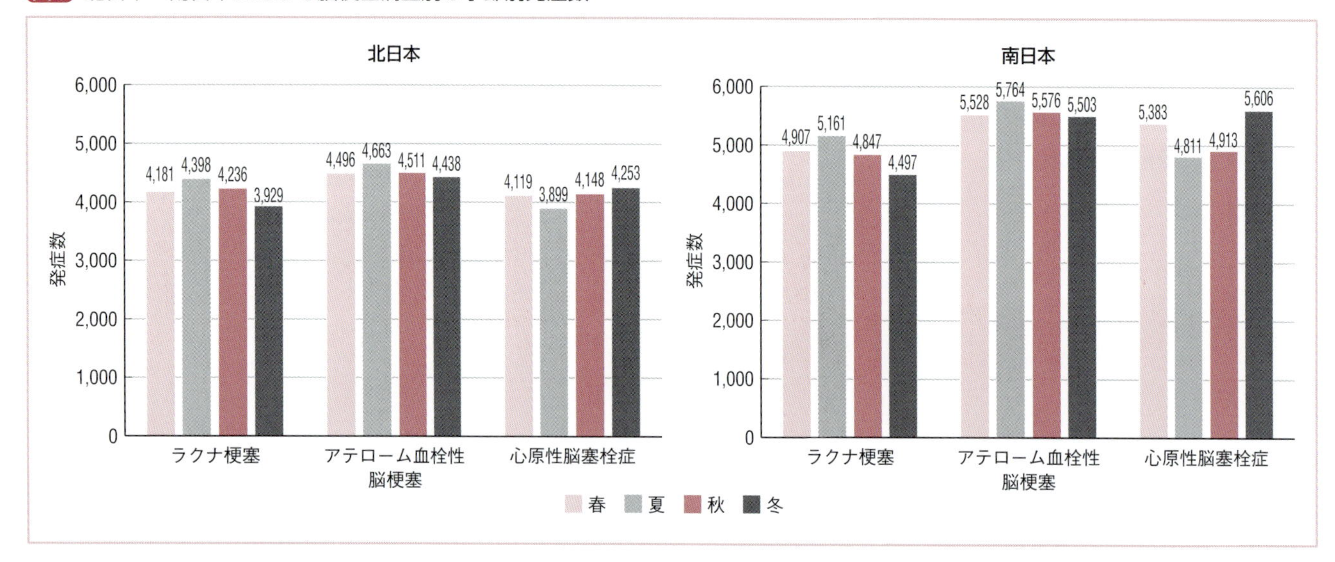

を北日本，以南の府県を南日本とした）.

高血圧性脳出血は，北日本（IR＝1.2706，$p<0.001$）・南日本（IR＝1.4462，$p<0.001$）ともに夏に比べ冬のほうが多かった.

5. 北日本・南日本における脳梗塞発症の季節変動（図6）

① 脳梗塞全体を解析すると，北日本では，冬に比べ夏のほうが多かった（IR＝1.020，$p<0.001$）．南日本では，冬に比べ，春（IR＝1.008，$p<0.001$）・夏（IR＝1.005，$p<0.001$）のほうが多かった.

② ラクナ梗塞では，北日本（IR＝1.1193，$p<0.001$）・南日本（IR＝1.1481，$p<0.001$）ともに，冬に比べ夏のほうが多かった.

③ アテローム血栓性脳梗塞では，北日本で冬と夏の有意差はなかったが（IR＝1.0506，$p=0.073$），南日本では冬に比べ夏のほうが多かった（IR＝1.0476，$p=0.008$）.

④ 心原性脳塞栓症では，北日本（IR＝1.0905，$p<0.001$）・南日本（IR＝1.1654，$p<0.001$）ともに，夏に比べ冬のほうが多かった.

6. 高齢者（75歳以上）の脳卒中発症の季節変動

① 75歳以上の高血圧性脳出血は，夏に比べ冬のほうが多かった（IR＝1.3513，$p<0.001$）．冬と春で発症頻度は変わらなかった（$p=0.997$）.

② 75歳以上の脳梗塞全体の発症は，夏に比べ冬のほうが多かった（IR＝1.0190，$p<0.001$）．冬と春で発症頻度は変わらなかった（$p=0.254$）（図7）.

③ 脳梗塞病型別で検討すると，ラクナ梗塞（IR＝1.1053，$p<0.001$）・アテローム血栓性脳梗塞（IR＝1.0231，$p=0.014$）ともに，冬に比べ夏のほうが多かった．一方，心原性脳塞栓症は，夏に比べ冬のほうが多かった（IR＝1.1314，$p<0.001$）（図8）.

図7 脳梗塞の季節別発症数（75歳以上）

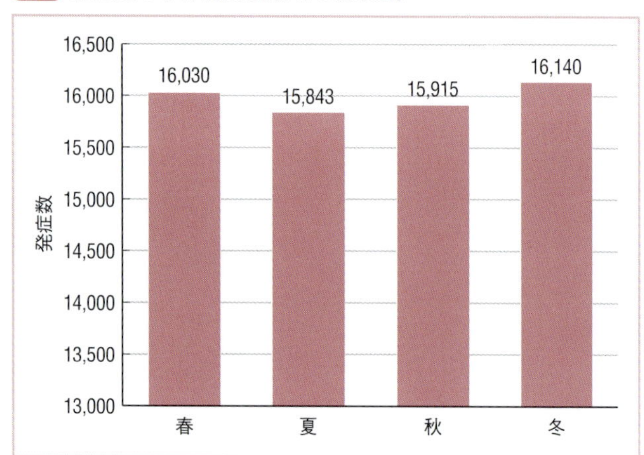

1998～2007年の脳卒中発症の季節変動[4)]

① 高血圧性脳出血の季節別の発症頻度には有意差があり（$p<0.001$），夏に少なく冬に多かった.

② 脳梗塞の季節別の発症頻度では有意差があり（$p<0.001$），夏に多く冬に少なかった.

③ 病型別では，ラクナ梗塞（$p<0.001$）・アテローム血栓性脳梗塞（$p=0.057$）で夏に多く冬に少なく，心原性脳塞栓症では冬に多く夏に少なかった（$p<0.01$）.

考察

過去のわが国の報告を紐解くと，久山町の研究で脳出血・脳梗塞は気温に反比例して発症し，男性での全脳卒中・脳出血の

図8 脳梗塞病型別の季節別発症数（75歳以上）

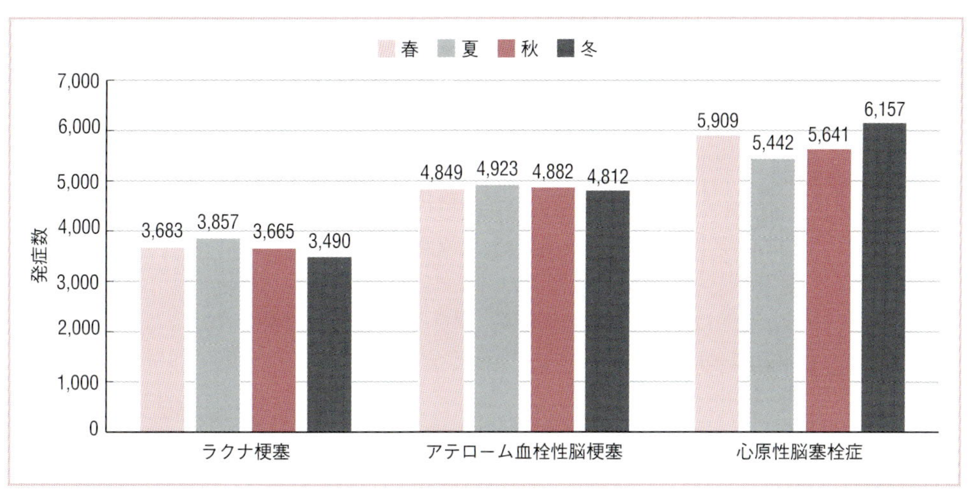

発症には気温日内較差が関与すると報告されている[2]．J-MUSIC では男性での全脳卒中・ラクナ梗塞・アテローム血栓性脳梗塞は夏に多く，女性での全脳卒中・心原性脳塞栓症は冬に多いとしている[3]．国立循環器病研究センター脳卒中登録研究[5]では，脳梗塞全体の発症に季節差はないが，心原性脳塞栓症は冬に多かった．今回の検討では，登録数が 15 万人と過去より 2 倍以上に増えたことで有意差が明確となり，ラクナ梗塞とアテローム血栓性脳梗塞は夏に多く，心原性脳塞栓症と脳出血は冬に多いことが示された．これらの発症の季節差の理由として，ラクナ梗塞・アテローム血栓性脳梗塞の発症には夏の高温による脱水などが関与し，心原性脳塞栓症や高血圧性脳出血では冬期の寒冷による心房細動の新規発症[6]や血圧上昇などの関与が推察された．

北日本・南日本における脳梗塞発症の季節変動は日本全体とほぼ同じであったが，北日本のアテローム血栓性脳梗塞では冬と夏の有意差はなかった．この理由は定かではないが，北日本では南日本ほど夏期が暑くないため，脱水の影響が軽減しアテローム血栓性脳梗塞の発症が増えなかった可能性がある．

本解析の特記すべき点として，全年齢での脳梗塞全体では冬に比べ夏に多かったが，75 歳以上の脳梗塞全体の発症頻度は，逆に夏に比べ冬のほうが高かった．この理由として，冬では心房細動の新規発症が増える[6]ため心原性脳塞栓症の発症割合の増加がこの結果に反映されたと推察された．

これまで『脳卒中データバンク 2009』(1998～2007 年，47,782 例)[4]，『脳卒中データバンク 2015』(2003～12 年，89,756 例）で脳卒中季節変動の解析を行った．この間，対象施設も増加し，解析期間も重複しているので，過去と今回の比較が適切とはいえないが，ここ 20 年間では季節変動の明かな経時的変化はなかったと考える．

文献

1) Li Y, et al. Seasonal variation in the occurrence of ischemic stroke: A meta-analysis. Environ Geochem Health 2019; 41: 2113-30.
2) Shinkawa A, et al. Seasonal variation in stroke incidence in Hisayama, Japan. Stroke 1990; 21: 1262-7.
3) Ogata T, et al. Variation in ischemic stroke frequency in Japan by season and by variables. J Neurol Sci 2004; 225: 85-9.
4) Takizawa S, et al. Seasonal variation of stroke incidence in Japan for 35631 stroke patients in the Japanese standard stroke registry, 1998-2007. J Stroke Cerebrovasc Dis 2013; 22: 36-41.
5) Toyoda K, et al. Seasonal variations in neurological severity and outcomes of ischemic stroke — 5-Year single-center observational study. Circ J 2018; 82: 1443-50.
6) Loomba RS. Seasonal variation in paroxysmal atrial fibrillation: A systematic review. J Atr Fibrillation 2015; 7 (5): 1201.

3 飲酒と脳梗塞

汐月博之，西條泰明，大櫛陽一，小林祥泰

- 脳梗塞発症前の日常的なアルコール摂取量は，発症のリスクばかりでなく，発症から退院時に影響する一つの指標になる可能性がある．
- 非飲酒者は脳梗塞の病型や性別によらず入院時の重症度が高かった．
- アルコール摂取による予後への保護的な影響が脳梗塞の病型や性別によらずみられたが，影響する摂取量は男女により異なる可能性がある．
- 非心原性脳梗塞では男性の大量飲酒者の予後が不良だったが，発症機序の違いが影響した可能性がある．
- 今後は女性の社会進出など社会習慣の経時的変化を加味して検討する必要がある．

筆者らは脳卒中関連因子としてアルコールの摂取量に注目してきた．

諸外国からは，アルコール摂取量を脳卒中発症のリスク因子として検討した報告はあるが，発症後の後遺症が問題である疾病にもかかわらず，アルコール摂取量と退院時の機能予後の関連を検討した報告はほとんどなかった．また，性別による検討は多くのデータを必要とするため，男女を統合して調整した解釈にとどまっていた．近年では，前向き研究によりこれらの性差も検討されるようになってきた[1]．

1999年に立ち上がった「日本脳卒中データバンク（以下，旧DB）」は，2015年に国立循環器病研究センターに移管され（以下，新DB），収集項目の見直しも併せデータの収集が進んでいる．

2006年，筆者らは脳梗塞患者における発症前のアルコール摂取量と退院時の機能予後のあいだにJカーブを描く保護的影響がある可能性を報告した[2]．しかし，この時点では性差を示すには症例数が不十分だった．2019年，われわれはさらに旧DBにより集積が進んだデータを用いて，脳梗塞患者のアルコール摂取量と重症度との関連を，男女別に明らかにする試みを報告した[3]．

本項ではその概要を示すとともに，新DBによりさらに集積が進んだデータによる検証も行った．

材料と方法

1. 対象データと病型の分類

2013年3月までに旧DBに登録された，計101,165例の急性期脳卒中患者データから，脳卒中確定診断情報，性，年齢，飲酒歴，喫煙歴，高血圧既往歴，糖尿病既往歴が登録されている60,836例を抽出した．これらから，原因不明の脳梗塞，出血性脳卒中，TIAの症例を除外し，機序の違いにより脳梗塞を心原性11,894例（男性：5,810例，女性：6,084例），非心原性29,129例（男性：17,036例，女性：12,093例）に分類した（図1）[3]．

2. 統計的解析

男女データを統合した解析，性別による層別解析を行った．本項では主な目的である男女層別解析の結果を示す．

アルコール摂取量は，0：ほとんどなし，1：機会飲酒，2：毎日20～39 g，3：毎日40～59 g，4：毎日60 g以上，5：大酒家，に名義データ化した．臨床指標は，入院時はNIH Stroke Scale（NIHSS）[4]，退院時はmodified Rankin Scale（mRS）[5]を用い，NIHSSが4以下，mRSが0～2を軽度（＝0），それ以上を重度（＝1）とし2値化した．

アルコール摂取量に応じた各病型の臨床指標について，単変量ロジスティック回帰分析により“機会飲酒”を基底とした粗オッズ比を算出し，さらに多変量ロジスティック回帰分析により調整オッズ比*を算出した．

結果の概要

表1には，各病型のアルコール摂取量と関連因子の状況を，表2には，入院時のNIHSS，退院時のmRSについてアルコール摂取量による関連性を示した．

1. 心原性脳塞栓症

入院時NIHSS（図2）

男女ともに非飲酒者で粗オッズ比は有意に高値であった．多変量による調整後もこれらの影響は残った．

退院時mRS（図3）

男性では非飲酒者，大酒家で粗オッズ比は有意に高値，毎日40～59 g摂取者では有意に低値であった．多変量による調整後は，非飲酒者と毎日40～59 g摂取者への影響は残った．また，毎日20～39 g摂取者の影響が有意に低値で加わった．

*年齢，救急システムの利用，喫煙歴，糖尿病の既往，高血圧の既往（退院時mRSでは入院時のNIHSSを追加）の影響を調整．

図1 旧DBからの解析対象となるデータ抽出の流れ

（Shiotsuki H, et al. J Stroke Cerebrovasc Dis 2019[3]より）

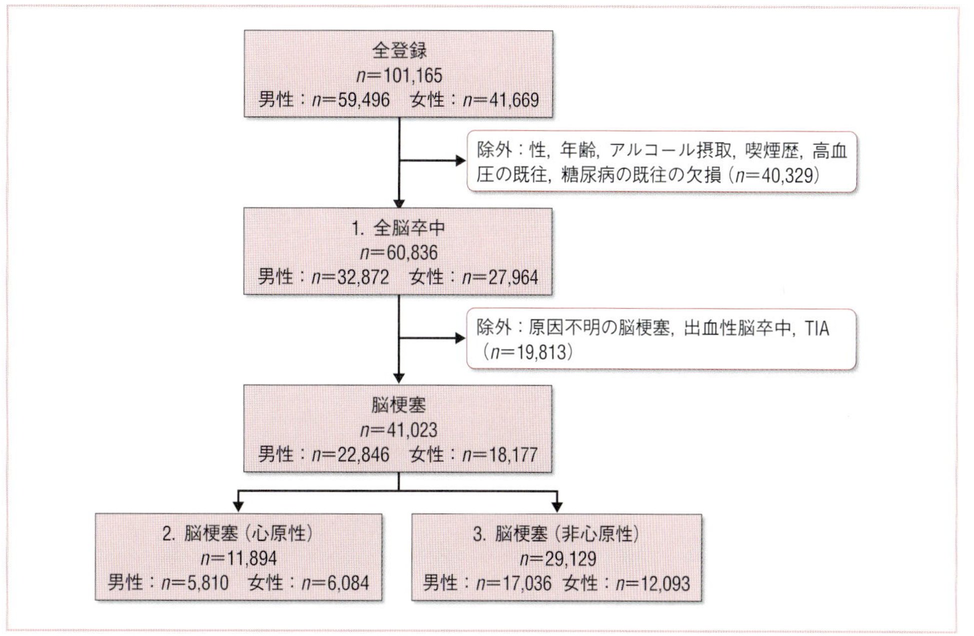

女性では，非飲酒者で粗オッズ比は有意に高値で，毎日60 g以上摂取者で有意に低値であった．多変量による調整後は，毎日60 g以上摂取者への影響は残った．

2. 非心原性脳梗塞

入院時NIHSS（図4）

男性では非飲酒者，大酒家で粗オッズ比は有意に高値であった．多変量による調整後も影響は残った．

女性では非飲酒者で粗オッズ比は有意に高値であった．多変量による調整後も影響は残った．

退院時mRS（図5）

男性では非飲酒者，大酒家で粗オッズ比は有意に高値，毎日40～59 g摂取者は有意に低値であった．多変量による調整後も同様に残った．

女性では非飲酒者で粗オッズ比は有意に高値，毎日20～39 g摂取者は有意に低値であった．多変量による調整後は非飲酒者への影響は残った．

解析結果による考察

女性がアルコール摂取量により影響が重度化する可能性について，日本人の遺伝的要因（日本人の44 %が2型アルデヒド脱水素酵素をもたずアセトアルデヒドが貯まりやすい）と[6]，アルコール耐性の性差の可能性が考えられるが[7]，大量飲酒が女性に与える影響を明言するには女性の大量飲酒者のデータが少なかった．

入院時の重症度について，男性において心原性では非飲酒者にネガティブな影響があり，非心原性では大量摂取者にネガティブな影響があったが，それぞれの発症機序の違いが影響した可能性がある．心原性は非飲酒者の抗凝固状態の低下に関連し，非心原性は大量飲酒による血管の炎症による影響が関連している可能性である．女性では，心原性と非心原性で，ともに非飲酒者にのみネガティブな影響があったが，非飲酒者が占める割合の高さも併せて，飲酒環境や飲酒耐性も含んだ女性特有の指標として今後注目する必要がある．

退院時の機能予後について，男性では心原性と非心原性でともにアルコール摂取量と臨床指標との関連でJカーブを示し，毎日59 gまでのアルコール摂取者は退院時における機能予後に関し保護的に働く可能性があった．Reynoldsらによるメタ解析[8]では1日60 g未満までのアルコール摂取量であれば非飲酒者と比べて発症率は低いとされており，筆者らの結果は脳梗塞をすでに発症した者の機能予後に対する値であるが，アルコール摂取による影響の可能性はあるとした．女性では，心原性の毎日60 g以上の摂取者において，オッズ比が多変量調整後でも有意ではないが低下していた．ただし，女性の大量飲酒者のデータが少ないため，男性の分析と比較して十分な統計的検出力がないことが限界点であり，今後のさらなるデータ蓄積により，女性の飲酒習慣の時代変化も加味した検討が必要である．

新DBにより集積が進んだデータによる再検証の試み

新DBに2018年12月までに登録された，計199,599例のデータを用いた．図6にデータフロー，表3には各病型のアルコール摂取量と関連因子の状況を示した．

表1 発症前のアルコール摂取量と関連因子の状況

			p	ほとんどなし	p	機会飲酒	p	飲酒習慣あり 毎日20～39g	p	飲酒習慣あり 毎日40～59g	p	飲酒習慣あり 毎日60g以上	p	大酒家	p	**p**
心原性脳塞栓症，n		11,894		7,904		1,466		1,720		473		282		49		
性，n（%）	男	5,810（100.0）		2,467（42.5）		1,026（17.7）		1,558（26.8）		447（7.7）		268（4.6）		44（0.8）		**＜0.001**
	女	6,084（100.0）		5,437（89.4）		440（7.2）		162（2.7）		26（0.4）		14（0.2）		5（0.1）		
年齢，中央値（25%，75%）	男	73.0（65.0，80.0）	＜0.001	76.0（69.0，82.0）	＜0.001	71.0（63.0，78.0）	＜0.001	71.0（64.0，78.0）	0.582	68.0（62.0，75.0）	0.228	66.0（60.0，74.0）	0.976	71.5（65.0，78.0）	0.024	**＜0.001**
	女	81.0（74.0，87.0）		82.0（75.0，87.0）		74.0（66.0，82.0）		70.0（62.0，82.0）		68.0（65.0，79.0）		68.0（65.0，69.0））		79.0（78.0，89.0）		**＜0.001**
救急システムの利用，n（%）	男	3,885（66.9）	＜0.001	1,669（67.7）	＜0.001	689（67.2）	0.064	1,034（66.4）	0.235	278（62.2）	0.264	185（69.0）	0.450	30（68.2）	0.587	**0.315**
	女	4,568（75.1）		4,102（75.4）		317（72.0）		115（71.0）		19（73.1）		11（78.6）		4（80.0）		**0.519**
喫煙歴あり，n（%）	男	2,139（36.8）	＜0.001	512（20.8）	＜0.001	362（35.3）	＜0.001	769（49.4）	＜0.001	286（64.0）	0.517	183（68.3）	0.754	27（61.4）	0.357	**＜0.001**
	女	285（4.7）		149（2.7）		54（12.3）		56（34.6）		15（57.7）		9（64.3）		2（40.0）		**＜0.001**
高血圧の既往あり，n（%）	男	3,589（61.8）	＜0.001	1,462（59.3）	＜0.001	602（58.7）	0.882	1,025（65.8）	0.097	312（69.8）	0.440	158（59.0）	0.144	30（68.2）	0.587	**＜0.001**
	女	4,056（66.7）		3,665（67.4）		260（59.1）		96（59.3）		20（76.9）		11（78.6）		4（80.0）		**0.002**
糖尿病の既往あり，n（%）	男	1,307（22.5）	＜0.001	521（21.1）	0.001	227（22.1）	0.005	350（22.5）	＜0.001	119（26.6）	0.973	70（26.1）	0.839	20（45.5）	0.816	**＜0.001**
	女	1,067（17.5）		969（17.8）		69（15.7）		16（9.9）		7（26.9）		4（28.6）		2（40.0）		**0.029**
入院日数，中央値（25%，75%）	男	21.0（14.0，37.0）	＜0.001	22.0（14.0，38.0）	0.005	21.0（13.0，38.0）	0.220	20.0（13.0，35.0）	0.657	20.0（14.0，36.0）	0.020	23.0（15.0，40.0）	0.074	26.5（16.3，44.5）	0.766	**0.004**
	女	24.0（14.0，42.0）		24.0（14.5，42.0）		23.0（14.0，36.8）		20.0（14.0，34.3）		28.0（19.0，44.3）		16.5（13.5，27.3）		28.0（15.5，109.0）		**0.093**
入院時のNIHSS（≦4），n（%）	男	2,353（40.5）	＜0.001	893（36.2）	＜0.001	447（43.6）	0.013	681（43.7）	0.007	202（45.2）	0.502	113（42.2）	0.563	17（38.6）	0.413	**＜0.001**
	女	1,512（24.9）		1,280（23.5）		161（36.6）		53（32.7）		10（38.5）		7（50.0）		1（20.0）		**＜0.001**
退院時のmRS（≦2），n（%）	男	2,996（51.6）	＜0.001	1,083（43.9）	＜0.001	567（55.3）	＜0.001	908（58.3）	0.084	275（61.5）	0.006	146（54.5）	0.077	17（38.6）	0.413	**＜0.001**
	女	1,819（29.9）		1,516（27.9）		199（45.2）		83（51.2）		9（34.6）		11（78.6）		1（20.0）		**＜0.001**

非心原性脳梗塞，n		29,129		17,356		4,043		4,913		1,711		864		242		
性，n（%）	男	17,036 (100.0)		6,901 (40.5)		3,019 (17.7)		4,428 (26.0)		1,629 (9.6)		828 (4.9)		231 (1.4)		**<0.001**
	女	12,093 (100.0)		10,455 (86.5)		1,024 (8.5)		485 (4.0)		82 (0.7)		36 (0.3)		11 (0.1)		
年齢，中央値（25 %，75 %）	男	69.0 (61.0，76.0)	<0.001	72.0 (64.0，79.0)	<0.001	68.0 (59.0，75.0)	<0.001	68.0 (60.5，75.0)	<0.001	64.0 (57.0，70.0)	0.771	62.0 (57.0，68.0)	0.565	68.0 (61.0，75.5)	0.246	**<0.001**
	女	76.0 (67.0，83.0)		77.0 (69.0，83.0)		70.0 (61.0，78.0)		65.0 (58.0，74.0)		64.0 (57.0，72.0)		63.0 (51.5，72.0)		72.0 (65.0，77.5)		**<0.001**
救急システムの利用，n（%）	男	6,338 (37.2)	<0.001	2,735 (39.6)	0.673	1,126 (37.3)	0.470	1,547 (34.9)	0.888	549 (33.7)	0.027	293 (35.4)	0.349	88 (38.1)	0.470	**<0.001**
	女	4,748 (39.3)		4,177 (40.0)		369 (36.0)		171 (35.3)		18 (22.0)		10 (27.8)		3 (27.3)		**<0.001**
喫煙歴あり，n（%）	男	8,599 (50.5)	<0.001	2,392 (34.7)	<0.001	1,503 (49.8)	<0.001	2,701 (61.0)	<0.001	1,218 (74.8)	0.022	641 (77.4)	0.060	144 (62.3)	0.020	**<0.001**
	女	1,095 (9.1)		628 (6.0)		201 (19.6)		188 (38.8)		52 (63.4)		23 (63.9)		3 (27.3)		**<0.001**
高血圧の既往あり，n（%）	男	12,198 (71.6)	<0.001	4,796 (69.5)	<0.001	2,141 (70.9)	0.017	3,301 (74.5)	0.877	1,171 (71.9)	0.990	623 (75.2)	0.682	166 (71.9)	0.167	**<0.001**
	女	9,046 (74.8)		7,825 (74.8)		766 (74.8)		360 (74.2)		59 (72.0)		26 (72.2)		10 (90.9)		**0.837**
糖尿病の既往あり，n（%）	男	6,097 (35.8)	<0.001	2,442 (35.4)	<0.001	1,048 (34.7)	<0.001	1,561 (35.3)	<0.001	627 (38.5)	0.005	329 (39.7)	0.442	90 (39.0)	0.863	**0.014**
	女	3,498 (28.9)		3,067 (29.3)		290 (28.3)		106 (21.9)		19 (23.2)		12 (33.3)		4 (36.4)		**0.011**
入院日数，中央値（25 %，75 %）	男	16.0 (11.0，28.0)	<0.001	17.0 (11.0，31.0)	<0.001	16.0 (11.0，27.0)	0.880	16.0 (11.0，26.0)	0.557	16.0 (11.0，24.0)	0.037	16.0 (10.0，29.0)	0.067	22.0 (14.5，34.0)	0.975	**<0.001**
	女	18.0 (12.0，31.0)		19.0 (12.0，32.0)		16.0 (11.0，26.0)		16.0 (11.0，25.0)		17.0 (13.0，34.0)		13.0 (10.0，19.5)		18.0 (15.0，37.0)		**<0.001**
入院時のNIHSS（≦4），n（%）	男	11,136 (65.4)	<0.001	4,284 (62.1)	<0.001	2,033 (67.3)	0.509	3,005 (67.9)	0.098	1,135 (69.7)	0.975	550 (66.4)	0.976	129 (55.8)	0.612	**<0.001**
	女	7,224 (59.7)		6,088 (58.2)		701 (68.5)		347 (71.5)		57 (69.5)		24 (66.7)		7 (63.6)		**<0.001**
退院時のmRS（≦2），n（%）	男	11,897 (69.8)	<0.001	4,272 (61.9)	<0.001	2,230 (73.9)	0.056	3,319 (75.0)	0.457	1,305 (80.1)	0.010	628 (75.8)	0.382	143 (61.9)	0.908	**<0.001**
	女	6,974 (57.7)		5,790 (55.4)		725 (70.8)		371 (76.5)		56 (68.3)		25 (69.4)		7 (63.6)		**<0.001**

p：Kruskal Wallis検定，*p*：Mann-Whitney U検定
mRS：modified Rankin Scale，NIHSS：National Institutes of Health Stroke Scale
（Shiotsuki H, et al. J Stroke Cerebrovasc Dis 2019[3]より）

表2 入院時NIHSSと退院時mRSに対する男女層別ロジスティック回帰分析

				ほとんどなし	*p*	機会飲酒（基底）	飲酒習慣あり						大酒家	*p*	*p* for quadratic trend
							毎日20～39g	*p*	毎日40～59g	*p*	毎日60g以上	*p*			
心原性脳塞栓症，*n*		男性	5,810	2,467		1,026	1,558		447		268		44		
		女性	6,084	5,437		440	162		26		14		5		
入院時のNIHSSオッズ比（95％信頼区間）	粗オッズ比	男性		1.361（1.173～1.578）	＜0.001	1.000	0.994（0.848～1.165）	0.943	0.936（0.749～1.171）	0.546	1.059（0.807～1.390）	0.680	1.226（0.660～2.278）	0.519	0.001
		女性		1.874（1.528～2.298）	＜0.001	1.000	1.187（0.811～1.738）	0.379	0.923（0.409～2.083）	0.848	0.577（0.199～1.675）	0.312	2.308（0.256～20.829）	0.456	0.019
	調整オッズ比*	男性		1.267（1.073～1.496）	0.005	1.000	1.010（0.842～1.210）	0.916	1.135（0.871～1.479）	0.348	1.164（0.846～1.603）	0.352	1.289（0.629～2.641）	0.488	0.012
		女性		1.527（1.209～1.928）	＜0.001	1.000	1.447（0.920～2.277）	0.110	1.113（0.422～2.935）	0.829	0.635（0.181～2.236）	0.480	1.583（0.128～19.581）	0.720	0.398
退院時のmRSオッズ比（95％信頼区間）	粗オッズ比	男性		1.579（1.363～1.828）	＜0.001	1.000	0.884（0.754～1.037）	0.130	0.773（0.616～0.969）	0.026	1.032（0.788～1.352）	0.818	1.962（1.056～3.644）	0.033	＜0.001
		女性		2.136（1.754～2.600）	＜0.001	1.000	0.786（0.548～1.127）	0.191	1.560（0.680～3.575）	0.294	0.225（0.062～0.818）	0.024	3.303（0.366～29.789）	0.287	0.001
	調整オッズ比*	男性		1.314（1.084～1.592）	0.005	1.000	0.774（0.627～0.954）	0.017	0.688（0.504～0.940）	0.019	1.076（0.745～1.556）	0.695	1.947（0.821～4.614）	0.130	＜0.001
		女性		1.245（0.958～1.618）	0.101	1.000	0.797（0.487～1.305）	0.368	2.784（0.924～8.387）	0.069	0.189（0.037～0.973）	0.046	2.685（0.121～59.454）	0.532	0.589
非心原性脳梗塞，*n*		男性	17,036	6,901		3,019	4,428		1,629		828		231		
		女性	12,093	10,455		1,024	485		82		36		11		
入院時のNIHSSオッズ比（95％信頼区間）	粗オッズ比	男性		1.260（1.151～1.379）	＜0.001	1.000	0.976（0.885～1.078）	0.635	0.897（0.788～1.022）	0.103	1.042（0.885～1.227）	0.619	1.630（1.244～2.137）	＜0.001	＜0.001
		女性		1.557（1.357～1.786）	＜0.001	1.000	0.863（0.681～1.094）	0.224	0.952（0.584～1.551）	0.843	1.085（0.536～2.197）	0.820	1.240（0.360～4.266）	0.733	＜0.001
	調整オッズ比*	男性		1.130（1.026～1.244）	0.013	1.000	0.987（0.889～1.097）	0.814	0.971（0.843～1.118）	0.971	1.146（0.960～1.369）	0.132	1.659（1.248～2.206）	＜0.001	0.001
		女性		1.263（1.089～1.464）	0.002	1.000	0.902（0.698～1.165）	0.428	1.146（0.674～1.949）	0.614	1.288（0.612～2.713）	0.505	1.327（0.365～4.819）	0.668	0.001
退院時のmRSオッズ比（95％信頼区間）	粗オッズ比	男性		1.739（1.582～1.912）	＜0.001	1.000	0.944（0.850～1.050）	0.290	0.702（0.606～0.812）	＜0.001	0.900（0.753～1.076）	0.248	1.739（1.318～2.296）	＜0.001	＜0.001
		女性		1.954（1.698～2.247）	＜0.001	1.000	0.745（0.581～0.956）	0.021	1.126（0.694～1.827）	0.632	1.067（0.518～2.196）	0.860	1.386（0.403～4.768）	0.605	＜0.001
	調整オッズ比*	男性		1.461（1.303～1.637）	＜0.001	1.000	0.935（0.825～1.060）	0.297	0.783（0.656～0.935）	0.007	1.071（0.860～1.335）	0.539	1.564（1.123～2.179）	0.008	＜0.001
		女性		1.282（1.080～1.522）	0.005	1.000	0.854（0.627～1.163）	0.316	1.715（0.925～3.179）	0.087	1.403（0.559～3.521）	0.470	1.296（0.304～5.533）	0.726	0.001

*：年齢，救急システムの利用，喫煙歴，糖尿病の既往，高血圧の既往の影響を調整（退院時mRSでは入院時NIHSSを追加）．
NIHSSスコアは次のように2値化した：0＝NIHSS≦4，1＝NIHSS≧5．mRSスコアは次のように2値化した：0＝mRS 0～2，1＝mRS 3～6．
NIHSS：National Institutes of Health Stroke Scale，mRS：modified Rankin Scale
（Shiotsuki H, et al. J Stroke Cerebrovasc Dis 2019[3]より）

図2 発症前のアルコール摂取量と入院時のNIHSSスコアの関係（心原性脳塞栓症）

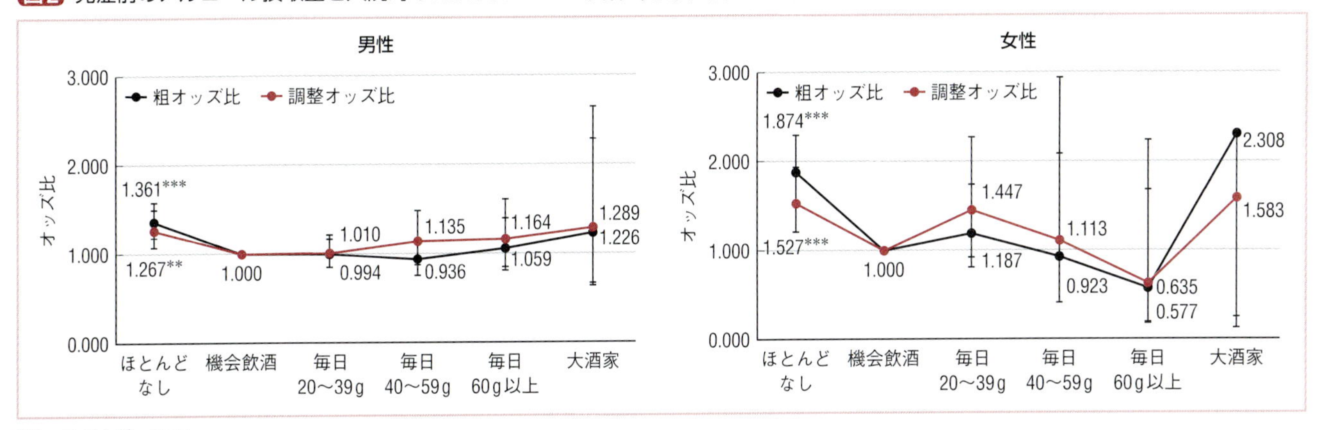

***$p<0.001$, **$p<0.01$

（Shiotsuki H, et al. J Stroke Cerebrovasc Dis 2019[3]より）

図3 発症前のアルコール摂取量と退院時のmRSの関係（心原性脳塞栓症）

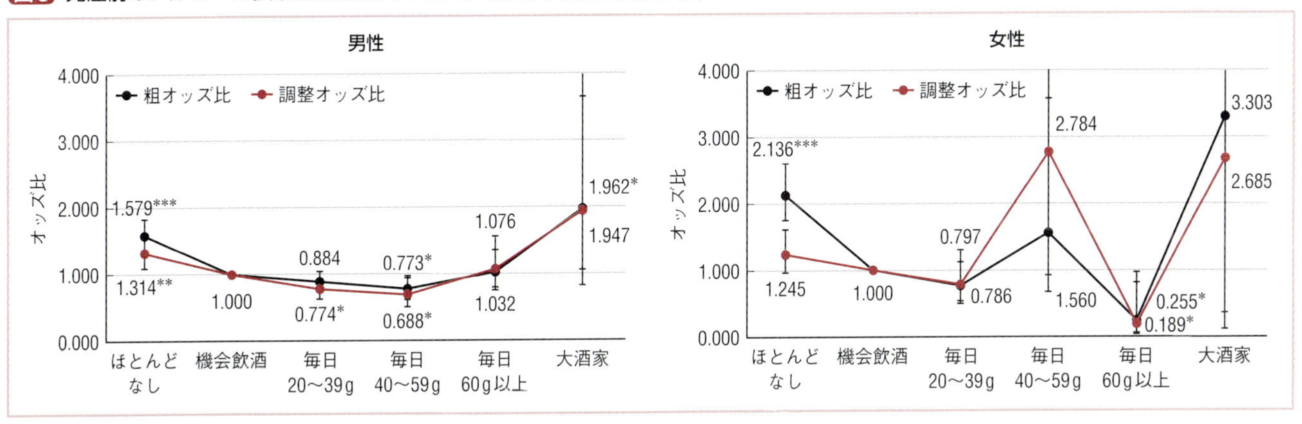

***$p<0.001$, **$p<0.01$, *$p<0.05$

（Shiotsuki H, et al. J Stroke Cerebrovasc Dis 2019[3]より）

図4 発症前のアルコール摂取量と入院時のNIHSSスコアの関係（非心原性脳梗塞）

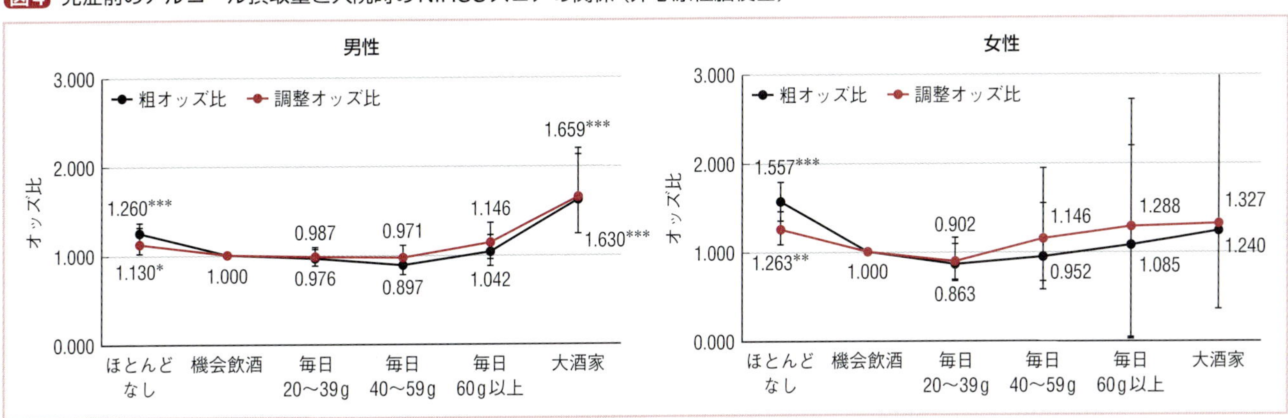

***$p<0.001$, **$p<0.01$, *$p<0.05$

（Shiotsuki H, et al. J Stroke Cerebrovasc Dis 2019[3]より）

図5 発症前のアルコール摂取量と退院時のmRSの関係（非心原性脳梗塞）

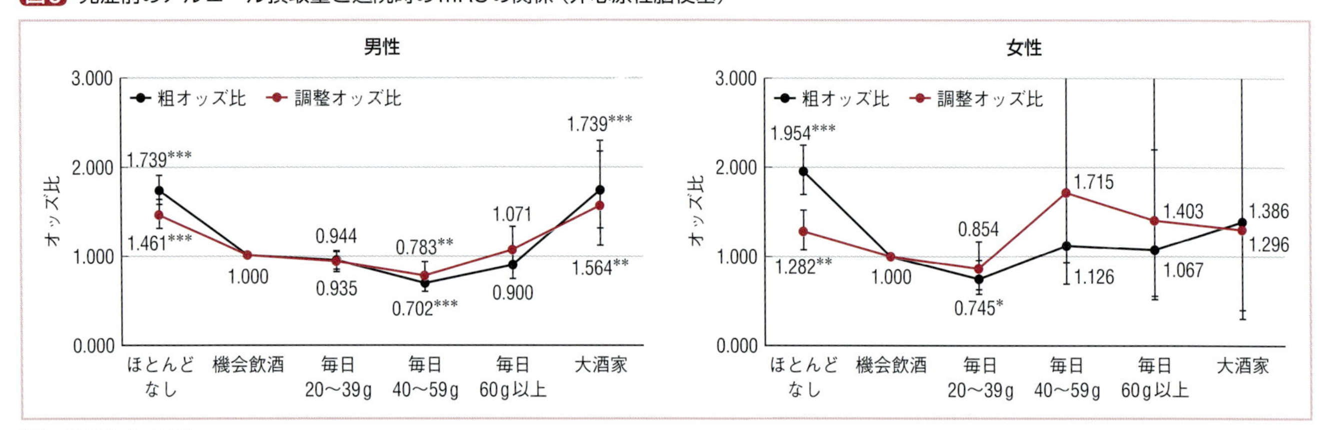

***$p<0.001$, *$p<0.05$

（Shiotsuki H, et al. J Stroke Cerebrovasc Dis 2019[3]より）

図6 新DBからの解析対象となるデータ抽出の流れ

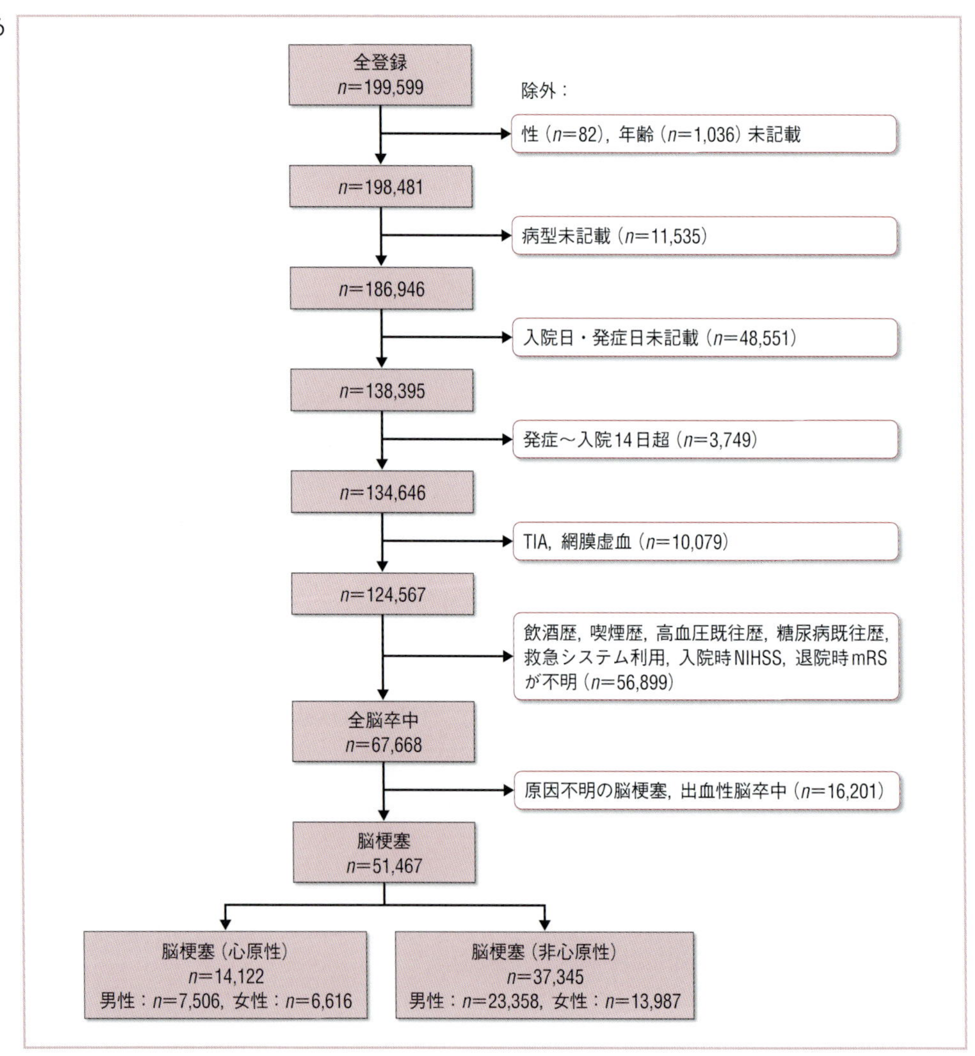

表3 発症前のアルコール摂取量と関連因子（新DB移管後データを加えた検証）

			p	飲酒歴なし	*p*	過去に飲酒	*p*	日常的に飲酒習慣あり						*p*
								週4単位未満	*p*	週8単位未満	*p*	週8単位以上	*p*	
心原性脳塞栓症，*n*		14,122（100）		8,942（63.3）		86（0.6）		1,736（12.3）		2,231（15.8）		1,127（8.0）		
性，*n*（%）	男	7,506（100）		3,099（41.3）		73（1.0）		1,243（16.6）		2,035（27.1）		1,056（14.1）		**<0.001**
	女	6,616（100）		5,843（88.3）		13（0.2）		493（7.5）		196（3.0）		71（1.1）		
年齢，中央値（25%，75%）	男	74.0（67.0,81.0）	<0.001	77.0（69.0,83.0）	<0.001	80.0（74.0,85.0）	0.003	73.0（65.0,80.5）	<0.001	73.0（66.0,79.0）	0.376	70.0（63.0,76.0）	0.289	**<0.001**
	女	82.0（75.0,87.0）		83.0（76.0,88.0）		88.0（82.0,89.0）		76.0（67.0,83.0）		74.0（65.0,82.0）		69.0（65.0,78.0）		**<0.001**
救急システムの利用，*n*（%）	男	5,045（67.2）	<0.001	2,122（68.4）	<0.001	48（65.7）	0.431	848（68.2）	0.041	1,331（65.4）	0.023	696（65.9）	0.003	**0.152**
	女	4,985（75.3）		4,411（75.5）		10（76.9）		361（73.2）		144（73.4）		59（83.1）		**0.413**
喫煙歴あり，*n*（%）	男	3,917（52.2）	<0.001	1,167（37.7）	<0.001	44（60.3）	0.003	631（50.8）	<0.001	1,280（62.9）	<0.001	795（75.3）	0.013	**<0.001**
	女	437（6.6）		247（4.2）		2（15.4）		82（16.6）		62（31.6）		44（62.0）		**<0.001**
高血圧の既往あり，*n*（%）	男	4,904（65.3）	<0.001	1,924（62.1）	<0.001	49（67.1）	0.882	802（64.5）	0.232	1,413（69.4）	0.005	716（67.8）	0.047	**<0.001**
	女	4,540（68.6）		4,071（69.7）		9（69.2）		303（61.5）		117（59.7）		40（56.3）		**<0.001**
糖尿病の既往あり，*n*（%）	男	1,775（23.6）	<0.001	734（23.7）	<0.001	15（20.5）	0.837	303（24.4）	<0.001	470（23.1）	0.008	253（24.0）	0.278	**0.885**
	女	1,176（17.8）		1,057（18.1）		3（23.1）		74（15.0）		29（14.8）		13（18.3）		**0.351**
入院時のNIHSS（≦4），*n*（%）	男	3,163（42.1）	<0.001	1,203（38.8）	<0.001	29（39.7）	0.255	532（42.8）	0.016	927（45.6）	<0.001	472（44.7）	0.043	**<0.001**
	女	1,741（26.3）		1,471（25.2）		3（23.1）		180（36.5）		64（32.7）		23（32.4）		**<0.001**
退院時のmRS（≦2），*n*（%）	男	3,914（52.1）	<0.001	1,392（44.9）	<0.001	27（37.0）	0.335	695（55.9）	<0.001	1,184（58.2）	0.072	616（58.3）	0.029	**<0.001**
	女	2,070（31.3）		1,703（29.1）		3（23.1）		231（46.9）		101（51.5）		32（45.1）		**<0.001**
非心原性脳梗塞，*n*		37,345（100）		21,178（56.7）		211（0.6）		5,287（14.2）		6,801（18.2）		3,868（10.4）		
性，*n*（%）	男	23,358（100）		9,293（39.8）		175（0.7）		4,024（17.2）		6,163（26.4）		3,703（15.9）		**<0.001**
	女	13,987（100）		11,885（85.0）		36（0.3）		1,263（9.0）		638（4.6）		165（1.2）		
年齢，中央値（25%，75%）	男	70.0（62.0,78.0）	<0.001	73.0（65.0,80.0）	<0.001	76.0（68.0,81.0）	0.736	69.0（60.0,77.0）	0.081	69.0（62.0,76.0）	<0.001	65.0（59.0,72.0）	0.625	**<0.001**
	女	77.0（68.0,83.0）		78.0（69.0,84.0）		76.0（68.0,82.0）		70.0（60.0,78.0）		67.0（58.0,75.0）		65.0（57.0,72.0）		**<0.001**
救急システムの利用，*n*（%）	男	9,675（41.4）	0.024	4,091（44.0）	0.202	87（49.7）	0.524	1,631（40.5）	0.924	2,409（39.1）	0.468	1,457（39.3）	0.649	**<0.001**
	女	5,960（42.6）		5,198（43.7）		20（55.6）		510（40.4）		240（37.6）		62（37.6）		**0.005**
喫煙歴あり，*n*（%）	男	14,371（61.5）	<0.001	4,427（47.6）	<0.001	146（83.4）	<0.001	2,492（61.9）	<0.001	4,334（70.3）	<0.001	2,972（80.3）	<0.001	**<0.001**
	女	1,668（11.9）		997（8.4）		16（44.4）		295（23.4）		266（41.7）		94（57.0）		
高血圧の既往あり，*n*（%）	男	16,880（72.3）	0.138	6,501（70.0）	<0.001	118（67.4）	0.575	2,881（71.6）	0.506	4,617（74.9）	0.546	2,763（74.6）	0.286	**<0.001**
	女	10,207（73.0）		8,701（73.2）		26（72.2）		892（70.6）		471（73.8）		117（70.9）		**0.346**
糖尿病の既往あり，*n*（%）	男	7,996（34.2）	<0.001	3,206（34.5）	<0.001	64（36.6）	0.315	1,334（33.2）	<0.001	2,116（34.3）	<0.001	1,276（34.5）	<0.001	**0.571**
	女	3,739（26.7）		3,266（27.5）		10（27.8）		303（24.0）		124（19.4）		36（21.8）		**<0.001**
入院時のNIHSS（≦4），*n*（%）	男	15,614（66.8）	<0.001	5,877（63.2）	<0.001	100（57.1）	0.433	2,774（68.9）	0.161	4,277（69.4）	0.610	2,586（69.8）	0.592	**<0.001**
	女	8,536（61.0）		7,060（59.4）		18（50.0）		897（71.0）		449（70.4）		112（67.9）		**<0.001**
退院時のmRS（≦2），*n*（%）	男	16,164（69.2）	<0.001	5,734（61.7）	<0.001	91（52.0）	0.602	2,925（72.7）	0.248	4,593（74.5）	0.764	2,821（76.2）	0.232	**<0.001**
	女	7,988（57.1）		6,483（54.5）		17（47.2）		897（71.0）		472（74.0）		119（72.1）		**<0.001**

p：Kruskal Wallis検定，*p*：Mann-Whitney U検定
mRS：modified Rankin Scale，NIHSS：National Institutes of Health Stroke Scale

表4 男女層別解析ロジスティック回帰分析（新DB移管後のデータを加えた検証）

				飲酒歴なし（基底）	過去に飲酒	p	日常的に飲酒習慣あり					
							週4単位未満	p	週8単位未満	p	週8単位以上	p
心原性脳塞栓症，n			14,122	8,942	86		1,736		2,231		1,127	
		男性	7,506	3,099	73		1,243		2,035		1,056	
		女性	6,616	5,843	13		493		196		71	
入院時のNIHSSオッズ比（95 %信頼区間）	粗オッズ比	男性		1.000	0.963（0.599～1.547）	0.875	0.848（0.742～0.969）	0.016	0.758（0.677～0.849）	<0.001	0.785（0.682～0.904）	<0.001
		女性		1.000	1.122（0.308～4.081）	0.862	0.585（0.483～0.709）	<0.001	0.694（0.512～0.941）	0.019	0.702（0.426～1.158）	0.166
	調整オッズ比*	男性		1.000	0.944（0.556～1.603）	0.831	0.903（0.777～1.050）	0.185	0.843（0.740～0.961）	0.011	0.919（0.775～1.089）	0.327
		女性		1.000	0.844（0.207～3.447）	0.814	0.705（0.565～0.880）	0.002	0.897（0.630～1.276）	0.545	0.850（0.469～1.538）	0.590
退院時のmRSオッズ比（95 %信頼区間）	粗オッズ比	男性		1.000	1.389（0.859～2.246）	0.180	0.643（0.563～0.734）	<0.001	0.586（0.523～0.656）	<0.001	0.582（0.506～0.671）	<0.001
		女性		1.000	1.371（0.377～4.988）	0.632	0.467（0.387～0.562）	<0.001	0.387（0.291～0.515）	<0.001	0.501（0.313～0.803）	0.004
	調整オッズ比*	男性		1.000	1.024（0.872～1.202）	0.772	0.897（0.857～0.938）	<0.001	0.880（0.846～0.916）	<0.001	0.897（0.852～0.945）	<0.001
		女性		1.000	1.113（0.737～1.682）	0.610	0.905（0.850～0.964）	0.002	0.853（0.776～0.938）	0.001	0.933（0.797～1.092）	0.389
非心原性脳梗塞，n			37,345	21,178	211		5,287		6,801		3,868	
		男性	23,358	9,293	175		4,024		6,163		3,703	
		女性	13,987	11,885	36		1,263		638		165	
入院時のNIHSSオッズ比（95 %信頼区間）	粗オッズ比	男性		1.000	1.290（0.954～1.746）	0.098	0.775（0.716～0.839）	<0.001	0.759（0.708～0.813）	<0.001	0.743（0.685～0.807）	<0.001
		女性		1.000	1.463（0.761～2.815）	0.254	0.597（0.526～0.678）	<0.001	0.616（0.518～0.733）	<0.001	0.692（0.498～0.962）	0.028
	調整オッズ比*	男性		1.000	1.250（0.911～1.715）	0.168	0.866（0.797～0.942）	<0.001	0.863（0.801～0.929）	<0.001	0.912（0.832～0.999）	0.049
		女性		1.000	1.375（0.681～2.779）	0.374	0.714（0.623～0.818）	<0.001	0.848（0.701～1.026）	0.091	1.004（0.702～1.436）	0.981
退院時のmRSオッズ比（95 %信頼区間）	粗オッズ比	男性		1.000	1.487（1.102～2.006）	0.009	0.605（0.558～0.656）	<0.001	0.551（0.513～0.591）	<0.001	0.504（0.462～0.549）	<0.001
		女性		1.000	1.341（0.696～2.583）	0.380	0.490（0.431～0.556）	<0.001	0.422（0.352～0.506）	<0.001	0.464（0.329～0.653）	<0.001
	調整オッズ比*	男性		1.000	1.400（0.982～1.996）	0.063	0.736（0.668～0.810）	<0.001	0.650（0.596～0.708）	<0.001	0.706（0.634～0.785）	<0.001
		女性		1.000	1.175（0.522～2.642）	0.697	0.748（0.641～0.873）	<0.001	0.727（0.583～0.908）	0.005	0.853（0.563～1.294）	0.455

*：年齢，救急システムの利用，喫煙歴，糖尿病の既往，高血圧の既往で調整（退院時mRSでは入院時のNIHSS追加）．
NIHSSスコアは次のように2値化した：0＝NIHSS≦4，1＝NIHSS≧5．mRSスコアは次のように2値化した：0＝mRS 0～2，1＝mRS 3～6．
NIHSS：National Institutes of Health Stroke Scale，mRS：modified Rankin Scale

新DBではアルコール摂取量の分類変更があった．今回のロジスティック回帰分析では，“飲酒歴なし”を基底とした（**表4**）．

以下は，この解析結果からみられた概要である．

①旧DBでは，入院時のNIHSSにおいて，心原性・非心原性ともに非飲酒者のネガティブな影響が有意にみられ，新DBによる解析では，男女ともに少量の飲酒習慣がある者に関してのポジティブな影響が有意にみられた．

②旧DBでは，女性の心原性60 g摂取者において，有意ではないが，例数が少ないながらポジティブな方向であった．今回の解析では，退院時のmRSで心原性の男女ともに適量飲酒の習慣がある者が非飲酒者と比べてポジティブな影響が有意にみられるようになった．非心原性では，女性の適量飲酒習慣者（週8単位未満まで）においてポジティブな影響がみられるようになった．

③総じて「飲まないよりは飲む」習慣があるほうが退院時の機能予後はポジティブである可能性がみえたが，女性では，飲酒習慣のポジティブな影響がみられるとはいえ，入・退院時ともに男性と比べると少ない摂取量までとなっている．また，非飲酒者がリスクになる点において，健康上の問題があって“飲めない”可能性については本解析からは判断できていない．

今後の展望

アルコール摂取量と脳梗塞発症後の影響が男女別に把握できるようになってきた．これにより，発症前のアルコール摂取量は脳卒中に対する発症リスクばかりでなく，発症から退院時の影響に至る一つの尺度（指標）になる可能性がある．

今後は，予後が不良の非飲酒者の背景，飲酒耐性を含む性差もふまえた検討が必要である．さらに，経時的なデータの蓄積に伴い，時代変化による社会習慣の変化にも着目した検討をする必要がある．

文献

1）Iso H, et al. Alcohol consumption and risk of stroke among middle-aged men: The JPHC Study Cohort I. Stroke 2004; 35: 1124-9.

2）汐月博之ほか．脳卒中データバンク（JSSRS）による脳梗塞患者のアルコール摂取量と重症度の関連．厚生の指標2006; 53（6）: 1-6.

3）Shiotsuki H, et al. Relationships between Alcohol Intake and Ischemic Stroke Severity in Sex Stratified Analysis for Japanese Acute Stroke Patients. J Stroke Cerebrovasc Dis 2019; 28（6）: 1604-17.

4）The Internet Stroke Center. NIH Stroke Scale（NIHSS）. http://www.strokecenter.org/professionals/stroke-diagnosis/stroke-assessment-scales（最終閲覧日：2020年8月15日）

5）van Swieten JC, et al. Interobserver agreement for the assessment of handicap in stroke patients. Stroke 1988; 19（5）: 604-7.

6）Higuchi S, et al. Alcohol and aldehyde dehydrogenase polymorphisms and the risk for alcoholism. Am J Psychiatry 1995; 152（8）: 1219-21.

7）Suzuki Y, et al. Alcohol dehydrogenase 2 variant is associated with cerebral infarction and lacunae. Neurology 2004; 63: 1711-3.

8）Reynolds K, et al. Alcohol consumption and risk of stroke: A meta-analysis. JAMA 2003; 289: 579-88.

4 発症前抗血栓療法と入院時神経学的重症度の経年的変化

祢津智久，細見直永，丸山博文

- ▶2001～18 年に脳卒中データバンクに登録された脳梗塞患者の背景因子，発症前抗血栓療法（抗血小板療法あるいは抗凝固療法）の割合，入院時の神経学的重症度（NIHSS）の経年的変化を調査した.
- ▶全期間を通して経年的に脳梗塞発症年齢は高齢化し，発症前要介護の割合が増加していたが，入院時 NIHSS は低下傾向であった.
- ▶心原性脳塞栓症の発症前抗凝固療法施行率は経年的に増加し，NIHSS は低下傾向であったが 2010 年以降に限定すると変化は認めなかった.

背景

脳卒中患者の転帰には脳卒中の神経学的初期重症度（NIHSS）が非常に関連している．以前に筆者らは，2001～12 年の日本脳卒中データバンク（JSDB）に登録された急性期脳梗塞患者 70,107 症例を対象とし，年齢，入院時 NIHSS，脳梗塞病型，発症前抗血栓療法（抗血小板療法あるいは抗凝固療法）を調査し経年的変化に関して報告した[1]．

その概要は，心原性脳塞栓症において，発症前抗血小板療法は2008年まで増加傾向であったが，その後，減少に転じており，また発症前抗凝固療法施行率は経年的に増加し，入院時 NIHSS が低下傾向であった．発症前抗血小板療法が 2008 年を境に減少に転じたのは，心房細動患者における抗血栓療法のガイドラインで，アスピリンが推奨されなくなったことが寄与している可能性が考察された[2]．

当時報告した 2012 年までのデータにおける抗凝固療法の大半はワルファリン療法であるが，この報告以降，直接作用型経口抗凝固薬（DOAC）が全国的に普及している．脳梗塞患者における抗血栓療法の施行率，入院時 NIHSS がどのように変化したか調査する目的で，2013～18年のデータを追加し解析した．

対象と方法

2001～18 年に JSDB に登録された急性期脳梗塞患者 128,923 症例を対象とした．対象期間を 3 年間隔で分類し，年齢，性，入院時 NIHSS，脳梗塞病型，発症前抗血栓療法（抗血小板療法あるいは抗凝固療法），日常生活に介護を要する割合（発症前 mRS 3 以上）の経年的変化を Cochran-Armitage 検定および Kendall の順位相関係数を用いて解析した．

結果

1. 年齢，性，脳梗塞患者の病型と入院時 NIHSS（表 1）

全期間を通して経年的に脳梗塞発症年齢は上昇し，発症前要介護状態（mRS 3 以上）は増加傾向を示していたが，入院時 NIHSS は経年的に低下した．脳梗塞病型は 2012 年までは心原性脳塞栓症の割合が増加する傾向であったが，2013 年以降は減少し，その他の脳梗塞の割合が増加した．ラクナ梗塞やアテ

表1 脳梗塞患者の背景因子の年代別変化（2001～18年）

2001～18 n=128,923		2001～03 n=12,362	2004～06 n=25,120	2007～09 n=22,639	2010～12 n=22,856	2013～15 n=18,958	2016～18 n=26,988	p
年齢（平均±標準偏差）		71.0±11.9	71.6±12.1	72.3±12.2	73.5±12.2	74.2±12.4	74.5±12.8	<0.001
女性症例数（%）		4,825 (39.0)	9,782 (38.9)	8,846 (39.1)	9,005 (39.4)	7,520 (39.7)	11,091 (41.1)	<0.001
入院時NIHSSの中央値（四分位）（n=110,781）		4 (2～9)	4 (2～10)	4 (2～9)	4 (2～9)	4 (2～9)	3 (1～9)	<0.001
発症前mRS 3以上の症例数（%）（n=117,531）		889 (11.1)	2,859 (12.9)	2,777 (13.0)	3,103 (14.5)	2,822 (15.8)	4,759 (17.8)	<0.001
脳梗塞病型別症例数（%）（n=128,269）	ラクナ梗塞	3,845 (31.1)	7,868 (31.3)	6,851 (30.5)	6,490 (28.4)	4,786 (25.3)	6,157 (23.2)	<0.001
	アテローム性	4,212 (34.1)	8,439 (33.6)	7,377 (32.8)	7,284 (31.9)	5,741 (30.4)	7,423 (27.9)	
	心原性	3,321 (26.9)	6,892 (27.4)	6,209 (27.6)	7,057 (30.9)	5,838 (30.9)	7,473 (28.1)	
	その他	981 (7.9)	1,916 (7.6)	2,039 (9.1)	1,994 (8.7)	2,528 (13.4)	5,548 (20.9)	

図1 心原性脳塞栓症における発症前抗血栓療法の経年的変化

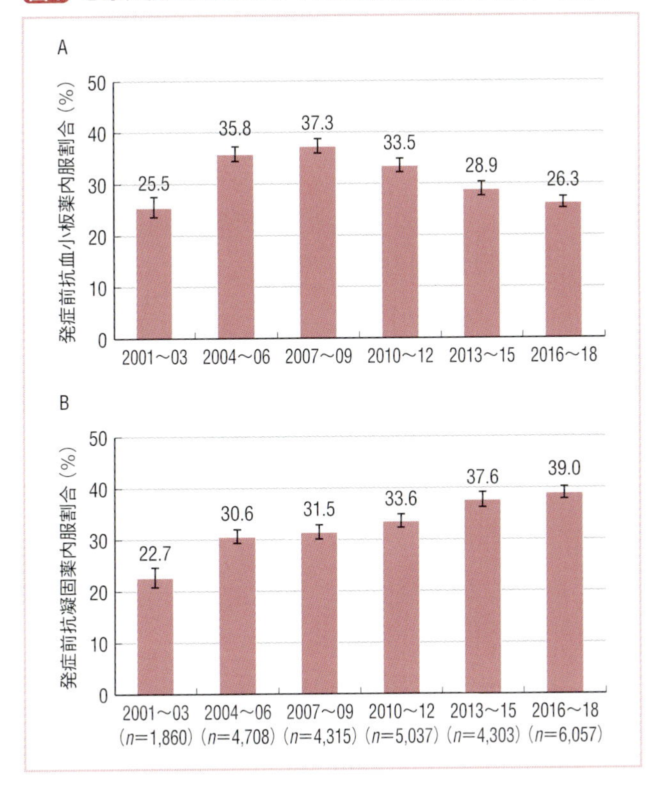

図2 非心原性脳梗塞における発症前抗血栓療法の経年的変化

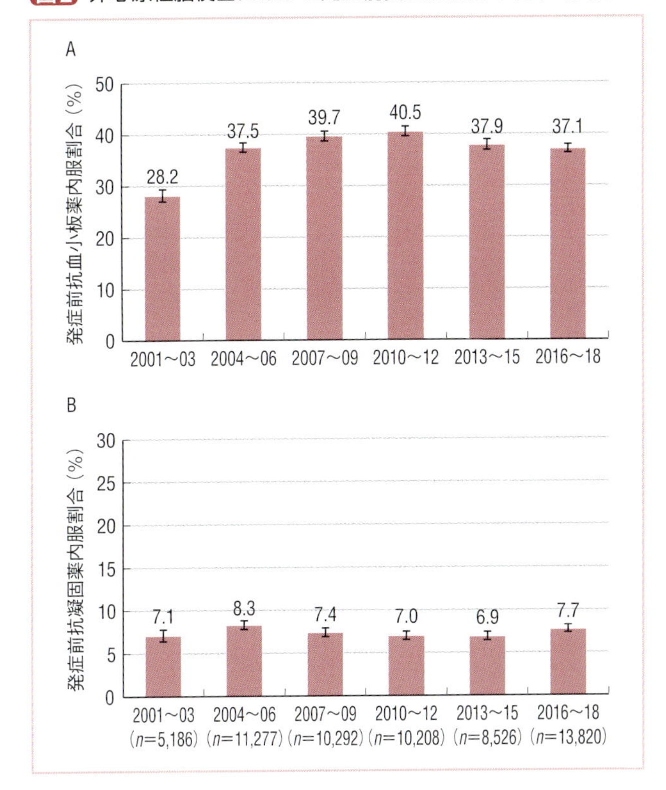

ローム血栓性脳梗塞の割合は経年的に減少した．

2. 心原性，非心原性における発症前抗血栓療法の経年的変化

心原性脳塞栓症患者における発症前抗血小板療法は，2001～09年は経年的に増加し，それ以降は減少した（図1A）．発症前抗凝固療法は経年的に増加した（図1B，$p<0.0001$）．非心原性脳梗塞患者における発症前抗血小板療法は全期間を通しては緩徐に増加する傾向を示したが（図2A，$p<0.0001$），2001～03年の期間を除くと発症前抗血栓療法の割合は変化を認めなかった（$p=0.08$）．また，発症前抗凝固療法も変化を認めなかった（図2B，$p=0.27$）．

3. 心原性，非心原性における年齢，性，入院時NIHSS，発症前mRS 3以上の経年的変化（表2）

2001～18年の全期間でみると心原性脳塞栓症における入院時NIHSSは経年的に低下していたが（$\tau=-0.035$，$p<0.001$），2010年以降のみで解析すると変化を認めなかった（$\tau=0.006$，$p=0.31$）．非心原性脳梗塞患者においては全期間を通して経年的に低下し（$\tau=-0.073$，$p<0.001$），2010年以降も同様に低下した（$\tau=-0.025$，$p<0.001$）．

考察

超高齢社会に突入した日本において，脳梗塞発症年齢は経年的に上昇し，発症前に要介護である患者の割合も増加傾向であった．それにもかかわらず入院時のNIHSSは経年的に低下していた．

心房細動患者において，適切な抗凝固療法をされていた患者はそうでない患者よりも入院時の神経学的重症度が軽微であると報告されており[3]，心原性脳塞栓症においては発症前抗凝固療法の割合が経年的に上昇していることが入院時NIHSS低下に寄与しているものと考える．DOAC普及に伴った近年（2010年以降）がよりいっそう入院時のNIHSSが低下しているのではないかと当初想定していたが，予想に反してNIHSSの値に変化は認めなかった．2010年以降の入院時NIHSSは低下傾向を示さなかったものの，発症年齢の高齢化，発症前要介護状態の増加具合を考慮すると，近年においても発症前抗凝固療法の有無が入院時NIHSSの低下に少なからず寄与したものと考える．一方で，今回の検討では抗凝固療法全体におけるDOACの占める割合，種類，用量などは調査できておらず，またワルファリン療法においても脳梗塞発症時のプロトロンビン時間－国際標準化比（PT-INR）値も不明であり，どの程度発症前抗

表2 心原性脳塞栓症と非心原性脳梗塞における背景因子の年代別変化（2001〜18年）

心原性脳塞栓症（*n*=36,790）	2001〜03 *n*=3,321	2004〜06 *n*=6,892	2007〜09 *n*=6,209	2010〜12 *n*=7,057	2013〜15 *n*=5,838	2016〜18 *n*=7,473	*p*
年齢（平均±標準偏差）	73.7±11.5	74.9±11.6	75.9±11.4	77.0±11.4	78.3±11.6	79.1±11.1	<0.001
女性症例数（%）	1,474 (44.4)	2,999 (43.5)	2,807 (45.2)	3,219 (45.6)	2,789 (47.8)	3,605 (48.2)	<0.001
入院時NIHSS中央値（四分位）（*n*=31,246）	10 (3〜21)	11 (3〜21)	10 (3〜19)	8 (3〜19)	9 (3〜20)	9 (3〜20)	<0.001
発症前mRS 3以上の症例数（%）（*n*=33,289）	260 (13.2)	955 (15.9)	946 (16.4)	1,191 (18.0)	1,155 (20.9)	1,709 (23.1)	<0.001
非心原性脳梗塞（*n*=91,479）	**2001〜03 *n*=9,038**	**2004〜06 *n*=18,223**	**2007〜09 *n*=16,267**	**2010〜12 *n*=15,768**	**2013〜15 *n*=13,055**	**2016〜18 *n*=19,128**	***p***
年齢（平均±標準偏差）	69.9±11.8	70.3±12.0	71.0±12.2	72.0±12.2	72.4±12.5	72.8±12.9	<0.001
女性症例数（%）	3,350 (37.1)	6,781 (37.2)	5,987 (36.8)	5,779 (36.7)	4,703 (36.0)	7,321 (38.3)	0.186
入院時NIHSSの中央値（四分位）（*n*=79,327）	4 (2〜7)	4 (2〜7)	3 (1〜6)	3 (1〜6)	3 (1〜6)	3 (1〜6)	<0.001
発症前mRS 3以上の症例数（%）（*n*=83,743）	629 (10.4)	1,902 (11.7)	1,830 (11.8)	1,912 (12.9)	1,664 (13.6)	2,990 (15.8)	<0.001

凝固療法の内服やコントロール状況が入院時NIHSSに関連しているかは今後さらなる検討が必要である．

非心原性脳梗塞患者においては発症前抗血小板療法の割合が2001〜03年の期間のみ低く，この期間を除くと経年的変化は認めず，発症前抗凝固療法の割合も経年的変化を認めなかった．心原性脳塞栓症と同様に，発症年齢は高齢化し，要介護の割合が増加しているにもかかわらず入院時NIHSSが低下傾向であることは興味深い．今回は検討できていないが，t-PA静注療法，血栓回収療法が普及し，プレホスピタルの患者搬送体制の変化，発症から来院までの時間短縮が全期間を通して起こっていることが予想される．入院時NIHSSが心原性，非心原性にかかわらず，全期間を通じて低下傾向であった理由の一つとして，これらの因子を考慮した解析も今後必要であろう．

文献

1) Nezu T, et al. Temporal Trends in Stroke Severity and Prior Antithrombotic Use Among Acute Ischemic Stroke Patients in Japan. Circ J 2016; 80 (9): 2033-6.
2) Group JJW. Guidelines for pharmacotherapy of atrial fibrillation (JCS 2008): digest version. Circ J 2010; 74 (11): 2479-500.
3) Hylek EM, et al. Effect of intensity of oral anticoagulation on stroke severity and mortality in atrial fibrillation. N Engl J Med 2003; 349 (11): 1019-26.

5 加齢の面からみた虚血性脳卒中

加藤裕司

- わが国の一過性脳虚血発作（TIA）を含む虚血性脳卒中患者の平均年齢は 72.0 歳であった.
- 危険因子の合併については，高血圧，糖尿病，脂質異常症が 60～70 歳代で多かったのに対し，心房細動は加齢に伴い増加の一途をたどった.
- 80 歳以上の年齢層では，心原性脳塞栓症が最多の病型であった.
- 加齢とともに機能予後の悪化がみられ，“寝たきり” の原因になることが示された.

2018 年の厚生労働省人口動態統計月報年計の概況では，脳血管障害による死亡は悪性腫瘍，心疾患，老衰に次いで第 4 位となっている[1]．脳血管障害は直接死因としては減少傾向を示しているが，重篤な後遺症を残し生涯にわたって患者の QOL を損なう疾患として理解されている．事実，国民生活基礎調査（2016 年 7 月）では，要介護となる原因疾患において，脳血管障害は認知症に次いで第 2 位である[2]．ただし，要介護 4 および 5，すなわち寝たきりのとなる原因疾患として脳血管障害の割合は，認知症と同等（要介護 4）かそれを上回っている（要介護 5）.

以上のことから，高齢者脳梗塞の実態把握は重要である．本項では，2000 年 1 月～2012 年 12 月に登録された急性期虚血性脳卒中患者の年齢層別の病型，背景因子の検証結果を紹介する[3].

年齢別発症頻度

日本脳卒中データバンク（JSDB）に登録された TIA を含む急性期虚血性脳卒中患者 78,096 例の年齢別発症頻度を図 1 に示す．平均年齢は 72.0 歳で，男性 69.7 歳，女性 75.5 歳であった.

年齢層別脳卒中病型

年齢層別の脳梗塞病型の推移を図 2 に示す．最多の病型は，

図1 急性期虚血性脳卒中の年齢別発症頻度

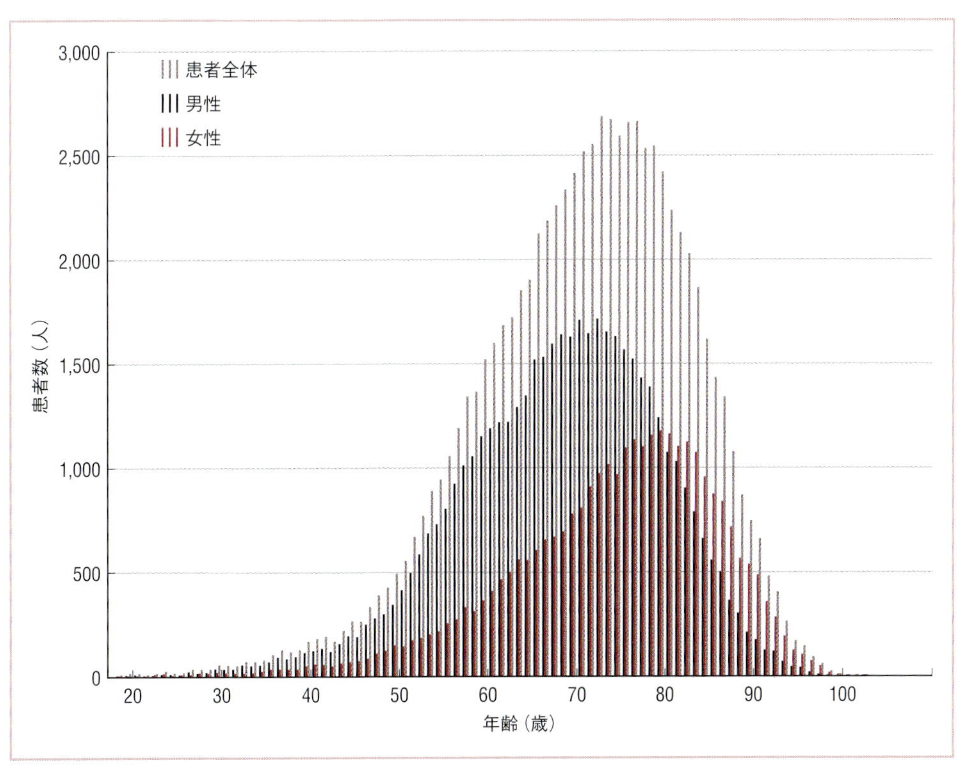

図2 年齢層別脳梗塞病型の推移

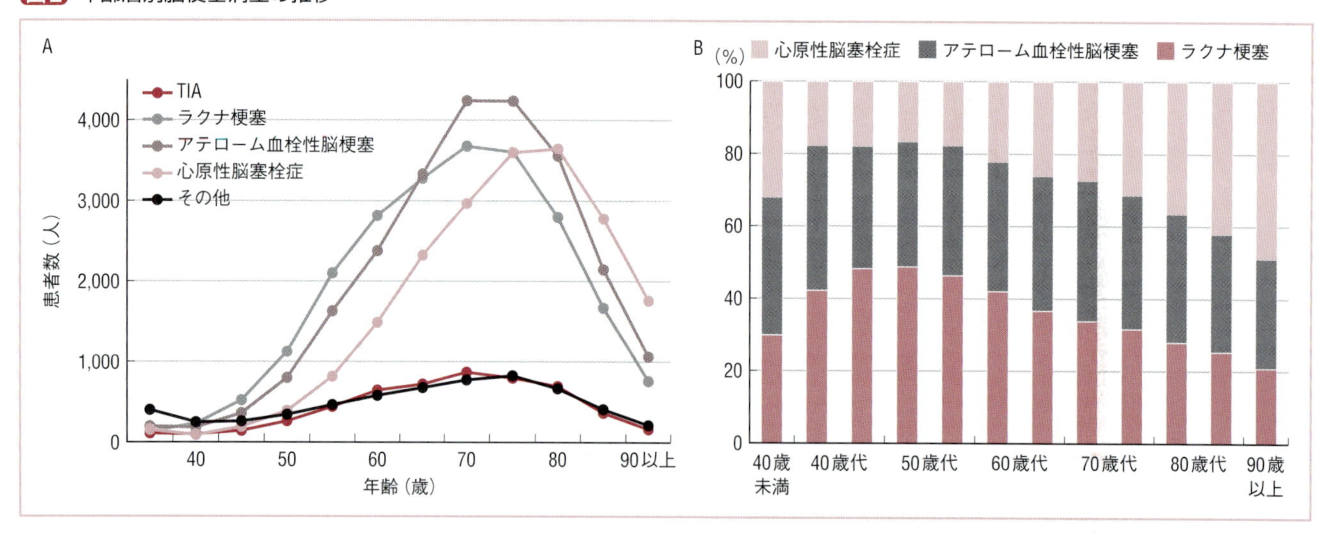

図3 急性期虚血性脳卒中患者の年齢層別危険因子

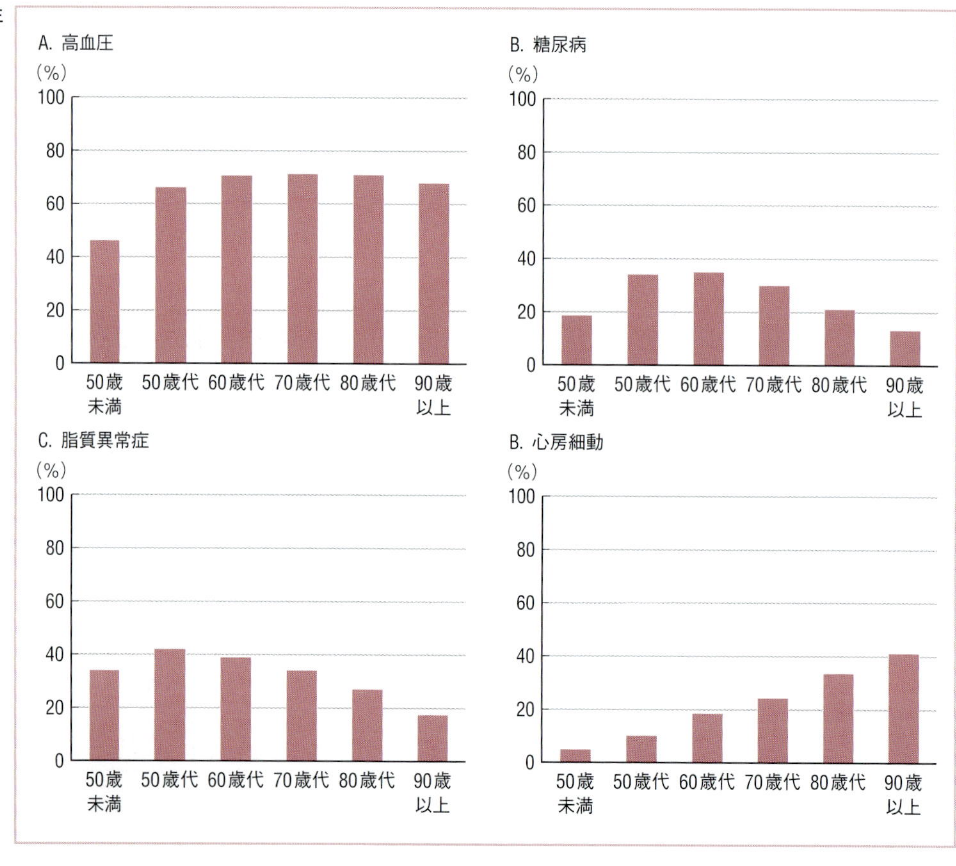

60歳代以下の若年群ではラクナ梗塞，70歳代ではアテローム血栓性脳梗塞，80歳以上では心原性脳塞栓症が最多となっている．後述のように，高齢者では心房細動を高率に合併するため，心原性脳塞栓症が多いことは従来から指摘されているが，社会の高齢化とともに心原性脳塞栓症のさらなる増加が危惧される．

年齢層別の危険因子

JSDBに登録された急性期虚血性脳卒中患者における年齢層別の危険因子を図3に示す．高血圧（図3A）は，50歳未満では47％であったが，50歳以上の群では，65％以上と高率にみられた．しかし，加齢による影響は少なく，90歳以上の層までの有病率はほぼプラトーであった．糖尿病（図3B）は，50歳未満の年齢層では19％であるが，加齢とともに増加し，60歳代でピークとなり，50歳未満の約2倍の有病率（35％）となった．しかし，それより高齢の年齢層では漸減傾向を示した．脂質異常症（図3C）は，糖尿病とほぼ同様の傾向がみられた．心房細動（図3D）は，加齢の影響が明らかであり80歳以上で34％，90歳以上では41％に合併していた．

以上まとめると，高血圧，糖尿病，脂質異常症が60～70歳代にピークを示すのに対して，心房細動は加齢とともに増加の一途をたどった．図2の動向とも合わせ考えると，虚血性脳卒中については，今後，60～70歳代の比較的若年層では，メタボリック症候群に象徴される生活習慣病を背景にラクナ梗塞，アテローム血栓性脳梗塞をきたし，80歳以上の高齢者群は，心房細動に伴う心原性脳塞栓症をきたしていく傾向が推定された．

年齢層別の重症度，機能予後

年齢層別の入院時NIHSSスコアを図4に示す．加齢とともにNIHSSスコアが上昇している．これは前述したように加齢とともに，心房細動の合併率が増大し，他の病型に比較し重症度の高い心原性脳塞栓症の割合が増大することにほかならない．年齢層別の退院時機能予後を図5に示す．加齢とともにmRSスコア4以上の重介助例が増加しており，脳梗塞を契機に寝たきりとなる症例が多いことが示唆された．

まとめ

加齢の面からみた虚血性脳卒中の特徴を検討した．今後，社会の高齢化が進むと心房細動の有病者数は2030年には100万人を突破すると推定されている[4]．心原性脳塞栓症は超高齢社会を象徴する脳梗塞病型といえよう．今後，若年世代からの健診や生活習慣病の改善，高齢心房細動患者におけるより一層の積極的な抗凝固療法導入など早急な対策が求められる．

図4 年齢層別入院時NIHSSスコア

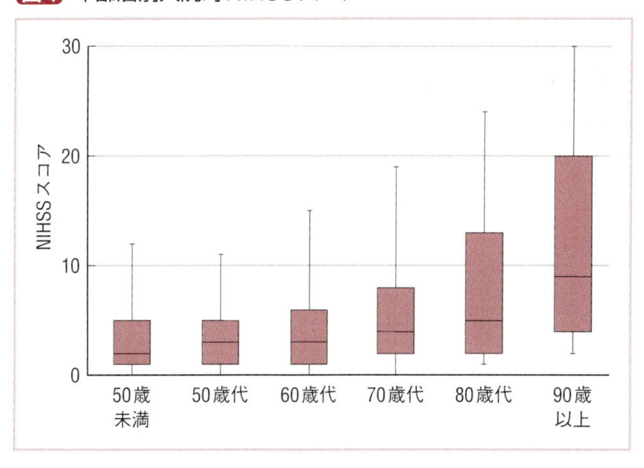

◉ 文献

1）厚生労働省．平成30年（2018）人口動態統計月報年計（概数）の概況．https://www.mhlw.go.jp/toukei/saikin/hw/jinkou/geppo/nengai18/dl/gaikyou30-190626.pdf

2）厚生労働省．グラフでみる世帯の状況―国民生活基礎調査（平成28年）の結果から―．https://www.mhlw.go.jp/toukei/list/dl/20-21-h28_rev2.pdf

3）Kato Y, et al. Cardioembolic stroke is the most serious problem in the aging society: Japan Standard Stroke Registry Study. J Stroke Cerebrovasc Dis 2015; 24: 811-4.

4）Inoue H, Prevalence of atrial fibrillation in the general population of Japan: An analysis based on periodic health examination. Int J Cardiol 2009; 137: 102-7.

図5 年齢層別退院時機能予後（mRS）

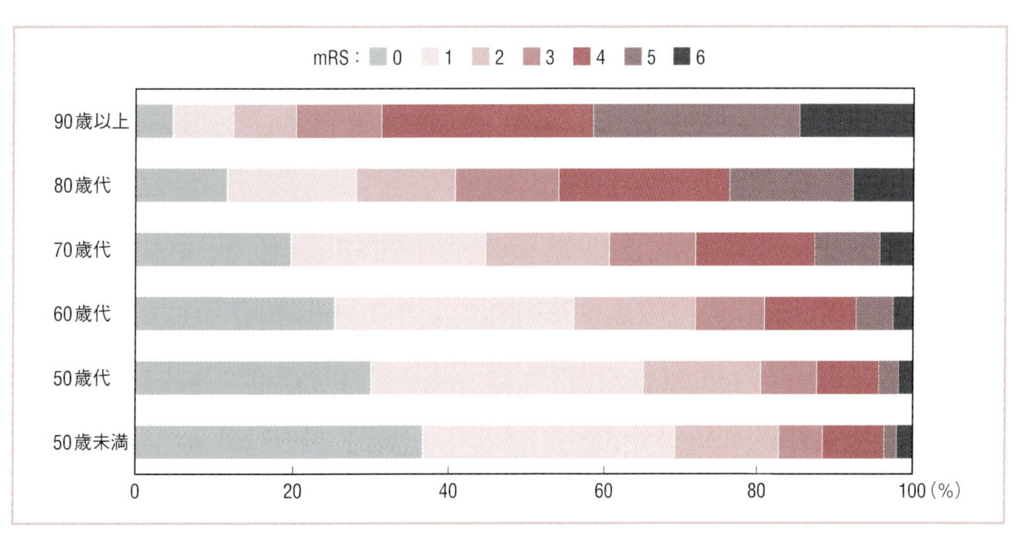

6 心房細動の種類と脳梗塞

出口一郎

- 非弁膜症性心房細動を有する心原性脳塞栓症患者において，心房細動の種類別（発作性，持続性）の入院時重症度および退院時転帰について検討した．
- 持続性心房細動患者は，発作性心房細動患者に比べ入院時重症度が高く，退院時の転帰も不良であった．
- 心房細動の種類が脳梗塞の重症度や臨床転帰に影響を与える可能性が示唆された．

心房細動（atrial fibrillation：AF）は脳梗塞の危険因子であり，AFのない人と比較し脳梗塞発症率は5倍高いとされる[1]．そのため発作性心房細動（paroxysmal AF：PAF），持続性心房細動（persistent AF：PeAF）ともAFの種類に関係なく，塞栓症予防に対する管理が重要となる．またAFを合併する虚血性脳卒中患者は，非AF患者に比べ死亡率が高いとする報告もあり，AF合併の有無が脳梗塞後の臨床転帰に関連することも指摘されている[2,3]．

しかしながら，AFの種類別の臨床転帰に関しては，これまであまり着目されてこなかった．今回，脳卒中データバンクに蓄積された，非弁膜症性心房細動（non valvular AF：NVAF）を有する心原性脳塞栓症患者を解析対象とし，持続性AFと発作性AFの入院時重症度および臨床転帰について検討を行った[4]．

対象・方法

2000年から2013年までに脳卒中データバンクに登録された，NVAFを有する心原性脳塞栓症患者のうち，入院前の日常生活動作が自立（mRS≦1）している9,293例（男性5,528例，女性3,765例；年齢〈平均±SD〉75.1±9.9）を解析対象とした．持続性AFは6,522例（70.2％），発作性AFは2,771例（29.8％）であった．持続性AF群と発作性AF群における患者背景（年齢，性別，高血圧，糖尿病，脂質異常症，喫煙，冠動脈疾患の既往，脳梗塞の既往，入院時血圧，発症前$CHADS_2$スコアおよびCHA_2DS_2-VAScスコア，入院時NIHSSスコア，急性期再灌流療法，脳梗塞発症時の抗凝固薬服用）および臨床転帰（退院時mRS）について後方視的に比較検討した．なおNVAFの定義は，リウマチ性僧帽弁疾患，人工弁の既往を有さないAFとし，データバンクより抽出した．

結果

1. 持続性AF群，発作性AF群の患者背景の比較（表1）

持続性AF群，発作性AF群の患者背景の比較を**表1**に示す．年齢，高血圧，脳梗塞の既往，発症前$CHADS_2$スコア，発症前CHA_2DS_2-VAScスコア，拡張期血圧，脳梗塞発症時の抗凝固薬服用の割合に関しては，持続性AF群で有意に高く，脂質異常症，再灌流療法の施行頻度に関しては発作性AF群で有意に高かった．脳卒中重症度（NIHSSスコア）は，発作性AF群に比べ持続性AF群で有意に高かった（中央値10 vs 7，$p<0.001$，Mann-Whitney U検定）．

表1 患者背景（持続性心房細動vs発作性心房細動）

項目		持続性 n=6,522	発作性 n=2,771	p値
年齢，平均±SD（歳）		76±10	74±10	<0.001
年齢≧75，n（%）		3,714（57）	1,424（51）	<0.001
女性，n（%）		2,627（40）	1,138（41）	0.478
危険因子 n（%）	高血圧	4,343（67）	1,763（64）	0.006
	糖尿病	1,320（20）	532（19）	0.251
	脂質異常症	1,227（19）	637（23）	<0.001
	喫煙	914（14）	425（15）	0.097
冠動脈疾患の既往，n（%）		543（8）	258（9）	0.122
脳梗塞の既往，n（%）		1,492（23）	552（20）	0.002
$CHADS_2$スコア 中央値（IQR），平均±SD		2（1〜3），1.93±1.21	2（1〜2），1.74±1.17	<0.001
CHA_2DS_2-VAScスコア 中央値（IQR），平均±SD		3（2〜4），2.71±1.33	2（2〜3），2.55±1.31	<0.001
入院時収縮期血圧，平均±SD（mmHg）		156±27	156±28	0.593
入院時拡張期血圧，平均±SD（mmHg）		87±18	85±17	<0.001
入院時NIHSSスコア，中央値（IQR）		10（3〜20）	7（2〜17）	<0.001
再灌流療法，n（%）		766（12）	398（14）	<0.001
入院時抗凝固薬服用，n（%）		1,809（28）	444（16）	<0.001

表2 退院時転帰不良（mRS≧3）に関連する因子

項目	単変量解析			多変量解析		
	転帰不良（n=4,877）	転帰良好（n=4,416）	p値	オッズ比	95％信頼区間	p値
年齢，平均（SD）	77.7（9.5）	72.5（9.8）	0.034	1.046	1.039〜1.052	<0.001
女性（％）	48.6	31.6	<0.001	1.340	1.190〜1.509	<0.001
高血圧（％）	66.2	65.2	0.324	−	−	−
糖尿病（％）	20.3	19.5	0.375	−	−	−
脂質異常症（％）	18.0	22.3	<0.001	0.995	0.866〜1.144	0.944
脳梗塞の既往（％）	22.1	21.9	0.829	−	−	−
入院後再発性脳梗塞（％）	5.2	1.8	<0.001	5.202	3.814〜7.096	<0.001
出血性脳梗塞（％）	34.1	13.8	<0.001	2.292	2.002〜2.624	<0.001
持続性心房細動（％）	73.2	66.8	<0.001	1.040	0.920〜1.176	0.532
入院時NIHSSスコア，中央値（IQR）	18　（11〜24）	3　（1〜7）	<0.001	1.223	1.212〜1.234	<0.001
再灌流療法（％）	14.1	10.8	<0.001	0.486	0.409〜0.576	<0.001
入院時抗凝固薬服用（％）	22.6	26.1	<0.001	0.941	0.825〜1.073	0.362

表3 院内死亡に関連する因子

項目	単変量解析			多変量解析		
	院内死亡（n=949）	非院内死亡（n=8,344）	p値	オッズ比	95％信頼区間	p値
年齢，平均（SD）	79.2（9.5）	74.8（9.9）	<0.001	1.028	1.019〜1.037	<0.001
女性（％）	53.1	39.1	<0.001	1.191	1.018〜1.393	0.029
高血圧（％）	65.8	65.7	0.974	−	−	−
糖尿病（％）	21.2	19.8	0.309	−	−	−
脂質異常症（％）	16.2	20.5	0.002	0.988	0.809〜1.206	0.907
脳梗塞の既往（％）	25.3	21.6	0.010	1.228	1.029〜1.467	0.023
入院後再発性脳梗塞（％）	6.4	3.3	<0.001	2.272	1.641〜3.146	<0.001
出血性脳梗塞（％）	33.0	23.5	<0.001	1.083	0.923〜1.271	0.329
持続性心房細動（％）	76.4	69.5	<0.001	1.261	1.011〜1.652	0.045
入院時NIHSSスコア，中央値（IQR）	24　（17〜32）	7　（2〜17）	<0.001	1.111	1.103〜1.118	<0.001
再灌流療法（％）	13.1	12.5	0.595	−	−	−
入院時抗凝固薬服用（％）	22.6	24.4	0.199	1.019	0.848〜1.223	0.843

2. 持続性AF群，発作性AF群の退院時臨床転帰（mRS）の比較（表2，3）

退院時転帰良好（mRS≦2）の割合は，持続性AF群が45％（2,951例），発作性AF群が53％（1,465例）と，発作性AF群に比べ持続性AF群で退院時転帰が不良であった（$p<0.001$，χ^2検定）．院内死亡率に関しては持続性AF群が11％（725例），発作性AF群8％（224例）と持続性AF群で院内死亡率が高かった（$p<0.001$，χ^2検定）．退院時転帰不良（mRS≧3）および院内死亡率を従属変数，単変量解析でp値<0.2であった項目を説明変数として，多変量ロジステック回帰分析を行った．結果，予後不良と心房細動の種類について関連はみられなかったが，院内死亡については，持続性AFが関与する因子であった（OR 1.261，CI 1.011〜1.652，$p=0.045$）．

3. 持続性AF群，発作性AF群の梗塞サイズおよび主幹動脈閉塞の比較（表4）

梗塞巣のサイズと心房細動の種類に関して，小または中梗塞の割合は発作性AF群で有意に高かった．一方，大梗塞は持続性AF群で有意に高かった（持続性AF vs 発作性AF：小梗塞12％ vs 14％，$p=0.014$/中梗塞45％ vs 48％，$p=0.002$/大梗塞29％ vs 21％，$p<0.001$，χ^2検定）．また脳主幹動脈閉塞と心房細動の種類では，頭蓋外脳主幹動脈閉塞の合併率が持続性AF群で有意に高かった（持続性AF vs 発作性AF 10％対8％，$p=0.001$，χ^2検定）．

表4 梗塞巣の大きさおよび脳主幹動脈閉塞の比較（持続性心房細動vs発作性心房細動）

		持続性	発作性	*p*値
脳梗塞巣サイズ*1, *n*		*n*=5,789	*n*=2,489	−
小梗塞, *n*(%)		709 (12)	354 (14)	0.014
中梗塞, *n*(%)		2,577 (45)	1,201 (48)	0.002
大梗塞, *n*(%)		1,681 (29)	521 (21)	<0.001
多発梗塞（小〜中梗塞）, *n*(%)		739 (13)	375 (15)	0.005
脳血管病変*2, *n*		*n*=3,833	*n*=1,573	
脳主幹動脈閉塞	頭蓋内, *n*(%)	1,466 (38)	562 (36)	0.082
	頭蓋外, *n*(%)	402 (10)	124 (8)	0.001

*1：梗塞巣のサイズは頭部CTまたは頭部MRIで評価.
小梗塞：1.5 cm以下，大梗塞：前・中・後大脳動脈などの支配領域全域，中梗塞：小〜大梗塞のあいだのサイズ.
*2：脳主幹動脈病変はmagnetic resonance angiography, computed tomography angiographyまたはdigital subtraction angiographyで評価.

考察

本研究の結果からNVAFを伴う心原性脳塞栓症おいて持続性AF群は発作性AF群と比較し，入院時NIHSSスコアが高かった．一方，臨床転帰では，単変量解析では発作性AFと比較し持続性AFで有意に転帰不良の割合が高かったが，多変量解析では有意差はみられなかった．

しかしながら院内死亡に関しては，多変量解析でも持続性AFは院内死亡に関与する因子であった．持続性AFが神経学的重症度や院内死亡に関連した原因として，AFの持続時間の違いが血栓形成や血栓の大きさに影響していることが考えられる．発作性AFの多くは24時間以内に洞調律に復するとされることから，血栓形成の可能性は低く，血栓が形成されたとしても持続性AFに比べ血栓は小さいと考えられる．実際，本研究においても持続性AF群は発作性AF群に比べ大梗塞の割合が有意に高く，また頭蓋外主幹動脈閉塞の合併率も有意に高かった．これはAFの種類で血栓の大きさに違いが生じるとする筆者らの仮説を示唆する結果であった．

今後は凝固系や経食道超音波などの評価も含め，AFの種類と重症度および臨床転帰との関連についてさらなる検討を行う必要がある．

文献

1) Wolf PA, et al. Atrial fibrillation as an independent risk factor for stroke: The Framingham Study. Stroke 1991; 22: 983-8.
2) Arboix A, et al. Atrial fibrillation and stroke: clinical presentation of cardioembolic versus atherothrombotic infarction. Int J Cardiol 2000; 73: 33-42.
3) Saxena R, et al. Risk of early death and recurrent stroke and effect of heparin in 3169 patients with acute ischemic stroke and atrial fibrillation in the International Stroke Trial. Stroke 2001; 32: 2333-7.
4) Deguchi I, et al. Features of cardioembolic stroke with persistent and paroxysmal atrial fibrillation - a study with the Japan Stroke Registry. Eur J Neurol 2015; 22: 1215-9.

7 脳梗塞のエダラボン治療

小林 奏

- 脳梗塞病型別（アテローム血栓性脳梗塞，心原性脳塞栓症，ラクナ梗塞，その他）にエダラボンの神経症候改善効果を検証した．
- エダラボン投与の有無で群分けし入院中の神経症候改善効果（ΔNIHSS＝退院時 NIHSS－入院時 NIHSS）を比較した．
- 年齢，性別，血圧，入院時 NIHSS，脳梗塞サイズ，併存症，併用薬などを交絡として多変量線形回帰モデル，傾向スコア逆数重み法で解析した．
- いずれの脳梗塞病型においてもエダラボン投与群は非投与群と比較して統計学的に有意な神経症候改善効果を認めるが，その効果はΔNIHSS が 1 ポイント未満であり限定的であることが示唆された．

背景

日本では急性期脳梗塞の治療において脳保護薬エダラボンが約半数近くで使用されている．エダラボンは，脳虚血時に発生するフリーラジカルを消去し細胞膜脂質の過酸化を抑制する脳保護薬として，日本では 2001 年から使用されている．中国をはじめとするアジアで使用されているが，アメリカやヨーロッパの脳卒中ガイドラインでは急性期に推奨される脳保護薬の記載はない．

2 つのシステマティックレビュー[1, 2]ではエダラボンによる神経症候改善効果が示唆されているが，割り付けの隠蔽について記載されていない，ランダム化と盲検化の方法が記載されていない等の研究デザイン上の限界が指摘されている．脳卒中データバンクの登録症例で急性期脳梗塞において病型別に脳保護薬エダラボンの神経症候改善効果を検証した[3]．

方法

対象者は 2001 年 6 月～2013 年 7 月までに入院し，年齢 18 歳以上，発症 14 日以内の脳梗塞病型分類が確定した急性期脳梗塞患者 61,048 人．脳梗塞病型別（アテローム血栓性脳梗塞，心原性脳塞栓症，ラクナ梗塞，その他）にエダラボンの神経症候改善効果を検証した（図 1）．エダラボン投与の有無で群分けし，アウトカムである入院中の神経症候改善効果（ΔNIHSS＝退院時 NIHSS－入院時 NIHSS）を比較した．年齢，性別，治療開始時の収縮期と拡張期の血圧，入院時 NIHSS，脳梗塞発症から入院までの時間，脳梗塞サイズ，併存症，発症前の抗血栓療法，急性期治療薬，診療科，喫煙歴，飲酒歴，脳梗塞の既往を交絡として多変量線形回帰モデル，傾向スコア逆数重み法（IPTW）で解析した．

図 1 エダラボンによる神経症候改善効果の解析対象

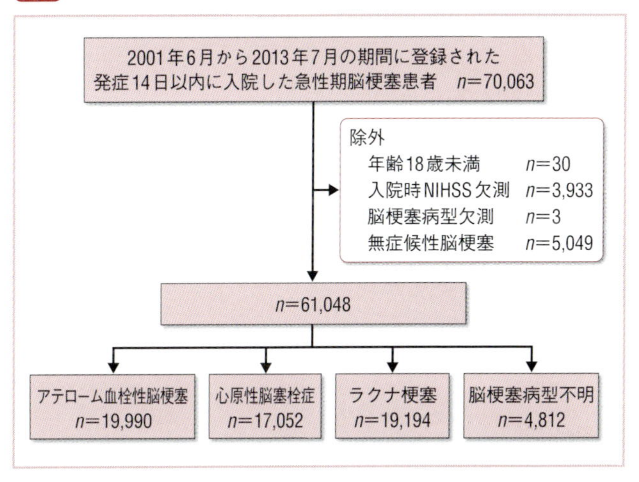

また，① 感度分析として欠測の多い，発症から来院までの時間，脳梗塞サイズを除外して解析し，② サブグループ解析として発症から来院までの時間が 24 時間未満に限定して解析した．そのほか，③ 傾向スコア 1：1 マッチング法による解析，④ 発症から入院までの時間を 3, 6, 24 時間未満，24 時間以上に分けての解析，⑤ 経時的な脳卒中診療の進歩が結果に影響を与えている可能性があり，IPTW 法の調整変数に入院した年をダミー変数とした解析，⑥ 入院時 NIHSS の重症度別の解析を行った．

結果

いずれの脳梗塞病型においても，エダラボン投与群は非投与群に比べて，年齢が若く，発症から来院までの時間が短く，入院時血圧が高く，脳梗塞サイズが大きく，入院時 NIHSS がよ

表1 脳梗塞病型別，エダラボン有無別の対象者背景

		アテローム血栓性脳梗塞 n=19,990			心原性脳塞栓症 n=17,052			ラクナ梗塞 n=19,194			脳梗塞病型分類不明 n=4,812		
		エダラボン＋ n=9,996	エダラボン− n=9,994	p値	エダラボン＋ n=8,640	エダラボン− n=8,412	p値	エダラボン＋ n=7,482	エダラボン− n=11,712	p値	エダラボン＋ n=1,831	エダラボン− n=2,981	p値
年齢		72.4 (11.2)	73.2 (11.1)	<0.001	75.6 (10.9)	76.9 (11.1)	<0.001	70.3 (11.5)	70.9 (11.4)	<0.001	66.0 (15.9)	68.1 (15.2)	<0.001
男性		63.4	63.5	0.86	54.5	54.3	0.87	62.2	61.4	0.29	59.0	63.2	0.004
発症から入院までの時間		20.5 (34.9)	36.2 (55.0)	<0.001	8.3 (20.1)	17.7 (37.7)	<0.001	20.7 (32.1)	34.7 (45.8)	<0.001	13.3 (27.5)	30.7 (51.1)	<0.001
入院日数		32.2 (49.4)	34.9 (70.2)	<0.001	35.1 (55.5)	38.4 (66.5)	<0.001	22.0 (26.6)	24.3 (42.3)	<0.001	25.9 (30.2)	24.6 (30.6)	0.076
収縮期血圧 mmHg		159.4 (27.1)	158.7 (28.5)	0.049	154.9 (27.7)	154.1 (28.4)	0.029	161.6 (27.2)	160.2 (27.7)	<0.001	155.1 (28.7)	152.8 (27.8)	0.004
拡張期血圧 mmHg		86.0 (16.0)	84.9 (16.5)	<0.001	85.6 (17.9)	85.0 (17.6)	0.007	88.8 (16.9)	87.3 (16.6)	<0.001	85.7 (17.1)	83.9 (16.4)	<0.001
脳梗塞の既往		29.6	32.1	<0.001	28.4	30.9	0.001	27.8	30.0	0.001	19.3	25.7	<0.001
脳梗塞サイズ				<0.001			<0.001			<0.001			<0.001
小		29.9	36.3		9.5	17.4		89.95	92.52		27.1	36.0	
多発小中		19.2	17.6		13.4	15.5		1.69	0.99		18.6	22.3	
中		42.8	40.7		45.8	44.0		8.3	6.45		43.5	35.6	
大		8.1	5.4		31.3	23.1		0.06	0.04		10.8	6.1	
入院時NIHSS		7.9 (8.0)	6.8 (7.7)	<0.001	14.4 (10.7)	12.4 (11.0)	<0.001	4.2 (3.9)	4.0 (4.0)	<0.001	8.5 (8.9)	6.5 (7.9)	<0.001
併存症	高血圧	70.3	73.4	<0.001	61.3	66.5	<0.001	72.0	73.1	0.10	57.2	63.4	<0.001
	糖尿病	31.7	35.5	<0.001	19.2	21.0	0.003	29.4	31.8	<0.001	20.5	24.5	0.001
	脂質異常症	36.0	32.2	<0.001	19.0	19.8	0.17	33.1	31.3	0.012	25.3	30.6	<0.001
	心房細動	7.3	6.7	0.092	72.8	65.2	<0.001	4.8	4.7	0.87	5.4	8.0	0.001
	腎臓病			<0.001			<0.001			<0.001			<0.001
	慢性腎臓病	1.2	3.66		1.55	3.76		0.88	2.44		1.09	3.22	
	急性腎障害	0.05	0.09		0.03	0.17		0.01	0.06		0.00	0.20	
	末期腎不全	0.16	1.89		0.21	2.01		0.17	1.86		0.22	1.27	
発症前抗血栓療法	ワルファリン	4.69	4.94	0.41	21.5	22.1	0.40	4.18	4.30	0.69	5.19	7.08	0.009
	抗血小板薬	25.1	26.5	0.02	24.7	24.0	0.28	22.96	23.69	0.24	17.2	22.78	<0.001
急性期治療	オザグレルナトリウム	33.8	33.6	0.81	4.97	4.96	0.98	63.31	70.73	<0.001	17.37	19.02	0.15
	抗トロンビン薬	45.8	44.0	0.013	8.07	8.74	0.12	19.15	13.86	<0.001	22.45	19.96	0.039
	t-PA	3.12	2.03	<0.001	9.83	8.06	<0.001	0.94	0.47	<0.001	4.59	2.88	0.002
診療科				<0.001			<0.001			<0.001			<0.001
脳神経内科		42.0	39.5		47.1	34.7		39.2	35.6		48.4	42.5	
脳神経外科		44.2	40.8		30.3	42.2		44.5	44.4		19.0	16.4	
脳卒中集中治療室		7.1	13.6		13.5	17.8		8.4	14.5		16.5	30.3	
その他		6.7	6.1		9.1	5.3		7.9	5.5		16.1	10.8	
喫煙歴				<0.001			<0.001			<0.001			0.017
なし		66.8	72.6		76.5	82.0		64.8	71.9		65.2	67.9	
喫煙者		22.8	19.3		14.1	10.9		25.4	20.6		23.8	23.5	
元喫煙者		10.4	8.1		9.4	7.2		9.8	7.5		11.0	8.6	
飲酒歴				<0.001			<0.001			<0.001			<0.001
なし		22.5	34.8		25.0	39.8		21.8	34.8		20.8	27.5	
機会飲酒		55.2	47.8		55.9	48.2		54.9	48.3		56.0	54.3	
毎日60 g未満		19.8	15.4		17.0	10.7		20.7	14.8		20.3	15.8	
毎日60 g以上		2.5	2.0		2.1	1.3		2.6	2.1		2.9	2.4	

データは平均（標準偏差）あるいはパーセント．

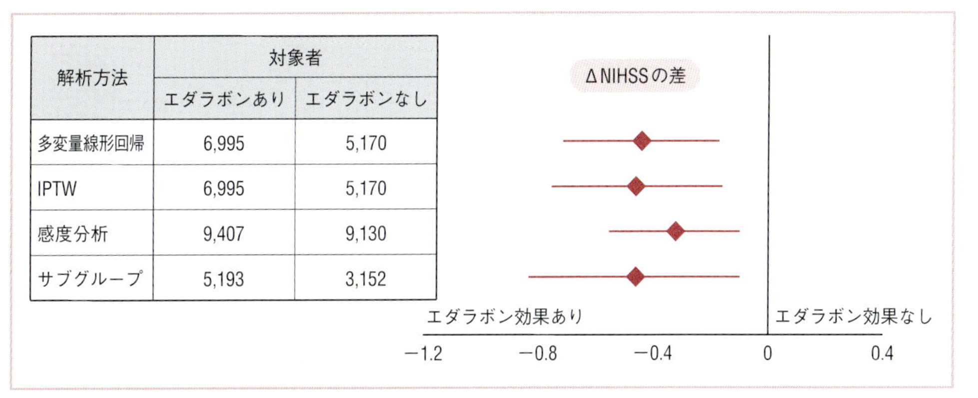

解析方法	対象者	
	エダラボンあり	エダラボンなし
多変量線形回帰	6,995	5,170
IPTW	6,995	5,170
感度分析	9,407	9,130
サブグループ	5,193	3,152

図2 エダラボンの効果：2群間の⊿NIHSSの差―アテローム血栓性脳梗塞

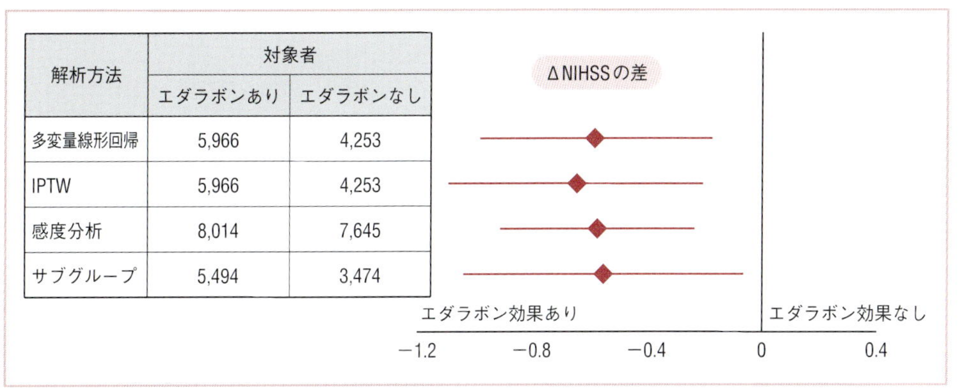

解析方法	対象者	
	エダラボンあり	エダラボンなし
多変量線形回帰	5,966	4,253
IPTW	5,966	4,253
感度分析	8,014	7,645
サブグループ	5,494	3,474

図3 エダラボンの効果：2群間の⊿NIHSSの差―心原性脳塞栓症

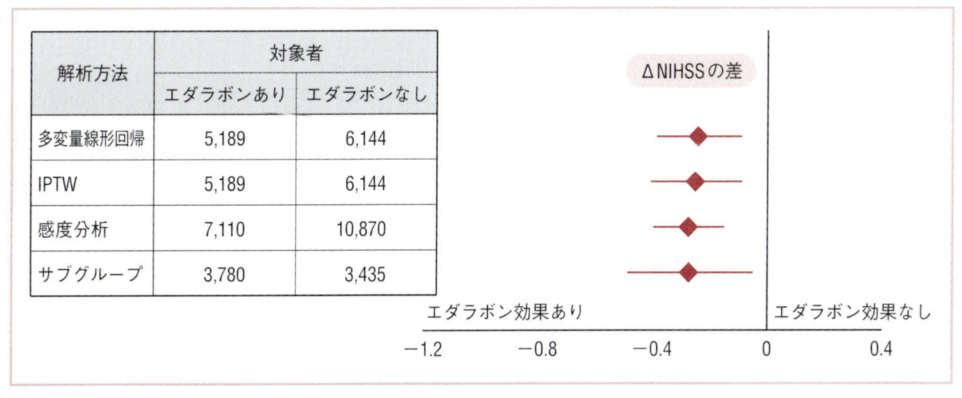

解析方法	対象者	
	エダラボンあり	エダラボンなし
多変量線形回帰	5,189	6,144
IPTW	5,189	6,144
感度分析	7,110	10,870
サブグループ	3,780	3,435

図4 エダラボンの効果：2群間の⊿NIHSSの差―ラクナ梗塞

り重症である傾向が認められた（**表1**）．また，エダラボン投与は脳梗塞発症後24時間以内に投与することが推奨されているが，エダラボン投与群の36.1％が24時間以降に投与されていた．

いずれの脳梗塞病型においても，エダラボン投与群は非投与群と比較して，ΔNIHSSがより改善しており，エダラボン群での神経症候改善を示唆した．交絡因子をIPTW法にて調整した後にも，アテローム血栓性脳梗塞（ΔNIHSS −0.46，95％CI −0.75〜−0.16），心原性脳塞栓症（ΔNIHSS −0.64，95％CI −1.09〜−0.20），ラクナ梗塞（ΔNIHSS −0.25，95％CI −0.40〜−0.09）と統計学的に有意な神経症候改善効果を認めた．（**図2〜4**）．

複数の手法（多変量線形回帰モデル，IPTW法，傾向スコア1：1マッチング法，感度分析，サブグループ解析）で同様の結果であった．いずれの脳梗塞病型でも発症から入院までの時間が短いほど神経症候改善効果が大きい傾向であった（**図5〜7**）．アテローム血栓性脳梗塞と心原性脳塞栓症で入院時NIHSS 15以上の重症者でエダラボンによる神経症候改善効果が最も大き

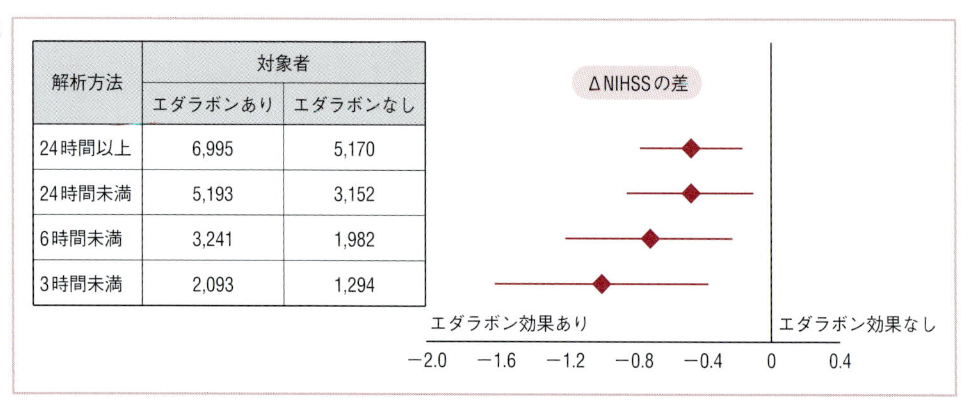

解析方法	対象者	
	エダラボンあり	エダラボンなし
24時間以上	6,995	5,170
24時間未満	5,193	3,152
6時間未満	3,241	1,982
3時間未満	2,093	1,294

図5 発症から入院までの時間で比較—アテローム血栓性脳梗塞

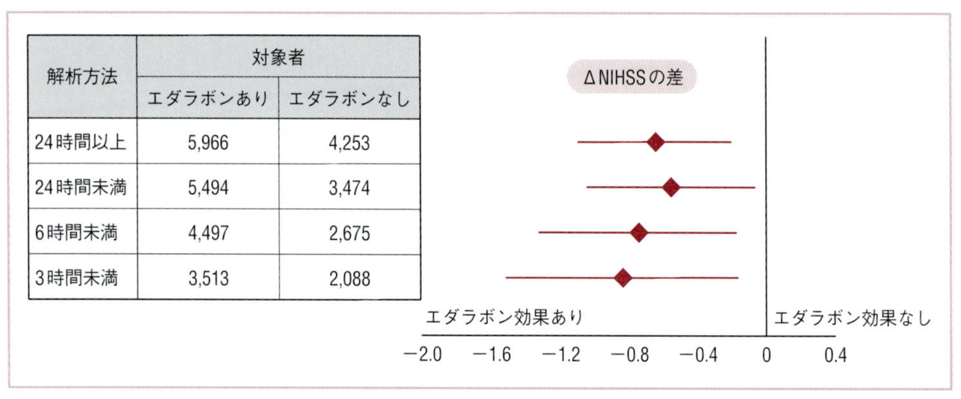

解析方法	対象者	
	エダラボンあり	エダラボンなし
24時間以上	5,966	4,253
24時間未満	5,494	3,474
6時間未満	4,497	2,675
3時間未満	3,513	2,088

図6 発症から入院までの時間で比較—心原性脳塞栓症

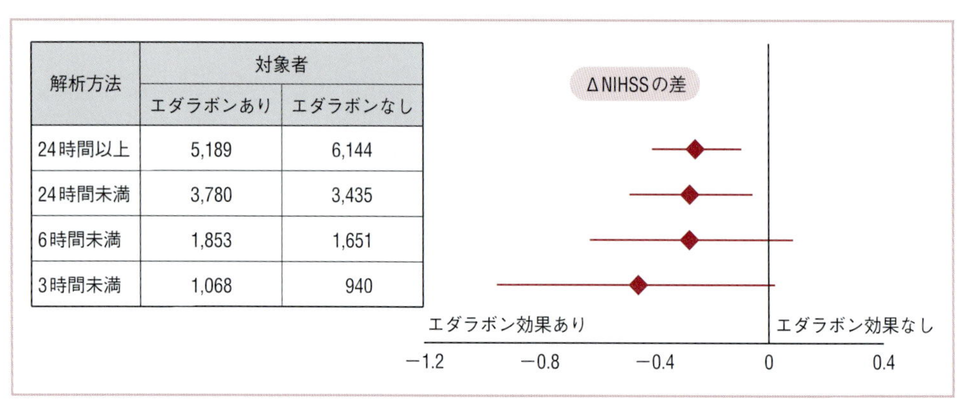

解析方法	対象者	
	エダラボンあり	エダラボンなし
24時間以上	5,189	6,144
24時間未満	3,780	3,435
6時間未満	1,853	1,651
3時間未満	1,068	940

図7 発症から入院までの時間で比較—ラクナ梗塞

く，アテローム血栓性脳梗塞がΔNIHSS −2.03，95 % CI −3.25〜−0.81，心原性脳塞栓症がΔNIHSS −1.57，95 % CI −2.42〜−0.71であった（図8）．経時的な脳卒中診療の進歩が結果に影響を与えている可能性があり，IPTW法の調整変数に入院した年をダミー変数として追加した場合でも結果は同じ傾向であった．

考察

急性期脳梗塞患者におけるエダラボン投与は，いずれの脳梗塞病型においても統計学的に有意な神経症候改善効果を認めた．非投与群と比較した場合のエダラボン投与群におけるΔNIHSSの平均差（mean difference）はアテローム血栓性脳梗塞において−0.46ポイント，心原性脳塞栓症において−0.64ポイント，ラクナ梗塞において−0.25ポイントであった．

先行研究で臨床的に改善と定義されたカットオフ値は4ポイント以上であったり[4, 5]，未治療でも2.2ポイント以上改善の報告があり[6]，本研究で認めたΔNIHSSの平均差の点推定値は，いずれの病型においても1ポイント未満であり，エダラボンに

図8 入院時NIHSS重症度別のエダラボンの効果：⊿NIHSSの差

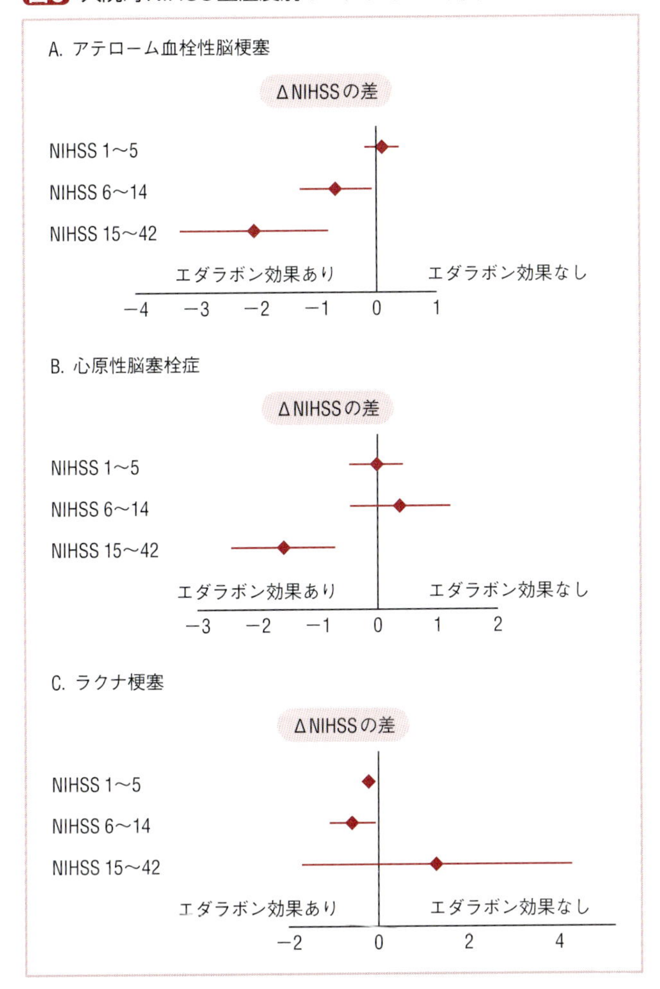

よる神経症候改善効果が存在したとしても，その臨床的意義は限定的である可能性が示唆された．

一方，アテローム血栓性脳梗塞と心原性脳塞栓症では入院時NIHSS 15以上の重症者でエダラボンによる神経症候改善効果が最も大きいため（アテローム血栓性脳梗塞 −2.03ポイント，心原性脳塞栓症 −1.57ポイント），NIHSS 15以上の重症者など対象者を限定して使用することは有益であると考えられる（図8）．また，出血性梗塞に代表されるような心原性脳塞栓症では入院時に重症であり，多くのフリーラジカルがあるためエダラボンの効果が期待される．反対にラクナ梗塞ではフリーラジカルが少ないためエダラボンの効果が乏しい可能性がある．

本研究によってエダラボンの神経症候改善に対する効果量を示すことにより，今後の費用対効果研究に活用され，急性期脳梗塞治療における医療資源の適正使用にもつながることが期待される．

本研究の強みは，世界でも最大規模の脳卒中データベースの一つ，複数の手法を用いて交絡因子の影響を検討，経時的な脳卒中診療の進歩を考慮しても同様の結果，脳梗塞病型分類別にエダラボンによる神経症候改善効果を検証している点があげられる．

本研究の限界は，解析に活用できる変数が限定，エダラボンの投与期間や量は未検討，病院間や医師間でのエダラボンを使用する診療パターンが未考慮，エダラボンを投与するタイミングを脳梗塞発症から入院までの時間で代用，脳卒中ハイボリュームセンターに偏って参加している可能性がある点があげられる．

文献

1) Feng S, et al. Edaravone for acute ischaemic stroke. Cochrane Database Syst Rev 2011; CD007230.
2) Yang J, et al. Edaravone for acute stroke: Meta-analyses of data from randomized controlled trials. Dev Neurorehabil 2015; 18: 330-5.
3) Kobayashi S, et al. Effect of edaravone on neurological symptoms in real-world patients with acute ischemic stroke. Stroke 2019; 50: 1805-11.
4) Clark WM, et al. The rtPA (alteplase) 0- to 6-hour acute stroke trial, part A (A0276g): Results of a double-blind, placebo-controlled, multicenter study. Thromblytic therapy in acute ischemic stroke study investigators. Stroke J Cereb Circ 2000; 31: 811-6.
5) National Institute of Neurological Disorders and Stroke rt-PA Stroke Study Group. Tissue plasminogen activator for acute ischemic stroke. N Engl J Med 1995; 333: 1581-8.
6) Berlet MH, et al. Does modern ischemic stroke therapy in a large community-based dedicated stroke center improve clinical outcomes?: A two-year retrospective study. J Stroke Cerebrovasc Dis 2014; 23: 869-78.

8 スタチン治療と脳梗塞転帰 J-STARS-L
—本試験のJ-STARS終了後から振り返って—

野村栄一

▶J-STARS試験の前に，2つの予備調査のJ-STARS-CとJ-STARS-Lが，脳卒中データバンクのデータやシステムを活用して実施された．

▶縦断的調査のJ-STARS-Lにおいて，虚血性脳血管障害後に生じる心血管イベントの大部分が脳卒中であった．

▶J-STARS-Lにおいて，高脂血症が虚血性脳血管障害後の心血管イベント発症のリスク因子であった．

▶J-STARS-Lにおいて，高脂血症のある群において，スタチン投与群は非投与群に比べ，有意に心血管イベントが少なかった．

▶本試験のJ-STARSでは，予備試験よりアテローム血栓性脳梗塞の患者の組み入れが少なかった．

J-STARSとは

J-STARS（Japan Statin Treatment Against Recurrent Stroke）は，厚生労働科学研究費補助金の効果的医療技術の確立推進臨床研究事業の「脳血管疾患の再発に対する高脂血症治療薬HMG-CoA還元酵素阻害薬の予防効果に関する研究（主任研究者：松本昌泰）」として平成14年度から始まった医師主導の臨床試験であった．本試験は，平均的な血清コレステロール値を有する虚血性脳血管障害の既往のある被験者を対象として，HMG-CoA還元酵素阻害薬（以下スタチン）による脳卒中の再発防止，認知症の発症予防，動脈硬化の進展の抑制に対する有効性と安全性を評価することを主目的とした．試験デザインはPROBE（Prospective，Randomized，Open，Blinded-Endpoint）を採用し，試験はすでに終了し，結果は公表されている[1]．

J-STAR-CおよびJ-STARS-L（2つの予備調査）

J-STARSの前に行われた多くの大規模臨床試験およびそのメタアナリシスにより，脳卒中の一次予防にスタチンが有用であることはすでに明らかにされていた．しかし，二次予防に関する臨床試験を始めるにあたっては，J-STARSのプロトコール作成のために，以下のような疑問に対する知見が得られれば役立つと考えた．

① 虚血性脳血管障害の既往のある患者の，年齢別の高脂血症の有病率，高脂血症の有無別の高血圧あるいは糖尿病の合併率，虚血性心疾患の既往のある割合，臨床病型の内訳はどのようであるか？　また，J-STARSに登録が予測される患者の臨床像はどのようなものなのか？

② わが国の実際の臨床現場において，虚血性脳血管障害の既往のある患者の脳卒中を含む心血管イベント発生率はどの程度であるか，そしてそれらは高脂血症の有無，あるいは程度により異なるのか？　スタチン投与と心血管イベント発生の関係はどのようなものであるか？

これらを多数例で検討したデータはこれまでにほとんどないことから，筆者らはJ-STARSの前に予備調査を計画した．迅速に必要とされるデータを得るため，①に関しては脳卒中データバンクグループと協議し，日本脳卒中データバンク（JSDB）にすでに蓄積されたデータの解析を行った（横断的研究，J-STARS-cross-sectional：J-STARS-C）[2]．②に関しては，JSDBに登録された虚血性脳血管障害の症例を前向きに追跡することでデータを得ることとした（縦断的研究，J-STARS-longitudinal：J-STARS-L）[3]．JSDBの参加施設から協力施設を募り，患者本人（あるいはその家族）から同意を得たうえで，専用のソフトウェアに登録した．ソフトウェアには脳卒中台帳の必須項目のデータを取り込む機能に加え，脂質代謝を中心とした生活習慣病のデータの記入欄，心血管イベント発生の有無の記入欄，頸部血管エコーの結果の記入欄などを設けた．データの提出方法はJSDBと同様の方法を採用した．

予備調査の結果

J-STARS-CではJSDBに登録された初発の脳梗塞のうち，アテローム血栓性あるいはラクナ梗塞と診断され，退院時のADLがmRSで0〜3であった1,487例を解析の対象とした．結果として，高脂血症を伴う群は，高血圧，糖尿病の合併率が高かった．しかし，虚血性心疾患の合併率，アテローム血栓性脳梗塞の占める割合については高脂血症を伴わない群と差を認めなかった．また，高脂血症を伴う群の約半数（52.7％）は高脂血症に対して加療（食事，運動療法あるいは薬物療法）を行われていなかった．

J-STARS-Lで登録された442例は，虚血性脳血管障害の発

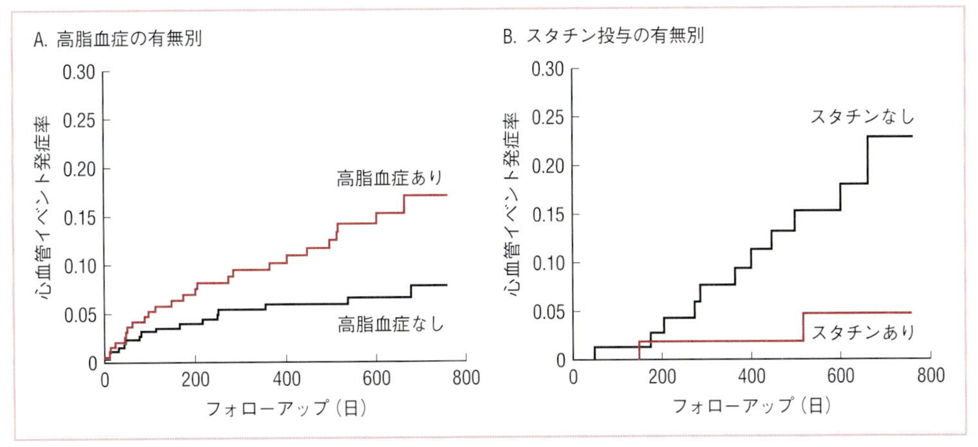

図1 J-STARS-L における心血管イベント発症の比較(Kaplan-Meier 曲線)

(Nomura E, et al. J Stroke Cerebrovasc Dis 2015[3]より)

図2 J-STARS-L における各リスク因子ごとの心血管イベント発症に対するハザード比

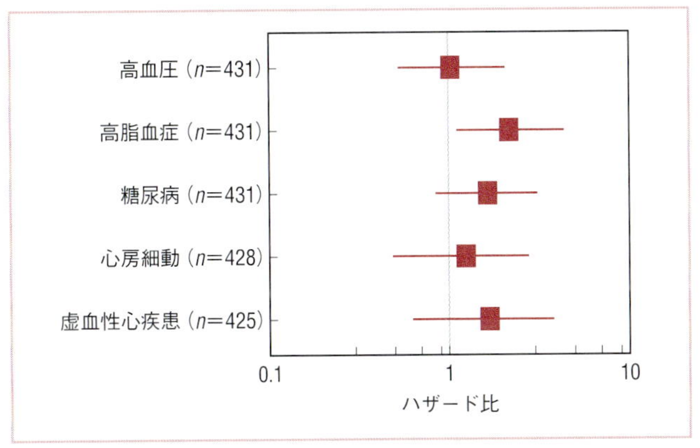

Cox 比例ハザードモデル—年齢,性別,虚血性脳卒中から登録までの日数,body mass index,喫煙,飲酒習慣で調整した.

(Nomura E, et al. J Stroke Cerebrovasc Dis 2015[3]より)

表1 J-STARS-C,J-STARS-L,J-STARS における登録された患者の臨床的特徴の比較

	J-STARS-C[2]	J-STARS-L[3]		J-STARS[1]	
		スタチン投与あり群	スタチン投与なし群	スタチン投与群	スタチン非投与群
年齢(歳)	62.5	66.6	67.1	66.1	66.4
男性(%)	63.6	60.7	62.3	68.7	69.0
高血圧(%)	70.2	76.8	72.7	75.2	76.9
糖尿病(%)	45.9	32.1	31.2	23.3	23.4
血清コレステロール値(mg/dL)	—	226.7	229.6	210.8	209.6
虚血性心疾患の既往(%)	6.6	14.8	10.5	4.7	5.6
アテローム血栓性脳梗塞の既往(%)	38.8	42.9	39.0	24.6	26.2
喫煙(%)	45.9	43.6	32.9	53.7	53.5

(Hosomi N, et al. EBioMedicine 2015[1]/Nomura E, et al. Intern Med 2005[2]/Nomura E, et al. J Stroke Cerebrovasc Dis 2015[3]より)

症から中央値 22 日で登録され,中央値で 568 日間フォローアップされた.観察期間中に 41 例の心血管イベントがあり,そのうち 40 例が脳卒中であった.高血圧,高脂血症,糖尿病のうち,高脂血症の有無のみ心血管イベントの発症に有意差を認めた(**図 1A**).また,高脂血症を有する群において観察期間中のスタチンの投与の有無により,さらに 2 群に分けて検討すると,スタチン投与群は非投与群に比べ有意に血管イベントの発症率が低かった(**図 1B**).心血管イベントの発症についてリスク因子ごとに交絡因子を調整して多変量解析すると,高脂血症のみが統計学的に有意なリスクとなった(**図 2**).

J-STARS の結果および予備調査との比較からの考察

J-STARS は 1,578 人の患者が,スタチン投与群と非投与群のいずれかに割り付けられた.primary endpoint は脳卒中あるいは一過性脳虚血発作(TIA)で,スタチン投与群で 2.56 %/年,非投与群で 2.65 %/年と両群に有意差は認められなかった.ただし,脳卒中のうちアテローム血栓性脳梗塞の発症がスタチン投与群で有意に低値であり,高脂血症の関与がより大きいアテローム血栓性脳梗塞の発症抑制に有効であることが示唆された[1].

J-STARS-C および J-STARS-L では本試験の J-STARS への登録が期待される患者像を推定可能であった.**表 1** に,J-STARS-C における J-STARS への登録が期待される患者群,J-STARS-L において高脂血症がありの群で,スタチンの投与の有無により分けた 2 群,J-STARS に登録された患者の臨床背景の比較を示す.年齢,性別はおおむね近似していたが,J-STARS では,アテローム血栓性脳梗塞の既往を有する患者の登録が期待されたより少なく,おそらくその影響もあり,糖尿

病，虚血性心疾患の既往を有する割合も期待されたより低かった．J-STARS-L で，スタチン投与群で非投与群に比べ心血管イベントが少なかったこと，J-STARS でアテローム血栓性脳梗塞の発症が抑制されていた結果からは，アテローム血栓性脳梗塞が予備調査程度の割合で登録されていれば（あるいは登録基準をそのように規定していれば），primary endpoint に差が出た可能性もあると考えている．

◉ 文献

1) Hosomi N, et al. The Japan Statin Treatment Against Recurrent Stroke (J-STARS): A Multicenter, Randomized, Open-label, Parallel-group Study. EBioMedicine 2015; 2: 1071-8.
2) Nomura E, et al. Clinical characteristics of first-ever atherothrombotic infarction or lacunar infarction with hyperlipidemia (J-STARS-C): An analysis of data from the stroke data bank of Japan. Intern Med 2005; 44: 1252-7.
3) Nomura E, et al. Subsequent vascular events after ischemic stroke: The Japan Statin Treatment Against Recurrent Stroke-Longitudinal. J Stroke Cerebrovasc Dis 2015; 24: 473-9.

9 脳出血重症度と転帰の危険因子

細見直永

- 2001 年から 2004 年 3 月に JSDB に登録された 16,630 例の脳卒中患者のうち脳出血として登録された 2,840 例を解析し，入院時重症度，退院時転帰，入院中死亡に影響する因子を解析し報告した.
- 脳出血患者の入院時重症度 “重症（NIHSS スコア 10 以上）” は，年齢，脳卒中既往，飲酒歴，出血サイズにより規定されていた.
- 飲酒歴も入院時重症度 “重症” の規定因子であったが，飲酒量に応じたものではなく，非飲酒（まれ，機会飲酒，禁酒），高度（3 合以上/日）で軽度（2 合未満/日）よりも重症が増大した.
- 退院時転帰 “不良（mRS 3 以上）” は，年齢，脳卒中既往，出血サイズ，入院時重症度により規定されていた.
- 入院中死亡は，出血サイズ，脳室内穿破，入院時重症度，外科的手術により規定されていた.

背景

日本人において，脳出血は脳卒中死亡の約20 %を占めており，日本人は欧米人よりも約 5 倍以上，脳出血を起こしやすいといわれている．その日本人における脳出血の入院時重症度，退院時転帰，入院中死亡に影響する因子を報告した論文は少なく，これを解明する目的にて，2001～04 年 3 月に日本脳卒中データバンク（JSDB）に登録された 16,630 例の脳卒中患者のうち脳出血として登録された 2,840 例を解析し，その規定因子を検討した[1)].

対象と方法

2001 年から 2004 年 3 月に JSDB に登録された 16,630 例の脳卒中患者のうち脳出血として登録された 2,840 例を解析し，入院時重症度，退院時転帰，入院中死亡の規定因子を検討した．入院時重症度は NIHSS スコアが登録されており，その 10 点以上を重症とした．退院時転帰は修正 Rankin スケール（mRS）スコア 3 以上を不良とした．また，入院中死亡に関しても検討した．

単解析は，連続変数は Wilcoxon 検定，カテゴリー変数はχ^2検定を用いた．多変量解析はロジスティック回帰検定を用いた．

結果

脳出血として登録されていた 2,840 例のうち，1,661 例が男性（58.5 %），1,174 例が女性（41.3 %）であった．入院時重症度は NIHSS スコアに基づき，軽症（NIHSS スコア 3 以下），中等症（NIHSS スコア 4～9），重症（NIHSS スコア 10～22），超重症（NIHSS スコア 23 以上）と分類した．また症例の年齢に応じて，若年（60 歳以下），高齢（61～72 歳），超高齢（73 歳以上）と 3 分位で分類した．

入院時重症度 “重症（NIHSS スコア 10 以上）” に影響する因子を単解析にて検討したところ，年齢，脳卒中既往，飲酒歴，脂質異常症，病前の抗血栓薬使用，出血サイズが有意に影響する因子として検出された．年齢，脳卒中既往と出血サイズは，その増大に応じて入院時重症度は悪化した（$p<0.001$，**図 1**）．飲酒歴も入院時重症度 “重症” の規定因子であったが，飲酒量に応じたものではなく，非飲酒（まれ，機会飲酒，禁酒），高度（3 合以上/日）で軽度（2 合未満/日）よりも重症が増大した（$p=0.007$）．病前の抗血栓薬使用は入院時重症を増やし（$p=0.007$），脂質異常症は入院時重症度 “重症” を減らしていた（$p=0.030$）．これらの因子による多変量解析をロジスティック回帰検定にて行ったところ，年齢，脳卒中既往，飲酒歴，出血サイズがそれぞれ独立して有意に入院時重症度 “重症” を規定する因子として検出された［$\chi^2(9)=374.5$，$p<0.0001$，**表 1**］．

退院時転帰 “不良（mRS 3 以上）” を規定する因子を検討したところ，年齢，脳卒中既往，出血サイズ，入院時重症度がそれぞれ独立した有意な因子として検出された［$\chi^2(9)=840.4$，$p<0.0001$，**表2**］．入院中死亡を規定する因子を検討したところ，脳出血サイズ，脳室内出血，入院時重症度，外科的手術がそれぞれ独立した有意な因子として検出された［$\chi^2(7)=540.4$，$p<0.0001$，**表 3**］．

結語

飲酒はその量に応じて，脳出血の発症率が上昇することが知られているが，脳出血による入院時重症度にも独立した規定因子であることが示された．ただし，脳出血による入院時重症度は非飲酒，高度飲酒の例で，軽度飲酒よりも重症であった．同様の結果は，より多数例を解析した『脳卒中データバンク 2015』

図1 脳出血入院時の重症度に影響する因子

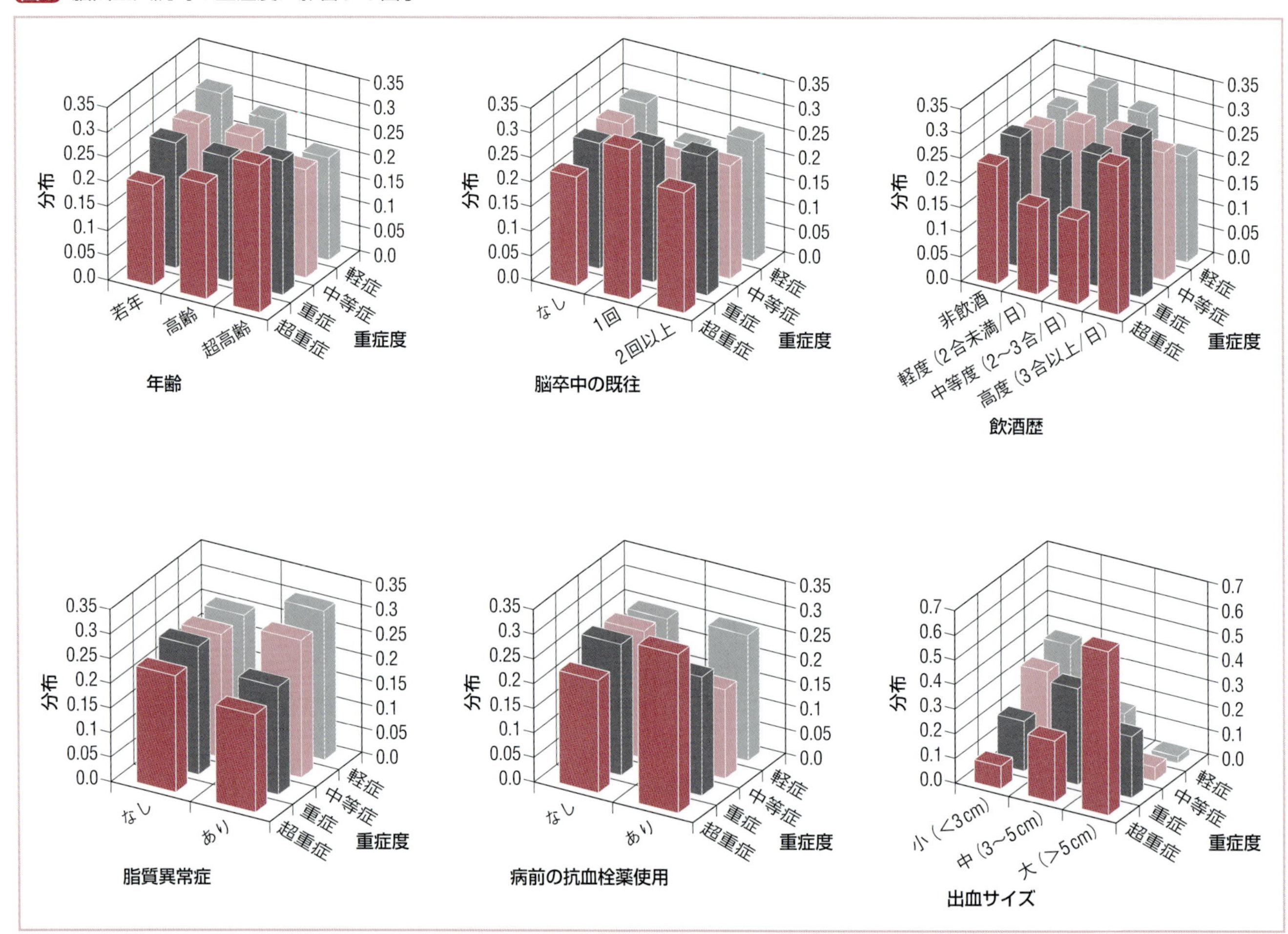

表1 脳出血入院時"重症"（NIHSSスコア10以上）に影響する因子

		オッズ比（95％信頼区間） n=1,254
年齢	若年（60歳以下）	1.00
	高齢（61〜72歳）	1.20 (0.87〜1.66)
	超高齢（73歳以上）	1.64 (1.18〜2.30)**
脳卒中既往歴	なし	1.00
	1回	1.17 (0.83〜1.66)
	2回以上	2.10 (1.16〜3.80)*
飲酒歴	非飲酒	1.45 (1.02〜2.07)*
	軽度（2合未満/日）	1.00
	中等度（2〜3合/日）	1.05 (0.61〜1.80)
	高度（3合以上）	1.80 (1.03〜3.14)*
出血サイズ	小（3.0 cm未満）	1.00
	中（3〜5 cm）	4.57 (3.46〜6.03)***
	大（5 cm以上）	29.68 (18.06〜48.77)***

*$p<0.05$, **$p<0.01$, ***$p<0.001$.

表2 退院時転帰"不良"（退院時mRSスコア3以上）に影響する因子

		オッズ比（95％信頼区間） n=1,485
年齢	若年（60歳以下）	1.00
	高齢（61〜72歳）	1.19 (0.84〜1.69)
	超高齢（73歳以上）	1.78 (1.23〜2.56)**
脳卒中既往歴	なし	1.00
	1回	1.40 (0.95〜2.08)
	2回以上	2.77 (1.28〜6.00)*
出血サイズ	小（3.0 cm未満）	1.00
	中（3〜5 cm）	1.38 (0.99〜1.92)
	大（5 cm以上）	3.11 (1.72〜5.61)***
入院時重症度	軽症（NIHSSスコア3以下）	1.00
	中等症（NIHSSスコア4〜9）	9.00 (5.96〜13.60)***
	重症（NIHSSスコア10〜22）	64.98 (40.00〜105.58)***
	超重症（NIHSSスコア23以上）	89.96 (50.06〜161.68)***

*$p<0.05$, **$p<0.01$, ***$p<0.001$.

表3 入院中死亡に影響する因子

		オッズ比（95％信頼区間） n=1,303
出血サイズ	小（3.0 cm未満）	1.00
	中（3〜5 cm）	1.46 （0.84〜2.56）
	大（5 cm以上）	7.54 （4.17〜13.62）***
脳室内出血	なし	1.00
	あり	3.02 （1.94〜4.70）***
入院時重症度	軽症（NIHSSスコア3以下）	1.00
	中等症（NIHSSスコア4〜9）	2.90 （0.59〜14.23）
	重症（NIHSSスコア10〜22）	8.01 （1.84〜34.79）**
	超重症（NIHSSスコア23以上）	68.86 （16.23〜292.19）***
外科的手術	なし	1.00
	あり	0.13 （0.07〜0.24）***

*$p<0.05$，**$p<0.01$，***$p<0.001$.

でも報告されている[2].

入院中死亡に対して，外科的手術が独立した規定因子として残り，有意に抑制するといった結果であることが興味深い．適切な症例を選択し，適切な手術がなされていることが予想される．

文献

1）Hosomi N, et al. Predictors of intracerebral hemorrhage severity and its outcome in Japanese stroke patients. Cerebrovasc Dis 2009; 27: 67-74.

2）野村栄一．高血圧性脳出血の危険因子としての飲酒，喫煙．小林祥泰（編）．脳卒中データバンク2015．中山書店；2015．pp.146-7.

10 くも膜下出血と続発性正常圧水頭症

山田茂樹

- 全国のくも膜下出血（SAH）後の続発性正常圧水頭症の発症率を2000～13年のJSDBで検証した.
- 60歳以上，急性水頭症の合併，前大脳動脈瘤，開頭クリッピング術，重症のSAH（Hunt & Kosnik分類でグレードIII以上），FisherのCT分類グループ3もしくはグループ4が，SAH後の続発性正常圧水頭症の発症と有意に関連していた.
- 破裂脳動脈瘤の部位別の続発性正常圧水頭症の発症率は，中大脳動脈瘤が最も低く，前大脳動脈瘤が最も高く，約2倍であった.
- 開頭クリッピング術は，コイル塞栓術と比較して，SAH後の続発性正常圧水頭症の発症率が約2倍であった.

はじめに

くも膜下出血（subarachnoid hemorrhage：SAH）の発症から1～2か月後に好発する続発性正常圧水頭症（secondary normal pressure hydrocephalus：sNPH）の併発リスクについて，重症度，SAH発症時の急性水頭症，SAHの血腫量，脳室穿破，後方循環の破裂脳動脈瘤の部位との関連など多数報告されている[1-5]．また，SAHの血腫量が多いほうが脳血管攣縮やsNPHを伴いやすいことから，術中にSAHをできるだけ取り除く手技やlamina terminalisの開放が有効であろうと，長年，脳神経外科医に信じられてきたが[6-8]，有効性は立証されず，米国心臓協会はこれらの手技を推奨しないこととした[9]．さらに，SAHに対して，開頭クリッピング術とコイル塞栓術のどちらがよりsNPHを併発しやすいのかは議論が分かれる．そこで日本脳卒中データバンク（JSDB）を用いて，破裂脳動脈瘤の部位と治療内容がSAH後のsNPH併発に与える影響を調査し，"Journal of Neurosurgery" に論文が掲載された[10]．

方法

2000～13年の14年間に全国163施設からJSDBへ登録された急性期脳卒中患者101,165人中SAH患者は5,344人で，そのうち囊状脳動脈瘤破裂によるSAH患者は4,693人であった．このうち，急性水頭症とsNPHの併発有無について記載のある患者1,448人（男性438人，女性1,010人，平均年齢61.9±13.4歳）を解析対象とした．破裂脳動脈瘤を中大脳動脈瘤，前大脳動脈瘤，内頸動脈瘤，後方循環動脈瘤の4部位のいずれかに分類した．破裂脳動脈瘤の部位別に，年齢，性別，既往歴，喫煙歴，飲酒習慣，SAH発症時の重症度（NIHSS，Hunt & Kosnik分類）とCTによるSAH分布のFisher分類，治療内容（クリッピング術かコイル塞栓術か）を表1[10]にまとめた．

SAH後のsNPH発症関連因子を抽出すべく，年齢を60歳以上，性別，既往歴，急性水頭症，治療内容，SAH発症時の重症度とCTによるSAH分布のFisher分類について，年齢で調整したオッズ比と，年齢，性別，高血圧症，喫煙歴，急性水頭症，FisherのCT分類で調整した多変量ロジスティック回帰分析によるオッズ比，95％信頼区間，p値を算出した．p値は0.05未満を統計学的に有意とした．

結果

1,448人中，中大脳動脈瘤破裂は354人，前大脳動脈瘤破裂（前交通動脈瘤と末梢性前大脳動脈瘤を含む）は496人，内頸動脈瘤破裂は402人，後方循環動脈瘤破裂は130人であった．破裂脳動脈瘤の部位別に，年齢，性別，急性水頭症の合併の有無，治療選択（クリッピング術かコイル塞栓術），高血圧症などの既往歴，喫煙歴，飲酒習慣，SAH発症時の重症度（NIHSS，Hunt & Kosnik分類）とCTによるSAH分布のFisher分類を表1にまとめた．

SAH後のsNPH発症と有意に関連していたのは，60歳以上，急性水頭症の合併，前大脳動脈瘤，クリッピング術，重症のSAH（Hunt & Kosnik分類でグレードIII以上），FisherのCT分類グループ3もしくはグループ4であった（表2）[10]．

前大脳動脈瘤は，中大脳動脈瘤と比較して約2倍のsNPH発症率であったが，内頸動脈瘤や後方循環動脈瘤はsNPH発症率に有意差はなかった．また，開頭クリッピング術はコイル塞栓術と比較して約2倍，sNPH発症率が有意に高かった．前大脳動脈瘤はSAH発症時比較的軽症で，NIHSSの平均値が低く，Hunt & Kosnik分類のグレードIII以上の割合が少なく，78％がクリッピング術で治療されていた．血腫量が少ないFisher分類グループ1もしくは2のSAH群では，中大脳動脈瘤よりも前大脳動脈瘤のほうが約5.5倍，内頸動脈瘤のほうが

表1 破裂脳動脈瘤の部位別集計

		全体	中大脳動脈瘤	前大脳動脈瘤	内頸動脈瘤	後方循環動脈瘤
人数		1,448	354	496	402	130
平均年齢±標準偏差		61.9±13.4	61.6±12.7	60.8±13.4	62.6±14.2	64.1±13.2
女性，人数（%）		1,010（69.8%）	248（70.1%）	288（58.1%）	322（80.1%）	113（86.9%）
急性水頭症		593（41.0%）	120（33.9%）	218（44.0%）	152（37.8%）	79（60.8%）
クリッピング術		1,073（74.1%）	320（90.4%）	385（77.6%）	296（73.6%）	51（39.2%）
コイル塞栓術		285（19.7%）	20（ 5.7%）	97（19.6%）	91（22.6%）	70（53.9%）
高血圧症		718（49.6%）	189（53.4%）	241（48.6%）	181（45.0%）	74（56.9%）
糖尿病		112（ 7.7%）	20（ 5.7%）	34（ 6.9%）	34（ 8.5%）	11（ 8.5%）
脂質異常症		180（12.4%）	39（11.0%）	65（13.1%）	54（13.4%）	17（13.1%）
喫煙歴有		444（30.7%）	114（32.2%）	177（35.7%）	102（25.4%）	33（25.4%）
飲酒習慣		499（34.5%）	135（38.1%）	192（38.7%）	117（29.1%）	30（23.1%）
NIHSS		13.2±16.1	13.29±15.7	12.4±16.2	12.5±16.1	16.1±16.4
Hunt & Kosnik分類	グレードI	160（11.0%）	36（10.2%）	61（12.3%）	40（10.0%）	9（ 6.9%）
	グレードII	568（39.2%）	132（37.3%）	198（39.9%）	168（41.8%）	46（35.4%）
	グレードIII	326（22.5%）	76（21.5%）	110（22.2%）	93（23.1%）	38（29.2%）
	グレードIV	248（17.1%）	78（22.0%）	76（15.3%）	69（17.2%）	19（14.6%）
	グレードV	144（ 9.9%）	32（ 9.0%）	51（10.3%）	30（ 7.5%）	18（13.8%）
CTによるFisher分類	グループ1	41（ 2.8%）	7（ 2.0%）	10（ 2.0%）	14（ 3.5%）	5（ 3.9%）
	グループ2	220（15.2%）	49（13.8%）	66（13.3%）	77（19.2%）	16（12.3%）
	グループ3	957（66.1%）	217（61.3%）	345（69.6%）	263（65.4%）	95（73.1%）
	グループ4	227（15.7%）	81（22.9%）	73（14.7%）	47（11.7%）	14（10.8%）

（Yamada S, et al. J Neurosurg 2015; 123: 1555-61[10]より改変）

表2 続発性正常圧水頭症（sNPH）の併発リスク

		sNPHあり	sNPHなし	年齢調整オッズ比（95%CI）	*p*値	多変量オッズ比（95%CI）	*p*値
60歳以上		366	456	2.44（1.94〜3.10）	<0.001	1.96（1.47〜2.62）	<0.001
急性水頭症		321	272	3.62（2.87〜4.57）	<0.001	3.60（2.77〜4.69）	<0.001
破裂脳動脈瘤の部位	中大脳動脈瘤	104	250	reference		reference	
	前大脳動脈瘤	211	285	1.93（1.42〜2.61）	<0.001	2.02（1.39〜2.92）	<0.001
	内頸動脈瘤	143	259	1.12（0.96〜1.32）	0.160	1.14（0.94〜1.39）	0.180
	後方循環動脈瘤	47	83	1.06（0.91〜1.23）	0.450	1.06（0.88〜1.28）	0.530
コイル塞栓術		95	190	reference		reference	
クリッピング術		395	678	1.59（1.18〜2.14）	0.002	1.97（1.36〜2.85）	<0.001
Hunt & Kosnik分類	グレードI or II	159	569	reference		reference	
	グレードIII	150	176	2.92（2.17〜3.91）	<0.001	2.32（1.63〜3.29）	<0.001
	グレードIV or V	212	180	3.78（2.88〜4.96）	<0.001	2.62（1.85〜3.73）	<0.001
CTによるFisher分類	グループ1 or 2	52	209	reference		reference	
	グループ3	362	595	2.15（1.53〜3.01）	<0.001	1.95（1.30〜2.91）	0.001
	グループ4	106	121	3.34（2.21〜5.05）	<0.001	2.99（1.75〜5.10）	<0.001

多変量オッズ比は，年齢，性別，高血圧症，喫煙歴，急性水頭症，CTのFisher分類で調整した．
（Yamada S, et al. J Neurosurg 2015; 123: 1555-61[10]より改変）

約2.5倍，sNPH発症率が有意に高く，血腫量の多いFisher分類グループ3のSAH群では中大脳動脈瘤よりも前大脳動脈瘤のほうが約1.8倍，sNPH発症率が有意に高かった．しかし，脳内もしくは脳室内出血を伴うFisher分類グループ4は全体で47％と高率にsNPHを併発しており，脳動脈瘤の部位や治療選択（クリッピング術かコイル塞栓術か）によってsNPH発症率に有意差は認められなかった．

考察

本研究により，開頭クリッピング術と前大脳動脈瘤（前交通動脈瘤と末梢性前大脳動脈瘤）が，年齢，SAH発症時の重症度と血腫量，急性水頭症の合併とは独立したsNPH発症リスク因子となりうることを示した．

SAH後のsNPHの発症機序としては，血液が広がったくも膜下腔に炎症が起こり，くも膜の肥厚と線維化によりくも膜下腔が広範囲に癒着すると，脳内から排出される脳脊髄液がくも膜下腔よりも脳室へと排出されていき，脳室が拡大するという説が有力である[11]．開頭クリッピング術がコイル塞栓術よりもsNPHになりやすい理由としては，くも膜を開放することで術後のくも膜の肥厚，線維化，癒着が促進されるのではないかと考えられた．前大脳動脈瘤に対する開頭クリッピング術は，中大脳動脈瘤と比較して，くも膜をより広く開放しなければならない場合が多く，くも膜下腔が広範囲に癒着してsNPHが併発しやすいのではないかと考えられた．

2000～13年のJSDB登録例では，前大脳動脈瘤の78％がクリッピング術で治療されているが，昨今は前大脳動脈瘤に対してコイル塞栓術が選択される割合が著しく増加している．SAHに対してコイル塞栓術が選択される機会が増えた現状で，sNPHの発症率が減少しているのかは，改めて検証すべきと考える．

SAH発症時の急性水頭症の併発は，髄液持続ドレナージの状態からsNPHへと移行するケースが多いと推測されるが，急性水頭症の併発は中大脳動脈瘤で34％と最も低く，次いで内頸動脈瘤38％，前大脳動脈瘤44％，後方循環動脈瘤61％の順であった．後方循環動脈瘤は，脳幹部の腹側から脳底部のくも膜下腔に出血が広がりやすく，Luschka孔やMagendie孔，大孔部が血腫で満たされる場合もあり，このようケースでは急性水頭症を併発しやすいと考えられる．急性水頭症合併症例を含めて，コイル塞栓術の前にスパイナルドレナージを留置するケースが増加している．早期のスパイナルドレナージ留置がsNPH発症リスクを低減している可能性も考えられ，改めて検証が必要と考える．

文献

1) de Oliveira JG, et al. Risk of shunt-dependent hydrocephalus after occlusion of ruptured intracranial aneurysms by surgical clipping or endovascular coiling: A single-institution series and meta-analysis. Neurosurgery 2007; 61: 924-34.
2) Dehdashti AR, et al. Shunt-dependent hydrocephalus after rupture of intracranial aneurysms: A prospective study of the influence of treatment modality. J Neurosurg 2004; 101: 402-7.
3) Dorai Z, et al. Factors related to hydrocephalus after aneurysmal subarachnoid hemorrhage. Neurosurgery 2003; 52: 763-71.
4) Gruber A, et al. Chronic shunt-dependent hydrocephalus after early surgical and early endovascular treatment of ruptured intracranial aneurysms. Neurosurgery 1999; 44: 503-12.
5) Yang TC, et al. Predictors of shunt-dependent chronic hydrocephalus after aneurysmal subarachnoid haemorrhage. Eur Neurol 2013; 69: 296-303.
6) Komotar RJ, et al. Microsurgical fenestration of the lamina terminalis reduces the incidence of shunt-dependent hydrocephalus after aneurysmal subarachnoid hemorrhage. Neurosurgery 2002; 51: 1403-13.
7) Komotar RJ, et al. The impact of microsurgical fenestration of the lamina terminalis on shunt-dependent hydrocephalus and vasospasm after aneurysmal subarachnoid hemorrhage. Neurosurgery 2008; 62: 123-34.
8) Komotar RJ, et al. Efficacy of lamina terminalis fenestration in reducing shunt-dependent hydrocephalus following aneurysmal subarachnoid hemorrhage: A systematic review. Clinical article. J Neurosurg 2009; 111: 147-54.
9) Connolly ES Jr, et al. Guidelines for the management of aneurysmal subarachnoid hemorrhage: A guideline for healthcare professionals from the American Heart Association/american Stroke Association. Stroke 2012; 43: 1711-37.
10) Yamada S, et al. Aneurysm location and clipping versus coiling for development of secondary normal-pressure hydrocephalus after aneurysmal subarachnoid hemorrhage: Japanese Stroke DataBank. J Neurosurg 2015; 123: 1555-61.
11) Yamada S, et al. Choroidal fissure acts as an overflow device in cerebrospinal fluid drainage: Morphological comparison between idiopathic and secondary normal-pressure hydrocephalus. Sci Rep 2016; 6: 39070.

11 破裂脳動脈瘤の退院時転帰

井川房夫

▶脳卒中データバンクのくも膜下出血データでは，ISATの判断基準に合わせると開頭クリッピング術と血管内コイル塞栓術の退院時転帰に有意差は認めなかった．

▶多変量解析でも治療方法は転帰不良の有意な危険因子とならなかった．

▶年齢のカットオフ値は，血管内コイル塞栓術が開頭クリッピング術よりどの転帰でも3〜9歳高く，軽症例より重症例で3歳高かった．

はじめに

日本のくも膜下出血（SAH）の治療は世界の標準とはかけ離れており，開頭クリッピング術（SC）の頻度が血管内コイル塞栓術（EC）よりかなり高く偏りのある集団であったが[1]，2017年の（一般社団法人）日本脳神経外科学会のデータではようやくどちらも50％程度となった．SAHについてのAHAのガイドラインではクリップ，コイルどちらでも可能な場合はコイルが推奨されており，世界的にコイルが選択されることが増えている．これは，2002年発表のInternational Subarachnoid Aneurysm Trial（ISAT）の報告関連の影響が大きい[2]．しかし，2018年のCochrane Database[3]では，軽症例はコイルが薦められるが，重症例ではエビデンス不足と結論された．

そこで，筆者らは日本脳卒中データバンク（JSDB）のデータベースを用いてその成績を解析した[4,5]．

脳卒中データバンクによる日本のくも膜下出血の成績

本研究は，2000年から2013年のJSDBのSAHデータベースを用いて行った．JSDBデータベース研究についてはすでに報告されているため割愛する[6-8]．JSDB全101,165例中，SAHデータベースに登録された5,344例を一次対象とした．そのうち解離性や偽性動脈瘤を除き，破裂囊状動脈瘤4,693例を抽出した．さらに欠損値のある例，SC，EC以外の治療例を除き最終的に3,593例を対象とした．検討項目は，年齢，性，入院時World Federation of Neurological Surgeons（WFNS）グレード，動脈瘤の最大径（<6，6〜14，15〜24，および>24 mm），部位，数，発症から治療までの日数，CT Fisher分類，退院時modified Rankin scale（mRS）で3以上を転帰不良と定義した．

全3,593例のうちSCが2,666例，ECが881例で，それぞれの内訳を表1に示したが，両治療群間の背景因子に有意差があり，当然退院時転帰も有意にSCで良好であった．そこで，できるだけISATの組み入れ基準に沿って背景因子をそろえて両群を比較した．表2では，WFNSグレードをI〜III，動脈瘤の最大径を14 mm未満，部位を前方循環，CT Fisher分類を1〜3のみに限ったところ，背景因子は年齢，動脈瘤の部位で有意差があり，退院時転帰は有意にSCが良好であった．表3は年齢を80歳以下，WFNSグレードをI〜II，部位は前交通動脈瘤，内頸動脈後交通動脈分岐部動脈瘤，動脈瘤の数は1個のみに限定して検討した．その結果，両群間の背景因子は性のみ有意差があり，転帰も有意差はなかった．さらに表4では転帰不良を目的変数として多変量解析を行った結果，年齢，地域，WFNSグレードは危険因子であったが，治療方法は有意な危険因子とはならなかった．

今回の解析方法では，完全にバイアスを排除できているとは限らないものの，日本では両治療群間で転帰に有意差は認められなかった．実際，2017年重症SAHのメタ解析では両者に有意差はなく[9]，SpetzlerはBRAT studyにおいて囊状動脈瘤に限ると，どの時点においてもSCとECの成績の有意差はなかったと報告され[10]，日本のJ-ASPECT研究でも転帰の差はなく，傾向分析した後の死亡率はコイル塞栓術で高かった．筆者らはDPCのSAHについて検討したが，日本では同様な結果であった[5,11,12]．

脳卒中データバンクによる日本のくも膜下出血の年齢による影響

同じデータセットを用いて，SCとECの年齢のカットオフ値を比較検討した．方法は，転帰不良に対するreceiver operating characteristic（ROC）解析を行い，Youden Indexを用いてカットオフ値を求めた．結果は，退院時mRS別，治療方法別に年齢のカットオフ値を表5に示すが，ECのほうがSCより3〜9歳年齢のカットオフ値が高いことがわかる．表6は，WFNSグレードを軽症例（I〜II）と重症例（III〜V）に分けて

表1 症例一覧

		開頭クリッピング術		血管内コイル塞栓術		*p*値
		n=2,666	%	*n*=881	%	
男性		875	32.8%	244	27.7%	0.004
年齢（歳）*		60 (51〜69, 17〜95)		67 (56〜78, 24〜99)		<0.001
WFNS グレード	I	1,064	39.9%	261	29.6%	<0.001
	II	669	25.1%	225	25.5%	
	III	235	8.8%	79	9.0%	
	IV	412	15.5%	150	17.0%	
	V	286	10.7%	168	19.1%	
動脈瘤の最大径	<6 mm	1,549	58.1%	482	54.7%	0.084
	6〜14 mm	1,019	38.2%	356	40.4%	
	15〜24 mm	86	3.2%	41	4.7%	
	>24 mm	12	0.5%	2	0.2%	
動脈瘤の部位	MCA	898	33.7%	67	7.6%	<0.001
	ACoA	795	29.8%	263	29.9%	
	ACA	190	7.1%	36	4.1%	
	ICPC	693	26.0%	313	35.5%	
	ICA	6	0.2%	9	1.0%	
	BA	31	1.2%	122	13.8%	
	VA	46	1.7%	53	6.0%	
	PCA	7	0.3%	18	2.0%	
動脈瘤の数	1	2,078	77.9%	713	80.9%	0.416
	2	423	15.9%	120	13.6%	
	3	114	4.3%	35	4.0%	
	≧4	47	1.8%	13	1.5%	
SAH発症から治療までの時間（日）*		0 (0〜0, 0〜14)		0 (0〜1, 0〜14)		0.262
CT Fisher 分類	1	105	3.9%	34	3.9%	0.001
	2	454	17.0%	115	13.1%	
	3	1,666	62.5%	613	69.6%	
	4	408	15.3%	107	12.1%	
退院時 mRS	0	1,041	39.0%	293	33.3%	<0.001
	1	498	18.7%	139	15.8%	
	2	247	9.3%	48	5.4%	
	3	165	6.2%	57	6.5%	
	4	270	10.1%	107	12.1%	
	5	220	8.3%	86	9.8%	
	6	225	8.4%	151	17.1%	

*中央値（IQR, range）.
WFNS grade：World Federation of Neurological Surgeons Clinical Grading Scale

表2 ISAT適応1の結果

		開頭クリッピング術		血管内コイル塞栓術		*p*値
		n=1,590	%	*n*=367	%	
男性		534	33.6%	92	25.1%	0.001
年齢（歳）*		58 (51〜68, 17〜91)		66 (53〜78, 25〜99)		<0.001
WFNS グレード	I	859	54.0%	187	51.0%	0.522
	II	559	35.2%	135	36.8%	
	III	172	10.8%	45	12.3%	
	IV	0	0.0%	0	0.0%	
	V	0	0.0%	0	0.0%	
動脈瘤の最大径	<6 mm	1,021	64.2%	227	61.9%	0.398
	6〜14 mm	569	35.8%	140	38.1%	
	15〜24 mm	0	0.0%	0	0.0%	
	>24 mm	0	0.0%	0	0.0%	
動脈瘤の部位	MCA	469	29.5%	39	10.6%	<0.001
	ACoA	544	34.2%	140	38.1%	
	ACA	116	7.3%	19	5.2%	
	ICPC	459	28.9%	164	44.7%	
	ICA	2	0.1%	5	1.4%	
	BA	0	0.0%	0	0.0%	
	VA	0	0.0%	0	0.0%	
	PCA	0	0.0%	0	0.0%	
動脈瘤の数	1	1,239	77.9%	296	80.7%	0.026
	2	243	15.3%	59	16.1%	
	3	75	4.7%	12	3.3%	
	≧4	30	1.9%	0	0.0%	
SAH発症から治療までの時間（日）*		0 (0〜0, 0〜3)		0 (0〜0, 0〜3)		0.235
CT Fisher 分類	1	57	3.6%	15	4.1%	0.088
	2	351	22.1%	62	16.9%	
	3	1,161	73.0%	283	77.1%	
	4	0	0.0%	0	0.0%	
退院時 mRS	0	812	51.1%	177	48.2%	0.040
	1	346	21.8%	74	20.2%	
	2	131	8.2%	25	6.8%	
	3	87	5.5%	16	4.4%	
	4	89	5.6%	33	9.0%	
	5	57	3.6%	16	4.4%	
	6	68	4.3%	26	7.1%	

*中央値（IQR, range）.
トラッピング術およびバイパス術を除く.
WFNS grade：World Federation of Neurological Surgeons Clinical Grading Scale

年齢のカットオフ値を比較したが，軽症例で3歳，重症例で6歳ECのほうが高かった．図1A, Bは高齢者退院時mRS>2のROC解析，図1C, Dは高齢者の女性に限定した場合の解析結果である．高齢女性に限ると差は認められなかった．

2018年の高齢者重症SAHの論文では，60歳代，70歳代，80歳以上に分類し，死亡と転帰不良は年齢とともに著明に増加すること，発症直後の死亡率は高いが，79歳までならある程度の転帰良好を期待でき，発症6〜12か月後には転帰不良は少ないこと，80歳を超えると生存率や転帰良好が極端に減少することを報告している[13]．年齢は連続変数であり，転帰と

表3 ISAT適応2の結果

		開頭クリッピング術		血管内コイル塞栓術		p値
		n=686	%	n=188	%	
男性		267	38.9 %	52	27.7 %	0.004
年齢（歳）*		56（48〜66，17〜80）		59（48〜69，26〜80）		0.073
WFNSグレード	I	406	59.2 %	112	59.6 %	0.923
	II	280	40.8 %	76	40.4 %	
	III	0	0.0 %	0	0.0 %	
	IV	0	0.0 %	0	0.0 %	
	V	0	0.0 %	0	0.0 %	
動脈瘤の最大径	<6 mm	442	64.4 %	121	64.4 %	0.986
	6〜14 mm	244	35.6 %	67	35.6 %	
	15〜24 mm	0	0.0 %	0	0.0 %	
	>24 mm	0	0.0 %	0	0.0 %	
動脈瘤の部位	MCA	0	0.0 %	0	0.0 %	0.134
	ACoA	394	57.4 %	94	50.0 %	
	ACA	0	0.0 %	0	0.0 %	
	ICPC	292	42.6 %	94	50.0 %	
	ICA	0	0.0 %	0	0.0 %	
	BA	0	0.0 %	0	0.0 %	
	VA	0	0.0 %	0	0.0 %	
	PCA	0	0.0 %	0	0.0 %	
動脈瘤の数	1	686	100.0 %	188	100.0 %	—
	2	0	0.0 %	0	0.0 %	
	3	0	0.0 %	0	0.0 %	
	≧4	0	0.0 %	0	0.0 %	
SAH発症から治療までの時間（日）*		0（0〜0，0〜3）		0（0〜0，0〜3）		
CT Fisher分類	1	34	5.0 %	10	5.3 %	0.409
	2	162	23.6 %	36	19.1 %	
	3	477	69.5 %	139	73.9 %	
	4	0	0.0 %	0	0.0 %	
退院時mRS	0	368	53.6 %	108	57.4 %	0.217
	1	148	21.6 %	43	22.9 %	
	2	60	8.7 %	11	5.9 %	
	3	38	5.5 %	4	2.1 %	
	4	25	3.6 %	11	5.9 %	
	5	23	3.4 %	5	2.7 %	
	6	24	3.5 %	6	3.2 %	

*中央値（IQR，range）．
トラッピング術およびバイパス術を除く．
WFNS grade：World Federation of Neurological Surgeons Clinical Grading Scale

の関係はより可視化できるはずであり，筆者らはJSDBのデータベースを用いて，その関連性を現在検討している．日本は高齢化世界一であり，この方面で世界にエビデンスを発信する使命があると考えられる．

表4 多変量解析の結果

変数1		変数2	オッズ比	p（Prob>ChiSq）	95 % CI	
					下限	上限
EC		SC	2.34	0.087	0.89	6.52
年齢			1.07	<0.001*	1.04	1.11
地域1		地域10	24.83	0.026*	1.49	385.83
WFNSグレード	I	II	4.24	0.002*	1.69	11.05
	I	III	10.58	<0.001*	3.60	32.65
	I	IV	33.18	<0.001*	11.64	105.55
	I	V	58.70	<0.001*	18.45	218.52
	II	IV	7.83	<0.001*	3.00	21.94
	II	V	13.85	<0.001*	4.36	50.60
	III	V	5.55	0.006*	1.62	20.90

*有意差あり．

表5 退院時転帰別の年齢のカットオフ値の比較

mRSスコア	カットオフ年齢（歳）		オッズ比		AUC	
	SC	EC	SC	EC	SC	EC
>1	61	70	1.06	1.06	0.69	0.72
>2	61	70	1.06	1.06	0.70	0.72
>3	64	73	1.06	1.06	0.68	0.71
>4	64	67	1.06	1.05	0.67	0.68
>5	69	75	1.04	1.04	0.62	0.64

表6 入院時WFNSグレードによる年齢のカットオフ値の比較

WFNSグレード	カットオフ年齢（歳）		オッズ比		AUC	
	SC	EC	SC	EC	SC	EC
I〜II	67	70	1.07	1.07	0.72	0.75
III〜V	64	70	1.05	1.07	0.68	0.75

● 文献

1）Ikawa F, et al. Characteristics of cerebral aneurysms in Japan. Neurol Med Chir（Tokyo）2019; 59: 399-406.
2）Molyneux A, et al. International Subarachnoid Aneurysm Trial（ISAT）of neurosurgical clipping versus endovascular coiling in 2143 patients with ruptured intracranial aneurysms: A randomised trial. Lancet 2002; 360: 1267-74.
3）Lindgren A, et al. Endovascular coiling versus neurosurgical clipping for people with aneurysmal subarachnoid haemorrhage. Cochrane Database Syst Rev 2018; 8: CD003085.
4）Ikawa F, et al. Analysis of outcome at discharge after aneurysmal subarachnoid hemorrhage in Japan according to the Japanese stroke databank. Neurosurg Rev 2018; 41: 567-74.
5）Ikawa F, et al. Effect of actual age on outcome at discharge in patients by surgical clipping and endovascular coiling for ruptured cerebral aneurysm in Japan. Neurosurg Rev 2018; 41: 1007-11.
6）Ikawa F, et al. Analysis of subarachnoid hemorrhage according to the japanese standard stroke registry study--incidence, outcome, and comparison with the International Subarachnoid Aneurysm Trial. Neurol Med Chir（Tokyo）2004; 44: 275-6.
7）Kobayashi S, Japan Stroke Scale Registry Study G. International

図1 開頭クリッピング術（SC）および血管内コイル塞栓術（EC）における退院時mRS>2のROC解析

A：開頭クリッピング術（高齢者）

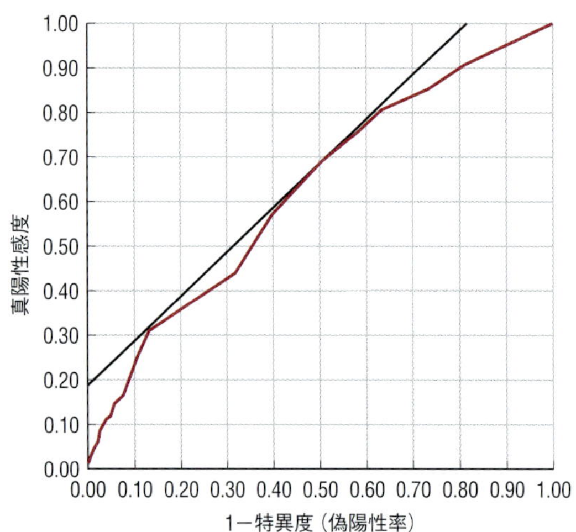

Youden Indexによるカットオフ年齢	1−特異度（%）	感度（%）	感度−（1−特異度）（%）
71	50.7	69.3	18.6

	オッズ比	95%信頼区間	
		下限	上限
年齢	1.08	1.06	1.11

AUC：0.63

B：血管内コイル塞栓術（高齢者）

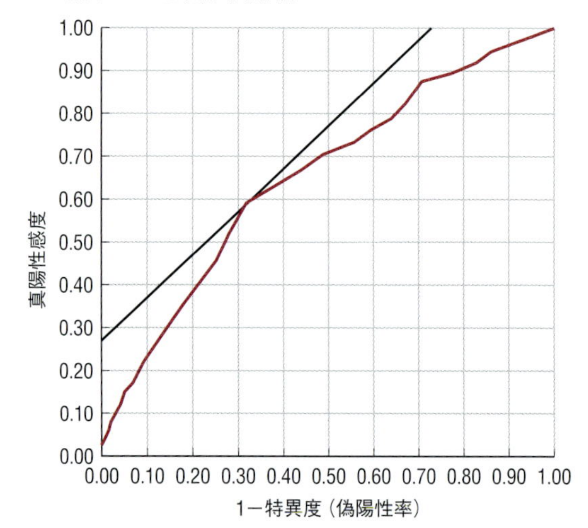

Youden Indexによるカットオフ年齢	1−特異度（%）	感度（%）	感度−（1−特異度）（%）
78	31.8	59.0	27.2

	オッズ比	95%信頼区間	
		下限	上限
年齢	1.08	1.05	1.11

AUC：0.65

C：開頭クリッピング術（高齢女性）

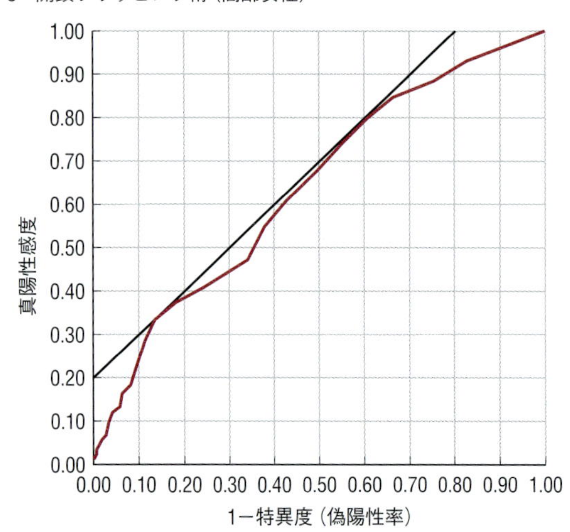

Youden Indexによるカットオフ年齢	1−特異度（%）	感度（%）	感度−（1−特異度）（%）
78	13.6	33.4	19.8

	オッズ比	95%信頼区間	
		下限	上限
年齢	1.09	1.06	1.12

AUC：0.64

D：血管内コイル塞栓術（高齢女性）

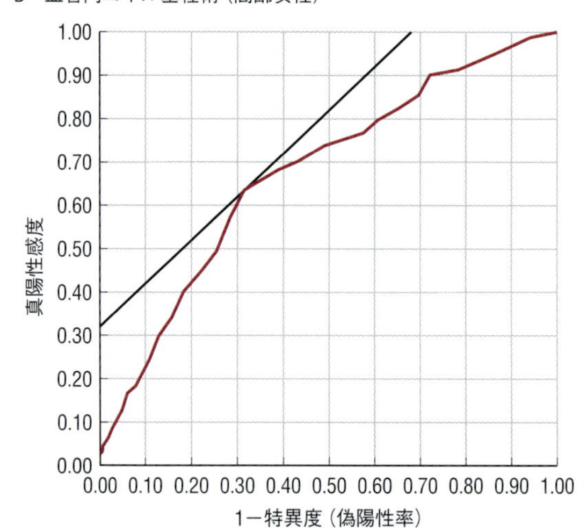

Youden Indexによるカットオフ年齢	1−特異度（%）	感度（%）	感度−（1−特異度）（%）
78	31.5	63.5	32.0

	オッズ比	95%信頼区間	
		下限	上限
年齢	1.09	1.06	1.13

AUC：0.67

experience in stroke registry: Japanese Stroke Databank. Am J Prev Med 2006; 31: S240-2.
8) Takizawa S, et al. Seasonal variation of stroke incidence in Japan for 35631 stroke patients in the japanese standard stroke registry, 1998-2007. J Stroke Cerebrovasc Dis 2013; 22: 36-41.
9) Xia ZW, et al. Coiling is not superior to clipping in patients with high-grade aneurysmal subarachnoid hemorrhage: Systematic review and meta-analysis. World Neurosurg 2017; 98: 411-20.
10) Spetzler RF, et al. Analysis of saccular aneurysms in the barrow ruptured aneurysm trial. J Neurosurg 2018; 128: 120-5.
11) Ikawa F, et al. In-hospital mortality and poor outcome after surgical clipping and endovascular coiling for aneurysmal subarachnoid hemorrhage using nationwide databases: A systematic review and meta-analysis. Neurosurg Rev 2020; 43: 655-67.
12) Ikawa F, et al. Risk management of aneurysmal subarachnoid hemorrhage by age and treatment method from a Nationwide Database in Japan. World Neurosurg 2019; 132: e89-98.
13) Goldberg J, et al. Survival and outcome after poor-grade aneurysmal subarachnoid hemorrhage in elderly patients. Stroke 2018; 49: 2883-9.

12 破裂脳動脈瘤に対する開頭手術と脳血管内手術のスコアリングモデル開発と検証

吉山道貫，井川房夫

- 脳卒中データバンクを用いて，転帰不良と死亡の危険因子を多変量解析した．
- 開頭手術群の危険因子は，年齢，高血圧症，脳卒中既往歴，WFNSグレード，CT Fisher分類，動脈瘤サイズであった．
- 血管内手術群の危険因子は，年齢，脳卒中既往歴，WFNSグレード，CT Fisher分類，動脈瘤部位であった．
- 以上より治療方法別スコアリングを作成し，別のデータベースで検証した．

はじめに

くも膜下出血（SAH）の治療は，AHA/ASA（American Heart Association/American Stroke Association）ガイドライン[1]では，開頭手術，血管内手術どちらでも可能な場合は血管内手術が推奨されており，世界的に血管内手術が選択される傾向にある．これは2002年に報告されたInternational Subarachnoid Aneurysm Trial（ISAT）[2]の影響が大きい．しかし重症例では，血管内手術の開頭手術に対しての優性を示すエビデンスは少ない[3, 4]．

今回，筆者らは日本脳卒中データバンク（JSDB）のデータを用いて，転帰不良（modified Rankin scale〈mRS〉>2）と院内死亡の危険因子に関する多変量解析[5]を行い，それをもとにスコアリング作成を行った[6]．

対象と方法

筆者らは，1998年から2013年の脳卒中データバンクのSAHデータベースを用いた．全101,165例中，SAHデータベースに登録された5,344例を一次対象[5]に，そのうち解離性や偽性動脈瘤を除く破裂嚢状動脈瘤4,693例を抽出，根治的治療（開頭手術か血管内手術のどちらかのみ）を施行した3,547例を対象とした[7]．退院時mRS>2を転帰不良と定義した．年齢，性別，高血圧症，糖尿病，脳卒中既往歴，WFNSグレード，CT Fisher分類，動脈瘤サイズ（<6，6～14，15～24，>24 mm），動脈瘤部位（前大脳動脈，前交通動脈，内頸動脈-後交通動脈，中大脳動脈，内頸動脈，後大脳動脈，椎骨脳底動脈）を検討項目とした．転帰不良と院内死亡に寄与する危険因子については多変量解析を行った．それぞれの危険因子に基づきスコアリングを作成，その妥当性を検証した．

結果

全3,547例のうち，開頭手術が2,666例，血管内手術が881例で，それぞれの転帰不良と院内死亡の危険因子に関する多変量ロジスティック解析を表1，2に示した．開頭手術群での危険因子は，年齢，高血圧症，脳卒中既往歴，WFNSグレード，CT Fisher分類，動脈瘤サイズであり，血管内手術群では年齢，脳卒中既往歴，WFNSグレード，CT Fisher分類，動脈瘤部位であった．

次にこれらの危険因子のオッズ比，回帰係数をTRIPOD statement[7]に当てはめ計算した．

$$\text{probability} = \exp[\beta 1X1 + \beta 2X2 + \cdots + \beta kXk]/[1 + \exp(\beta 1X1 + \beta 2X2 + \cdots + \beta kXk)]$$
$$= 1/[1 + \exp(-\langle \beta 1X1 + \beta 2X2 + \cdots + \beta kXk \rangle)]$$

βn：回帰係数，Xn：説明変数，$\exp(\beta) = \text{OR}$

作成されたスコアリングを表3に示したが，オッズ比が2以上の危険因子を採用した．開頭手術群で年齢：72歳以上（1点），脳卒中既往歴：1回以上（1点），高血圧：1点，WFNSグレード：II（1点），III（1点），IV（2点），V（3点），動脈瘤サイズ：15 mm以上（1点），動脈瘤部位：椎骨脳底動脈（1点），血管内手術群で年齢：80歳以上（1点），脳卒中既往歴：1回（1点），WFNSグレード：III（1点），IV（2点），V（3点），CT Fisher分類：4（1点），動脈瘤部位：中大脳動脈（1点），前大脳動脈（1点）であった．

このスコアリングの妥当性を別のデータセットで検証した．2000年から2018年のあいだに島根県立中央病院でSAHと診断された651例のうち，根治的治療（開頭手術か血管内手術のどちらかのみ）を施行し，独立した269例で検証した．両群とも，スコアリングの大きさ，転帰不良（mRS>2）の割合，mRSの中央値（四分位値）が相関した（図1，2）．

考察

重症SAHにおける危険因子の解析，スコアリングは既存しているが，開頭手術と脳血管内手術を比較した解析，スコアリングに関しては，われわれの知る限り渉猟できない．これまで筆者らは，1998年から2013年の脳卒中データバンクを用いてSAHに対する治療方法別の独立した危険因子を解析してSAH

表1 開頭手術（2,666例）での転帰不良（mRS>2）と院内死亡の危険因子に関する多変量ロジスティック解析

		転帰不良		院内死亡	
		オッズ比（95% CI）	*p*値	オッズ比（95% CI）	*p*値
年齢		1.06（1.05～1.07）	<0.001*	1.03（1.01～1.04）	<0.001*
女性		0.85（0.67～1.08）	0.180	0.72（0.51～1.01）	0.057
高血圧症		1.38（1.08～1.77）	0.010*	1.47（1.03～2.11）	0.034*
糖尿病		1.43（0.77～2.64）	0.251	1.48（0.66～3.33）	0.346
脳卒中既往歴	1回	1.00（0.65～1.55）	0.988	1.47（0.87～2.50）	0.154
	1回以上	4.57（1.10～18.98）	0.041*	1.40（0.27～7.17）	0.685
WFNSグレード	I	reference			
	II	2.16（1.64～2.87）	<0.001*	1.75（1.05～2.91）	0.032*
	III	2.52（1.74～3.66）	<0.001*	1.95（1.00～3.78）	0.049*
	IV	9.20（6.66～12.71）	<0.001*	5.10（3.13～8.32）	<0.001*
	V	20.81（14.05～30.82）	<0.001*	8.44（5.09～14.00）	<0.001*
CT Fisher分類	1	reference			
	2	0.79（0.38～1.66）	0.538	0.37（0.13～1.06）	0.063
	3	1.25（0.62～2.54）	0.533	0.68（0.27～1.69）	0.409
	4	2.25（1.07～4.76）	0.033*	0.79（0.30～2.06）	0.630
動脈瘤サイズ（mm）	<6	reference			
	6～14	1.10（0.89～1.37）	0.396	1.30（0.95～1.78）	0.099
	15～24	1.97（1.09～3.56）	0.02*	2.73（1.46～5.11）	0.002*
	>24	5.92（0.70～50.02）	0.102	4.19（1.09～16.18）	0.038*
動脈瘤部位	IC-PC	reference			
	ACA	1.39（0.91～2.16）	0.128	0.56（0.27～1.18）	0.130
	ACoA	0.92（0.70～1.24）	0.617	1.06（0.70～1.61）	0.787
	MCA	0.89（0.68～1..19）	0.453	0.93（0.63～1.37）	0.717
	その他のICA	0.24（0.02～2.64）	0.240	N/A	
	VBA	1.30（0.71～2.43）	0.394	1.27（0.58～2.78）	0.550

ACA：前大脳動脈，ACoA：前交通動脈，CI：信頼区間，ICA：内頸動脈，IC-PC：内頸動脈-後交通動脈，MCA：中大脳動脈，N/A：該当なし，VBA：椎骨脳底動脈，WFNS：World Federation of Neurological Surgeons

*$p<0.05$

表2 血管内手術（881例）での転帰不良（mRS>2）と院内死亡の危険因子に関する多変量ロジスティック解析

		転帰不良		院内死亡	
		オッズ比（95% CI）	*p*値	オッズ比（95% CI）	*p*値
年齢		1.07（1.05～1.09）	<0.001*	1.03（1.01～1.05）	<0.001*
女性		0.91（0.57～1.47）	0.710	1.26（0.75～2.11）	0.389
高血圧症		1.06（0.68～1.66）	0.795	1.53（0.95～2.46）	0.078
糖尿病		1.11（0.42～2.97）	0.830	0.75（0.25～2.26）	0.614
脳卒中既往	1回	3.03（1.61～5.72）	<0.001*	2.17（1.25～3.77）	0.006*
	1回以上	3.44（0.53～22.64）	0.197	N/A	
WFNSグレード	I	reference			
	II	1.23（0.72～2.11）	0.440	1.52（0.69～3.35）	0.296
	III	4.59（2.32～9.11）	<0.001*	3.87（1.60～9.34）	0.003*
	IV	7.67（4.30～13.68）	<0.001*	3.64（1.73～7.66）	0.001*
	V	24.38（12.52～47.49）	<0.001*	9.63（4.69～19.80）	<0.001*
CT Fisher分類	1	reference			
	2	3.18（0.79～12.83）	0.103	N/A	
	3	4.26（1.12～16.19）	0.033*	N/A	
	4	7.35（1.74～31.00）	0.007*	N/A	
動脈瘤サイズ（mm）	<6	reference			
	6～14	1.08（0.72～1.62）	0.719	1.12（0.73～1.73）	0.596
	15～24	1.77（0.62～5.05）	0.282	1.32（0.54～3.22）	0.548
	>24	N/A		N/A	
動脈瘤部位	IC-PC	reference			
	ACA	3.88（1.31～11.48）	0.011*	0.97（0.33～2.90）	0.960
	ACoA	1.31（0.80～2.16）	0.272	1.16（0.67～2.01）	0.602
	MCA	0.94（0.43～2.08）	0.896	2.52（1.15～5.51）	0.021*
	その他のICA	1.17（0.22～6.18）	0.580	8.81（1.92～40.50）	0.005*
	VBA	1.91（1.14～3.23）	0.012*	1.83（1.06～3.15）	0.030*

*$p<0.05$

表3 スコアリング（開頭手術と血管内手術）

開頭手術			血管内手術		
危険因子		スコア	危険因子		スコア
年齢≧72		1	年齢≧80		1
脳卒中既往歴1回以上		1	脳卒中既往歴1回		1
WFNSグレード	II, III	1	WFNSグレード	III	1
	IV	2		IV	2
	V	3		V	3
CT Fisher分類		N/A	CT Fisher分類4		1
動脈瘤サイズ>15 mm		1	動脈瘤サイズ		N/A
動脈瘤部位	VBA	1	動脈瘤部位	MCA	1
				ACA	1

の治療成績について報告してきたが[8]，両群の治療における年齢のカットオフ値[9]に，今回解析を行ったデータを追加して，年齢に関するスコアリングを作成した．解析した危険因子およびスコアリングに関しては，以下のリミテーションが考えられる．

① 日本の脳卒中データバンクからの解析のため，その解釈は他国では注意を要すること．
② 背景因子に喫煙歴，飲酒歴，動脈瘤因子に動脈瘤のneck-dome比，blebの有無等が検討項目に含まれていない．
③ 開頭手術群で椎骨脳底動脈瘤が3.3％と低い頻度で，十分な解析ができていない．
④ 2013年以降，開頭手術および血管内手術それぞれにおいて治療革新しており，反映されていない．

臨床現場においてSAHの治療選択は，それぞれの施設，術者，地域により異なるが，このスコアリングは客観的に使用可能であり，治療選択の一助となりうる．

今後，脳卒中データバンクの症例登録を継続して行い，より多くの検討項目において危険因子の解析およびスコアリング作成のアップデートが必要である．

結論

脳卒中データバンクを用いて，SAHに対する治療方法別に独立した危険因子を検証して，臨床的転帰を予測するスコアリングを開発した．このスコアリングは，臨床診療の現場において，SAH患者の治療に関して意思決定の一助として，簡単に利用可能と考えられる．

図1 開頭手術でのスコアリングの大きさ，転帰不良（mRS>2）の割合，mRSの中央値（四分位値）

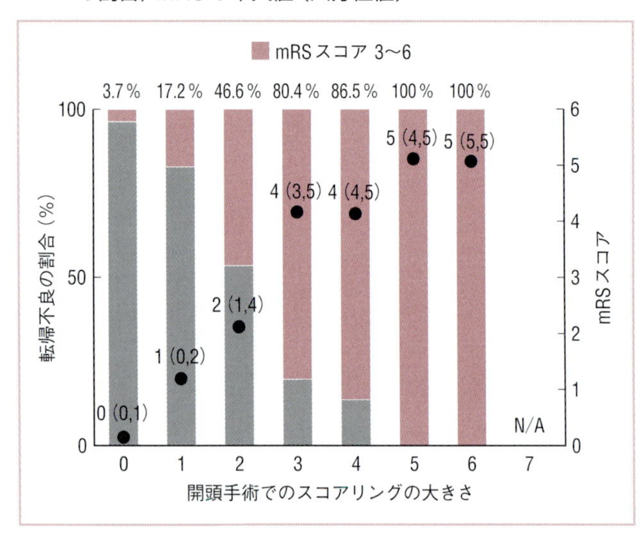

図2 血管内手術でのスコアリングの大きさ，転帰不良（mRS>2）の割合，mRSの中央値（四分位値）

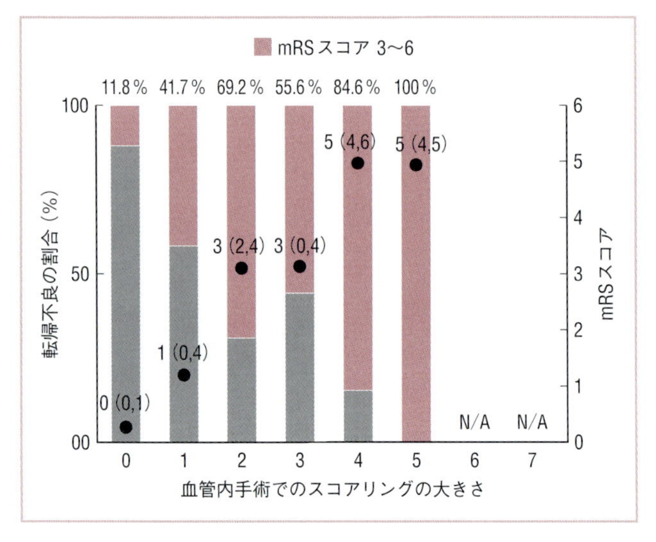

● 文献

1) Lanzino G, et al. Coil embolization versus clipping for ruptured intracranial aneurysms: A meta-analysis of prospective controlled published studies. AJNR Am J Neuroradiol 2013; 34: 1764-8.
2) Molyneux A, et al. International Subarachnoid Aneurysm Trial (ISAT) of neurosurgical clipping versus endovascular coiling in 2143 patients with ruptured intracranial aneurysms: A randomised trial. Lancet 2002; 360: 1267-74.
3) Lindgren A, et al. Endovascular coiling versus neurosurgical clipping for people with aneurysmal subarachnoid haemorrhage. Cochrane Database Syst Rev 2018; 8: CD003085.
4) Xia ZW, et al. Coiling Is Not Superior to Clipping in Patients with High-Grade Aneurysmal Subarachnoid Hemorrhage: Systematic Review and Meta-Analysis. World Neurosurg 2017; 98: 411-20.
5) Ikawa F, et al. Analysis of outcome at discharge after aneurysmal subarachnoid hemorrhage in Japan according to the Japanese stroke databank. Neurosurg Rev 2018; 41: 567-74.
6) Yoshiyama M, et al. Development and validation of scoring indication of surgical clipping and endovascular coiling for aneurysmal subarachnoid hemorrhage from the post hoc analysis of Japan

Stroke Data Bank. Neurol Med Chir 2020; advance online publication.

7) Collins GS, et al. Transparent Reporting of a multivariable prediction model for Individual Prognosis or Diagnosis (TRIPOD): The TRIPOD statement. Ann Intern Med 2015; 162: 55-63.

8) Ikawa F, et al. In-hospital mortality and poor outcome after surgical clipping and endovascular coiling for aneurysmal subarachnoid hemorrhage using nationwide databases: A systematic review and meta-analysis. Neurosurg Rev 2020; 43: 655-67.

9) Ikawa F, et al. Effect of actual age on outcome at discharge in patients by surgical clipping and endovascular coiling for ruptured cerebral aneurysm in Japan. Neurosurg Rev 2018; 41: 1007-11.

日本脳卒中データバンク運営規約
(2018年4月13日改正)

(名称)

第1条 本事業は，日本脳卒中データバンク (Japan Stroke Data Bank (JSDB)) と称する.

(目的)

第2条 本事業は，脳卒中患者の治療の実態および予後を継続的に把握するとともに，治療成績を分析し，日本における脳卒中患者の治療指針を検証すること，並びに最適な治療法の研究およびエビデンス作成等を目的とする.

(事業)

第3条 本事業は，前条の目的を達成するために下記事項を行う.

一 脳卒中患者の診療実態調査

二 調査結果に基づく政策提言等を含む情報発信

三 その他本事業の目的を達成するために必要な業務

(構成員)

第4条 本事業は，その目的に賛同し，患者登録に協力することを表明している医師および研究者をもって構成する.

2 構成員は所属施設（診療科）における脳卒中データベースを利用し，事務局への脳卒中患者データ登録を行うことを原則とする.

3 本事業への参加および脱退は，運営委員会に諮ったうえ承認を得る.

(運営委員会)

第5条 本事業は，円滑な運営を図るため運営委員会を設置し，若干名の運営委員をおく.

2 運営委員は構成員の承認により定め，運営委員長は運営委員の承認により定める.

3 運営委員会の定足数は委任状も含めて委員総数の過半数とし，運営委員会は出席者の過半数により議決する.

4 運営委員の任期は任命された翌年度の3月31日までとし，再任を妨げない.

(平成30年4月13日改正)

5 運営委員長は，審議内容により，対面での委員会を開催せず電子メール等で委員の全員に資料を送付し審議を行うことができる.

6 運営委員長は，自身の代理人を委員の中から任命することができる.

(運営委員の職務)

第6条 運営委員長および運営委員は，次の職務を負う.

一 運営委員長は，本事業の情報の守秘義務を含めた本事業の管理運営を統括し全責任を負う.

二 運営委員長は年に1回以上，運営委員を招集し運営委員会を開催する

三 運営委員は，本事業の運営に関与し，事業計画，事業の倫理性・妥当性，データ項目の検討，データ公表方法，構成員の参加および脱退等について審議する.

(守秘義務)

第7条 構成員およびその補助者等として本事業に関与した者は，収集，解析，調査等により生じた本事業に係る情報を第三者に開示してはならない.

2 構成員は前項の情報を，学会発表等の学術研究目的に使用する場合に限り，別途定めるデータ利用細則に基づき利用できるものとする.

(事務局)

第8条 本事業の目的を達成するために必要な事務業務を遂行するため事務局を国立循環器病研究センター内に設置し，次の職務を行う.

一 診療実態調査の運営事務およびデータ収集管理

二 年次報告書の作成および報告会の開催

三 ホームページ等によるデータ公開

四 運営委員会の開催支援

(顧問)

第9条 本事業に若干名の顧問を置く.

2 顧問は，必要と認められる場合に委員会に出席するほか，本事業の研究・運営全般に亘り意見を述べ，また委員会の諮問に応ずるものとする.

(データ利用)

第10条 本事業で収集したデータの利活用に係る規定は，データ利用細則に別途定める.

(本規約の改正)

第11条 本規約は運営委員会の議決により改正する.

附則

(施行期日)

本規約は，平成29年3月16日から施行する.

附則

(平成30年4月13日改正)

本規約は，平成30年4月13日から施行する.

日本脳卒中データバンク運営委員会

委員長

豊田　一則　国立循環器病研究センター副院長

委員（五十音順）

飯原　弘二　国立循環器病研究センター病院長
板橋　　亮　岩手医科大学脳神経内科・老年科分野教授
上山　憲司　社会医療法人医仁会中村記念病院脳神経外科診療本部長
宇野　昌明　川崎医科大学脳神経外科教授
小笠原邦昭　岩手医科大学脳神経外科教授
北園　孝成　九州大学大学院医学研究院病態機能内科学教授
古賀　政利　国立循環器病研究センター脳血管内科部長
野川　　茂　東海大学医学部付属八王子病院副院長・神経内科学教授
宮本　恵宏　国立循環器病研究センターオープンイノベーションセンター長
山口　修平　島根県病院局病院事業管理者

顧問

小林　祥泰　医療法人社団耕雲堂小林病院理事長
峰松　一夫　国立循環器病研究センター名誉院長

日本脳卒中データバンク事務局

事務局代表　吉村　壮平
事務局運営担当　三輪　佳織
事務局運営担当　髙下　純平
事務局運営担当　石上　晃子
事務局運営担当　伊藤　　愛
事務局運営担当　廣田亜希子
事務局データ管理担当　岩永　善高
事務局データマネージメント　笹原　祐介
事務局データマネージメント　住田　陽子
事務局データ分析担当　中井　陸運

〒564-8565　大阪府吹田市岸部新町6-1
国立循環器病研究センター内
URL：http://strokedatabank.ncvc.go.jp/
E-mail：strokedatabank@ncvc.go.jp

国循脳卒中データバンク2021編集委員会

豊田　一則（委員長）
石上　晃子（以下五十音順）
片岡　大治
髙下　純平
古賀　政利
笹原　祐介
住田　陽子
中井　陸運
丸田　明子
宮本　恵宏
三輪　佳織
吉村　壮平

日本脳卒中データバンク参加施設

（2021年1月1日現在）

参加施設数の年次推移

参加施設の全国分布

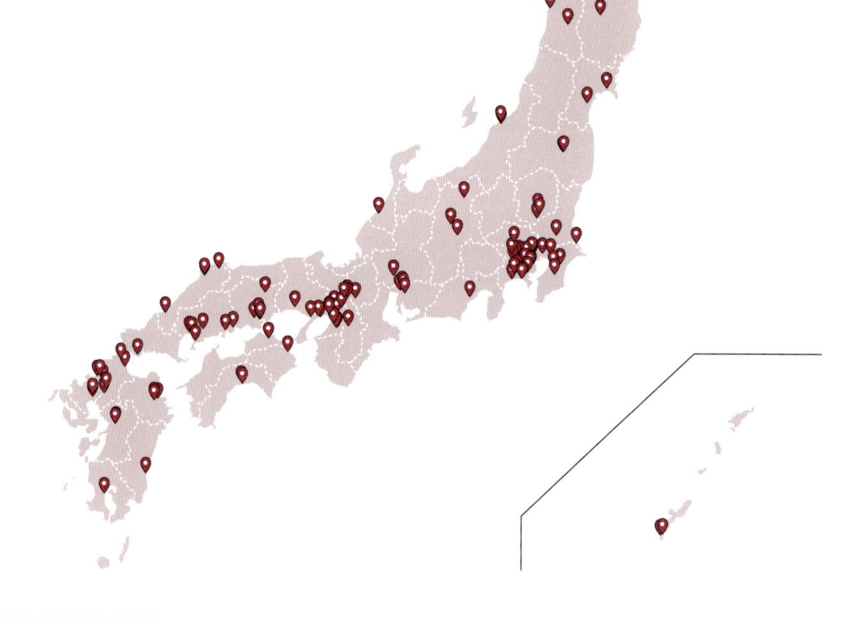

地域別参加施設数

地域	参加施設数
北海道	7
東北	9
関東	37
中部	13
近畿	19
中国	20
四国	4
九州沖縄	21

参加施設の登録担当科の内訳

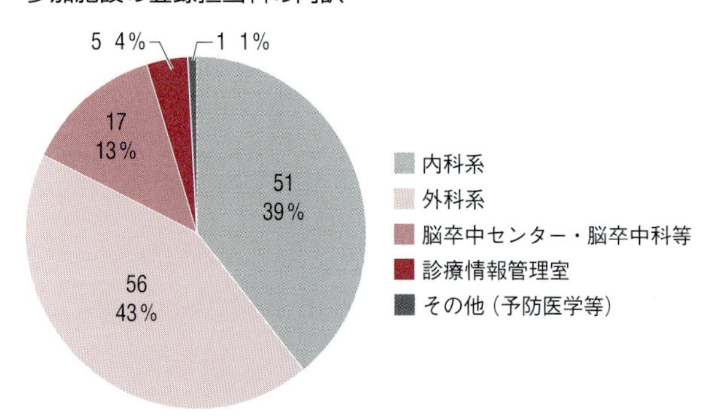

参加施設名（地域別）	責任者（敬称略）
旭川医科大学病院	片山　隆行
手稲渓仁会病院	穂刈　正昭
医仁会中村記念病院	上山　憲司
北海道大学医学部	杉山　拓
北海道脳神経外科記念病院	青樹　毅
渓和会江別病院	石井　伸明
函館脳神経外科病院	山崎　貴明
岩手県立久慈病院	三浦　一之
岩手医科大学	小笠原邦昭
秋田県立循環器・脳脊髄センター	佐々木正弘
市立秋田総合病院	羽入　紀朋
大曲厚生医療センター	柳澤　俊晴
石巻赤十字病院	及川　崇紀
広南会広南病院	矢澤由加子
太田綜合病院附属太田西ノ内病院	川上　雅久
脳神経疾患研究所附属総合南東北病院	小泉　仁一
獨協医科大学病院	竹川　英宏
自治医科大学	藤本　茂
新小山市民病院	亀田　知明
東京医科大学茨城医療センター	齋田　晃彦
玉心会鹿嶋ハートクリニック	大橋　智生
埼玉医科大学国際医療センター	髙橋　愼一
虎の門病院	上坂　義和
東京都済生会中央病院	星野　晴彦
NTT東日本関東病院	市川　靖充
東京都保健医療公社荏原病院	田久保秀樹
東京医科大学病院	相澤　仁志
慶應義塾大学病院	中原　仁
国立国際医療研究センター病院	原　徹男
東京女子医科大学病院	北川　一夫
JCHO東京山手メディカルセンター	小山　俊一
総合東京病院	森　健太郎
東京都健康長寿医療センター	高梨　成彦
杏林大学医学部	平野　照之
国家公務員共済組合連合会立川病院	服部　英典
東海大学医学部付属八王子病院	野川　茂
東京医科大学八王子医療センター	神保　洋之
公立阿伎留医療センター	伊藤　宣行
東京歯科大学市川総合病院	菅　貞郎
東京女子医科大学附属八千代医療センター	川島　明次
東千葉メディカルセンター	町田　利生
千葉労災病院	三枝　敬史
千葉県循環器病センター	赤荻　悠一
石心会川崎幸病院	神林　智作
横浜労災病院脳神経内科	今福　一郎
横浜新都市脳神経外科病院	森本　将史
済生会横浜市東部病院	丸山　路之
横浜市立脳卒中・神経脊椎センター	山本　正博
海老名総合病院	小林　智範
湘南鎌倉総合病院	森　貴久
藤沢脳神経外科病院	数野　通丈
東海大学医学部付属病院	永田栄一郎
東海大学医学部付属大磯病院	高橋　若生
新潟市民病院	森田　健一
新潟大学医歯学総合病院	藤井　幸彦
長野市民病院	草野　義和
慈泉会相澤病院	向井　知巳
諏訪赤十字病院	和田　直道
静岡県立総合病院	原田　清
小松市民病院	廣田　雄一
松波総合病院	澤田　元史
中部労災病院	梅村　敏隆
名古屋掖済会病院	落合　淳
名古屋市立東部医療センター	山田健太郎
名古屋第二赤十字病院	安井　敬三
藤田医科大学病院	松本　省二
滋賀医科大学脳神経外科/脳神経内科	野崎　和彦
京都第一赤十字病院	今井　啓輔

参加施設名（地域別）	責任者（敬称略）
京都第二赤十字病院	永金　義成
京都府立医科大学附属病院	水野　敏樹
清仁会シミズ病院	吉田　享司
大阪大学医学部附属病院	藤堂　謙一
国立循環器病研究センター	古賀　政利
関西医科大学総合医療センター	岩瀬　正顕
JCHO星ヶ丘医療センター	高橋　務
NHO大阪南医療センター	高橋　大介
近畿大学医学部附属病院	大槻　俊輔
堺市立総合医療センター	中島　義和
奈良県立医科大学附属病院	杉江　和馬
神戸市立医療センター中央市民病院	坂井　信幸
栄昌会吉田病院附属脳血管研究所	吉田　泰久
関西ろうさい病院	瀧　琢有
兵庫医科大学	吉村　紳一
兵庫県立姫路循環器病センター	上原　敏志
明石市立市民病院	齋藤　実
松江赤十字病院	福田　弘毅
島根大学医学部附属病院脳神経内科	長井　篤
島根大学医学部附属病院脳神経外科	秋山　恭彦
島根県立中央病院	井川　房夫
益田赤十字病院	松井　龍吉
岡山大学病院	阿部　康二
川崎医科大学	八木田佳樹
NHO岡山医療センター	真邊　泰宏
岡山労災病院	足立　吉陽
岡山旭東病院	河田　幸枝
津山中央病院	吉田　秀行
脳神経センター大田記念病院	寺澤　由佳
尾道市立市民病院	大同　茂
翠清会梶川病院	若林　伸一
荒木脳神経外科病院	荒木　勇人
広島大学病院脳神経内科	丸山　博文
広島大学病院脳神経外科	坂本　繁幸

参加施設名（地域別）	責任者（敬称略）
NHO呉医療センター・中国がんセンター	鳥居　剛
NHO東広島医療センター	西川　智和
山口大学医学部	石原　秀行
香川大学医学部	田宮　隆
徳島大学病院	髙木　康志
近森会近森病院	山﨑　正博
高知医療センター	西村　裕之
陽明会小波瀬病院	高橋　治城
小倉記念病院	波多野武人
済生会福岡総合病院	園田　和隆
NHO九州医療センター	岡田　靖
九州大学病院	北園　孝成
福岡徳洲会病院	吉田　英紀
文佑会原病院	髙橋　和範
福岡市立病院機構福岡市民病院	平川　勝之
久留米大学	森岡　基浩
聖マリア病院	福嶌　由尚
嶋田病院	藤野　泰祐
佐賀県医療センター好生館	杉森　宏
佐賀大学医学部附属病院	原　英夫
久真会河野脳神経外科病院	河野　義久
永冨脳神経外科病院	湧川　佳幸
大分市医師会立アルメイダ病院	郷田　周
熊本赤十字病院	寺﨑　修司
宮崎県立宮崎病院	米山　匠
鹿児島市立病院	時村　洋
那覇市立病院	豊見山直樹
琉球大学医学部附属病院	大屋　祐輔

索引

和文索引

あ

い

う・え

お

か

き

く

け

欧文索引

G・H

I

J

L・M

N

O・P

Q・R

S

T

V

W

中山書店の出版物に関する情報は，小社サポートページをご覧ください．
https://www.nakayamashoten.jp/support.html

脳卒中データバンク2021

2021年3月12日　初版第1刷発行 ©〔検印省略〕

編　集……国循脳卒中データバンク2021編集委員会

発行者……平田　直

発行所……株式会社 中山書店
〒112-0006　東京都文京区小日向4-2-6
TEL 03-3813-1100（代表）振替 00130-5-196565
https://www.nakayamashoten.jp/

装丁・DTP制作……臼井弘志（公和図書デザイン室）

印刷・製本……三松堂株式会社

ISBN978-4-521-74885-6
Published by Nakayama Shoten Co., Ltd.　Printed in Japan
落丁・乱丁の場合はお取り替え致します